A CANÇÃO DE TRÓIA

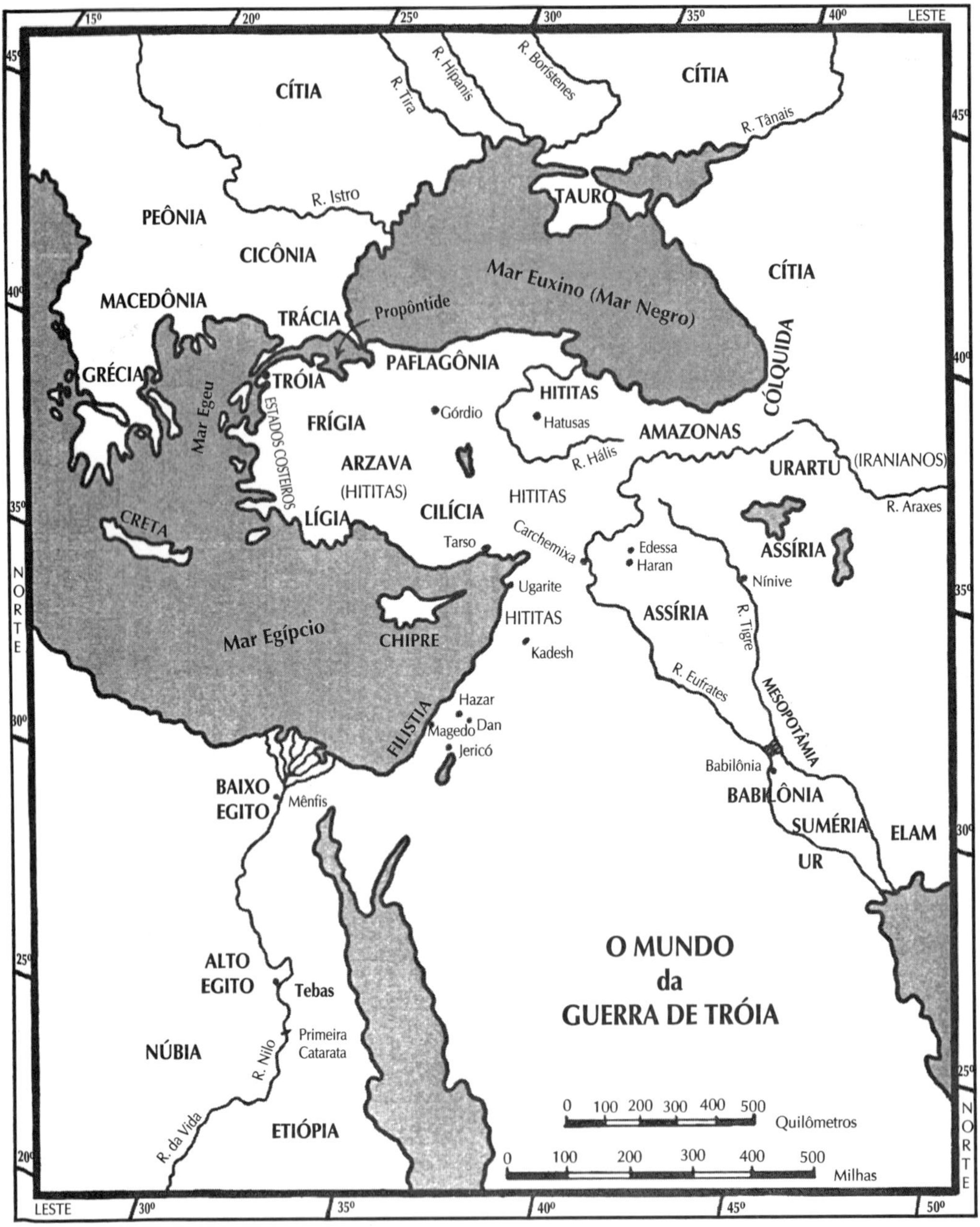

O MUNDO da GUERRA DE TRÓIA
CÍTIA
R. Tira
R. Hipanis
R. Borístenes
CÍTIA
R. Tânais
R. Istro
TAURO
PEÔNIA
CICÔNIA
Mar Euxino (Mar Negro)
CÍTIA
MACEDÔNIA
TRÁCIA
Propôntide
CÓLQUIDA
PAFLAGÔNIA
GRÉCIA
TRÓIA
HITITAS
Hatusas
Górdio
FRÍGIA
Mar Egeu
ESTADOS COSTEIROS
AMAZONAS
R. Hális
ARZAVA
(HITITAS)
URARTU
(IRANIANOS)
R. Araxes
HITITAS
CILÍCIA
LÍGIA
CRETA
Tarso
Carchemixa
Edessa
Haran
ASSÍRIA
Nínive
Ugarite
HITITAS
ASSÍRIA
R. Tigre
Mar Egípcio
CHIPRE
Kadesh
R. Eufrates
MESOPOTÂMIA
Hazar
Dan
Magedo
Jericó
FILISTIA
Babilônia
BAIXO EGITO
Mênfis
BABILÔNIA
SUMÉRIA
ELAM
UR
ALTO EGITO
Tebas
Primeira Catarata
NÚBIA
R. Nilo
R. da Vida
ETIÓPIA
0 100 200 300 400 500 Quilômetros
0 100 200 300 400 500 Milhas
LESTE
NORTE

Colleen McCullough

A CANÇÃO DE TRÓIA

Tradução
Maria D. Alexandre

BERTRAND BRASIL

Título original: *The Song of Troy*

Capa: Rodrigo Rodrigues

Editoração: DFL

2002
Impresso no Brasil
Printed in Brazil

Cip-Brasil. Catalogação-na-fonte
Sindicato Nacional dos Editores de Livros, RJ

M429c McCullough, Colleen, 1937-
A canção de Tróia / Colleen McCullough; tradução de Maria D. Alexandre. — Rio de Janeiro: Bertrand Brasil, 2002
616p.

Tradução de: The song of Troy
ISBN 85-286-0874-3

1. Tróia, guerra de — Ficção. 2. Romance australiano. I. Alexandre, Maria D. II. Título.

CDD – 828.99343
02-1635 CDU – 820 (94)-3

EDITORA BERTRAND BRASIL LTDA.
Rua Argentina, 171 – 1º andar – São Cristóvão
20921-380 – Rio de Janeiro – RJ
Tel.: (0xx21) 2585-2070 – Fax: (0xx21) 2585-2087

Para meu irmão, Carl, que morreu em Creta, em 5 de setembro de 1965, tentando salvar algumas mulheres do afogamento.

ηαℜντα δεℑ καλαℑ θαϖοℜϖτι περ, ο⊗ττ φαϖιℜη.
A morte não consegue expor nele nada que não seja belo.
Homero, *Ilíada*, 22.73

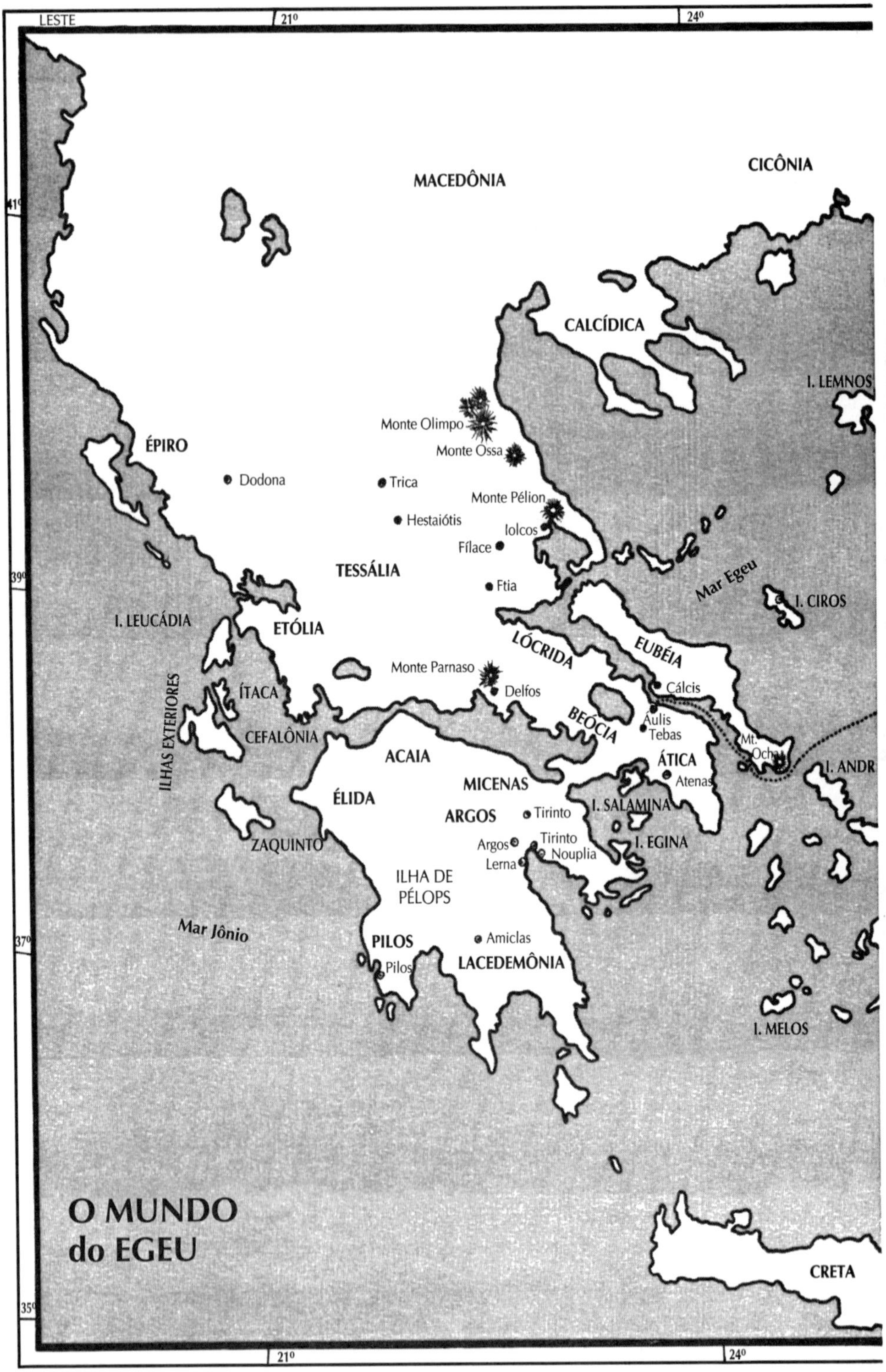

LESTE
21º
24º
41º
39º
37º
35º
MACEDÔNIA
CICÔNIA
CALCÍDICA
I. LEMNOS
ÉPIRO
Monte Olimpo
Monte Ossa
Dodona
Trica
Monte Pélion
Hestaiótis
Iolcos
Fílace
TESSÁLIA
Ftia
Mar Egeu
I. CIROS
I. LEUCÁDIA
ETÓLIA
LÓCRIDA
EUBÉIA
Monte Parnaso
Delfos
Cálcis
ÍTACA
ILHAS EXTERIORES
BEÓCIA
Áulis
Tebas
CEFALÔNIA
ACAIA
ÁTICA
Mt. Ocha
Atenas
MICENAS
ÉLIDA
ARGOS
Tirinto
I. SALAMINA
ZAQUINTO
Argos
Tirinto
Nouplia
I. EGINA
Lerna
ILHA DE PÉLOPS
Mar Jônio
PILOS
Amiclas
Pilos
LACEDEMÔNIA
I. MELOS
O MUNDO do EGEU
CRETA

27º
30º
Bósforo
Mar Euxino
41º
TRÁCIA
Propôntioe
BITÍNIA
NORTE
I. SAMOTRÁCIA
Tebas Hipoplaquiana
Helesponto
Monte Olimpo Asiático
TRÓADA
Tróia
I. TÉNEDO
Sigeu
DARDÂNIA
Monte Ida
Lirnesso
Assos
Andramítio
39º
Antissa
Termos
MÍSIA
FRÍGIA
I. LESBOS
Quime
LÍDIA
Focéia
ARZANA
(Hititas)
Esmirna
Clazómenas
Colofão
QUIOS
SAMOS
Apaso
Priena
CÁRIA
Mileto
37º
Mar Egeu
Halicarnasso
LÍQUIA
Telmesso
Pátora
Mira
I. THERA
RODES
Rota da Frota Grega
0 20 40 60 80 100
Quilômetros
35º
0 20 40 60 80 100
Milhas
27º
30º

CAPÍTULO PRIMEIRO

NARRADO POR
PRÍAMO

Nunca houve uma cidade como Tróia. O jovem sacerdote Calcas, enviado à egípcia Tebas durante seu noviciado, regressou indiferente às pirâmides construídas ao longo da margem ocidental do Rio da Vida. Tróia, declarou, era mais imponente, pois toda ela se erguia mais alto e seus edifícios albergavam os vivos e não os mortos. No entanto, acrescentou, havia uma circunstância atenuante: os egípcios possuíam Deuses inferiores; tinham movido suas pedras com mãos mortais, ao passo que as poderosas muralhas de Tróia haviam sido erigidas pelos próprios Deuses. A plana Babilônia, disse ainda Calcas, também não competia com Tróia, pois sua altura era a que permitia a lama do rio, e suas muralhas pareciam obra de crianças.

Não se lembra homem nenhum de quando foram construídas nossas muralhas, pois isso sucedeu há muito, muito tempo. Todos, contudo, conhecem a história. Dárdano (filho do Rei de nossos Deuses, Zeus) apossou-se da península que existe na ponta extrema da Ásia Menor, onde, ao norte, o mar Euxino derrama suas águas no mar Egeu, correndo pelo exíguo estreito do Helesponto. Dárdano dividiu o novo reino e deu a parte sul a seu segundo filho, que denominou Dardânia seu domínio e instalou a capital na cidade de Lirnesso. Embora menor, a parte norte é muitíssimo mais rica; foram-lhe conferidos a tutela sobre o Helesponto e o direito de impor tributos a todos os mercadores que entrassem ou saíssem do mar Euxino. A essa parte chamamos Tróada, sendo sua capital, Tróia, que se ergue sobre o monte de mesmo nome.

Zeus amava seu filho mortal. Por isso, quando Dárdano pediu a seu divino pai que desse a Tróia muralhas indestrutíveis, foi com grande prazer que Zeus lhe satisfez o desejo. Nessa época, dois Deuses não estavam nas boas graças de Zeus: Poseidon, Senhor do Mar, e Apolo, Senhor da Luz. Ordenou-lhes Zeus que seguissem para Tróia e construíssem muralhas mais altas, mais grossas e mais fortes do que todas as outras. Era trabalho muito pouco indicado para o delicado e enfastiado Apolo, que, a sujar-se e transpirar, preferia pegar sua lira — uma maneira, explicou ele ao ingênuo Poseidon, de ajudar a passar o tempo enquanto as muralhas iam subindo. E foi assim que Poseidon empilhou pedras sobre pedras, enquanto Apolo cantava para ele suas canções.

Poseidon, no entanto, não trabalhava de graça: exigira que, a partir de então, fosse depositada anualmente a soma de cem talentos de ouro em seu templo, na cidade de Lirnesso. O rei Dárdano concordou; desde tempos imemoriais, portanto, cem talentos de ouro foram pagos todos os anos ao templo de Poseidon em Lirnesso. O problema é que, precisamente quando meu pai, Laomêdon, subiu ao trono troiano, um terremoto devastador destruiu a Casa de Minos em Creta e arrasou o império da ilha de Tera. Nossa muralha ocidental ruiu, e meu pai contratou o engenheiro grego Éaco para reconstruí-la.

Éaco fez um bom trabalho, ainda que a nova muralha não tivesse nem as linhas suaves nem a beleza do resto do grandioso cerco de pedra erigido pelos Deuses.

O contrato com Poseidon (aparentemente, Apolo não se dignou sequer de pedir seu salário de músico), declarou então meu pai, deixara de ter validade. As muralhas, afinal de contas, não eram indestrutíveis. Portanto, os cem talentos de ouro pagos todos os anos ao templo de Poseidon em Lirnesso não voltariam a ser pagos. Nunca mais. Superficialmente, o argumento parecia válido — os Deuses, entretanto, sabiam, com toda a certeza, aquilo que eu, então um rapaz, estava farto de saber: o rei Laomêdon era um avarento incurável e odiava ter de pagar o precioso ouro de Tróia a um templo situado numa cidade rival, governada por uma dinastia rival, apesar de ligada à nossa pelo sangue.

Fosse qual fosse a verdadeira razão, o certo é que o ouro deixou de ser pago e nada de invulgar aconteceu durante aqueles anos em que a criança que eu era então se transformou no homem que agora sou.

Quando o leão apareceu, ninguém imaginou que o fato pudesse estar relacionado com Deuses ofendidos ou com as muralhas da cidade.

Nas verdejantes planícies ao sul de Tróia, ficava a fazenda onde meu pai criava seus cavalos, o único prazer que ele se permitia — embora, para o rei Laomêdon, até mesmo o prazer tivesse de dar lucro. Pouco tempo depois de Éaco, o grego, ter concluído a construção da muralha ocidental, chegou a Tróia um homem vindo de uma terra longínqua — tão longínqua, que dela só sabíamos que suas montanhas suportavam o céu e que sua relva era mais tenra e viçosa do que todas as outras do mundo. O refugiado trazia dez cavalos: três garanhões e sete éguas. Nunca tínhamos visto cavalos assim — corpulentos, velozes, elegantes, com abundantes crinas, longas caudas e belos focinhos, bem-comportados e dóceis. Esplêndidos para puxarem bigas! No instante em que o rei os viu, o destino do estrangeiro ficou traçado: morreu. Quanto a seus cavalos, passaram a ser propriedade privada do rei de Tróia, que, graças a esses dez belos exemplares, criou uma raça tão famosa, que mercadores de todo o mundo começaram a aparecer por lá, desejosos de comprar éguas e machos castrados; sim, porque meu pai era muito astuto para cair no erro de lhes vender um garanhão.

Pelo meio da fazenda, passava um velho e sinistro caminho, outrora usado pelos leões que, no verão, atravessavam a Ásia Menor rumo à Cítia, no norte, e que, no inverno, seguiam para o sul, para a Cária e a Lícia, onde o sol conservava o poder de aquecer suas fulvas peles. As caçadas tinham-nos dizimado; o caminho dos leões transformara-se num rego por onde corriam as águas de um riacho.

Há seis anos, os camponeses acorreram ao palácio de meu pai, lívidos de medo. Não esquecerei nunca a calma do rei, quando lhe disseram que três de suas melhores éguas estavam mortas e que um garanhão fora gravemente mutilado, tudo tendo sido obra de um leão.

Laomêdon não era por natureza propenso a acessos de cólera. Com voz rigorosamente controlada, ordenou a um destacamento dos guardas reais que na primavera seguinte se postasse no caminho em questão e matasse o animal.

Mas aquele não era um leão vulgar! Aparecia em todos os outonos e primaveras, mas tão furtivamente, que ninguém o via; e matava muito mais do que sua barriga precisava. Matava porque gostava de matar. Dois anos após seu aparecimento, os guardas reais surpreenderam-no atacando um garanhão. Avançaram para ele, batendo as espadas nos escudos, com o que pretendiam encostá-lo a um canto a fim de poder usar suas lanças. Em vez disso, o leão rugiu seu grito de guerra, correu na direção dos soldados e passou por eles como um pedregulho, deslizando por uma encosta. Os soldados se dispersaram, mas o rei dos animais teve ainda tempo para matar sete homens antes de seguir seu caminho sem um único arranhão.

Desse desastre resultou algo bom. Um dos homens dilacerados pelas garras do animal sobreviveu e foi contar aos sacerdotes, e em particular a Calcas, que o leão tinha a marca de Poseidon; em seu pálido flanco, via-se claramente o tridente negro do Deus. Calcas consultou imediatamente o Oráculo e anunciou que o leão pertencia de fato a Poseidon. Que nenhuma mão troiana tocasse o animal!, orientou, então, pois esse havia sido um castigo infligido a Tróia por se ter furtado ao pagamento dos cem talentos anuais ao Senhor dos Mares. E mais: o leão só iria embora quando Tróia retomasse o devido pagamento.

De início, meu pai ignorou Calcas e o Oráculo. No outono seguinte, ordenou novamente aos guardas reais que matassem o leão. Laomêdon, porém, subestimara o medo que todos os homens comuns têm aos Deuses: mesmo quando ameaçou os guardas com a morte, eles se recusaram a obedecer. Furioso, mas decidido a não ceder, meu pai informou Calcas de que não pagaria ouro troiano a Lirnesso — os sacerdotes que pensassem numa alternativa. Calcas voltou a consultar o Oráculo, que anunciou, de forma muito clara, haver de fato uma alternativa. Se, todos os outonos e primaveras, seis virgens escolhidas ao acaso fossem acorrentadas e deixadas nos campos em que os cavalos pastavam para que o leão delas fizesse banquete, Poseidon ficaria satisfeito — pelo menos por um tempo.

Claro que o rei preferia dar virgens ao Deus a perder ouro; e foi assim que o novo plano foi posto em prática. O problema é que meu pai nunca confiou efetivamente nos sacerdotes nessa questão específica, não por ser um homem sacrílego — dava aos Deuses aquilo que achava que os Deuses tinham direito —, mas porque detestava que outras pessoas ficassem com o ouro que, afinal, era só dele. Assim, nos outonos e primaveras, todas as virgens de Tróia, meninas de não mais do que quinze anos, eram cobertas da cabeça aos pés com um pesado manto branco, de forma que não fosse possível identificá-las, e levadas para o pátio de Poseidon, o Construtor de Muralhas, onde os sacerdotes escolhiam seis daqueles fardos tão alvos quanto anônimos para o sacrifício.

A manobra funcionou. Duas vezes por ano o leão passava por seu caminho, matava as virgens acorrentadas e deixava os cavalos incólumes. Para o rei Laomêdon, era um preço insignificante a pagar para que nem seu orgulho, nem seu comércio saíssem prejudicados.

★ ★ ★

Há apenas quatro dias, foram escolhidas as seis virgens deste outono, cinco da cidade; a sexta era da Cidadela, o palácio real. A mais amada das filhas de meu pai, Hesíone. Quando Calcas surgiu com a triste notícia, o rei mostrou-se perplexo.

— O quê? Então você foi idiota a ponto de não fazer nenhuma marca no manto de Hesíone? — replicou meu pai. — *Minha* filha, minha filha! tratada do mesmo modo que todas as demais virgens da cidade?

— Limito-me a obedecer às ordens de Poseidon — respondeu calmamente Calcas.

— Não! Poseidon *não* ordenou que minha filha fosse escolhida! O que ele ordenou foi que lhe dessem seis virgens — foi isso, apenas isso! Por isso, Calcas, trate de escolher outra vítima!

— Não posso, Grande Rei.

E não havia maneira de convencer Calcas do contrário. Uma mão divina presidia à escolha; portanto, se Hesíone fora escolhida, só ela poderia satisfazer os termos do contrato.

Ainda que nenhum membro da corte tivesse assistido a esse tenso e irado encontro, o certo é que, ao fim de pouco tempo, as novidades percorriam, incontroláveis, a Cidadela. Bajuladores como Antenor condenavam energicamente o sacerdote, ao passo que os muitos filhos do rei — incluindo eu, seu herdeiro — pensavam que Laomêdon teria finalmente de ceder e de pagar a Poseidon os cem talentos de ouro anuais. No dia seguinte, o rei convocou seu conselho. Participei, evidentemente, da reunião; o herdeiro tem de estar presente sempre que o rei toma uma decisão.

O rei Laomêdon parecia calmo; em sua aparência, nada denunciava a agitação que dentro dele fervia. Era um homem pequeno, meu pai, já longe do vigor da juventude; eram da cor da prata seus longos cabelos e da cor do ouro o comprido manto. Sua voz sempre nos surpreendeu; agora, era com voz grave, nobre, melódica e forte que se dirigia a seus conselheiros.

— Minha filha Hesíone — disse ele aos filhos, primos-irmãos

e primos mais afastados — concordou em submeter-se ao sacrifício. Obedece, assim, à vontade do Deus.

Talvez Antenor tivesse adivinhado o que o rei iria dizer em seguida; eu não adivinhei, e meus irmãos também não.

— Meu pai! — exclamei, sem conseguir controlar-me. — Não pode permitir que isso aconteça! Quando Tróia vive tempos difíceis, o rei pode sacrificar-se para salvar seu povo, mas suas filhas virgens pertencem à virgem Ártemis e não a Poseidon!

Meu pai pouco se importava com o fato de seu filho mais velho repreendê-lo diante de toda a corte; seus lábios franziram-se, seu peito inchou e logo veio a resposta:

— Minha filha foi escolhida, Príamo Podarkes![1] Escolhida por Poseidon!

— Poseidon ficaria mais contente — repliquei, furioso — se você pagasse os cem talentos de ouro ao templo de Lirnesso.

Nesse preciso momento, dei-me conta do sorriso satisfeito de Antenor. Ah, como ele adorava as desavenças entre o rei e seu herdeiro!

— Recuso-me — afirmou o rei Laomêdon — a pagar ouro que tanto nos custou obter a um Deus que não conseguiu construir uma muralha capaz de resistir a um de seus próprios terremotos!

— Você não pode condenar Hesíone à morte, meu pai!

— *Eu* não a estou condenando à morte! A decisão foi de Poseidon!

O sacerdote Calcas se mexeu, mas logo voltou a ficar imóvel.

— Um homem mortal como você — continuei — não deveria responsabilizar os Deuses por suas próprias fraquezas!

— Está insinuando que eu tenho fraquezas?

— Todos os homens mortais as têm — respondi. — Até mesmo o rei da Tróada!

[1] Podarkes é um termo do grego antigo que significa "de pés ligeiros", "veloz". (N. T.)

— Pode retirar-se, Príamo Podarkes! Desapareça! Quem sabe? Pode ser que, no próximo ano, Poseidon exija que os herdeiros ao trono se submetam ao sacrifício!

Antenor continuava a sorrir. Obedeci a meu pai; saí e procurei consolo na cidade e no vento.

Um vento frio e úmido, vindo do distante pico do monte Ida, esfriou minha raiva enquanto atravessava o pátio lajeado à saída da Sala do Trono, a caminho dos degraus — duzentos, ao todo — que conduzem ao ponto mais alto da Cidadela. Aí, muito acima da distante planície, cravei minhas mãos em pedras que homens haviam moldado; sim, porque a Cidadela não fora construída pelos Deuses, mas pelos homens de Dárdano. Aqueles ossos da Mãe Terra, cuidadosamente trabalhados por mãos humanas, como que penetraram no mais íntimo de meu ser; e senti, naquele exato momento, todo o poder que ao rei era inerente. Quantos anos, perguntei-me, quantos anos teria ainda de esperar até poder usar a tiara de ouro e sentar-me na cadeira de marfim que era o trono de Tróia? Os homens da Casa de Dárdano costumavam morrer muito velhos, e Laomêdon não chegara ainda aos setenta.

Durante um longo tempo observei o vaivém constante de homens e mulheres lá embaixo, na cidade; depois, meus olhos procuraram paragens mais distantes, as verdejantes planícies onde os preciosos cavalos do rei Laomêdon esticavam seus longos pescoços para se alimentar das tenras ervas. Essa, contudo, era uma visão que só contribuía para agravar meu sofrimento. Olhei então para oeste, para a ilha de Tênedo e para a fumaça das fogueiras com que os habitantes da pequena aldeia portuária de Sigeu combatiam o frio. Para norte, as águas azuis do Helesponto imitavam o céu; vi a longa curva acinzentada da praia, entre os estuários do Escamandro e do Simoente, os dois rios que irrigavam a Tróada e alimentavam os campos de trigo e cevada, ondulantes ao sabor de um vento que nunca se cansava de zumbir.

O vento, afinal, fez-me regressar ao grande pátio diante da entrada dos palácios, onde esperei que um criado me trouxesse meu carro.

— Para a cidade — ordenei ao cocheiro. — Deixe que os cavalos nos conduzam.

A estrada principal descia da Cidadela para se juntar à curva da avenida que contornava as muralhas da cidade — as muralhas construídas por Poseidon. Na junção das duas ruas, erguia-se uma das três portas das muralhas, a Porta Ceia. Não me lembrava de tê-la visto fechada; dizia-se que isso só aconteceria em tempos de guerra, e não havia no mundo nação forte o bastante para declarar guerra a Tróia.

A Porta Ceia media vinte cúbitos de altura e era feita de enormes toros de madeira unidos uns aos outros por chapas de bronze presas por pregos — tão pesada era, que nem as maiores dobradiças do mundo poderiam movê-la. A Porta Ceia abria-se segundo um princípio que teria sido concebido pelo arqueiro Apolo, enquanto descansava ao sol vendo Poseidon trabalhar. A base da porta era apoiada numa grande pedra redonda instalada numa cova funda e curva envolvida por maciças correntes de bronze. Se fosse preciso fechar a porta, trinta bois atrelados às correntes a puxariam lentamente, pois só assim a enorme pedra redonda giraria no fundo de sua cova.

Ainda menino, desejoso de assistir a esse espetáculo, suplicara a meu pai que mandasse atrelar os bois às correntes da pedra. Ele riu e se recusou a atender ao capricho. No entanto, agora, ali estava eu, um homem de quarenta anos, marido de dez esposas e possuidor de cinqüenta concubinas, desejoso ainda de ver a Porta Ceia fechar-se.

Acima daquele colosso, um arco ligava as muralhas, permitindo assim que não houvesse nenhuma interrupção no caminho que, em seu topo, percorria todo o perímetro da cidade. A Praça Ceia permanecia permanentemente na sombra, graças àquelas fantásticas muralhas de divina construção que se erguiam a uma altura de trinta cúbitos acima de mim, suaves e elegantes, brilhantes quando o sol as banhava.

Acenei para que o cocheiro seguisse em frente, mas, antes que ele pudesse dar o necessário movimento às rédeas, mudei de idéia e mandei-o parar. Um grupo de homens entrara pela Porta Ceia e encontrava-se agora na praça. Gregos. Isso era manifesto em seus modos e vestuário. Usavam saiotes de couro ou calções do mesmo material, muito justos, até os joelhos; alguns estavam nus da cintura para cima e outros envergavam blusas de couro abertas, deixando descoberto o peito. Não faltavam adornos em seus trajes; algumas peças de roupa eram enfeitadas com desenhos a ouro, outras com borlas ou tiras de couro tingido; as cinturas eram estreitadas por largos cintos de ouro e bronze cravejados de lápis-lazúli; contas de cristal polido pendiam dos lóbulos de suas orelhas; cada pescoço era cingido por um grande colar incrustado de pedras preciosas; e suas cabeleiras, muito compridas, caíam livres em caracóis cuidadosamente moldados.

Os gregos eram mais altos e mais esbeltos do que os troianos, mas aqueles gregos eram ainda mais altos e mais esbeltos, e tinham um ar mais violento e perigoso do que todos os homens que vira em minha vida. Só a riqueza de suas roupas e armas me permitiu concluir que não eram bandidos vulgares, já que traziam lanças e espadas.

À sua frente, seguia um homem que era seguramente uma criatura ímpar; um gigante que suplantava em estatura todos os demais membros do grupo. Calculei que medisse seis cúbitos de altura, e seus ombros mais pareciam montanhas negras. Negra como breu e pontiaguda, a barba cobria seu queixo poderoso e saliente, e seu cabelo negro, embora cortado curto, erguia-se desgrenhado sobre a testa, que se projetava sobre as órbitas como se fosse um toldo. Sua única peça de roupa era uma enorme pele de leão sustentada por uma alça sobre o ombro esquerdo e que descia depois sob o braço direito; a cabeça do leão era como um capuz que trazia às costas, com a temível bocarra aberta, exibindo as poderosas presas.

O gigante virou-se e surpreendeu-me olhando para ele. Subjugado, fixei seus olhos, tão grandes quanto serenos — olhos que já tinham visto tudo, suportado tudo, vivido todas as degradações que os Deuses poderiam impor a um homem. Olhos que faiscavam de inteligência. Senti-me mentalmente encostado à parede da casa que estava atrás de mim, meu espírito posto a nu, minha mente um brinquedo nas mãos dele.

Apesar disso, consegui incutir algum vigor a minha débil coragem e, enchendo-me de brios, recompus-me do choque e assumi a melhor postura possível; afinal de contas, era eu quem possuía um título grandioso, aquele carro ornamentado a ouro, aqueles cavalos brancos, melhores do que todos que ele jamais vira. Afinal de contas, era eu o herdeiro deste reino, o mais poderoso de todos os reinos do mundo.

O gigante avançou em meio ao tumulto da praça do mercado, como se não existisse, e veio a mim com dois de seus companheiros imediatamente atrás; então, com a mão do tamanho de um presunto, afagou delicadamente os focinhos negros de meus cavalos brancos.

— Você é do palácio? Da Casa Real? — perguntou-me com voz sonora, ainda que sem sombra de arrogância.

— Eu sou Príamo Podarkes, filho e herdeiro de Laomêdon, rei de Tróia.

— Eu sou Heracles.

Fitei-o, boquiaberto. *Heracles*! Heracles estava em Tróia! Umedeci os lábios secos.

— É uma grande honra para Tróia poder recebê-lo, Heracles. Eu o convido para a casa de meu pai.

Havia uma doçura surpreendente em seu sorriso.

— Agradeço-lhe muito, príncipe Príamo. O convite inclui

todos os meus homens? Todos eles pertencem a casas nobres gregas: não envergonharão sua corte nem me deixarão envergonhado.

— Naturalmente, Heracles.

Acenou para os dois homens que estavam à sua sombra, um sinal de que deveriam avançar.

— Posso apresentar-lhe meus amigos? Este é Teseu, rei supremo da Ática, e este é Telamon, filho de Éaco, rei de Salamina.

Engoli em seco. O mundo inteiro conhecia Heracles e Teseu; os bardos cantavam incessantemente seus feitos. Éaco, o pai do adolescente Telamon, reconstruíra nossa muralha ocidental. Quantos outros nomes famosos haveria naquele pequeno grupo de gregos?

Tal era o poder daquele nome, que até mesmo meu avarento pai decidiu abrir os cordões de sua bolsa e oferecer ao famoso Heracles uma régia recepção. Assim, naquela mesma noite, o rei Laomêdon deu um banquete em honra de Heracles no salão do palácio, com muitas e variadas iguarias e bebidas servidas em baixelas de ouro e com harpistas, bailarinas e acrobatas para entreter os convidados. Se eu sentira reverente temor ao ver Heracles, também meu pai experimentava agora esse sentimento; todos os gregos que faziam parte daquele grupo eram reis por seus próprios méritos. Assim sendo, perguntei-me por que razão aceitavam seguir um homem que não reivindicava nenhum trono? Um homem que limpara estábulos? Que fora arranhado, mordido, dilacerado por todo tipo de animais, do mosquito ao leão?

Sentei-me à mesa régia com Heracles à minha esquerda e Telamon à direita; meu pai sentou-se entre Heracles e Teseu. Embora a iminência da morte sacrifical de Hesíone toldasse nossa hospitalidade, ocultávamos tão bem esse fato, que me tranqüilizei, concluindo que nossos convidados gregos nada teriam percebido. A conversa fluía ligeira e fácil, pois eram homens cultos, adequadamente instruídos em tudo, desde a aritmética mental às palavras dos poetas que, como nós, sabiam de cor. Restava saber uma coisa — sob essa capa, que gênero de homens eram os gregos?

Eram poucos os contatos entre as nações da Grécia e as da Ásia Menor, entre elas Tróia. De maneira geral, nós, os que vivíamos na Ásia Menor, pouca importância dávamos aos gregos. Eram homens notoriamente sinuosos, famosos pela insaciável curiosidade — entretanto, aqueles homens que estavam conosco seriam os melhores entre todos os gregos, uma vez que estes escolhiam seus reis por razões que não o sangue.

Meu pai, em particular, não atribuía importância nenhuma aos gregos. Nos últimos anos, tinha firmado tratados com os diversos reinos da Ásia Menor, dando-lhes a maior parte do comércio entre os mares Euxino e Egeu, o que significava ter restringido severamente o número de navios mercantes gregos autorizados a passar pelo Helesponto. A Mísia e a Lídia, a Dardânia e a Cária e a Lícia e a Cilícia não queriam partilhar o comércio com os gregos, e por uma razão muito simples: de algum modo, eles nos superavam sempre; faziam sempre os melhores negócios. E meu pai cumpriu sua parte, mantendo os mercadores gregos o mais longe possível das águas negras do Euxino. Todas as esmeraldas e safiras, todos os rubis e todo o ouro e prata da Cólquida e da Cítia iam para as nações da Ásia Menor; os poucos mercadores gregos que haviam recebido a necessária autorização de meu pai tinham de concentrar seus esforços no estanho e no cobre da Cítia.

No entanto, Heracles e seus companheiros eram criaturas bem educadas demais para se permitir discutir temas tão controversos como embargos comerciais. Limitaram sua conversa a observações elogiosas sobre a nossa cidade e suas imponentes muralhas, sobre o tamanho da Cidadela e a beleza de nossas mulheres — embora, a esse respeito, só conhecessem as escravas que iam de mesa em mesa, servindo guisados, distribuindo pães e várias carnes, enchendo de vinho as taças.

Como seria de esperar, ao assunto das mulheres seguiu-se o

dos cavalos; aguardei que Heracles o abordasse, pois vira aqueles seus astutos olhos negros apreciando a qualidade de meus cavalos brancos.

— Os cavalos que puxavam o carro de seu filho eram verdadeiramente magníficos — observou finalmente Heracles. — Nem mesmo a Tessália se pode gabar de possuir uma tão bela raça. Diga-me, Laomêdon, costuma vender alguns daqueles belos espécimes?

Na expressão de meu pai, surgiram imediatamente os traços da avareza.

— Sim, são de fato animais encantadores e é verdade que vendo alguns — mas temo que considere o preço proibitivo. Costumo pedir mil talentos de ouro por uma boa égua.

Heracles, mostrando uma expressão pesarosa, encolheu os portentosos ombros.

— Talvez pudesse pagar esse preço, rei Laomêdon, mas, neste momento, tenho de comprar coisas mais importantes. O dinheiro que pede é uma verdadeira fortuna.

E não voltou a falar a respeito de cavalos.

À medida que a tarde foi avançando e a luz declinando, meu pai começou a ficar cada vez mais triste, pois não conseguia esquecer-se de que, no dia seguinte, sua filha seria conduzida aos braços da morte. Vendo-o assim, Heracles pôs a mão no braço de meu pai, tentando consolá-lo.

— Diga-me, rei Laomêdon, o que o preocupa?

— Nada, meu amigo, nada.

Heracles fitou-o com aquele seu sorriso tão estranhamente doce.

— Grande rei Laomêdon, o que leio em seus olhos é preocupação. Conte-me tudo, peço-lhe.

E logo a história foi contada, ainda que meu pai, como seria de esperar, desse de si mesmo uma imagem que não correspondia à realidade: todos os anos seu reino era vítima de um leão que pertencia a Poseidon, os sacerdotes haviam ordenado o sacrifício de seis donzelas todos os outonos e primaveras, e, entre as escolhidas deste outono, estava a filha que, de toda a sua prole, ele mais amava: Hesíone.

Heracles escutou toda a história com ar pensativo. Por fim, perguntou a meu pai:

— O que disseram os sacerdotes? Que nenhuma mão troiana poderá erguer-se contra o animal? Foi isso, não foi?

Os olhos do rei brilharam.

— Precisamente, Heracles: nenhuma mão troiana.

— Nesse caso, os sacerdotes não se podem opor a que uma mão estrangeira se erga contra o leão... Não é verdade, rei Laomêdon?

— Sim, é uma conclusão lógica, Heracles.

Heracles olhou de relance para Teseu.

— Eu já matei muitos leões — informou —, incluindo o de Neméia, cuja pele envergo.

Meu pai começou a chorar.

— Oh, Heracles, livre-nos dessa maldição! Se o fizer, ficaremos eternamente em dívida com você. Falo não só em meu nome, mas em nome de todos os troianos, que já perderam trinta e seis filhas para alimentar o leão.

Aguardei a resposta de Heracles em deleitosa expectativa; ele seria tudo menos idiota: não se ofereceria para lutar contra um leão enviado por um Deus sem pedir em troca alguma recompensa.

— Rei Laomêdon — disse o gigante grego suficientemente alto para que todas as cabeças se virassem para ele —, proponho-lhe um contrato: eu mato o leão e, em troca, você me dá dois de teus cavalos, um garanhão e uma égua.

Que poderia fazer meu pai? Praticamente encostado à parede, devido à natureza pública da proposta, o rei não tinha outra saída senão aceitar o preço; se não concordasse, toda a corte — seus parentes próximos e afastados — criticaria seu desapiedado egoísmo. Acedeu, por isso, conseguindo mesmo mostrar uma expressão alegre.

— Se conseguir matar o leão, Heracles, dar-lhe-ei o que me pede.

— Assim seja — concluiu Heracles, após o que, de súbito, ficou muito quieto, como que ausente: seus grandes olhos pareciam não ver; nem pestanejavam, nem viam o que se passava à sua volta. Por fim, com um suspiro, pareceu regressar à terra. Olhou não para o rei, mas para Teseu.

— Iremos amanhã, Teseu. Meu pai diz que o leão aparecerá ao meio-dia.

Até mesmo os outros gregos que estavam à mesa ficaram assombrados com tão estranho transe.

Com os delicados pulsos vergados ao peso das correntes, os tornozelos presos com grilhetas de ouro, vestidas com seus mais belos trajes, com o cabelo primorosamente encaracolado e os olhos pintados, as seis virgens esperavam que os sacerdotes chegassem ao pátio diante do templo de Poseidon, o Construtor de Muralhas. Hesíone, minha meia-irmã, estava entre elas, calma e resignada, embora um ligeiro tremor num dos cantos de sua meiga boca traísse o medo que lhe ia na alma. Ressoavam no pátio o pranto e os lamentos de pais e parentes, o tinido das pesadas grilhetas, a respiração ofegante das seis aterrorizadas donzelas. Fiquei apenas o tempo suficiente para beijar Hesíone; depois, fui embora.

Ela não sabia que Heracles se dispusera a tentar salvá-la, e eu nada lhe disse, talvez porque só suspeitasse que não nos veríamos livres da maldição tão facilmente — imaginava que, se Heracles matasse realmente o leão, Poseidon, o Senhor dos Mares, seria capaz de inventar algo pior. Minhas apreensões dissiparam-se enquanto corria na direção da pequena porta dos fundos da Cidadela, onde Heracles reunira seu grupo. O gigante escolhera apenas dois ajudantes para a caçada: o venerável guerreiro Teseu e o jovem Telamon. No último momento, demorou-se falando com outro membro do grupo, o rei Pirítoo dos lapitas; consegui ouvi-lo dizer a Pirítoo que levasse todos os homens para a Porta Ceia por volta do meio-dia e que ali o esperasse. Heracles estava com pressa de partir, o que era compreensível; os gregos queriam chegar antes do inverno aos domínios das amazonas, onde pretendiam roubar o cinto da rainha Hipólita.

Depois daquele transe extraordinário ocorrido na noite anterior, no salão do palácio, ninguém questionava a convicção de Heracles de que o leão apareceria naquele dia — embora nunca tivesse passado tão cedo por nossas terras. Heracles, contudo, *sabia.* Ele era filho do Senhor de Tudo, Zeus.

Eu tinha quatro irmãos germanos, todos mais novos do que eu: Titono, Clício, Lampo e Hicetáon. Acompanhamos Heracles integrados na escolta de nosso pai e chegamos ao local escolhido antes de os sacerdotes aparecerem com as donzelas. Heracles tratou imediatamente de inspecionar o terreno; por fim, voltou para junto de nós e indicou a posição que ocuparia tendo em vista o ataque, determinando que Telamon empunharia o arco e Teseu, a lança; sua arma seria uma enorme clava.

Enquanto subíamos ao alto de um outeiro mais protegido, por causa do vento e também porque oferecia melhor visibilidade, nosso pai permaneceu no caminho à espera dos sacerdotes, visto que aquele seria o primeiro dia do sacrifício. Em alguns anos, as pobres virgens eram obrigadas a esperar muitos dias, presas a suas grilhetas de ouro, tendo por cama o chão e por alimento a pouca comida que uns quantos jovens sacerdotes, atemorizados, lhes levavam.

O sol já ia alto quando surgiu o cortejo que saíra do santuário de Poseidon, construtor de muralhas. Os sacerdotes não permitiam que as lacrimosas donzelas parassem, empurrando-as constantemente; ao mesmo tempo, entoavam seus cânticos rituais e percutiam minúsculos tambores com minúsculas baquetas amortecidas. Por fim, à sombra de um olmo, enterraram no chão grossas estacas a que prenderam as correntes e desapareceram com a celeridade que a dignidade permitia. Quanto a meu pai, subiu apressado a encosta na direção de nosso esconderijo. Instalamo-nos na relva e esperamos.

Durante algum tempo, observei indolentemente tudo que se passava lá embaixo, pois não acreditava que acontecesse alguma coisa antes do meio-dia. De súbito, o jovem Telamon saiu de seu esconderijo e correu como uma seta na direção em que as virgens se tinham agachado, debatendo-se em suas correntes. Ouvi meu pai murmurar algo acerca do atrevimento dos gregos no preciso momento em que o rapaz abraçou minha meia-irmã e encostou a cabeça dela em seu peito bronzeado e nu. Hesíone era uma bela moça, o bastante para atrair as atenções da maior parte dos homens: mas seria uma loucura correr para junto dela, uma vez que o leão poderia aparecer a qualquer momento! Perguntei-me se Telamon teria agido com a autorização de Heracles.

As mãos de Hesíone agarravam-se desesperadamente aos braços dele; Telamon baixou a cabeça para lhe murmurar qualquer coisa ao ouvido, depois a beijou demorada e apaixonadamente, como nenhum homem fora autorizado a beijá-la em toda a sua curta vida. Por fim, secou-lhe as lágrimas com a mão e correu, despreocupado, para o lugar que Heracles lhe reservara. Conseguimos ouvir as risadas dos três gregos; fiquei trêmulo de raiva. O sacrifício era sagrado! E, no entanto, aqueles homens se atreviam a rir! Porém, quando voltei a olhar para Hesíone, constatei que ela havia perdido todo o medo, que se erguera do chão cheia de orgulho e que seus olhos brilhavam — e tal era seu brilho, que eu, tão distante dela, podia vê-lo.

A hilaridade dos gregos manteve-se até o fim da manhã; então, de um momento para o outro, calaram-se. Tudo o que ouvíamos era o inquieto vento troiano, soprando incessantemente.

Uma mão tocou-me o ombro. Pensando que o leão tinha aparecido, virei-me num ápice, o coração batendo desordenadamente. Mas era apenas Tissanes, um criado do palácio que trabalhava para mim. Inclinou a cabeça para me segredar:

— A princesa Hécuba pede a sua presença, senhor. A criança está prestes a nascer, e as parteiras dizem que a vida da princesa está por um fio.

Por que as mulheres escolhiam sempre o momento errado? Acenei a Tissanes para que se sentasse e se mantivesse quieto e calado, e virei-me a fim de me concentrar no caminho — mais exatamente num ponto em que, após uma pequena elevação, havia uma cova. Os pássaros tinham deixado de cantar, chamando uns aos outros. O vento parara. Um calafrio percorreu-me todo o corpo.

O leão começou a subir tranqüilamente a pequena elevação. Em toda a minha vida, nunca vira um animal tão grande. Tinha a pele castanho-clara e imensa juba negra; a cauda terminava em espessa felpa igualmente negra. No flanco direito, a marca de Poseidon, o Tridente. Quando ia a meio da descida e já perto do local em que estava Heracles, o leão parou, com uma das patas erguida, a cabeçorra bem alta, a cauda açoitando o ar, as narinas muito abertas. Viu, então, suas vítimas, paralisadas de terror; a perspectiva de um belo banquete levou-o à decisão que tomou: baixou a cauda, convocou toda a força de seus músculos e avançou na direção das virgens em velocidade crescente. Uma das donzelas deu um grito agudo e penetrante. Minha irmã resmungou qualquer coisa, e a jovem calou-se.

Heracles ergueu-se da relva, um gigante vestido com pele de leão, a clava suspensa por sua mão direita. O leão parou, a bocarra aberta, revelando os dentes amarelecidos. Heracles agitou a clava e soltou um rugido de desafio no momento em que o leão saltou; mas Heracles saltou também, evitando a temível investida das garras e batendo com tal força na barriga tufada de negro do animal, que este, num ápice, perdeu o equilíbrio. Os quadris do leão recuaram, mas uma garra ergueu-se para golpear o homem; contudo, nesse mesmo momento, a clava atingiu-o em cheio. Ouviu-se um horrendo ruído de esmagamento quando a arma entrou em contato com o crânio do animal; a garra vacilou, e o homem desviou-se. De novo a clava atingiu o crânio do animal: o segundo ruído foi mais suave do que o primeiro, pois o crânio estava já dilacerado. Aquilo não fora um combate! O leão jazia já no caminho, a juba negra fumegando do sangue quente que escorria.

Enquanto Teseu e Telamon dançavam e davam vivas, Heracles cortou com sua faca a garganta do animal. Meu pai e meus irmãos começaram a descer a encosta, apressados, na direção dos radiantes gregos, com meu criado Tissanes avançando furtivamente em sua esteira, ao passo que eu segui na direção contrária, rumo a minha casa. Hécuba, minha esposa, ia dar à luz, e sua vida corria perigo.

As mulheres não eram importantes. A morte de parto era comum entre a nobreza, e eu tinha mais nove esposas e cinqüenta concubinas, além de uma centena de filhos. No entanto, Hécuba era a mulher que eu mais amava; ela seria a minha rainha quando eu subisse ao trono. O filho, pouco contava. Mas que iria eu fazer se ela morresse? Sim, Hécuba era importante para mim, apesar de ser originária da Dardânia e de ter levado seu irmão, Antenor, para Tróia.

Quando cheguei ao palácio, Hécuba estava ainda em trabalho de parto; como nenhum homem podia ter acesso aos mistérios das mulheres, passei o resto do dia tratando de meus assuntos ou, melhor, das tarefas que o rei desdenhava executar.

Ao anoitecer, comecei a sentir-me inquieto, pois meu pai não me contatara e eu não ouvira ainda nenhum grito de alegria no interior dos majestosos palácios que encimavam a colina de Tróia. A meus ouvidos, não chegara ainda nenhuma voz: nem grega, nem troiana. Apenas silêncio. Muito estranho.

— Príncipe! Príncipe!

Era meu criado. Estava lívido, os olhos esbugalhados de terror, tremia incontrolavelmente.

— Que aconteceu? — perguntei, lembrando-me de que ele ficara na fazenda de meu pai para ver o leão.

Tissanes caiu de joelhos, e suas mãos prenderam-se a meus tornozelos.

— Príncipe, só me atrevi a me mexer há alguns instantes! Depois... depois corri. Não falei com ninguém, vim direto ao palácio!

— Levante-se, homem! Levante-se e conte-me tudo!

— Príncipe, seu pai, o rei, está morto! Seus irmãos estão mortos! Todos morreram!

Uma imensa calma invadiu-me nesse instante. Finalmente era rei.

— Os gregos também?

— Não, príncipe! Os gregos mataram-nos!

— Fale devagar, Tissanes, e conte-me o que aconteceu.

— Heracles ficou muito contente com seu feito. Ria e cantava esfolando o leão, enquanto Teseu e Telamon libertavam as virgens das correntes. Logo que a pele do leão foi estendida para secar, Heracles pediu ao rei que o acompanhasse às cavalariças. Queria escolher imediatamente o garanhão e a égua que lhe tinham sido prometidos, porque estava com muita pressa. — Tissanes parou, molhou os lábios secos.

— Continue.

— O rei ficou furioso. Negou que tivesse prometido o que quer que fosse. O leão, disse, não passara de um passatempo. Heracles matara-o por esporte. Heracles e os outros dois ficaram tão furiosos quanto o rei, que, contudo, não estava disposto a ceder.

Ah, meu pai, meu pai! Não dar a um Deus como Poseidon o que lhe é devido é uma coisa — as represálias dos Deuses são lentas e ponderadas; mas Heracles e Teseu não eram Deuses. Eram Heróis — e os Heróis são muito mais perigosos e muito mais rápidos.

— Teseu estava lívido — prosseguiu meu criado. — Cuspiu na direção dos pés do rei e chamou-o de ladrão e mentiroso. O príncipe Titono pegou a espada, mas Heracles meteu-se de permeio e dirigiu-se de novo ao rei. Pediu-lhe que capitulasse, que procedesse ao pagamento que havia sido acordado. O rei respondeu que não permitiria ser roubado por um bando de vis mercenários gregos. Nesse mesmo instante, reparou que Telamon pusera o braço em volta da cintura da princesa Hesíone. Avançou para eles e esbofeteou Telamon. A princesa começou a chorar — o rei esbofeteou-a também. Quanto ao resto, príncipe... é tudo tão horrível...! — Meu criado limpou o suor do rosto com a mão.

— Faça um esforço, Tissanes. Conte-me o que viu.

— Heracles, de súbito, pareceu ficar tão grande como um auroque. Pegou sua clava e, com um só golpe, derrubou o rei. O príncipe Titono tentou atingir Teseu, que, entretanto, logo o trespassou com sua lança. Telamon ergueu seu arco e matou o príncipe Lampo. Por fim, Heracles agarrou os príncipes Clício e Hicetaon e, batendo com as cabeças de ambos uma na outra, esmagou-as como se fossem amoras.

— E onde você estava enquanto tudo isso acontecia, Tissanes?

— Eu... eu me escondi, príncipe — confessou o homem, de cabeça baixa.

— Bem, você é escravo e não guerreiro. Prossiga.

— Os gregos pareciam ter-se dado conta da situação... Heracles pegou a pele do leão e disse que já não tinham tempo para ir buscar os cavalos e que teriam de partir imediatamente. Teseu apontou para a princesa Hesíone e argumentou que, se não levavam os cavalos, então teriam de levar a jovem. Poderiam dá-la a Telamon, que dela estava enamorado; e, desse modo, a honra grega não sairia molestada. Partiram imediatamente rumo à Porta Ceia.

— Afastaram-se já de nossas praias?

— Tratei de me informar pelo caminho, príncipe. O guarda da

Porta Ceia disse-me que a tarde mal começara quando Heracles apareceu. Mas não viu Teseu, nem Telamon, nem a princesa Hesíone. Todos os gregos seguiram pela estrada que vai até Sigeu, onde se encontrava seu navio.

— E as outras virgens?

Tissanes baixou de novo a cabeça.

— Não sei, príncipe. A única coisa em que pensei foi em dar-lhe a notícia o mais depressa possível.

— Ora, Tissanes! Você se escondeu até o crepúsculo porque estava cheio de medo! Vá procurar o chefe da casa de meu pai e diga-lhe que procure as virgens. E que traga também os cadáveres de meu pai e de meus irmãos. Conte-lhe tudo o que me contou e ordene, em meu nome, que se faça tudo que for necessário. Pode retirar-se, Tissanes.

Heracles limitara-se a pedir *dois* cavalos! Dois cavalos! Não haveria no mundo remédio para a cobiça? Não haveria na mente humana um mecanismo qualquer pelo qual a prudência obrigasse à generosidade? Ah, se ao menos Heracles tivesse esperado! Poderia ter apelado para a corte — todos nós ouvíramos a promessa de meu pai. Heracles acabaria recebendo aquilo a que tinha direito.

Em vez disso, a ira e a cobiça haviam triunfado. E eu — eu era rei de Tróia.

Esquecida Hécuba, dirigi-me ao salão principal do palácio e soei o gongo, convocando, assim, a assembléia da Corte.

Desejosos de conhecer o resultado do combate com o leão — e irritados por causa da hora tardia —, vieram todos num instante. Não chegara ainda o momento de me sentar no trono; mantive-me de pé ao lado dele e fitei o pequeno mar de rostos curiosos: rostos que pertenciam a meus meios-irmãos, a meus primos de todos os graus, à alta nobreza que só pelo casamento se unira a nós. Meu cunhado Antenor estava presente, os olhos bem alertas. Acenei-lhe para que se aproximasse, após o que bati meu bastão no chão de lajes vermelhas.

— Nobres de Tróia, o leão de Poseidon foi morto por Heracles, o grego — anunciei.

Antenor olhava-me de esguelha, intrigado. Natural da Dardânia, não poderia ser amigo de Tróia. No entanto, Antenor era também irmão de Hécuba e, por causa dela, eu tolerava sua presença.

— Deixei o local nesse momento, mas meu criado ficou. Regressou há pouco e contou-me que os três gregos tinham assassinado nosso rei e meus quatro irmãos. Partiram em seu navio há muito tempo para que possamos agora persegui-los. E levaram uma refém: a princesa Hesíone.

Era impossível prosseguir, tendo em conta o tumulto que se seguiu; sustive a respiração, debatendo comigo mesmo que porção da história poderia contar-lhes. Não, não lhes poderia dizer que o rei Laomêdon se recusara a cumprir uma promessa solene; Laomêdon estava morto e sua régia memória teria de ser preservada; a memória de um rei não poderia ser maculada por um final tão miserável. Seria preferível dizer-lhes que os gregos haviam congeminado tamanha atrocidade em represália contra a política que negava a seus mercadores o acesso ao mar Euxino.

Eu era o rei. Tróia e a Tróada eram minhas. Eu era o guardião do Helesponto e o zelador do Euxino.

Quando voltei a bater meu bastão, o ruído esbateu-se imediatamente. A diferença era tão grande, tão clara, agora que era rei!

— Diante da corte aqui reunida, juro solenemente que, enquanto for vivo, não esquecerei nunca o que os gregos fizeram a Tróia. Este dia ficará para sempre em nossa história como um dia de luto: neste dia, todos os anos, os sacerdotes percorrerão as ruas da cidade, entoando cânticos que denunciarão os crimes dos mercenários gregos. E não descansarei enquanto Tróia não fizer com que os gregos se arrependam dos crimes cometidos! Antenor, eu o nomeio chefe do meu governo. Prepare uma proclamação pública: a partir deste dia, nenhum navio grego será autorizado a atravessar o Helesponto e a entrar no Euxino. O cobre pode ser obtido em outros locais, mas o estanho vem todo da Cítia. E o cobre e o estanho juntos dão-nos o bronze! Nenhuma nação pode sobreviver sem bronze! A partir de agora os gregos terão de comprá-lo a um preço exorbitante às nações da Ásia Menor, pois elas terão o monopólio do estanho. Será a decadência das nações da Grécia.

Os vivas e aplausos foram ensurdecedores. Apenas Antenor mantinha uma expressão desconfiada; sim, teria de lhe contar toda a verdade, mas num encontro particular. Entretanto, entreguei-lhe meu bastão e apressei-me na direção de meu palácio, onde — lembrei de súbito — Hécuba estava à beira da morte.

Uma parteira esperava-me no final das escadas, o rosto molhado de lágrimas.

— Hécuba morreu, mulher?

A velha bruxa olhou para mim com um sorriso desdentado, apesar da mágoa que aparentemente sentia.

— Não, não! Estou chorando a morte de seu pai, o rei Laomêdon! A rainha está livre de perigo e deu à luz um belo menino.

Tinham levado Hécuba do banco de dar à luz para sua grande cama, onde descansava agora, esgotada e lívida, com uma trouxa enfaixada na curva do braço esquerdo. Ninguém lhe contara as tristes notícias, e eu só lhe contaria quando ela estivesse mais forte. Baixei-me para beijá-la. Então, Hécuba desviou a manta que cobria o rosto da criança. Este quarto filho que ela me dera parecia ser a encarnação do sossego. Por outro lado, não contorcia as feições como os recém-nascidos costumam fazer. Era de uma beleza extraordinária, e sua pele era muito suave e tão branca como o marfim, em vez de vermelha e enrugada. Um cabelo negro, encaracolado, cobria-lhe maciçamente o crânio; as pestanas eram negras e compridas; as sobrancelhas negras lembravam elegantes arcos sobre olhos cuja cor não consegui distinguir: eram tão escuros, de fato, que não saberia dizer se eram azuis ou castanhos.

Hécuba fez-lhe cócegas sob o queixo perfeito.

— Que nome lhe vai dar, príncipe?

— Páris — respondi eu imediatamente.

Hécuba fitou-me perplexa.

— *Páris*? "Casado com a morte"? É um nome sinistro, príncipe. Por que não Alexandre, como havíamos planejado?

— Chamar-se-á Páris — insisti, desviando o olhar. Em breve, também Hécuba saberia que nosso filho casara com a morte no dia em que nascera.

Deixei-a depois de tê-la erguido um pouco mais sobre os travesseiros. Quando me retirei do quarto, Hécuba embalava a criança contra seus seios inchados.

— Páris, meu pequeno homem! — murmurava. — É tão bonito...! Oh, os corações que você vai destroçar! Todas as mulheres o amarão, Páris. Páris, Páris...

CAPÍTULO SEGUNDO

NARRADO POR
PELEU

Quando a ordem começou a imperar em meu novo reino da Tessália — e quando pude finalmente confiar nas pessoas que deixava em Iolcos, sentindo-me seguro de que tratariam adequadamente de meus assuntos —, viajei até a ilha de Ciros. Exausto, ansiava pela companhia de um amigo; e a verdade é que, mesmo nesse momento, não tinha em Iolcos um único amigo que pudesse rivalizar com o rei Licomedes, de Ciros, um homem afortunado: nunca fora banido do reino de seu pai, como eu fora; nunca precisara lutar desvairadamente para construir um novo reino para si mesmo, como eu precisara; nunca travara uma guerra para defendê-lo, como eu travara. Seus antepassados haviam governado aquela ilha rochosa desde o começo dos tempos, dos Deuses e dos homens, e ele subira ao trono depois de o pai ter morrido na cama, rodeado por filhos e filhas, esposas e concubinas; é que o pai de Licomedes aderira à Velha Religião, tal como Licomedes — a monogamia era vedada aos governantes de Ciros!

Com a Velha ou com a Nova Religião, Licomedes teria por certo o mesmo tipo de morte que o pai, enquanto eu não teria seguramente a mesma sorte. Invejava sua tranqüila existência, mas, passeando com ele em seus jardins, percebi que Licomedes não gozara ainda muitos dos prazeres que a vida proporciona. Seu reino e seu reinado pouco significavam para ele, ao contrário do que ocorria comigo; executava sua obra de uma forma competente e conscienciosa, pois era ao mesmo tempo um homem generoso e um dirigente capaz, mas faltava-lhe algo que eu tinha: a determinação de lutar ferreamente por aquilo que era seu, já que, na realidade, nunca ninguém ameaçara tirar-lhe o que quer que fosse.

Eu conhecia plenamente o significado de palavras como perda, fome e desespero. E amava meu novo reino da Tessália — tão duramente conquistado! — como ele nunca poderia amar Ciros. Tessália, minha Tessália! Eu, Peleu, era rei supremo da Tessália! Outros reis deviam-me obediência — a mim, que só há poucos anos voltara às terras ao norte da Ática. Era eu o rei dos mirmídones, o povo de Iolcos a quem chamavam formigas.

O rei de Ciros interrompeu meus pensamentos.

— Está pensando na Tessália — disse.

— Não consigo pensar em outra coisa.

Licomedes ergue uma mão branca e indolente.

— Meu caro Peleu, os Deuses não me dotaram de seus poderosos entusiasmos. Enquanto ardo em fogo lento, você é uma labareda refulgente e vibrante, embora deva dizer que me sinto satisfeito com aquilo que sou. Se você estivesse em meu lugar, só teria parado depois de ter conquistado todas as ilhas entre Creta e a Samotrácia.

Encostei-me ao tronco de uma nogueira e suspirei.

— E no entanto, meu amigo, estou muito, muito cansado. Já não sou o jovem de outros tempos.

— Uma verdade tão óbvia que nem vale a pena proclamá-la... — Seus olhos pálidos examinavam-me atentamente. — Peleu — prosseguiu —, sabe com certeza que tem a reputação de ser o homem mais notável de toda a Grécia... Até mesmo Micenas é obrigada a notá-lo.

Endireitei-me e continuei a andar.

— Sou igual a qualquer outro homem.

— Pode negar à vontade, mas a verdade tem de ser dita! Você tem tudo, Peleu! Um corpo belo e atlético, uma mente astuta e sutil, uma arte inquestionável quanto ao comando de homens, um talento notável para inspirar o amor de seu povo — tem até um rosto encantador!

— Se continuar com esses elogios, pego minhas coisas e vou-me embora.

— Sossegue, já terminei. Para dizer a verdade, gostaria de discutir com você uma questão muito específica. Meus elogios à sua pessoa eram apenas uma maneira de chegar a esse assunto... — Fitei-o com curiosidade. Licomedes molhou os lábios, franziu as sobrancelhas e decidiu mergulhar de cabeça em águas agitadas. — Peleu, você tem 35 anos. É um dos quatro reis supremos da Grécia e, portanto, possui extraordinário poder nesse território. Contudo, não tem esposa, ou seja, não tem rainha. E, visto que é um adepto fiel da Nova Religião, o que significa ter escolhido a monogamia, como pretende garantir a sucessão do trono da Tessália se não tem esposa?

Não consegui controlar o riso.

— Mas que impostor você é, Licomedes! Já entendi tudo: escolheu uma esposa para seu amigo!

Ele me fitou com ar manhoso.

— É possível... A menos que já tenha outras idéias...

— Licomedes, devo dizer-lhe que penso muitas vezes em meu casamento. Infelizmente, porém, não gosto de nenhuma das candidatas.

— Pois eu conheço uma mulher a que talvez você não resista. Estou certo de que daria uma esposa esplêndida.

— Fale, homem! Sou todo ouvidos.

— É todo ouvidos e já está excitado... Vou contar tudo. A mulher em questão é a grande sacerdotisa de Poseidon em Ciros. Ordenou-lhe o Deus que se casasse, mas ela resistiu ao casamento.

Não posso obrigar tão augusta sacerdotisa a obedecer às ordens de Poseidon ou às minhas. Contudo, se quero salvar meu povo e minha ilha, tenho de convencê-la a casar-se.

Eu o fitava com espanto sem fim.

— Licomedes! Então, não passo de um objeto para você conseguir seus fins! Francamente!

— Não, não! — exclamou ele, com uma expressão aflita. — Ouça-me até o fim, Peleu!

— Poseideon ordenou-lhe que se casasse?

— Sim. Os oráculos dizem que, se ela não se casar, o Senhor dos Mares abrirá ao meio as terras de Ciros e levará minha ilha para as profundezas do mar, fazendo dela mais um de seus territórios.

— Oráculos... Quer dizer que consultou vários?

— Consultei até a Pitonisa de Delfos e a floresta de carvalhos de Dodona. A resposta foi sempre a mesma: ou ela se casa, ou vocês morrem.

— Por que ela é tão importante? — perguntei, fascinado.

Em sua expressão, o temor transpareceu de súbito.

— Porque é filha de Nereu, o Velho Deus do Mar. Assim sendo, ela é, pelo sangue, metade divina, metade humana — e há uma divisão em sua lealdade. Sua linhagem pertence à Velha Religião; no entanto, é à Nova Religião que ela serve. Peleu, você conhece bem a agitação que varreu nosso mundo grego desde que os impérios de Creta e Tera desmoronaram. Pense no caso de Ciros! Nunca fomos tão dominados pela Mãe como Creta ou Tera ou os reinos da ilha de Pélops — aqui, foram sempre os homens que governaram —, mas a Velha Religião possui uma força inegável. Contudo, Poseidon é um Deus da Nova Religião e nós estamos sob seu domínio — além de ser o Senhor dos Mares que nos rodeiam, Poseidon é também o Senhor dos Terremotos.

— Devo concluir, portanto — admiti, lentamente —, que Poseidon está furioso com o fato de uma mulher da Velha Religião ser precisamente sua sacerdotisa suprema. No entanto, Poseidon deve ter aprovado a nomeação dessa mulher.

— E aprovou! Mas agora está furioso — você sabe como são os Deuses, Peleu! Alguma vez foram coerentes? Apesar de ter aprovado a nomeação da sacerdotisa, agora está furioso e não quer que seu altar seja servido por uma filha de Nereu.

— Licomedes, Licomedes! Acredita mesmo nessas histórias de homens e mulheres gerados pelos Deuses? — perguntei, incrédulo. — Eu o tinha em melhor juízo! Os homens e as mulheres que afirmam ser filhos de Deuses são, na maior parte, simples bastardos — e, geralmente, filhos de um pastor ou de um empregado de estrebaria.

Licomedes balançou os braços como uma galinha assustada.

— Sim, sim, sim! Eu sei que isso é verdade, Peleu, mas o fato é que *acredito*! Você nunca a viu, não a conhece. Eu já a vi, eu a conheço. Nunca vi criatura mais estranha...! Basta olhá-la para logo ficar sem dúvidas: aquela mulher veio do Mar!

Eu já me sentia francamente ofendido.

— Não posso acreditar no que estou ouvindo! Muito obrigado pela oferta! Quer impingir uma mulher doida ao rei supremo da Tessália? Pois bem, comigo ela não se casará!

Licomedes segurou meu antebraço com ambas as mãos.

— Peleu, julga-me capaz de uma baixeza dessas? Exprimi-me mal — não quis ofendê-lo, juro. Só que... logo que o vi, conhecendo-o há tantos anos, meu coração disse-me que aquela era a mulher certa para você. Não lhe faltam pretendentes nobres... Todos os solteiros bem-nascidos de Ciros já lhe propuseram casamento. Mas ela os tem recusado, alegando estar à espera daquele que o Deus prometeu enviar-lhe — esse homem virá com um sinal divino.

Suspirei.

— Está bem, Licomedes, eu vou vê-la; mas nada lhe prometo! Entendido?

O recinto e o altar sagrados de Poseidon — de fato, não se tratava de um verdadeiro templo — situavam-se na outra ponta da ilha, a zona menos fértil e menos habitada; uma localização muito peculiar para o principal santuário do Senhor dos Mares. Seus favores eram vitais para todas as ilhas, cercadas por todos os lados por seus líquidos domínios. Sua disposição determinava a prosperidade de um local ou a fome que grassava em outro; por alguma razão Poseidon era também aquele que fazia tremer a terra. Eu próprio vira os frutos de sua raiva: cidades inteiras destruídas, tão lisas como o ouro sob o martelo do artífice. Poseidon enfurecia-se por tudo e por nada, e era muito cioso de seu prestígio; por duas vezes, tanto quanto se sabia, Creta fora arrasada pela violência de sua vingança, pois seus reis, sentindo-se cheios de importância, haviam negligenciado a veneração que a Poseidon era devida. O mesmo acontecera com a ilha de Tera.

Se aquela mulher que Licomedes queria para minha esposa era filha de Nereu — que governara os mares no tempo em que Cronos governara o mundo de seu trono no Olimpo —, não admirava que os oráculos exigissem seu afastamento do cargo. Zeus e seus irmãos não tinham tempo a perder com os velhos Deuses que haviam derrubado — e, pensando bem, quem poderia perdoar a um pai que *devorava* seus filhos?

Cheguei ao recinto sozinho e a pé, envergando um vulgar traje de caça e conduzindo minha oferenda por uma corda. Queria que ela pensasse que eu era um anônimo membro do povo, que não suspeitasse sequer de que eu era o rei supremo da Tessália. O altar erguia-se sobre um promontório por cima de uma pequena enseada; avancei lentamente pelo sagrado bosque que havia diante do altar, aturdido com o silêncio e com a sufocante religiosidade que impregnava o local. Até mesmo o mar chegava abafado a meus ouvidos, ainda que as ondas não parassem de se erguer e de se quebrar, numa multidão de bolhas brancas, contra as rochas da torturada base do precipício. Diante do altar, simples e desprovido de ornamentos, ardia a chama eterna sobre um tripé dourado; aproximei-me, parei e puxei minha oferenda para junto de mim.

Nesse momento, a sacerdotisa emergiu para a luz do sol, ainda que com alguma relutância, como se preferisse viver na sombra, em versão mais fresca e diáfana do dia. Fitei-a, fascinado. Pequena, elegante, feminina, possuía, no entanto, uma qualidade que, de feminino, nada tinha. Em vez do vestido habitual das sacerdotisas, com todos os bordados e pregas, envergava uma simples túnica feita com o belo e transparente linho que os egípcios tecem, e a cor de sua pele via-se claramente sob o linho, pálida e azulada, listrada, porque o material fora mal tingido. Os lábios eram grossos, mas de um rosa desmaiado; os olhos... ah, os olhos mudavam de cor de acordo com os matizes e os estados de ânimo do mar — cinzentos, azuis, verdes, até mesmo um púrpura tão escuro como o vinho; não usava qualquer pintura no rosto, à exceção de uma linha negra e muito fina delineando os olhos e prolongando-se na direção das sobrancelhas, o que lhe atribuía um ar vagamente sinistro. Seu cabelo não tinha cor; era de um branco como o branco das cinzas, embora possuísse um brilho que, na escuridão de um quarto, o faria por certo parecer azul.

Avancei, conduzindo minha oferenda.

— Suprema sacerdotisa, estou de visita à sua ilha e decidi fazer uma oferenda ao Pai Poseidon.

A sacerdotisa aquiesceu e segurou a corda. Depois, examinou o vitelo branco com olhar experiente.

— Pai Poseidon ficará satisfeito. Há muito não via um tão belo animal

— Como os cavalos e os touros são sagrados para ele, pensei que deveria oferecer-lhe aquilo de que ele mais gosta.

Ela fitou atentamente a chama do altar.

— O momento não é propício para um sacrifício. Farei a oferenda mais tarde — anunciou.

— Como queira, sacerdotisa. — Virei-lhe as costas, decidido a ir-me embora.

— Espere.

— Sim?

— Tenho de dizer ao Deus o nome do homem que lhe oferece o vitelo. Como se chama?

— Peleu. Sou o rei de Iolcos e o rei supremo da Tessália.

Os olhos dela mudaram rapidamente de cor: de azul-claro passaram a cinzento-escuro.

— Você não é um homem comum, Peleu. Seu pai era Éaco, e o pai dele era o próprio Zeus. Seu irmão Telamon é rei de Salamina e você pertence à realeza.

Sorri.

— Sim, sou filho de Éaco e irmão de Telamon. Quanto a meu avô, não tenho idéia de quem foi. Embora duvide de que fosse o Rei dos Deuses. Sinto-me mais inclinado a acreditar que fosse um bandido qualquer que se apaixonou perdidamente por minha avó.

— A impiedade, rei Peleu — ela retorquiu, serena —, conduz ao castigo divino.

— Não consigo encontrar em mim sinal de impiedade, sacerdotisa. É com a mais profunda fé que venero os Deuses e lhes faço oferendas.

— No entanto, nega que Zeus tenha sido seu avô.

— Essas histórias, senhora, são contadas para realçar os direitos de um homem a um trono — foi o que aconteceu com meu pai, Éaco.

Ela afagou com ar ausente o focinho do vitelo.

— Deve estar hospedado no palácio... Por que razão o rei Licomedes deixou-o vir até aqui sozinho e sem ser anunciado?

— Porque eu assim o quis, senhora.

Depois de ter amarrado o vitelo branco numa argola que havia num dos pilares, virou-me as costas.

— Suprema sacerdotisa, quem aceita a minha oferenda?

Olhando-me por cima do ombro, mostrou-me olhos cinzentos, frios e neutros.

— Eu sou Tétis, filha de Nereu. E não se trata apenas de rumores, rei Peleu. Meu pai é um grande Deus.

Era tempo de partir. Agradeci-lhe e retirei-me.

Não fui, contudo, muito longe. Armado de cuidados para que nenhum espião do santuário me visse, deslizei pelo caminho de cobras que conduzia à enseada, arrumei a lança e a espada atrás de uma rocha e deitei-me na areia quente, à sombra de um penhasco. Tétis. Tétis. Não havia dúvida: aquela mulher tinha nela o mar. Surpreendi-me querendo acreditar que fosse filha de um Deus, pois deixara-me enlear por aqueles olhos camaleônicos, em que eu vira todas as tempestades e bonanças que moldam o mar e resquícios de um fogo frio que as palavras não podem descrever. E queria que ela fosse minha esposa.

Ela também estava interessada em mim; minha idade e bagagem de experiência levavam-me a essa conclusão. Faltava apenas saber quão forte era sua atração; dentro de mim, sentia já a advertência de que, naquele combate, a derrota poderia ser minha. Tétis recusara já um sem-número de pretendentes: por que haveria de me querer? Embora não sentisse qualquer inclinação por homens, o certo é que, até então, as mulheres pouco mais tinham significado para mim do que a satisfação de um apetite que dilacera tanto os mais augustos Deuses como os simples mortais. Por vezes, levava uma mulher da casa para dormir comigo, mas, na realidade, nunca sentira por nenhuma verdadeiro amor. Estivesse ela ou não ciente disso, Tétis pertencia-me. E como eu praticava a Nova Religião em todos os seus aspectos, não teria esposas rivais. Eu seria só dela.

O sol ardia-me agora nas costas com força crescente. O meio-dia veio; despi meu traje de caçador, para que os raios de Hélio penetrassem minha pele. Mas não conseguia ficar quieto. A certa altura, soergui-me e fitei o mar, culpando-o da perturbação que sentia. Depois, cerrei os olhos e me ajoelhei.

— Pai Zeus, conceda-me seus favores! Sabe que, de minha boca, só tem ouvido súplicas nos momentos de maior abandono e necessidade; sabe que, quando apelo para sua intervenção, é como se procurasse o auxílio de um avô! E é por isso que agora rezo; é por isso que agora apelo para seus mais benévolos e doces sentimentos! Você sempre me ouviu, porque eu nunca o aborreço com trivialidades. Ajude-me agora, rogo-lhe! Dê-me Tétis como me deu Iolcos e os mirmídones e toda a Tessália! Dê-me a melhor das rainhas para o trono mirmídone, dê-me filhos poderosos, capazes de ocupar meu lugar quando eu morrer!

De olhos cerrados, mantive-me ajoelhado por um longo tempo. Quando me levantei, verifiquei que nada havia mudado, o que, aliás, não era de admirar: os Deuses não fazem milagres para instilar a fé nos corações dos homens. Então, de súbito, vi-a. O vento agitava sua frágil túnica como se fosse uma bandeira; seu cabelo, sob a violência do sol, parecia cristal, e seu rosto, erguido, extasiado. A seu lado, estava o vitelo branco; na mão direita, Tétis empunhava um punhal. O vitelo caminhava para a morte tranqüilamente; aninhou-se mesmo sobre os joelhos de Tétis quando ela se ajoelhou na areia que as ondas beijavam; e não lutou, nem gemeu de dor, quando ela lhe cortou a garganta, apertando-o contra si enquanto cintilantes fios escarlates se espalhavam por suas coxas e pelos braços nus. A água em seu redor ganhou um tom vermelho desmaiado, enquanto as caprichosas correntes sugavam o sangue do vitelo, diluindo-o em sua própria substância.

Ela não me vira. E não me viu enquanto deslizava pelos caminhos do mar, arrastando o vitelo morto; quando a água lhe cobriu os seios, pôs o vitelo à volta da nuca e começou a nadar. Por fim, já a alguma distância da praia, encolheu os ombros e libertou o animal, que afundou imediatamente. Uma rocha enorme e plana erguia-se do mar; ela nadou até a rocha, subiu para seu leito duro e, por um momento, manteve-se de pé, uma silhueta desenhada contra o céu claro. Depois, deitou-se de costas, aconchegou a cabeça sobre os braços cruzados e, aparentemente, adormeceu.

Um ritual bizarro, um ritual que não era aprovado pela Nova Religião. Tétis aceitara minha oferenda em nome de Poseidon, mas quem a recebera fora Nereu. *Sacrilégio*! E era ela a suprema sacerdotisa de Poseidon! Ah, Licomedes, você tinha razão! Aquela mulher albergava as sementes de destruição de Ciros. Ela não dava ao Senhor dos Mares aquilo que lhe era devido, tampouco respeitava o Senhor dos Terremotos que Poseidon também era.

O ar estava calmo e suave, a água límpida; porém, enquanto caminhava na direção das ondas, tremia como se ardesse em febres. A água não conseguiu refrescar-me enquanto nadava; Afrodite apertara de tal modo suas sedosas garras, que me lacerava até os ossos. Tétis era minha e eu ia possuí-la. Salvava assim o pobre Licomedes e sua ilha.

Quando alcancei a rocha, agarrei-me a uma saliência e ergui-me com um esforço que quase me fendeu os músculos; curvei-me sobre Tétis antes que ela pudesse perceber que eu estava mais perto dela do que o palácio de Ciros da cidade. Ela, contudo, não dormia. Seus olhos, agora de um verde suave, sonhador, estavam abertos. Então, afastou-se bruscamente de mim, e seus olhos tornaram-se negros.

— Não me toque! — ordenou, ofegante. — Homem nenhum se atreve a tocar-me! Eu pertenço ao Deus!

Minha mão estendeu-se num ápice, detendo-se a mínima distância de seu tornozelo.

— Os votos que você fez não são permanentes, Tétis. Pode casar-se. E casará comigo.

— Eu pertenço ao Deus!

— A respeito de que Deus você fala? Quando fala, serve a um Deus, mas quando procede aos sacrifícios está servindo a outro! Você me pertence, Tétis; e tenho certeza de que minha ousadia não conhece limites. Se o Deus — seja ele quem for! — exigir minha morte por isso, acredite que aceitarei sua sentença.

Soltando um grito de aflição e pânico, tentou deslizar pela rocha na direção do mar. Eu, porém, era mais rápido do que ela e, agarrando-a por uma perna, arrastei-a para mim; seus dedos cravaram-se na superfície arenosa e eu podia mesmo ouvir suas unhas rasgando tudo aquilo que estivesse a seu alcance. Agarrei-a pelos pulsos, libertando-lhe o tornozelo, e ergui-a.

Lutou comigo como dez gatos selvagens, com todas as forças, em silenciosos pontapés e mordidas, enquanto eu a apertava. Uma dúzia de vezes escapou à tenacidade de meus braços; uma dúzia de vezes voltei a prendê-la. O sangue tingia-nos os corpos. A carne de meu ombro estava dilacerada, os lábios dela estavam fendidos, mancheias do cabelo de ambos rodopiavam ao sabor do vento que de súbito se levantara. Não era uma violação, nem eu pretendia que fosse; era um mero concurso de forças, homem contra mulher, a Nova Religião contra a Velha. Terminou como tais concursos devem terminar: com a vitória do homem.

Caímos sobre a rocha com uma violência que a deixou sem fôlego. Seu corpo estava agora acorrentado sob o meu, os ombros já não se debatiam. Olhei-a nos olhos.

— Perdeu o combate. Conquistei-a.

Seus lábios tremiam; virou-me o rosto.

— Você é ele. Eu soube logo que o vi no santuário. Quando jurei servi-lo, o Deus disse-me que um homem viria um dia do mar, um homem do céu que retiraria o mar de minha mente e me tornaria sua Rainha. — Suspirou. — Pois que assim seja, se essa é a vontade do Deus.

Com pompa e circunstância, sentei a nova rainha no trono de Iolcos. Durante o primeiro ano de nossa união, Tétis ficou grávida. Era o culminar de nosso júbilo. Nunca fomos tão felizes como durante as nove luas em que esperamos o nascimento de nosso filho. Nenhum de nós admitia sequer que pudesse ser uma menina.

Minha própria ama, Aresune, foi nomeada chefe das parteiras; por isso, quando Tétis começou com as dores do parto, de nada me valeu o poder do trono; a velha ama impôs sua autoridade e baniu-me para o outro extremo do palácio. Tive de aguardar que o carro de Febo desse uma volta inteira: durante esse tempo, refugiei-me na solidão, ignorando os criados que me rogavam que comesse ou bebesse. Nesse momento, a única coisa que sabia fazer era esperar... Até que, já a noite ia alta, Aresune procurou-me. Não se dera sequer ao trabalho de mudar de roupa; manchas de sangue espalhavam-se por seu vestido; mirrada e curvada, parecia encolhida dentro daquelas roupas ensangüentadas e, no rosto enrugado, a dor desenhara seus traços. Os olhos, que de tão fundos pareciam duas covas negras, eram uma fonte de lágrimas.

— Era um menino, rei Peleu, mas não viveu o suficiente para inspirar o ar da vida. A rainha está bem. Perdeu algum sangue e está muito cansada, mas sua vida não corre perigo. — As mãos magras contorciam-se uma na outra. — Senhor, juro-lhe que não houve erro algum em meu trabalho! Um menino tão bonito, tão forte! Foi a vontade da Deusa.

Não suportava que ela visse meu rosto à luz da lamparina. Meu sofrimento era tanto, que não conseguiria chorar. Num ápice, virei as costas à minha ama e fui embora dali.

Vários dias se passaram até eu conseguir arranjar forças para ver minha esposa. Quando finalmente entrei em seu quarto, espantei-me: Tétis aparentava ótima saúde, e seu ar não poderia ser mais feliz. Disse tudo o que seria correto dizer em tais circunstâncias, ensaiou mesmo algumas palavras que exprimiam tristeza, mas nada daquilo era *verdadeiro*! Tétis estava contente!

— Nosso filho está morto! — explodi. — A morte de um filho é insuportável! Ele nunca conhecerá o sentido da vida! Nunca ocupará meu lugar no trono. Durante nove luas você o trouxe no ventre e, afinal, para nada!

Tétis afagou-me a mão com um ar vagamente protetor.

— Oh, meu querido Peleu, não sofra mais! Nosso filho não tem vida mortal, mas esqueceu-se de que sou uma Deusa? Como ele não respirou o ar da terra, pedi a meu pai que concedesse a nosso filho a vida *eterna*, e meu pai acedeu ao pedido. Nosso filho vive agora no Olimpo; come e bebe com os outros Deuses, Peleu! Não, ele nunca será o rei de Iolcos, mas desfruta de algo que nenhum homem mortal jamais poderá desfrutar. Ao morrer, nosso filho tornou-se imortal; portanto, nunca morrerá.

Meu espanto transformou-se em repulsa. Olhei-a nos olhos e perguntei-me como era possível que Tétis se tivesse deixado enredar de tal maneira por aqueles absurdos. Ela era tão mortal quanto eu, e seu filho, tão mortal quanto nós dois. Então, reparei na confiança extrema que havia em seu olhar e não consegui falar o que ansiava dizer-lhe. Se acreditar em tais tolices lhe aliviava a dor, que acreditasse! A vida com Tétis ensinara-me que ela não pensava nem se comportava como as demais mulheres. Por isso, limitei-me a afagar-lhe a cabeça e retirei-me.

Seis filhos deu-me Tétis e todos natimortos. Quando Aresune trouxe a notícia da morte do segundo menino, quase enlouqueci. Durante muitas luas, não consegui sequer me aproximar de Tétis, pois sabia o que ela diria — que nosso filho era agora um Deus. No fim, porém, o amor e o desejo levavam-me de volta a seus braços e de novo percorríamos o medonho ciclo até o fatal desenlace.

Quando o sexto bebê nasceu morto — como era *possível* que tivesse morrido ao nascer, se a gravidez durara as nove luas e a criança, em seu minúsculo carro funerário, parecia tão forte, apesar do tom azul-escuro da pele? —, jurei que nunca mais daria filhos meus ao Olimpo. Mandei um emissário à Pitonisa de Delfos, e a resposta foi esta: Poseidon estava furioso porque eu lhe roubara sua sacerdotisa! Quanta hipocrisia! Hipocrisia e loucura! Primeiro, não a queria; agora, mudara de idéia. Não duvidemos: não há no mundo um só homem que consiga entender o que pensam e o que fazem os Deuses, Novos ou Velhos.

Durante dois anos, não vivi com Tétis, que continuava a querer conceber mais filhos para o Olimpo. Então, no final do segundo ano, levei um potro branco a Poseidon, Criador de Cavalos, e ofereci-o diante de todos os mirmídones, o meu povo.

— Revogue sua maldição e dê-me um filho vivo! — gritei.

As entranhas da terra ressoaram, a cobra sagrada, que estava sob o altar, disparou como um relâmpago castanho, o chão agitou-se, percorrido de espasmos. Um pilar caiu a meu lado, mas eu não me mexi. Entre meus pés, surgiu uma fenda sufocante, tamanho era o cheiro de enxofre, mas permaneci parado e de pé até que o tremor se esbateu e a fenda se fechou. O potro branco jazia no altar sem gota de sangue e pateticamente quieto. Três luas depois, Tétis disse-me que estava grávida de nosso sétimo filho.

Ao longo das nove fatigantes luas que se seguiram, ordenei que a vigiassem como um falcão vigia pintos; ordenei a Aresune que dormisse com ela todas as noites, ameacei as mulheres da casa com as torturas mais terríveis, caso a deixassem sozinha por um instante que fosse, a menos que Aresune se encontrasse por perto. Tétis suportava esses caprichos, como lhes chamava, com paciência e bom humor; nunca discutia, nunca tentava infringir minhas leis. Certa vez, ouvi-a cantar um estranho cântico da Velha Religião; um arrepio gelado percorreu-me o corpo. Porém, quando lhe ordenei que se calasse, obedeceu prontamente e nunca mais a ouvi entoar tais cânticos. Aproximava-se a hora em que daria à luz o sétimo filho. Comecei a nutrir algumas esperanças. Se eu sempre respeitara os Deuses, por que razão não haveriam eles de me dar um filho vivo?

Possuía uma armadura que havia pertencido a Minos; era, entre todos os meus tesouros, aquele que eu mais prezava. Era um objeto extraordinário: sobre quatro camadas separadas de bronze e três de estanho, era forrada de ouro e incrustada com lápis-lazúli e âmbar, e ornamentada com um padrão maravilhoso de coral e cristal. O escudo, de idêntica construção, era tão alto quanto um homem e fazia lembrar dois escudos redondos sobrepostos; de fato, possuía uma espécie de cintura. A couraça e as grevas, o elmo e o saiote e as proteções dos braços tinham sido feitos para um homem mais corpulento do que eu; por isso eu respeitava o falecido Minos, que usara aquela armadura em suas viagens pelo reino cretense, confiando que nunca precisaria dela para se proteger, desejoso apenas de exibir diante de seu povo toda a sua riqueza. E, quando Minos caíra, a armadura de nada lhe servira, pois Poseidon esmagara-o, bem como a Creta, porque nem Minos nem Creta queriam a Nova Religião. Mãe Kubaba,[1] a Grande Deusa da Velha Religião, Rainha da Terra e dos Céus, sempre reinara em Creta e em Tera.

Com a armadura de Minos, guardara uma lança de freixo das encostas do monte Pélio; tinha uma ponta pequena, feita com um metal chamado ferro, tão raro e precioso que a maior parte dos homens pensava tratar-se de uma lenda, pois poucos o tinham visto. A experiência havia provado que a lança atingia sempre seu alvo, apesar de mais parecer uma pena em minha mão. Quando deixei de precisar dela, porque a guerra terminara, guardei-a com a armadura. A lança tinha um nome: Velha Pélion.

Antes do nascimento de meu primeiro filho, fora buscar essas raridades e as limpara e polira, certo de que a armadura lhe serviria como uma luva. Porém, com as sucessivas mortes de meus

[1] Kubaba ou Cibele; Kubaba era uma deusa da Anatólia a que Cibele foi posteriomente assimilada. A origem de Cibele é a Frígia. Seu culto espalhou-se por toda a Grécia e chegou também a Roma. (N. T.)

filhos, mandei-as de novo para os subterrâneos onde guardava meus tesouros, condenando-as a viver numa escuridão que não era mais negra do que meu desespero.

Cerca de cinco dias antes do esperado nascimento de meu sétimo filho, peguei uma lamparina e desci os velhos e gastos degraus de pedra que conduziam às entranhas do palácio. Depois, avancei lentamente por infindáveis corredores até que avistei a grande porta de madeira da sala dos tesouros. Por que estava eu ali?, perguntei a mim mesmo, sem conseguir encontrar resposta satisfatória. Abri a porta, preparando já os olhos para a escuridão; porém, em vez de escuridão, deparou-se-me uma luz dourada no extremo oposto da imensa câmara. Apaguei minha lamparina e avancei furtivamente, a mão no punhal. A sala estava atravancada de urnas e baús, cofres e indumentária sagrada; tinha de avançar com cuidado.

Aproximando-me da luz, ouvi o inconfundível som de uma mulher chorando. Aresune, minha ama, estava sentada no chão, embalando nos braços o elmo de ouro que havia pertencido a Minos; as belas plumas douradas do elmo balançavam sobre sua mão mirrada. Eram lágrimas brandas, mas amargas; ao mesmo tempo, entoava o cântico de luto de Egina, a ilha de onde ela e eu éramos originários, a ilha que fora o reino de Éaco. Ó *Kore*![2] Aresune chorava antecipadamente meu sétimo filho!

Não poderia deixar de consolá-la, não poderia sair dali furtivamente, fingindo que não a tinha visto, que não a tinha ouvido. Quando minha mãe lhe ordenara que me desse seu seio, Aresune era já uma mulher madura; fora ela quem me criara, sob o olhar indiferente de minha mãe; seguira-me em minhas andanças por uma dúzia de estados, tão fiel como o mais fiel de meus cães; e, quando conquistei a Tessália, atribuí-lhe um importante cargo em

[2] A autora utiliza um dos nomes de Perséfone, filha de Zeus e Deméter, Kore; neste caso, Perséfone é invocada em sua qualidade de rainha dos Infernos, ou seja, do mundo dos mortos. (N. T.)

meu lar. Por tudo isso, aproximei-me dela, toquei-lhe brandamente o ombro e supliquei-lhe que não chorasse. Tirei-lhe o elmo dos braços e estreitei seu corpo velho e rígido, dizendo-lhe palavras meigas e carinhosas, procurando confortá-la com meu próprio sofrimento. Por fim, Aresune acalmou-se, ainda que seus dedos magros continuassem cravados em minha túnica.

— Meu querido rei, por quê? — disse ela, em tom plangente. — Por que a deixa fazer aquilo?

— Por que o quê? O que eu a deixo fazer? Fazer o quê?

— A rainha — retrucou ela, em meio a soluços.

Mais tarde, dei-me conta de que o sofrimento a transtornara; caso contrário, nunca teria conseguido arrancar-lhe aquela confissão. Embora a amasse muito mais do que jamais amara minha mãe, Aresune sempre tivera nítida consciência da diferença de estatuto que havia entre nós. Prendi-a com tal violência entre minhas mãos, que a pobre desatou a contorcer-se e a lamentar sua sorte.

— O que faz a rainha? — berrei.

— Mata seus filhos!

Meu corpo todo tremia.

— Tétis? Que história *é* essa? Fale!

A velha ama já não se debatia entre meus braços. Fitava-me apenas; fitava-me, horrorizada, porque descobrira, naquele preciso momento, que eu nada sabia.

Sacudi-a.

— Aconselho-a a contar-me tudo, Aresune. Como é que minha mulher mata os próprios filhos? E por quê? *Por quê*?

Mas Aresune cerrou os lábios e nada disse; seus olhos aterrorizados fixavam a chama da lamparina. Empunhei o punhal; encostei sua temível ponta àquela pele velha e flácida.

— Fale, mulher, ou, por Zeus Onipotente, juro que lhe arrancarei as unhas e os olhos — juro que tudo farei para destravar sua língua! Fale, Aresune, fale!

— Peleu — suplicou com voz trêmula —, se eu falar, ela me amaldiçoará, e a maldição dela é muito pior do que qualquer tortura.

— Essa maldição seria funesta para Tétis, porque se voltaria contra ela. Conte-me tudo.

— Eu pensei que você sabia, que havia consentido... Quem sabe talvez ela tenha razão; talvez a imortalidade seja preferível à vida na terra, porque os imortais não envelhecem.

— Tétis é louca — murmurei.

— Não, meu senhor. Tétis é uma Deusa.

— Não é, Aresune! Apostaria minha vida que ela é tão mortal quanto você!

Aresune não parecia convencida da condição mortal de Tétis; eu não conseguira abalar suas superstições.

— Ela matou todos os seus filhos, Peleu. Com a melhor das intenções.

— E como faz isso? Toma alguma poção?

— Não, meu querido senhor. O processo é muito mais simples. Quando a sentamos no banco de parir, ela manda saírem todas as mulheres, exceto eu. Depois, ordena-me que ponha um balde cheio de água debaixo dela. Logo que a cabeça da criança sai de dentro dela, Tétis a conduz na direção da água e ali a mantém até sufocar o bebê.

Meus punhos cerravam-se e abriam-se.

— Então é por isso que os meninos têm aquela cor azul! — Ergui-me. — Volte para junto dela, Aresune, ou perceberá sua falta. Juro-lhe, como seu rei, que nunca direi a ninguém que foi você que me contou a verdade; garanto-lhe que ela não terá a menor possibilidade de lhe fazer mal. Vigie-a de perto. Quando as dores do parto começarem, corra e me avise. Entendido?

Ela acenou que sim, já sem lágrimas nos olhos e sem culpa no coração. Depois, beijou-me as mãos e, em seu passo trôpego, retirou-se.

Fiquei ali um tempo infinito sem me mexer, enquanto as chamas das lamparinas se esbatiam. Tétis matara meus filhos — e *para quê*? Por causa de um sonho impossível, de um sonho demente. Por superstição. Por uma ilusão. Privara-os do direito de se tornarem homens. Cometera crimes tão vis, que eu daria tudo para, naquele momento, poder trespassá-la com minha espada. Mas Tétis trazia ainda em seu ventre meu sétimo filho. A espada teria de esperar. E a vingança pertencia aos Deuses da Nova Religião.

Cinco dias depois de ter falado com Aresune, a velha procurou-me. Corria como louca, o cabelo desgrenhado pelo vento. A tarde chegava a seu final e eu fora aos estábulos a fim de examinar os garanhões, pois a época de acasalamento aproximava-se e os cavariços queriam mostrar-me os casais que haviam escolhido.

Corri como um corcel rumo ao palácio, com Aresune empoleirada em meus ombros.

— O que vai fazer? — perguntou-me quando a larguei diante da porta de Tétis.

— Vou entrar com você.

Horrorizada, Aresune soltou um grito agudo.

— Meu senhor, meu senhor! Isso é proibido!

— Matar também é proibido — retruquei, e abri a porta.

O nascimento de uma criança é um mistério feminino, um mistério que não pode ser profanado pela presença de homens. Quando a Nova Religião venceu a Velha, houve coisas que não mudaram; Mãe Kubaba, a Grande Deusa, continua a governar os assuntos das mulheres. E, em particular, tudo o que tenha a ver com o desenvolvimento dos frutos humanos — e com sua colheita, estejam eles verdes, perfeitamente maduros ou secos e mirrados pela idade.

Quando entrei, ninguém me viu durante breves momentos; tive tempo para observar, cheirar, ouvir. A sala cheirava a suor e sangue, e a outras coisas estranhas e aterradoras para um homem. O trabalho de parto ia avançado, pois as mulheres da casa estavam nesse momento conduzindo Tétis de sua cama para o banco de parir, onde as parteiras rondavam e instruíam, em constante azáfama. Minha mulher estava nua, o abdômen grotescamente inchado, quase luminoso de tão distendido. Dispuseram cuidadosamente suas coxas sobre a dura superfície de madeira do banco, em cujo assento havia no meio um amplo buraco, concebido para ajudar à distensão da extremidade do canal do parto, o local por onde saía o corpo do bebê, sendo a cabeça a primeira porção do corpo a assomar.

No chão, perto do banco, havia um balde de madeira transbordando de água, mas nenhuma das mulheres olhava sequer para ele, pois nenhuma delas sabia para que servia aquele objeto.

Mal me viram, quase voaram para mim, a raiva estampada no rosto, pensando que o rei enlouquecera, determinadas a correr comigo dali para fora. Com uma bofetada, derrubei a que ousara aproximar-se mais; as outras recuaram imediatamente. Aresune estava curvada sobre o balde, murmurando feitiços para afastar o mau-olhado, e não se mexeu enquanto eu expulsava as mulheres e trancava a porta.

Tétis viu tudo. Seu rosto cintilava de suor, e seus olhos estavam negros como breu. Apesar disso, conseguia controlar sua fúria.

— Vá embora, Peleu — pediu em tom brando.

Respondi-lhe afastando Aresune, pegando o balde e despejando no chão a água do mar.

— Não matará mais ninguém, Tétis! Este filho é meu!

— Matar? *Matar*? Oh, pobre idiota! Eu não matei ninguém! Eu sou uma Deusa! Meus filhos são imortais!

Minhas mãos cravaram-se em seus ombros.

— Seus filhos estão mortos, mulher! Estão condenados a viver como sombras errantes, porque você não os deixou que realizassem os feitos que atraem o amor e a admiração dos Deuses! Não pisarão nunca os Campos Elíseos, não serão nunca heróis, não encontrarão nunca seu lugar entre as estrelas! Você não é uma Deusa! É uma mulher mortal!

Sua resposta foi um estridente grito de aflição; suas costas arquearam-se e as mãos agarraram os braços de madeira do banco com tanta força, que as juntas dos dedos brilhavam como prata.

Aresune, entretanto, parecia ter despertado de um longo torpor.

— Chegou a hora! — exclamou. — Está prestes a nascer!

— A criança não será sua, Peleu! — rosnou Tétis.

Começou a tentar juntar as pernas, o que contrariava o instinto que lhe ordenava que as abrisse.

— Vou esmagar a cabeça dele! — exclamou, a voz prenhe de raiva. Depois, desatou a gritar, um grito que parecia não ter fim. — Oh, Pai! Pai Nereu! Ele está me rasgando!

As veias ressaltavam-lhe na testa como se fossem cordões púrpura, as lágrimas escorriam-lhe pelas faces. Mesmo assim, continuava a lutar para fechar as pernas. Apesar de desvairada de dor, convocou todas as fibras de sua vontade e uniu inexoravelmente as pernas, cruzou-as e entrelaçou-as para que ficassem tão fechadas como a porta que eu trancara havia pouco.

Aresune estava sentada no chão encharcado, a cabeça sob o banco; ouvi-a gritar, mas, logo a seguir, a velha ama explodiu num riso que mais parecia um relincho.

— Ai! Ai! Peleu, é o pé dele! Ele vem ao contrário, é o pé dele! — Arrastou-se para o lado, levantou-se e, com a força de um jovem em seu velho braço, fez com que eu me virasse para ela. — Quer um filho vivo? — perguntou-me.

— Quero, quero!

— Então, abra-lhe as pernas! Os pés estão saindo primeiro, a cabeça dele não corre perigo!

Ajoelhei-me e agarrei com a mão esquerda o joelho mais alto de Tétis; em seguida, enfiei a mão direita sob esse joelho a fim de agarrar o outro; por fim, usei de toda a minha força para lhe afastar as pernas. Os ossos dela rangiam perigosamente; ela empinava a cabeça e vociferava maldições e cuspia algo que mais parecia uma chuva corrosiva, e seu rosto — juro, pois eu não tirava os olhos dela, e ela não tirava os olhos de mim —, seu rosto ganhara as escamas e a forma da cabeça de uma serpente. Os joelhos começaram enfim a separar-se; eu era muito mais forte do que ela. Não seria essa uma prova incontestável de sua condição mortal?

Aresune mergulhou abaixo de minhas mãos. Fechei os olhos e resisti à força de Tétis. Então, ouvi um som agudo e breve, um respirar convulsivo e, de repente, o quarto encheu-se do choro de um bebê vivo. Meus olhos abriram-se num ápice. Fixei, incrédulo, Aresune e a criatura que ela segurava com uma das mãos, de cabeça para baixo — uma coisa medonha, molhada, escorregadia, que se contorcia e debatia, e berrava com tal força, que seus berros chegariam por certo aos céus —, uma coisa com pênis e escroto salientes sob a película membranosa. Um filho! Eu tinha um filho vivo!

Tétis permaneceu quieta e calada, o rosto vazio e parado. Mas os olhos dela não se tinham fixado em mim, mas em meu filho, que Aresune envolvia agora com um pano branco, depois de ter atado o cordão umbilical e de tê-lo limpo.

— Um filho que fará as delícias de seu coração! — riu Aresune. — O bebê mais forte e saudável que jamais vi! Foi pelo calcanhar direito que o puxei.

Entrei em pânico.

— O calcanhar! O calcanhar direito, velha! Está quebrado? Está deformado?

Aresune afastou o pano e mostrou-me um calcanhar perfeito — o esquerdo — e um pé e um calcanhar inchados e contundidos.

— Ambos os calcanhares estão intactos. O direito acabará por sarar e as marcas desaparecerão.

Tétis riu, um som débil e toldado.

— O calcanhar direito... Com o que então foi assim que ele conseguiu respirar o ar da terra. O pé saiu primeiro... Não admira que me tenha rasgado tanto. Sim, as marcas desaparecerão, mas esse calcanhar direito será a sua ruína. Um dia, quando ele precisar de um calcanhar firme e possante, o calcanhar direito se lembrará do dia em que ele nasceu e o trairá.

Ignorei-a, estendendo os braços para Aresune.

— Dê-me meu filho, Aresune! Deixe-me vê-lo! Deixe-me ver o amor de minha vida, a razão de meu ser, meu filho! Meu filho!

Informei à corte que tinha um filho. Quanta exultação, quanta alegria! Toda a Iolcos, toda a Tessália haviam sofrido comigo ao longo dos anos.

Porém, depois de todos terem partido, sentei-me em meu trono de imaculado mármore branco com a cabeça entre as mãos, quase morto de exaustão. As vozes começaram a esbater-se ao longe, e a noite começou a tecer suas mais negras e solitárias teias. Eu tinha um filho vivo, mas deveria ter tido sete filhos vivos. Minha mulher era louca.

Ela penetrou descalça na câmara escassamente iluminada, envergando uma vez mais aquela túnica transparente e flutuante que eu lhe vira em Ciros. Com o rosto velho, enrugado, atravessou lentamente as geladas lajes do chão. Seu caminhar expressava bem o sofrimento de seu corpo.

— Peleu — murmurou, mal chegou ao estrado em que meu trono assentava.

Vira-a pelas frestas entre meus dedos. Ergui a cabeça para falar com ela.

— Vou voltar para Ciros, marido.

— Licomedes não a quer.

— Nesse caso, irei para onde me queiram.

— Como Medéia, num carro puxado por cobras?

— Não. Farei minha viagem nas costas de um golfinho.

Nunca mais a vi. Ao alvorecer, Aresune veio com dois escravos que me ergueram e levaram para a cama. Dormi tanto, que, quando acordei, já o carro de Febo dera uma volta inteira em redor de nosso mundo; não me lembrei de um único sonho, mas lembrei-me de que tinha um filho. Corri a seu quarto como se tivesse as sandálias aladas de Hermes em meus pés e o encontrei no colo de Aresune, depois de ter mamado nos seios de sua ama — uma jovem saudável que perdera seu bebê, informou-me logo a velha. Chamava-se Leucipa, nome que significa "égua branca".

Era a minha vez agora. Peguei-o e constatei que era pesado, o que, aliás, não era de admirar, pois ele parecia ser feito de ouro. O cabelo dourado, todo em caracóis, a pele dourada, sobrancelhas e pestanas douradas, os olhos, que não largavam os meus, eram escuros, mas imaginei que, quando começassem a ver, seriam de um qualquer tom dourado.

— Como vai chamá-lo? — perguntou Aresune.

Não sabia que resposta lhe dar. Ele tinha de ter seu próprio nome, um nome que ninguém mais tivesse. Mas que nome? Olhei seu nariz, as faces, o queixo, a testa, e achei-os tão delicadamente moldados... Um rosto mais parecido com o de Tétis do que com o meu. Os lábios, os lábios só poderiam ser dele, porque lábios era coisa que não tinha; uma simples fenda, ferozmente determinada e, no entanto, dolorosamente triste, era sua boca.

— Aquiles — murmurei, finalmente.

Ela concordou.

— Sem lábios. Um bom nome para ele, meu querido rei. — Depois, suspirou. — A mãe dele fez aquela profecia... Vai consultar a Pitonisa de Delfos?

Balancei a cabeça.

— Não. Minha mulher é louca, não acredito em suas predições; mas a Pitonisa diz a verdade e eu não quero saber o que o destino reserva a meu filho.

CAPÍTULO TERCEIRO

NARRADO POR

QUÍRON

Eu tinha um lugar preferido à saída de minha gruta, esculpida na rocha pelos eflúvios divinos muito antes de os homens terem chegado ao monte Pélion. Ficava na ponta do penhasco e muitos eram os momentos que eu passava nessa espécie de banco, forrado com uma pele de urso para proteger meus velhos ossos das duras carícias da pedra. Ali sentado, meus olhos dominavam terra e mar como se fossem os olhos de um rei: o rei que eu nunca fui.

Estava velho, muito velho. Era sobretudo no outono que me dava conta disso, pois era nessa estação que começavam as dores que anunciavam o inverno. Ninguém — e ainda menos eu — tinha idéia de minha idade; há um tempo em que a realidade da idade fica paralisada, em que todos os anos e todas as estações se resumem, afinal, a um longo dia em que não fazemos outra coisa senão esperar a morte.

O alvorecer prometia um dia de beleza e paz. Por isso, antes que o sol se erguesse no céu, concluí meus poucos trabalhos domésticos, após o que saí para o ar fresco do monte. Minha gruta ficava bem no alto, quase no cume da vertente sul do Pélion, por cima de um fundo precipício. Afundei-me em minha pele de urso para ver o sol. Nunca me cansava de olhar o que dali se via; ao longo de incontáveis anos, do alto do Pélion, vigiara o mundo que se estendia sob meus pés, a costa da Tessália e o mar Egeu. E enquanto via o sol erguendo-se no horizonte tirei alguns favos gotejantes de mel da caixa de alabastro em que guardava minhas guloseimas e afundei neles minhas gengivas desdentadas, sugando-os, esfomeado. Aquele mel tinha o sabor de flores silvestres, doces zéfiros, florestas de pinheiros.

Meu povo, os centauros, vivera no monte Pélion durante mais tempo do que os homens poderiam registrar, servindo os reis da Grécia como preceptores de seus filhos. De fato, éramos os melhores professores do mundo. Digo "éramos" porque sou o último dos centauros; com a minha morte, morrerá a minha raça. No interesse de nosso trabalho, a maior parte dos centauros escolhera o celibato; por outro lado, aqueles que se casavam nunca escolhiam mulheres de outros povos; por isso, nossas mulheres, quando se cansaram de uma existência vulgar, pegaram seus pertences e partiram. Por essa razão, os nascimentos diminuíram drasticamente; com efeito, a maior parte de nossos homens não tinha sequer tempo para fazer a viagem até a Trácia, a região para onde tinham ido nossas mulheres, a fim de se juntar às mênades e de participar do culto de Dioniso. E, pouco a pouco, uma lenda nasceu: a lenda segundo a qual os centauros eram invisíveis porque tinham medo de se mostrar a outros homens; e tinham medo porque — acrescentava a lenda — seriam meio homens, meio cavalos. Uma criatura sem dúvida interessante, caso tivesse existido. Mas não, tal criatura nunca existiu; os centauros mais não eram do que homens, em tudo iguais aos demais homens.

Meu nome era conhecido em toda a Grécia; eu sou Quíron e fui o mestre da maior parte dos jovens que, em chegando à idade adulta, se tornaram heróis famosos: Peleu e Telamon, Tideu, Heracles, Atreu e Tiestes, isto para citar apenas alguns. Contudo, isso já foi há tanto tempo... Para dizer a verdade, enquanto assistia ao amanhecer não era em Heracles nem em sua estirpe que eu pensava.

Abundam no monte Pélion as florestas de freixos, freixos mais altos e eretos do que todos os outros, um mar tremeluzente de um amarelo radioso nessa época do ano, visto que todas as folhas, moribundas, mas prenhes de luz, estremecem e caem ao sabor da mais leve brisa. A meus pés, caía a pique o precipício, quinhentos cúbitos de rocha nua, sem uma sombra sequer de verde ou amarelo, e, sob o abismo, de novo a floresta de freixos, erguendo seus ramos para o céu, e muitos pássaros com suas vozes distintas. Não ouvia nunca os sons dos homens, pois entre mim e os pináculos do Olimpo não havia outro homem. Estendendo-se muito ao longe e reduzida ao tamanho de um reino de formigas, surgia Iolcos — e não será forçada esta descrição, pois chamavam mirmídones, ou formigas, ao povo de Iolcos.

Entre todas as cidades do mundo, tirando Creta e Tera antes de Poseidon tê-las arrasado, Iolcos era a única que não tinha muralhas. Quem ousaria invadir a pátria dos mirmídones, que eram guerreiros sem par? A ausência de muralhas levava-me a amar ainda mais Iolcos. É que eu odiava muralhas. Outrora, quando viajava, não suportava ver-me encerrado dentro das muralhas de Micenas ou Tirinto mais do que um ou dois dias. As muralhas eram estruturas construídas pela morte com pedras das pedreiras do Tártaro.

Joguei fora os favos de mel e peguei meu odre, aturdido pelo sol que tingia de carmesim a amplidão da baía de Págasa, reverberando nas figuras douradas do telhado do palácio, retingindo as cores dos pilares e das paredes dos templos, do palácio e dos edifícios públicos.

Um caminho serpenteava desde a cidade até meu quase inexpugnável retiro, mas havia muito tempo que não era usado. Naquela manhã, porém, alguém decidira usá-lo; de fato, ouvi um veículo aproximando-se. A raiva que senti destronou por completo a doce contemplação; levantei-me, cambaleante, decidido a enfrentar o insolente intruso e a colocá-lo dali para fora. Era um nobre e conduzia um veloz carro de caça, puxado por dois cavalos baios da Tessália; na túnica do homem, viam-se as insígnias da casa real. Eram claros seus olhos e radioso seu sorriso; desceu do carro com a graça que só os jovens conhecem e encaminhou-se em minha direção. Recuei; naqueles tempos, o cheiro de um homem causava-me repulsa.

— O rei manda-lhe suas melhores saudações, Quíron — anunciou o jovem.

— O que pretende? O que pretende? — perguntei, descobrindo, para meu grande pesar, que minha voz soava rouca e áspera.

— Ordenou-me o rei que lhe trouxesse uma mensagem, Quíron. Amanhã, ele e seu irmão virão procurá-lo: deixarão sob sua guarda seus filhos até eles crescerem. Deverá ensinar-lhes tudo aquilo que eles devem saber.

Meu corpo todo retesou-se de indignação. Que o rei Peleu nem pensasse nisso! Estava muito velho para aturar meninos turbulentos. Há tempos deixara de ensinar. E não voltaria a fazê-lo, nem mesmo que os alunos fossem descendentes de uma casa tão ilustre como a de Éaco.

— Diga ao rei que fiquei furioso com sua proposta! Não pretendo dar aulas ao filho dele nem ao filho de seu régio irmão, Telamon. Diga-lhe que, se subir o Pélion amanhã, estará perdendo seu tempo. Quíron já abandonou seu velho mister.

O jovem fitou-me, desalentado.

— Quíron, eu não ousaria levar-lhe tal mensagem. O rei ordenou-me que lhe anunciasse sua visita e foi isso que fiz. Peleu, porém, não me encarregou de levar uma resposta.

Quando o carro de caça desapareceu, regressei a meu banco e descobri que a paisagem que momentos antes contemplara desaparecera sob um véu escarlate. O véu de minha raiva. Como se atrevia o rei a pensar que eu daria aulas a seu filho ou ao filho de Telamon? Anos antes, fora o próprio Peleu que enviara arautos a todos os reinos da Grécia, anunciando que Quíron, o centauro, se aposentara. Agora, Peleu dava o dito por não dito.

Telamon, Telamon... Tinha muitos filhos, mas havia dois que eram os preferidos... O mais velho era um bastardo, filho da princesa troiana Hesíone, e chamava-se Teucro. O outro era seu herdeiro legítimo, Ajax. Por sua vez, Peleu tinha um único filho, um filho de Tétis, sua rainha, miraculosamente nascido depois de seis crianças terem morrido ao nascer. Chamava-se Aquiles. Que idade teriam agora Aquiles e Ajax? Eram meninos pequenos, certamente. Malcheirosos, desprezíveis, algo entre o bicho e o homem. Que horror.

Morta minha alegria, reduzida a cinzas minha raiva, regressei à minha caverna. Não havia maneira de recusar o trabalho. Peleu era o rei supremo da Tessália; eu era seu súdito e tinha de obedecer-lhe. Por isso atentei em meu amplo e arejado abrigo e senti enorme receio dos dias e dos anos que viriam. Minha lira estava esquecida numa mesa, ao fundo da câmara principal; em suas cordas, há tanto tempo caladas, o pó tinha-se acumulado. Fitei-a com olhos sombrios, relutantes; então, de repente, peguei-a e apaguei as provas de minha negligência. Não havia uma única corda que estivesse devidamente retesada; tive de afiná-las todas; só depois disso pude tocar minha velha lira.

Ah, e minha voz! Perdera-se, morrera! Enquanto Febo conduzia seu carro de oriente a ocidente, toquei e cantei, tentando convencer meus dedos entorpecidos a reencontrar a antiga flexibilidade, exercitando as mãos e os punhos, percorrendo para a frente e para trás a escala dos sons. Um professor ter de praticar diante dos alunos era algo inconcebível; por isso, tinha de recuperar toda a prática perdida antes que eles chegassem. E só parei quando a escuridão inundou a caverna e as sombras silenciosas dos morcegos começaram a agitar as asas, demandando seu refúgio, em algum local mais recôndito da montanha. Estava morto de cansaço, cheio de frio e de fome, e meu humor, garanto-lhes, não era o melhor.

Peleu e Telamon chegaram ao meio-dia. Vinham os dois juntos no carro real, seguido por outro carro e por uma pesada e lenta carroça puxada por bois. Desci o caminho para saudá-los e esperei de cabeça baixa. Havia anos que não via o rei supremo e uma eternidade que não via Telamon. Já de melhor humor, ergui os olhos para vê-los. Sim, eram reis, aqueles dois homens que irradiavam força e poder. Peleu continuava o homem corpulento e pujante de sempre, Telamon mantinha a agilidade de outros tempos. Agora, ambos podiam dizer que seus problemas se haviam dissipado — mas só depois de longos períodos de discórdia, guerra, preocupações. E os forjadores do metal das almas dos homens tinham deixado neles sua marca indelével. O ouro de seus cabelos esbatia-se, antes que a prata os invadisse, mas não encontrava qualquer sinal de decadência em seus corpos vigorosos, em seus rostos duros e graves.

Peleu foi o primeiro a descer e aproximou-se de mim antes que eu pudesse recuar; senti um arrepio de repulsa quando ele me abraçou afetuosamente; mas logo essa repulsa foi temperada por seu calor.

— A partir de certa época, Quíron, já não é possível parecermos mais velhos. Como tem passado? Está bem?

— Apesar de tudo, posso dizer que estou muito bem.

Afastamo-nos um pouco dos carros. Lancei-lhe um olhar de revolta.

— Como pode pedir-me que volte a ensinar? Já não trabalhei o suficiente? Não há mais ninguém no mundo capaz de instruir seus filhos?

— Quíron, você não tem rival. — Fitando-me do alto de sua elevada estatura, Peleu segurou meu braço. — Sabe, com toda certeza, que Aquiles significa tudo para mim. É meu único filho — não haverá mais. Quando eu morrer, Aquiles ficará com ambos os tronos. Terá de ser, por isso, um homem educado. Eu próprio poderia educá-lo, mas faltam-me os fundamentos adequados. Só você poderá instilar-lhe os rudimentos, Quíron, e disso tem plena consciência. Na Grécia, a posição dos reis hereditários é muito precária. Há sempre inimigos à espreita de uma oportunidade. — Suspirou, para logo acrescentar: — Além disso, Quíron, eu amo Aquiles mais do que a própria vida. Como poderia eu lhe negar a educação que tive?

— Fico me perguntando se já não terá estragado o menino.

— Não, Quíron. Creio que Aquiles é incorruptível.

— Eu não quero esse trabalho, Peleu.

Desviou o olhar, franzindo muito a sobrancelha.

— Seria estupidez de minha parte insistir. Mas... não quer ao menos ver os meninos? Pode ser que mude de idéia.

— Nem que fossem novos Heracles ou Peleus... Mas está bem. Já que assim deseja, eu os verei.

Peleu virou-se e acenou para dois rapazes que se encontravam junto ao segundo carro. Aproximaram-se lentamente, um atrás do outro; eu não conseguia enxergar o que vinha atrás. Não admira: o da frente era daqueles que fazia o possível para atrair as atenções. No entanto, era uma verdadeira decepção... Seria aquele o filho de Peleu, o adorado filho único? Não, não poderia ser. Aquele só poderia ser Ajax; Aquiles seria ainda um menino por certo. Quatorze anos? Treze? Já era tão alto como um homem, e seus braços e ombros eram poderosos e musculosos. Não tinha mau aspecto, mas também não tinha nada de especial. Apenas um adolescente fisicamente desenvolvido, com um nariz ligeiramente achatado e impassíveis olhos cinzentos, nos quais não se via a luz de um verdadeiro intelecto.

— Esse é Ajax — Telamon apresentou-o orgulhoso. — Só tem dez anos, embora aparente muito mais idade.

Acenei para que Ajax se afastasse.

— E esse é Aquiles? — perguntei, com um aperto na voz.

— Sim — respondeu Peleu, tentando dar impressão de casualidade. — Também está muito crescido para a idade. Acaba de fazer seis anos.

De súbito, senti a garganta seca. Estava pasmo. Apesar de ter apenas seis anos, Aquiles já possuía uma magia muito sua, uma espécie de encantamento que ele usava sem saber e que a ele prendia os homens e que os levava a amá-lo. Fisicamente, não era tão forte quanto o primo, mas, mesmo assim, era uma criança alta e dotada de robusta constituição. Tinha uma postura muito descontraída para um menino de sua idade; distribuía o peso do corpo numa só perna, enquanto a outra avançava apenas um pouco, e os braços caíam livres junto ao corpo, embora de modo gracioso. Tranqüilo e inconscientemente régio, parecia feito de ouro. O cabelo assemelhava-se aos raios de Hélio, as sobrancelhas brilhavam como cristal amarelo, a pele parecia ouro polido. Muito belo, exceto no que dizia respeito à boca — apenas uma fenda riscada no rosto; uma boca dolorosamente triste, mas tão determinada, que intimidaria qualquer um. Fitava-me gravemente com olhos que tinham a cor do final do alvorecer, amarelos e nublados; olhos cheios de curiosidade, dor, mágoa, espanto e inteligência.

Despedi-me de sete dos poucos anos que me restavam quando me ouvi dizendo: "Serei o professor deles."

Peleu fitou-me com um sorriso radiante, e Telamon abraçou-me; só agora tinham a certeza de que eu aceitava.

— Não ficaremos mais tempo — informou Peleu. — Na carroça, há tudo de que eles precisam, e trouxe criados para cuidarem de você. Diga-me, Quíron, sua velha casa ainda não caiu?

— Continua de pé — respondi.

— Nesse caso, poderá hospedar os criados. Eles têm ordens para obedecer a todas as suas determinações. Falará em meu nome, Quíron.

Pouco depois, foram embora.

* * *

Deixei os escravos descarregando a carroça e dirigi-me aos meninos. Ajax erguia-se como a própria montanha, impassível e dócil, os olhos sem a menor sombra; aquele crânio poderoso teria de ser muito malhado até que a mente que estava dentro ganhasse consciência de sua verdadeira função. Aquiles fitava ainda o caminho por onde seguia o pai, seus olhos enormes reluzindo das lágrimas que não chorara. Aquela separação assumia, para ele, extrema importância.

— Venham comigo, rapazes, vou mostrar-lhes sua nova casa.

Seguiram-me, silenciosos, até a caverna. Expliquei-lhes quão confortável poderia ser uma moradia tão estranha. Mostrei-lhes as macias e espessas peles em que dormiriam, a área da câmara principal onde ocorreriam nossas aulas. Depois, levei-os à beira do precipício e sentei-me em meu banco preferido, com um de cada lado.

— Estão ansiosos por começar sua instrução? — perguntei, mais para Aquiles do que para Ajax.

— Sim, meu senhor — ele respondeu cortesmente; o pai, pelo menos, dera-lhe lições de boas maneiras.

— Meu nome é Quíron. Pode chamar-me simplesmente Quíron.

— Sim, Quíron. Meu pai diz que devo aplicar-me nos estudos.

Virei-me para Ajax.

— Na caverna, sobre uma mesa, encontrará uma lira. Vá buscá-la, mas tenha cuidado, não a deixe cair.

O possante rapaz fitou-me sem qualquer animosidade.

— Eu nunca deixo cair nada — respondeu-me, como se aquela fosse a mais trivial das respostas.

Minhas sobrancelhas ergueram-se; havia em meus olhos uma luzinha de divertimento que, no entanto, não acendeu qualquer resposta nos olhos cinzentos do filho de Telamon. Em vez disso, fez exatamente o que lhe disse: o bom soldado obedecendo às inquestionáveis ordens de seu chefe. Era o melhor que eu poderia fazer por Ajax, pensei. Transformá-lo no mais forte e capaz dos soldados. Os olhos de Aquiles, entretanto, espelhavam minha própria hilaridade.

— Ajax leva sempre muito a sério o que se diz — observou ele, com aquela voz tão agradável, firme e equilibrada, de que eu já gostava. Esticou uma das mãos para indicar a cidade, lá muito ao fundo.

— Iolcos?

— Sim.

— Então, aquilo, ali na colina, deve ser o palácio! Parece tão pequeno, visto daqui! Sempre pensei que fosse maior do que o Pélion, mas, visto daqui, é apenas uma casa, como as outras.

— Todos os palácios são casas como as outras: basta que uma pessoa possa vê-los de longe.

— Sim, estou percebendo.

— Já está com saudades de seu pai.

— Pensei que ia chorar, mas passou...

— Voltará a vê-lo na primavera. Verá que o tempo passará num instante. Não poderá relaxar aqui; a preguiça é a mãe do descontentamento, das maldades, das travessuras das crianças.

Respirou fundo.

— O que eu vou ter de aprender, Quíron? O que preciso saber para ser um grande rei?

— Muitas coisas, Aquiles. Não poderia responder a essa pergunta com poucas palavras. Um grande rei é uma fonte de conhecimento. Os reis são os melhores homens de seu povo, mas um grande rei é aquele que compreende que é o representante de seu povo diante dos Deuses.

— Nesse caso, tenho de começar já a aprender.

Ajax voltou com a lira. Segurava-a com cuidado. Era um grande instrumento, parecido com as harpas dos egípcios, construído a partir de uma enorme carapaça de tartaruga com cintilantes manchas castanhas e cor de âmbar, e tinha cravelhas de ouro. Encostei-a em meu joelho e afaguei as cordas com um toque muito leve que produziu um belo som, mas não uma melodia.

— Vocês terão de conhecer todos os segredos da lira e de aprender as canções de seu povo. O maior de todos os erros é deixar-se rude ou inculto. Terão de conhecer de cor a história e a geografia do mundo, todas as maravilhas do universo, todos os tesouros que há sob o regaço de Mãe Kubaba, que é a Terra. Eu lhes ensinarei a caçar, a matar, a lutar com todo tipo de armas, a fabricar suas próprias armas. Ficarão conhecendo as ervas que curam as doenças e as feridas; saberão extrair remédios dessas ervas e também como usar talas para curar pernas ou braços quebrados. Um grande rei dá mais valor à vida do que à morte.

— E a oratória? — perguntou Aquiles.

— Não faltará. Depois de aprenderem comigo, sua oratória terá efeito poderoso sobre os corações de seus ouvintes, seja por via da alegria, seja por via da tristeza. Quando saírem daqui, saberão julgar equilibradamente os homens, bem como elaborar leis e executá-las. Ensinarei aquilo que os Deuses esperam de vocês, porque vocês são os Eleitos. — Sorri. — E isso é só o princípio!

Pousei a lira no chão, passei a mão pelas cordas. Toquei apenas por breves momentos; então, chegando ao clímax, quando o último acorde se esbateu para dar lugar ao silêncio, comecei a cantar.

"Ele estava só e rodeado de inimigos.
Hera, irritada, abriu de fúria os braços
E o teto dourado do Olimpo tremeu.
Hera não abrandava sua vigilância.
Implacável a raiva da esposa de Zeus!
Em seu céu, afinal, Zeus não tinha poder,
Pois prometera à gloriosa Hera
Que seu filho da terra seria servo.
Euristeu, o frio e impiedoso amante,
Sorria enquanto contava os ribeiros
Do suor que a Heracles impusera.
Porque os filhos dos Deuses têm de saber

Que contra os Deuses não se podem revoltar
E que essa é a diferença entre os homens
E os Deuses, que deles fazem fáceis presas.
Filho bastardo sem icor[1] em suas veias,
Heracles pagou o preço da paixão.
E pagou com sofrimento e degradação,
Enquanto Hera ria de ver Zeus chorando..."

Era a Balada de Heracles, que morrera havia não muitos anos antes. Enquanto cantava, observava minuciosamente os dois rapazes. Ajax escutava com atenção. Aquiles, tão vibrante quanto as cordas da lira, inclinou-se para mim, com o queixo apoiado nas mãos e ambos os cotovelos no braço de meu assento, os olhos a pouca distância de meu rosto. Quando finalmente afastei de mim a lira, deixou cair as mãos, suspirando, exausto.

E foi assim que tudo começou e prosseguiu nos anos que estavam por vir. Aquiles avançava rapidamente em tudo, Ajax empenhava-se tenazmente na execução de seus deveres. No entanto, o filho de Telamon não era propriamente um pobre idiota. Ajax tinha coragem e determinação capazes de fazer inveja a qualquer rei e, de algum modo, conseguia sempre estar à altura daquilo que lhe era exigido. Porém, Aquiles era meu preferido, minha alegria. Tudo que eu lhe dizia era ciosamente guardado — para ser usado mais tarde, quando fosse um grande rei, como ele dizia, sorridente. Adorava aprender e destacava-se em todos os ramos do conhecimento. Era tão bom com as mãos quanto com a mente. Ainda guardo alguns dos desenhos e das tigelas de barro que então fez.

Porém, mais do que para as matérias eruditas, Aquiles nascera

[1] O etéreo fluido que, segundo a mitologia grega, corria nas veias dos Deuses em vez do sangue humano. (N. T.)

para a ação, para a guerra e os feitos heróicos. Mesmo do ponto de vista físico, Aquiles superava o primo, pois eram velocíssimas suas pernas e gostava de manejar armas como uma mulher cúpida adora mexer em suas jóias. Com a lança, nunca falhava o alvo; quando pegava a espada, eu mal via a alada arma! Empunhar, atacar, golpear. Ah, sim, ele nascera para ser chefe! Compreendia a arte da guerra sem qualquer esforço — por instinto. Era um caçador natural e, muitas vezes, regressava à caverna arrastando um javali pesado demais para trazer às costas, e, com os veados, conseguia correr atrás deles e lançar-lhes de perto a lança fatal. Uma única vez o vi aflito, quando, depois de ter perseguido a presa em grande velocidade, se estatelou no chão, de tal modo que só ao fim de algum tempo recuperou a consciência. Fora seu pé direito, explicou, fora seu pé direito que falhara.

Ajax podia ter violentos acessos de fúria, mas nunca vi Aquiles perder a compostura. Não era tímido nem retraído; possuía, contudo, no mais fundo de si mesmo, uma serenidade e um comedimento inabaláveis. Ele era o guerreiro pensador. Uma espécie rara. Poder-se-ia pensar que aquela cutilada que tinha no lugar da boca seria a tradução física do outro lado da sua natureza; porém, havia um único aspecto em que essa correspondência se revelava: quando havia alguma coisa que não estava de acordo com o seu sentido de justeza, era capaz de ser tão frio e inflexível como o vento norte que sempre traz a neve.

Aqueles sete anos deram-me mais prazer do que todo o resto de minha vida, graças não apenas a Aquiles, mas também a Ajax. O contraste entre os primos era tão notório, e eram tão excelentes os dois, que transformá-los em homens foi, para mim, uma obra amorosamente cumprida. De todos os meninos que foram meus alunos, Aquiles foi aquele que mais amei. Chorei quando ele foi embora pela última vez; e, durante muitas luas após sua partida, minha vontade de viver transformou-se num moscardo tão persistente como aquele que atormentou Io. Só ao fim de muito tempo consegui contemplar o remate dourado do telhado do palácio cintilando ao sol sem que uma névoa pairasse diante de meus olhos — uma névoa que fazia com que esse remate dourado e o telhado se dissolvessem um no outro como minério no crisol.

CAPÍTULO QUARTO

NARRADO POR HELENA

Xantipa era uma opositora terrível; quando cheguei dos campos, vinha ofegante e exausta. Tínhamos atraído uma vasta audiência e não deixei de oferecer ao círculo dos rostos que nos admiravam o mais radioso de meus sorrisos. Nenhum homem quis dar os parabéns a Xantipa por ter vencido o combate. Eles estavam lá unicamente para *ver-me.* Quando o combate terminou, os homens rodearam-me, cobriram-me de elogios, usaram de todos os pretextos para me afagar a mão ou o ombro; os mais atrevidos propuseram-me até — brincavam, é claro — que eu combatesse contra eles. Esquivei-me a seus gracejos e sugestões com o maior dos agrados; infelizmente, não havia em suas palavras o mínimo resquício de sutileza.

Quanto à idade, eu era ainda uma criança. Os olhos deles, contudo, negavam isso; aqueles olhos diziam de mim coisas que eu já sabia, pois havia em meus aposentos espelhos de cobre polido e também eu tinha olhos. Embora fossem nobres da corte, nenhum deles era verdadeiramente importante. Sacudi-os para longe de mim como sacudiria a água depois de ter tomado banho, peguei a toalha de linho que minha criada trazia e com ela envolvi minhas pernas nuas e suadas em meio a um coro de protestos.

Foi então que vi meu pai além da multidão. Tinha, então, assistido ao combate? Que raridade! Ele se recusava a ver as mulheres parodiando os desportos masculinos! Minha expressão de surpresa fez com que alguns dos nobres se virassem, e, num ápice, todos desapareceram. Aproximei-me de meu pai e beijei-o na face.

— Tem sempre um público tão entusiasta? — perguntou-me ele de sobrancelhas franzidas.

— É verdade, pai — respondi, enquanto dava um jeito em minha roupa. — Talvez não saiba, mas sou muito admirada.

— Se não sabia, fiquei sabendo. Devo estar ficando velho, devo estar perdendo meus poderes de observação. Felizmente, seu irmão mais velho não é cego nem velho. Disse-me esta manhã que talvez não fosse má idéia passar pelo campo onde as mulheres praticam esportes.

Fiquei furiosa.

— Não faz sentido nenhum Castor preocupar-se comigo! — repliquei.

— Estaríamos mal, se ele não se preocupasse com você!

Estávamos chegando à porta da Sala do Trono.

— Vá lavar-se e vestir roupa nova, Helena. Depois, venha encontrar-me.

No rosto dele não havia a menor sugestão quanto ao que pretendia dizer-me; limitei-me a encolher os ombros e corri a caminho de meus aposentos.

À minha espera estava Neste, ansiosa por poder cacarejar suas censuras. Deixei-a tirar-me a toalha, desejosa de um bom banho quente, da sensação da esponja em minha pele. Neste, que ainda não se calara, atirou a toalha para um canto e desapertou os cordões de minha tanga. Mas eu não ouvia o que ela dizia. Corri pelas lajes frias, pulei para a água quente do banho e comecei a chapinhar alegremente. Era a maior das delícias sentir a água ondeando a meu redor, acariciando-me, e poder também acariciar-me, porque os olhos velhos de Neste só conseguiriam ver alguma coisa se a água fosse tão límpida como a de uma nascente. E como agradável era depois, quando ela me massageava com óleos fragrantes — e eu própria me massageava um pouco. Nunca eram excessivos aqueles momentos em que podia acariciar-me, tocar-me, proporcionar-me aqueles arrepios e frêmitos aos quais outras moças, como Xantipa, pouco pareciam ligar. Talvez porque não tinham tido um Teseu para ensiná-las.

Uma de minhas outras criadas dispôs em círculo no chão a minha saia para que eu pudesse entrar pelo centro dela. Ergueram-na depois ao longo de minhas pernas e apertaram-na na cintura. Era pesada, mas eu já estava habituada àquele peso, pois já envergava saias de mulher há dois anos, desde que regressara de Atenas. Minha mãe achava ridículo que eu voltasse a vestir roupas de criança depois daquele episódio.

Vieram depois a blusa, atada sob os seios, o largo cinto e o avental que só poderiam ser apertados se eu sustivesse o suficiente a respiração. Uma diligente criada enfiou meus cachos no diadema de ouro, uma outra me colocou nas orelhas um belo par de brincos de cristal. Estendi meus pés nus, um de cada vez, e deixei-as enfiar pequenas alianças e sininhos em todos os meus dedos; depois os braços, para receber dezenas de tilintantes braceletes, e os dedos, para os esperados anéis.

Quando acabaram, pus-me diante do maior de meus espelhos e examinei minha aparência com olhos críticos. A saia era a mais bonita que eu possuía, um mar de babados desde a cintura aos tornozelos, transbordando de contas de cristal e âmbar, amuletos de lápis-lazúli e ouro trabalhado, sininhos dourados e pingentes de faiança, de forma que todos os meus movimentos eram acompanhados por música. Meu cinto não estava suficientemente apertado; chamei duas mulheres das mais fortes para procederem a tal operação.

— Neste, por que não posso pintar de ouro meus mamilos? — perguntei.

— De nada lhe vale queixar-se a mim, jovem princesa. Pergunte à sua mãe. Mas, se quer um conselho, só recorra a esse artifício quando precisar dele; por exemplo, depois de ter dado à luz um filho, pois seus mamilos ganharão um tom castanho-escuro.

Decidi que Neste era capaz de ter razão. Eu era, nesse particular, muito afortunada; meus mamilos eram de um belo tom de rosa e, por sua forma, faziam lembrar um botão de rosa; meus seios eram cheios e eretos.

Que dissera Teseu? Dois gordos cachorrinhos brancos com narizes cor-de-rosa. Minha disposição mudou por completo mal pensei nele; afastei-me bruscamente de minha imagem, e toda a saia tilintou e cintilou. Ah, daria tudo para voltar a estar em seus braços...! Teseu, meu querido Teseu! Sua boca, as mãos, o modo como atormentava meu corpo até que este já não agüentava mais e suplicava que ele o saciasse... Até o dia em que meus respeitáveis irmãos, Castor e Pólux, resolveram aparecer e levar-me de Atenas. Ah, se ao menos Teseu estivesse em Atenas quando eles chegaram! Mas estava em Ciros, com o rei Licomedes, e por isso ninguém ousou opor-se aos filhos de Tíndaro.

Deixei que as criadas traçassem uma linha de pó negro em volta de meus olhos e pintassem de ouro as pestanas, mas recusei o carmim para as faces e os lábios. Não precisava de carmim algum — fora o que Teseu dissera. Depois, encaminhei-me para a Sala do Trono. Meu pai estava sentado numa espreguiçadeira junto à janela. Levantou-se imeditamente.

— Venha para cá, onde há mais luz — convidou-me.

Obedeci sem protestar; Tíndaro era meu indulgente pai, mas também era o rei. Quando me viu banhada de sol, recuou alguns passos e olhou-me como nunca havia olhado.

— Não há dúvida — murmurou. — Os olhos de Teseu viram mais e melhor do que todos os olhos da Lacedemônia! Sua mãe tem razão: você já é uma mulher. Portanto, temos de agir antes que apareça outro Teseu.

Meu rosto ardia, mas nada disse.

— É tempo de se casar, Helena. — Refletiu um momento. — Que idade você tem?

— Quatorze anos, pai. — Casamento! Que interessante!

— Não é cedo demais — ele ponderou.

Minha mãe entrou nesse momento. Evitei-lhe os olhos; era uma sensação muito estranha estar ali diante de meu pai, enquanto ele me apreciava com os olhos de um homem e não com os de pai. Minha mãe, porém, ignorou-me. Foi para junto dele e também ela tratou de me apreciar. Depois, trocaram um olhar demorado, conclusivo.

— Eu já lhe tinha dito, Tíndaro — ela argumentou.

— Eu sei, Leda. Ela precisa de um marido.

Minha mãe começou a rir: um riso sonoro, musical, que (diziam os rumores) deixara o onipotente Zeus extasiado. Leda tinha mais ou menos a minha idade atual quando a encontraram nua e abraçada a um cisne, gemendo de prazer. Ela arranjara rapidamente uma explicação para tão estranho caso. O cisne era Zeus! Zeus a deflorara! Mas eu, que era sua filha, não acreditava em tais histórias e imaginava o prazer que aquelas deliciosas penas brancas lhe teriam proporcionado. Seu pai a casara com Tíndaro três dias depois, e Leda dera à luz dois pares de gêmeos: Castor e Clitemnestra, primeiro, Pólux e eu, depois, embora todos pensassem agora que Castor e Pólux é que eram gêmeos. Ou que tínhamos nascido todos do mesmo parto. Se assim fosse, quais seriam os filhos de Zeus e quais os de Tíndaro? Um mistério.

— As mulheres de minha casa amadurecem cedo e sofrem muitíssimo — disse Leda, rindo ainda.

Meu pai não riu. Limitou-se a dizer que sim, em tom bastante triste.

— Não será difícil encontrar-lhe marido. Serão tantos os pretendentes que você terá de expulsá-los com seu bastão.

— Ora, nossa filha pertence a uma nobre estirpe, e seu dote é muito valioso: poucos ousarão pedir sua mão.

— Tolices, Tíndaro, tolices! Ela é tão bonita que nem precisa de dote. O rei supremo da Ática fez-nos um grande favor — espalhou louvores à sua beleza desde a Tessália até Creta. Não é todo dia que um homem tão velho e vivido como Teseu faz uma loucura como raptar e deflorar uma menina de doze anos.

Os lábios de meu pai franziram-se de raiva.

— Preferia que esse assunto não fosse mencionado — sugeriu ele, categórico.

— Só é pena que seja mais bela do que Clitemnestra.

— Clitemnestra está bem para Agamêmnon.

— Então é pena que não haja dois reis supremos de Micenas.

— Há outros reis supremos na Grécia — suspirou ele, em tom mais prático e eficiente.

Afastei-me sub-repticiamente da luz, pois não queria que reparassem que eu ainda ali estava e que me mandassem embora. O assunto — ou seja, eu própria — era bastante interessante. Gostava de ouvir as pessoas dizerem que eu era bela. Especialmente quando acrescentavam que era mais bela do que Clitemnestra, minha irmã mais velha, que se casara com Agamêmnon, rei supremo de Micenas e de toda a Grécia. Jamais gostara dela. Quando eu era pequena, ficava aterrorizada com seus famosos acessos de cólera. Caminhava de um lado para outro, seu cabelo cor de fogo parecia eriçar-se de fúria e seus olhos negros dardejavam. Sorri amplamente ao pensar nela. O marido — rei supremo ou não — devia sofrer apertos constantes por causa de suas fúrias! No entanto... no entanto, Agamêmnon parecia capaz de controlá-la. De fato, era tão prepotente quanto Clitemnestra.

Meus pais continuavam a debater meu casamento.

— O melhor será mandar mensageiros a todos os reis — sugeriu meu pai.

— Sim — e quanto mais depressa, melhor. Embora a Nova

Religião não veja com bons olhos a poligamia, há muitos reis que ainda não escolheram rainha. Idomeneu, por exemplo. Imagine só! Uma filha no trono de Micenas e a outra no trono de Creta! Seria um verdadeiro triunfo!

— Creta já não é a potência de outros tempos — objetou meu pai. — As duas posições não são equivalentes.

— Filoctetes?

— Sim, é um homem brilhante e esperam-no grandes feitos, segundo se diz. Contudo, Filoctetes é um dos reis da Tessália, o que significa que deve vassalagem a Peleu, bem como a Agamêmnon. Estou mais inclinado para Diomedes, que acaba de regressar da campanha de Tebas, coberto de riquezas e glórias. Gosto da idéia de nossa filha ficar em Argos, um reino tão perto do nosso. Se Peleu fosse mais jovem, eu o escolheria sem pensar duas vezes, mas, segundo consta, Peleu recusa a casar-se outra vez.

— Não vale a pena perder tempo com aqueles que não estão disponíveis — retrucou minha mãe. — Há sempre outra alternativa... Menelau.

— Eu não me esqueci *dele*. Quem poderia esquecer-se de Menelau?

— Envie convites a todos, Tíndaro. Além de reis, também há herdeiros. Ulisses, de Ítaca, é agora o rei, pois o velho Laertes está senil. E Menesteu é um rei supremo da Ática muito mais estável do que Teseu jamais foi — agradeçamos a todos os Deuses o fato de não ter de lidar com Teseu!

— O que você quer dizer com isso, mãe? — perguntei eu, já sentindo um formigueiro percorrer-me a pele. A esperança que meu coração acalentava era que Teseu viesse buscar-me e desposar-me. Desde que voltara de Atenas, não ouvira falar a respeito de Teseu.

Minha mãe pegou minhas mãos e apertou-as com firmeza.

— Bem, Helena, é melhor que sejamos nós a lhe dar a notícia. Teseu morreu. Foi morto em seu exílio em Ciros.

Afastei-me dela e corri para fora. Meus sonhos estavam reduzidos a cinzas. Morto? Teseu estava *morto*? Teseu estava morto, e uma parte de mim morrera também.

Meu cunhado Agamêmnon chegou duas luas mais tarde, trazendo seu irmão Menelau. Eu estava presente quando entraram na Sala do Trono — uma novidade para mim, mas uma novidade que me deixava eufórica; de súbito, todas as discussões giravam em torno de mim. Mensageiros tinham-nos avisado de sua chegada; por isso, o rei supremo de Micenas e de toda a Grécia entrou no palácio ao som de trombetas, e seus imperiais pés pisaram, não as vulgares lajes, mas uma passadeira de ouro.

Não conseguia decidir se gostava dele ou não; compreendia, no entanto, o temor que ele inspirava. Muito alto e ereto, e tão disciplinado quanto um soldado profissional, Agamêmnon caminhava como se fosse o dono do mundo. Em seu cabelo azeviche já apareciam fios grisalhos; os olhos negros, faiscantes, podiam tornar-se de súbito ameaçadores; o nariz era altivamente adunco; os lábios finos encrespavam-se nos cantos, em constante expressão de desdém.

Homens tão escuros eram invulgares na Grécia, uma terra de homens tão atléticos quanto brancos. Porém, em vez de envergonhar-se de sua tez escura, Agamêmnon exibia-a, vaidoso. Ainda que a moda ditasse que os homens raspassem a barba, meu cunhado usava a sua longa e negra, transformada num sem-número de tranças apertadas e realçadas com fios de ouro; o cabelo, usava-o do mesmo modo. Envergava uma túnica de lã púrpura bordada com um complicado padrão de fio de ouro e, na mão direita, empunhava o cetro imperial de ouro maciço com tanta facilidade, como se fosse feito de greda.

Meu pai levantou-se do trono e ajoelhou-se para beijar-lhe a mão, prestando-lhe a homenagem que todos os reis gregos deviam ao supremo rei de Micenas. Minha mãe avançou para juntar-se a eles. Por ora, todos me ignoravam, o que me dava tempo para apreciar Menelau, um de meus pretendentes. Oh, a expectativa deu lugar a profunda decepção. Imaginara que Menelau seria uma réplica de Agamêmnon, mas aquele homem nada tinha em comum com o irmão. Seria mesmo irmão germano do supremo rei de Micenas, filho de Atreu e da mesma mãe? Francamente, não parecia possível. Era pequeno e atarracado. As pernas eram tão grossas e disformes, que, enfiadas nos apertados calções que ele usava, davam-lhe um ar profundamente ridículo. Os ombros eram redondos e curvados. Uma criatura mansa e tímida, de traços vulgaríssimos. O cabelo era igual ao de minha irmã: cor de fogo. Até seria capaz de gostar um pouquinho mais dele se o cabelo fosse de outra cor.

Meu pai acenou-me. Avancei meio embaraçada e dei-lhe minha mão. O visitante imperial fitou-me: um olhar escaldante, prenhe de admiração. Pela primeira vez, senti algo que viria a tornar-se muito comum: eu era simplesmente um animal valioso oferecido em leilão a quem pudesse pagar mais.

— É perfeita — disse Agamêmnon a meu pai. — Como consegue produzir filhos tão belos, Tíndaro?

Meu pai riu, enquanto abraçava minha mãe pela cintura.

— Eu sou responsável apenas pela metade — afirmou.

Afastaram-se então e deixaram-me conversando com Menelau, mas ainda pude ouvir a questão decisiva.

— Digam-me, afinal, o que ocorreu realmente com Teseu? — perguntou Agamêmnon.

Leda adiantou-se ao marido.

— Ele a raptou, Agamêmnon. Felizmente, os atenienses chegaram no momento certo: antes que ele conseguisse deflorá-la. Castor e Pólux trouxeram-na virgem.

Mentirosa, mentirosa!

Menelau não tirava os olhos de mim; retoquei um pouco minha aparência.

— Você nunca tinha vindo a Amiclas — disse-lhe por fim.

Ele murmurou qualquer coisa e abaixou a cabeça, muito triste.

— O que disse? — perguntei.

— Na-na-na-nada — respondeu ele, e, dessa vez, ouvi.

Menelau ficara gago!

Os pretendentes acorreram a Amiclas. Menelau era o único que podia ficar hospedado em nosso palácio, graças à sua relação com nossa família e à influência do irmão. Os demais instalaram-se nas casas dos nobres da corte e no palácio destinado a convidados. Uma centena de pretendentes. A descoberta mais animadora que fiz foi que nenhum deles era tão aborrecido ou insípido como o gago e ruivo Menelau.

Filoctetes e Idomeneu chegaram juntos; o corpulento e louro Filoctetes parecia a energia personificada, enquanto o altivo Idomeneu comportava-se com a arrogância consciente de quem nascera na Casa de Minos e que, depois de Catreu, seria o supremo rei de Creta.

Quando Diomedes entrou, concluí estar diante do melhor de todos os meus pretendentes. Um verdadeiro rei e guerreiro. Tinha o mesmo ar de experiência mundana que encontrara em Teseu, ainda que fosse moreno; Teseu era louro; de fato, Diomedes era tão escuro quanto Agamêmnon. Que belo era ele! Alto e ágil, uma pantera negra. Seus olhos cintilavam um humor despudorado, a boca parecia estar sempre rindo. E eu soube, neste exato instante, que seria ele o meu eleito. Quando falou comigo, seu olhar arrebatou-me; a faca do desejo cravou-se bem funda dentro de mim; meu sexo ansiava por aquele homem. Sim, eu escolheria o rei de Argos; até porque, como dissera meu pai, Argos ficava tão perto...

Logo que chegou o último pretendente, meu pai ofereceu um monumental banquete. Sentei-me no estrado como se já fosse rainha, fazendo de conta que não reparava nos cem pares de ardentes olhos constantemente fixos em mim. Quanto aos meus, sempre que a ousadia me permitia, procuravam Diomedes, que, subitamente, deixou de olhar para mim, a fim de atentar num homem que avançava em meio aos bancos, um homem cuja chegada foi saudada por vivas de alguns e carrancas de outros. Diomedes levantou-se, o desconhecido virou-se e abraçaram-se calorosamente. Após rápido diálogo, o recém-chegado seguiu na direção do estrado a fim de saudar meu pai e Agamêmnon, que já se encontravam de pé. *Agamêmnon* levantara-se? O rei supremo de Micenas nunca se levantava para homem nenhum!

Aquele, entretanto, era diferente: um homem alto, embora pudesse ser consideravelmente mais alto se suas pernas fossem proporcionais ao resto do corpo; mas não eram; eram, aliás, anormalmente curtas e algo arqueadas; e sua constituição musculosa era imponente demais para estar apoiada sobre suportes tão atrofiados. O rosto era inegavelmente belo: os traços harmoniosos e os olhos cinzentos, grandes, luminosos, eloqüentes. O cabelo era ruivo, o ruivo mais brilhante e mais agressivo que eu jamais vira; as cabeleiras de Clitemnestra e Menelau não eram nada diante daquele fogo que lhe adornava a cabeça.

Quando seus olhos me fitaram, senti muito claramente todo o seu poder. Até estremeci. Quem seria aquele homem?

Meu pai acenou, impaciente, para um criado, que colocou uma cadeira régia entre ele e Agamêmnon. Quem poderia ser *aquele homem*, objeto de tantas honrarias? E tão pouco impressionado com elas?

— Apresento-lhe Helena — falou meu pai.

— Não surpreende que quase toda a Grécia esteja aqui, Tíndaro — ele respondeu jovialmente, após o que pegou uma perna de galinha, cravando imediatamente na carne seus dentes brancos. — Não há dúvida, os boatos eram verdadeiros; ela é de fato a mais bela mulher do mundo. Você terá problemas com esta multidão de homens enfeitiçados, pois só poderá agradar a um e terá de desiludir os demais.

Agamêmnon e meu pai riram do comentário.

— Ulisses, estava à sua espera, para que resumisse brilhantemente o problema — disse o rei supremo.

Senti-me uma imbecil, agora que minha surpresa e admiração haviam desaparecido. Claro; só poderia ser Ulissses. Que outro homem se atreveria a falar com Agamêmnon como se este fosse um seu igual? Que outro homem poderia ter direito a uma cadeira especial no estrado régio?

Muito ouvira acerca de Ulisses. Seu nome vinha à tona sempre que se falava a respeito de leis, de decisões, de novos tributos, de guerra. Meu pai chegara mesmo a deslocar-se a Ítaca — uma viagem particularmente fatigante — só para consultá-lo. Era considerado o homem mais inteligente do mundo, mais inteligente ainda do que Nestor e Palamedes. E não era só inteligente, mas também sábio. Não admira que, em minha imaginação, Ulisses fosse um venerável ancião de barbas brancas, todo curvado sob o peso de um século de existência, tão velho como o rei Nestor, de Pilos. Quando Agamêmnon tinha assuntos importantes a discutir, mandava chamar Palamedes, Nestor e Ulisses, mas, normalmente, era Ulisses quem dava a última palavra.

Muito se falava sobre a raposa de Ítaca, como os homens o tratavam: que seu reino era formado por quatro pequenas ilhas rochosas e estéreis ao largo da costa ocidental, um pobre e desprezível domínio se comparado com a maior parte dos outros reinos; que seu palácio era modesto; que o próprio Ulisses era agricultor, já que seus nobres não lhe podiam pagar os tributos adequados à posição de um rei; no entanto, seu nome tornara famosas as quatro pequenas ilhas: Ítaca, Leucádia, Zaquinto e Cefalônia.

Nessa ocasião, Ulisses não teria muito mais do que vinte e cinco anos, quem sabe, talvez fosse até mais novo, pois a sabedoria sempre envelhece o rosto de um homem.

Continuaram a conversar, esquecidos talvez de que eu estava à esquerda de meu pai e poderia ouvir tudo que eles diziam, fingindo não escutar. Como do outro lado estava Menelau, não havia conversas suscetíveis de me distraírem.

— Pretende pedir a mão de Helena, meu astuto amigo?

Ulisses riu, malicioso.

— Você me conhece, Tíndaro.

— Claro que conheço, mas... por quê? Não esperava que você tentasse conquistar uma beldade estonteante, mas a verdade é que Helena tem um belíssimo dote.

Ulisses fitou meu pai com uma expressão algo decepcionada.

— Minha curiosidade, Tíndaro — não se esqueça de que sou muito curioso! Acha que eu perderia esse espetáculo?

Agamêmnon sorriu, mas meu pai riu bem alto.

— Espetáculo é a palavra certa! Mas que hei de fazer, Ulisses? Olhe só para eles! Cento e um reis e príncipes rosnando uns para os outros e perguntando-se quem será o felizardo, e decididos a contestar a escolha, por mais lógica ou política que seja.

Agamêmnon resolveu finalmente falar.

— Isto se transformou numa espécie de concurso. Quem será o preferido do supremo rei de Micenas e de seu sogro Tíndaro da Lacedemônia? Eles sabem que Tíndaro seguirá meus conselhos! Creio que esta situação só poderá produzir uma coisa: uma inimizade duradoura.

— Sem dúvida. Reparem em Filoctetes: o modo como ele ergue seu arrogante pescoço, o desprezo com que olha para os outros. Isso para não mencionar Diomedes e Idomeneu. Ou Menesteu. Ou Euripilo. E assim por diante.

— Que havemos de fazer? — perguntou o rei supremo.

— É um pedido formal de conselho, Agamêmnon?

— Muito formal, Ulisses.

Furiosa, dei-me conta de quão insignificante era meu papel em todo aquele teatro. De súbito, tive vontade de chorar. Quem escolhia? Eu? Absolutamente! Eles, Agamêmnon e meu pai, escolheriam por mim. Ainda que, dava-me conta disso agora, estivesse nas mãos de Ulisses meu destino. E Ulisses gostaria de mim? Nesse exato momento, ele piscou o olho para mim. Senti-me desolada. Não, ele não gostava de mim. Não havia sombra de desejo naqueles belos olhos cinzentos. Ulisses não viera disputar minha mão; viera porque sabia que precisavam de seus conselhos. Viera unicamente para consolidar ainda mais seu prestígio.

— Como sempre, terei muto prazer em ajudá-los — respondeu ele em tom insinuante, fitando agora meu pai. — No entanto, Tíndaro, antes de abordarmos o problema do casamento de Helena, um casamento que deverá ser politicamente adequado, tenho um pequeno favor a pedir-lhe.

Agamêmnon pareceu ofendido; perplexa, perguntei-me que sutil negócio sairia dali.

— Quer Helena para você? — perguntou meu pai. Que maneira mais grosseira de conversa, disse para mim mesma.

Ulisses gargalhou de tal modo que, por um momento, todo o salão se calou.

— Não, não! Não me atreveria a disputar a mão de Helena, pois minha fortuna é desprezível e meu reino vive em eterna penúria! Pobre Helena! Imagine só: uma mulher tão bela confinada a uma rocha, em meio ao mar Jônio! Não, eu não quero desposar Helena. É outra que eu quero.

— Ah! — murmurou Agamêmnon, mais tranqüilo. — Quem é a felizarda?

Ulisses preferiu dar a resposta a meu pai.

— A filha de seu irmão Icário, Tíndaro: Penélope.

— Não será difícil — admitiu meu pai, surpreso.

— Icário detesta-me, e é natural que haja pretendentes muito melhores do que eu.

— Eu tratarei disso — meu pai garantiu-lhe.

— Fique tranqüilo, Penélope será sua — enfatizou Agamêmnon.

Fiquei estupefata! Era possível que eles entendessem o que Ulisses via em Penélope, mas eu não entendia. Conhecia-a bem; era minha prima-irmã. Além de ser uma herdeira rica, não era feia; no entanto, extremamente aborrecida! Certa vez, surpreendera-me com um nobre de minha casa, que eu deixara beijar meus seios — claro que não o deixaria fazer mais do que isso! — e pregara-me um sermão! Que os desejos da carne eram baixos e degradantes, disse-me com sua voz fria, comedida, sem sombra de emoção. E que eu deveria interessar-me pelas artes verdadeiramente femininas, como a *tecelagem*. Fiquei perplexa, olhando para Penélope, como se ela estivesse louca. A *tecelagem*!

Ulisses começara a falar; abandonei meus pensamentos sobre a prima Penélope e prestei atenção.

— Julgo saber a quem pretende conceder a mão de sua filha, Tíndaro, e compreendo suas razões. Contudo, o fato de escolher este ou aquele pretendente é irrelevante. Relevante é salvaguadar seus próprios interesses, bem como os de Agamêmnon, e seu relacionamento com os cem infelizes, depois de anunciar sua escolha. Creio que conseguiremos salvaguardar tudo isso, mas é preciso que façam exatamente o que vou recomendar.

Agamêmnon respondeu:

— Faremos.

— Nesse caso, o primeiro passo a dar consistirá em devolver todos os presentes que os pretendentes ofereceram, agradecendo suas generosas intenções do modo mais elegante possível. É essencial que nenhum desses homens o considere ganancioso, Tíndaro.

Meu pai olhava-o com ar pesaroso.

— É de fato necessário?

— Não é necessário, Tíndaro: é imperioso.

— Os presentes serão devolvidos — determinou Agamêmnon.

— Ótimo. — Ulisses inclinou-se um pouco para a frente, os dois reis fizeram o mesmo. — Anunciará sua escolha à noite, na

Sala do Trono. É preciso que o palácio esteja mal-iluminado — esperemos que a lua colabore — e que haja na atmosfera uma forte presença sagrada. Ordene a todos os sacerdotes que venham. Mande queimar grande quantidade de incenso. Meu objetivo é oprimir os espíritos dos pretendentes, e isso só pode ser alcançado por cerimônias rituais. Não pode correr o risco de provocar reações intempestivas da parte de guerreiros consideravelmente inflamados.

— Como quiser — concordou meu pai com um suspiro; Tíndaro detestava minúcias.

— Isso, Tíndaro, é só o princípio. Em seu discurso, informará aos pretendentes de que idolatra a valiosa jóia que é sua filha e que passou horas sem-fim rezando aos Deuses para que o guiassem na difícil escolha. Sua escolha — dir-lhes-á então — foi aprovada no Olimpo. Os augúrios são auspiciosos, e os oráculos, claros. Porém, o onipotente Zeus impôs uma condição: antes que qualquer homem — exceto você — saiba o nome do feliz vencedor, *todos* os candidatos terão de pronunciar um juramento a fim de apoiar sua escolha. Mas há mais: deverão também jurar que darão ao marido de Helena todo o apoio e cooperação de que ele precisar. E que, se for preciso, todos eles irão para a guerra, a fim de defender os direitos e prerrogativas do marido de Helena.

Agamêmnon ficou calado, o olhar perdido no espaço, mordendo seus lábios e ardendo visivelmente de um qualquer fogo interior. Meu pai parecia simplesmente espantado. Ulisses recostou-se na cadeira, mordendo mais uma perna de galinha, obviamente satisfeito consigo mesmo. De súbito, Agamêmnon virou-se para ele e segurou-o pelos ombros, as juntas dos dedos pálidas devido à violenta pressão das mãos, o rosto pressagiando ameaças. Ulisses, porém, sem qualquer receio, olhou para ele tranqüilamente.

— Pela Mãe Kubaba, Ulisses, você é um gênio! — O rei supremo virou-se depois para meu pai. — Tíndaro, sabe o que significa isso? Quem casar com Helena disporá de alianças permanentes e irrevogáveis com quase todas as nações da Grécia! O futuro desse homem estará garantido! Sua posição será reforçada mil vezes!

Meu pai, embora profundamente aliviado, franziu as sobrancelhas.

— Mas que juramento lhes poderei impor? — perguntou. — Que juramento será capaz de obrigá-los a algo que abominam?

— Só há um juramento capaz disso — informou Agamêmnon lentamente. — O Juramento do Cavalo Esquartejado. Por Zeus, o Senhor dos Trovões, por Poseidon, Senhor dos Terremotos, pelas Filhas de Kore, pelo Rio e pelos Mortos.

As palavras caíam como gotas de sangue da cabeça de Medusa; meu pai estremeceu, escondeu o rosto entre as mãos.

Nada impressionado, Ulisses mudou abruptamente de assunto.

— O que acontecerá no Helesponto? — perguntou ele a Agamêmnon como se conversassem sobre banalidades.

O supremo rei franziu a testa.

— Não sei. Oh, mas, afinal, o que se passa com o rei Príamo, de Tróia? Por que sua cegueira perante as vantagens que obteria se deixasse os mercadores gregos entrarem no mar Euxino?

— Creio — explicou Ulisses, escolhendo um bolo de mel para sobremesa — que Príamo tem muito a ganhar ao excluir os mercadores gregos. Ele já está rico com os tributos do Helesponto. Além disso, firmou tratados com os outros reis da Ásia Menor, e estou certo de que fica com uma parte dos exorbitantes preços que nós temos de pagar pelo estanho e pelo cobre da Ásia Menor. A exclusão dos gregos do Euxino significa mais dinheiro para Tróia, não menos.

— Telamon fez-nos muito mal quando raptou Hesíone! — suspirou meu pai, furioso.

Agamêmnon balançou a cabeça.

— Telamon fez o que estava certo. Tudo o que Heracles pediu foi que lhe pagassem o grande serviço que prestou a Tróia. Quando Laomêdon, aquele miserável sovina, se recusou a pagar-lhe, até mesmo um idiota saberia prever o desfecho.

— Heracles morreu há mais de vinte anos — ponderou Ulisses, colocando água em seu vinho. — Teseu também está morto. Só Telamon ainda vive e nunca aceitaria que o separassem de Hesíone, mesmo que ela própria desejasse. Essas histórias de rapto e violação já não convencem ninguém — prosseguiu Ulisses calmamente. Pelo visto, desconhecia a história de Helena e Teseu. — Além disso, pouco têm a ver com política. A Grécia está crescendo. A Ásia Menor sabe disso. Portanto, que melhor política poderiam seguir Tróia e as outras nações da Ásia Menor senão recusar à Grécia aquilo que a Grécia tem de ter, o estanho e o cobre com que se faz o bronze?

— Sem dúvida — observou Agamêmnon, afagando as tranças da barba. — Nesse caso... o que acontecerá se o embargo comercial de Tróia se mantiver?

— A guerra — replicou tranqüilamente Ulisses. Mais tarde ou mais cedo, terá de haver uma guerra. Quando a situação se tornar insustentável, quando os nossos mercadores começarem a exigir justiça em todas as Salas do Trono entre Cnossos e Iolcos, quando já não tivermos estanho suficiente para transformar nosso cobre em bronze e para produzir espadas, escudos e pontas de flechas, então haverá guerra.

A conversa ficou ainda mais aborrecida do que já estava; também é verdade que eu deixara de ser o tema central. Além disso, já não agüentava mais Menelau a meu lado. O vinho começava a perturbar a reunião: eram cada vez menos os rostos que se viravam para me adorar. Levantei-me sub-repticiamente e escapei por uma porta que havia atrás da cadeira de meu pai. Segui então pela passagem paralela ao salão: infelizmente, minha barulhenta saia a cada passo produzia uma música insuportável. A escadaria que dava acesso à ala das mulheres ficava no final dessa passagem; subi as escadas correndo, sem que ninguém me visse e ordenasse meu regresso ao salão. Agora, só teria de passar pelos aposentos de minha mãe. De cabeça baixa, afastei a cortina.

De repente, senti meus braços dominados por vigorosas mãos. Meu grito de alarme foi imediatamente sufocado por uma dessas mãos. Diomedes! Com o coração batendo desvairadamente, fitei-o. Até então, não tivera oportunidade de estar a sós com ele, e a nossa conversa resumira-se a umas poucas saudações formais.

A luz da lamparina cintilava em sua pele e dava-lhe um brilho de âmbar; na coluna de sua garganta, uma corda batia veloz; permiti que meus olhos beijassem os seus, escuros e transbordantes de desejo, e senti a mão dele afastando-se da minha boca. Que belo era aquele homem! E eu amava tanto a beleza! Mas a beleza que eu mais amava era sem dúvida a dos homens.

— Encontre-me na horta — segredou-me.

Balancei energicamente a cabeça.

— Deve estar louco! Largue-me, e eu não contarei a ninguém que você estava diante dos aposentos de minha mãe! *Largue-me*!

O branco de seus dentes cintilou: ria silenciosamente.

— Não saio daqui enquanto não me prometer que vai encontrar comigo na horta. O banquete ainda vai demorar — ninguém notará a nossa falta. Eu a desejo, menina! Suas decisões, seus subterfúgios não me demoverão. Quero-a para mim e vai ser minha!

Tinha ainda a cabeça tonta da excitação do banquete; levei a mão à cabeça que, como se tivesse ganho vida própria, acenou que sim! Diomedes largou-me imediatamente e eu corri para os meus aposentos.

Neste estava à minha espera para me despir.

— Vá para a cama, velha! Eu me dispo sozinha!

Habituada como estava a meu péssimo gênio, Neste recolheu-se de bom grado a seu quarto, deixando-me a tarefa de desapertar os inúmeros laços com os mais trêmulos dedos, tirar o corpete e a blusa, libertar-me da saia. Arranquei sinos, braceletes e anéis e, por fim, peguei meu roupão de banho e vesti-o. Depois, corri pelo corredor, desci apressada as escadas dos fundos e inspirei o ar fresco da noite. A horta, dissera ele: com um sorriso, enxerguei na escuridão as couves e os outros legumes. Ninguém se lembraria de nos procurar em meio aos legumes!

Diomedes estava nu sob um loureiro. Despi o roupão, longe dele o suficiente para que pudesse apreciar-me sob a chuva do luar. Um momento depois, ele estava a meu lado, colocando o roupão no chão para que servisse de leito; por fim, abraçou-me e deitou-me sobre a Mãe Terra, aquela Mãe que, conforme as leis dos Deuses, fortalece as mulheres e enfraquece os homens.

— Só dedos e língua, Diomedes — murmurei. — Quero ir para o casamento com o hímen intacto.

Diomedes sufocou seu riso entre meus seios.

— Foi Teseu quem lhe ensinou a preservação da virgindade? — perguntou-me.

— Eu não preciso que me ensinem isso — retruquei, afagando os braços e os ombros dele, suspirando. — Não sou muito velha, mas sei que minha cabeça é o preço que terei de pagar, se perder a virgindade com outro homem que não seja o meu marido.

Creio que, quando nos separamos, Diomedes partiu satisfeito, ainda que suas expectativas não tivessem sido totalmente cumpridas. Porque nutria por mim verdadeiro amor, respeitara minhas condições, como Teseu. Não que eu tivesse ficado muito preocupada com a satisfação ou a insatisfação de Diomedes. O que importava realmente é que eu tinha ficado satisfeita.

Satisfação bem visível na noite seguinte, quando me sentei ao lado do trono de meu pai, caso tivesse havido olhos para vê-lo. Diomedes estava com Filoctetes e Ulisses em meio à multidão — muito longe de mim para que eu pudesse perceber o que seu rosto dizia. Além disso, a Sala do Trono, embelezada por afrescos representando guerreiros dançando e por colunas escarlates, havia mergulhado em imensa escuridão. Os sacerdotes surgiram então, trazendo uma densa e enjoativa fumaça de incenso; silenciado todo o eventual alvoroço, a Sala do Trono ganhou a atmosfera solene e opressiva de um verdadeiro templo.

Ouvi meu pai dizer as palavras que Ulisses recomendara; a opressão apoderou-se da sala, como se fosse algo vivo. Trouxeram então o cavalo sacrifical, um belíssimo garanhão de alvura absoluta e olhos cor-de-rosa, os cascos escorregando nas velhas lajes, a cabeça serpeando no cabresto dourado. Agamêmnon pegou o enorme machado de dois gumes e brandiu-o com mãos experientes. O cavalo caiu, mas muito lentamente, a crina e a cauda flutuando como algas ao sabor da corrente, enquanto o sangue jorrava, abundante.

Enquanto meu pai informava à audiência o juramento exigido, segui com horror os movimentos dos sacerdotes, que dividiam em quatro partes o cadáver do belíssimo animal. Nunca esquecerei esta cena: os pretendentes avançando um a um, equilibrando seus dois pés sobre quatro peças de carne quente, pronunciando o terrível juramento de lealdade e obediência a meu futuro marido. As vozes soavam fracas e apagadas, pois o poder e a masculinidade não resistiam ao pavor que a cerimônia infundia nas mentes daqueles homens. Rostos pálidos e suados surgiam para logo desaparecerem, ao sabor da luz dos archotes; um vento vindo não sei de onde soprava, incessante, gritando como uma sombra perdida.

A cerimônia chegou ao fim. A carcaça fumegante do cavalo jazia ignorada, os pretendentes erguiam seus olhos, como que drogados, para o rei Tíndaro da Lacedemônia.

— Dei a mão de minha filha a Menelau — anunciou meu pai.

Ouvi um enorme suspiro, nada mais. Ninguém gritou um rápido protesto. Nem sequer Diomedes se ergueu, furioso, de sua cadeira. Meus olhos encontraram-se com os dele quando os criados começaram a acender as lamparinas; nossos olhos despediram-se, com meia centena de cabeças de permeio, sabendo que tínhamos sido derrotados. Creio que as lágrimas me corriam pelas faces enquanto o fitava, mas ninguém as reparou. Por fim, minha mão flácida deixou-se segurar pela mão úmida de Menelau.

CAPÍTULO QUINTO

NARRADO POR PÁRIS

Regressei a Tróia a pé e sozinho, o arco e a aljava pendurados no ombro. Sete luas passara nas florestas e clareiras do monte Ida e não trazia comigo um único troféu para mostrar. Adorava caçar, mas não suportava ver um animal cair por terra trespassado por uma seta; preferia vê-lo vivo e livre, como eu. Das caçadas, meus melhores momentos envolviam presas mais apetecíveis do que o veado ou o javali. Para mim, a mais interessante das caças era a que eu fazia aos habitantes humanos das florestas do Ida, as moças e pastoras selvagens. Quando uma caía, derrotada, só uma seta a trespassava, a de Eros; não havia rios de sangue nem os gemidos que anunciavam a morte, mas apenas suspiros de doce contentamento, enquanto eu a estreitava em meus braços, ofegante ainda do êxtase da perseguição e pronto a perder de novo o fôlego por obra e graça de uma outra espécie de êxtase.

Passava sempre a primavera e o verão no monte Ida; a vida na corte deixava-me louco de aborrecimento. Ah, como eu odiava aquelas vigas de cedro, oleadas e polidas até se tornarem de um castanho cintilante, aquelas salas de paredes pintadas, aquelas torres sustentadas por colunas! Estar encerrado dentro de enormes muralhas era sufocar, era estar preso. Tudo o que eu queria era correr léguas e léguas de mato e árvores, deitar-me exausto sobre um leito perfumado pelas folhas que as árvores à terra ofereciam. Porém, todos os outonos, tinha de regressar a Tróia e de passar o inverno com meu pai. Esse era meu dever, ainda que simbólico. Afinal, eu era apenas o quarto filho de uma vasta prole. Ninguém me levava a sério — antes assim!

Num dia frio e ventoso, entrei na Sala do Trono no final de uma assembléia, envergando ainda minhas roupas de montanha, ignorando os sorrisos de desdém, os lábios franzidos de reprovação. O crepúsculo esbatia-se já, para dar lugar à melancolia da noite; fora longa a reunião.

Meu pai, o rei, estava sentado em sua cadeira de ouro e marfim, sobre um estrado de mármore púrpura, ao fundo da sala, seu longo cabelo branco requintadamente encaracolado, sua imponente barba branca entrançada com finos fios de ouro e prata. Invulgarmente orgulhoso de sua provecta idade, era assim que ele mais gostava de estar: sentado, como um Deus antigo, sobre um elevado pedestal, contemplando tudo aquilo que possuía.

Se a sala fosse menos imponente, o espetáculo que meu pai oferecia talvez não fosse tão impressionante; contudo, segundo diziam, aquela sala era ainda maior e mais grandiosa do que a velha Sala do Trono do palácio cretense de Cnossos. Espaçosa o suficiente para albergar trezentas pessoas sem que parecesse apinhada, seu teto altíssimo, além das vigas de cedro, fora pintado de azul e salpicado de constelações douradas. Possuía colunas maciças que afunilavam nas bases azul-escuras ou de cor púrpura, simples capitéis redondos e plintos dourados. As paredes eram de mármore púrpura sem quaisquer relevos até a altura da cabeça de um homem; mais acima, exibiam afrescos com cenas de leões, leopardos, ursos, lobos e caçadores — figuras em preto e branco, amarelas, carmins, castanhas e cor-de-rosa contra um fundo azul pálido. Atrás do trono, via-se um retábulo de ébano egípcio, incrustado com padrões de ouro, e os degraus que conduziam ao estrado régio eram debruados a ouro.

Entreguei o arco e a aljava a um criado e avancei em meio aos cortesãos até chegar ao estrado. Ao ver-me, o rei inclinou-se para tocar suavemente minha cabeça baixa com a esmeralda do seu cetro de marfim, o sinal de que deveria erguer-me e aproximar-me dele. Beijei-lhe a face enrugada.

— Estou tão contente por vê-lo, meu filho! — exclamou.

— Quem me dera poder dizer-lhe que estou contente por voltar — respondi.

Meu pai afastou-se para que eu me sentasse a seus pés. Com um suspiro, observou:

— Ainda não perdi a esperança de vê-lo o ano inteiro em Tróia, Páris. Poderia fazer muito por você, se não se ausentasse tanto.

Afagei-lhe a barba, porque ele gostava disso.

— Eu não quero levar uma vida de príncipe, meu pai.

— Mas você *é* um príncipe! — Suspirou uma vez mais, mexendo-se, nervoso, em seu trono. — Embora seja ainda muito novo, eu sei. Temos tempo.

— Não, pai, tempo é uma coisa que não temos. Pensa que eu ainda sou um rapaz, mas a verdade é que sou um homem há muito tempo. Tenho trinta e três anos.

Príamo não ouviu o que eu disse, imaginei, pois vi-o erguer a cabeça e acenar com seu bastão para alguém que estava ao fundo da sala: Heitor.

— Páris insiste que tem trinta e três anos, meu filho! — disse ele quando Heitor parou junto aos três degraus. Apesar deles, Heitor era alto o bastante para que seu rosto ficasse no mesmo nível do rosto de nosso pai.

Os olhos escuros de Heitor examinaram-me atentamente.

— Suponho que deva ter essa idade, Páris. Eu nasci dez anos depois de você e tenho vinte e três anos e seis luas. — Sorriu francamente e acrescentou: — Mas a verdade é que parece muito mais novo!

Comecei a rir.

— Obrigado, irmãozinho! Você é que parece ter a minha idade. E tudo porque é o herdeiro. Ser herdeiro de um trono envelhece um homem; fica-se acorrentado ao estado, ao exército, à coroa. Eu prefiro a eterna juventude da irresponsabilidade!

— O que é bom para um homem não é necessariamente para outro homem — foi sua tranqüila resposta. — Meu apetite por mulheres é muito menos acentuado do que o seu: por isso, que importância tem que eu pareça velho antes de realmente o ser? Enquanto você desfruta de suas incursões ao harém, eu sinto genuíno prazer em comandar o exército sempre que há manobras. Por outro lado, meu rosto poderá ficar prematuramente enrugado, mas meu corpo permanecerá forte e capaz, enquanto o seu vergará sob o peso de uma enorme pança!

Desisti. Heitor tinha uma facilidade sobrenatural para descobrir pontos fracos! Mal via um homem, localizava seu ponto fraco e atirava-se a ele como um leão. E não tinha medo algum de usar suas garras. O fato de ser o herdeiro transformara-o rapidamente num homem maduro. A exuberante, e irritante, juventude do ano anterior perecera como que por magia: Heitor moldara seus inegáveis talentos à tirania do trabalho útil. Fosse como fosse, a verdade é que Heitor era corpulento o suficiente para agüentar essa tirania. Eu não era uma figura frágil, mas Heitor era muito mais alto do que eu e, quanto à largura, tinha o dobro da minha. Vestia-se de forma muito simples e, portanto, com indesmentível dignidade; bastavam-lhe um saiote e uma camisa de couro, a longa cabeleira negra entrançada e presa atrás num belo rabo-de-cavalo. Todos nós, filhos de Príamo e Hécuba, éramos famosos por nossa beleza, mas Heitor tinha algo mais: uma autoridade natural.

Quase sem perceber, vi-me de pé e afastado da companhia de meu pai; o velho Antenor indicara, com ar mal-humorado, que pretendia falar com o rei antes que a assembléia terminasse. Heitor e eu escapulimos do estrado real sem que ninguém percebesse nossa falta.

— Tenho uma surpresa para você — disse meu irmão mais novo com um prazer tranqüilo, enquanto atravessávamos as passagens aparentemente infindáveis que ligavam as alas e os palácios menos importantes da Cidadela.

O palácio do herdeiro ficava ao lado do palácio real, e, portanto, a caminhada não fora muito longa. Quando adentrei a ampla sala de entrada do palácio de Heitor, parei de repente e pus-me a olhar à minha volta, absolutamente estupefato.

— Heitor! Onde *está* ela?

O que fora um armazém atravancado de lanças, escudos, armaduras e espadas era agora uma sala. E também não tresandava a cavalos, ainda que Heitor adorasse cavalos. Não me lembrava da decoração das paredes do velho armazém, mas as paredes daquela sala brilhavam de árvores em tons de jade e azul, de flores num tom púrpura, de cavalos em preto e branco, saltitando. O chão estava tão limpo, que seu mármore preto e branco cintilava. Trípodes e ornamentos haviam sido polidos, e cortinas púrpura, magnificamente bordadas, pendiam de argolas douradas em todas as portas e janelas.

— Onde está ela? — repeti.

Heitor corou.

— Não demora — resmungou.

Ela entrou naquele instante. Examinei-a de alto a baixo e tive de concordar que meu irmão tinha bom gosto; sua esposa era extremamente bonita. Tão morena quanto ele, alta e robusta. E tão desajeitada quanto ele com relação aos contatos sociais; olhou para mim e logo desviou os olhos.

— Apresento-lhe minha esposa, Andrômaca — falou Heitor.

Beijei-a na face.

— Aprovo inteiramente, irmãozinho! Mas Andrômaca não é destas terras...

— Não. É filha do rei Eecião, da Cilícia. Estive lá na primavera, em representação de nosso pai, e trouxe-a comigo. Não foi planejado, mas... — respirou fundo — aconteceu...

Andrômaca falou por fim, com óbvio embaraço.

— Quem é, Heitor?

Exasperado, Heitor bateu com tanta força em sua coxa que quase me assustou.

— Mas quando é que eu aprenderei essas coisas? É Páris, meu irmão.

Algo de que não gostei assomou por um momento aos olhos dela. Ah! Aquela jovem tinha uma força imensa: bastava que o embaraço e a estranheza se dissipassem.

— Minha Andrômaca é muito corajosa — observou Heitor, orgulhoso, um braço em volta da cintura dela. — Deixou seu lar e família a fim de vir comigo para Tróia.

—Verdade? — comentei polidamente e por aí fiquei.

Logo me resignei à monotonia da vida na Cidadela. Enquanto o granizo batia nas persianas de concha de tartaruga ou a chuva caía em cascatas do topo das muralhas, ou a neve atapetava os pátios, eu farejava e rondava os aposentos das mulheres, ansioso por encontrar uma fêmea nova e interessante — alguém que acendesse em mim pelo menos um décimo do desejo que as pastoras do monte Ida tão facilmente incendiavam. Um trabalho que, além de esgotante, não me incitava, bem pelo contrário, a dar meu máximo. Um trabalho que nunca conduzia aos arrebatados e violentos exercícios que as mulheres do monte Ida me proporcionavam. Heitor tinha razão. Se correrias furtivas por corredores proibidos eram meu esporte favorito, depressa ficaria com uma pança enorme.

Quatro luas após meu regresso, Heleno entrou em meus aposentos e instalou-se confortavelmente num banco estofado junto de uma janela. O dia estava radioso — bastante quente, o que, nos invernos troianos, era uma raridade — e a vista que se desfrutava de meus aposentos era belíssima: os olhos alcançavam toda a cidade e ainda o porto de Sigeu e a ilha de Tênedo.

— Quem me dera ter a influência que você tem junto de nosso pai, Páris — suspirou.

— Bem, Heleno, acontece que você ainda é muito novo, apesar de ser um filho imperial. A sabedoria é algo que só vem com a idade.

Heleno, que ainda não fazia a barba, era um jovem muito belo, com cabelos e olhos muito escuros, como todos os filhos imperiais de Hécuba. Era gêmeo de Cassandra, e contavam-se coisas muito estranhas a respeito dos dois. Tinham dezessete anos apenas; a juventude de Heleno impedira que se tivesse desenvolvido entre nós uma verdadeira intimidade. Além disso, Heleno e Cassandra possuíam a Segunda Visão. Sobre eles pairava uma aura que deixava os outros (mesmo seus irmãos e irmãs) manifestamente constrangidos. Essa estranha aura era menos evidente em Heleno do que em Cassandra, por sorte dele, pois Cassandra era louca.

Ainda bebês foram consagrados ao serviço de Apolo, uma decisão arbitrária que conformara seus destinos; se havia em seus íntimos alguma revolta contra tal decisão, a verdade é que nunca a exprimiram. De acordo com as leis promulgadas pelo rei Dárdano, um filho e uma filha do rei e de sua rainha, de preferência gêmeos, tinham de presidir os Oráculos de Tróia. Não admirava, portanto, que Heleno e Cassandra tivessem sido escolhidos. Embora ainda gozassem de alguma liberdade, logo que fizessem vinte anos seriam formalmente entregues aos cuidados do trio que governava o culto de Apolo em Tróia: Calcas, Lacoonte e a mulher de Antenor, Teano.

Heleno vestia a longa e flutuante túnica dos religiosos. Aliando beleza extrema e expressão sonhadora, sua figura, enquanto de minha janela observava a cidade, era impressionante o suficiente para me prender a atenção. Gostava mais de mim do que de todos os outros irmãos, fossem eles filhos de Hécuba, de qualquer outra esposa ou de uma concubina, porque eu não sentia a menor inclinação para a guerra ou para matar. Embora sua natureza ascética fosse obviamente avessa a minhas aventuras com mulheres, Heleno gostava de conversar comigo, pois minhas palavras eram mais pacíficas do que marciais.

— Trago-lhe uma mensagem — informou-me, sem se virar.

Suspirei.

— O que fiz de mal?

— Nada que mereça censura. Disseram-me apenas que você terá que participar de uma assembléia depois da ceia.

— Não posso. Tenho um compromisso para depois da ceia.

— Terá de desistir desse compromisso. A mensagem que lhe trago é de nosso Pai.

— Lamentável! Por que eu, Heleno?

— Não tenho a mínima idéia. Aparentemente, é um grupo muito pequeno. Alguns filhos imperiais, Antenor e Calcas.

— Um estranho grupo... Qual será o assunto?

— Vá e logo saberá.

— Sim, irei. Você também foi convidado?

Heleno não me respondeu. De súbito, seus belos traços imobilizaram-se, e seus olhos pareciam nada ver à sua volta, ainda que vissem algo indefinível: o olhar que associamos ao místico. Não era a primeira vez que assistia a um transe visionário, mas nada fiz para interrompê-lo; pelo contrário, observei com extremo fascínio as alterações por que Heleno passava. Subitamente, porém, com forte estremecimento de todo o corpo, meu irmão retomou seu estado normal.

— O que viu? — perguntei.

— Não consegui ver... — murmurou lentamente, limpando o suor da testa. — Um padrão. Dei-me conta de um padrão... O início de uma mudança que conduzirá a um desfecho inevitável.

— Alguma coisa você deve ter visto, Heleno!

— Chamas... Gregos envergando armaduras... Uma mulher

que, de tão bela, só poderia ser Afrodite... Navios — centenas e centenas de navios... Você, nosso pai, Heitor...

— *Eu*? Mas eu não sou importante!

— Acredite no que lhe digo, Páris: você é importante — ele declarou com voz cansada. Então, sem mais nem menos, levantou-se. — Preciso falar com Cassandra. É muito freqüente termos as mesmas visões, mesmo quando não estamos juntos.

Porém, eu também sentia vagamente aquela presença obscura, rodeando-nos como uma teia, e balancei a cabeça.

— Não, não procure Cassandra; ela destruirá sua visão.

Heleno tinha razão: o grupo era, de fato, muito pequeno. Fui o último a chegar; sentei-me na ponta do banco onde já se haviam instalado meus irmãos Tróilo e Ílio — por que eles? Tróilo tinha oito anos e Ílio, apenas sete. Eram os dois últimos filhos de minha mãe, e seus nomes evocavam o espectro que tirara o trono do rei Dárdano. Heitor também estava presente, como nosso irmão mais velho, Deífobo. Deífobo deveria ter sido nomeado herdeiro, mas todos que o conheciam — incluindo nosso pai — sabiam que, ao fim de um ano de reinado, Tróia sucumbiria a seu poder. Ganancioso, estouvado, violento, egoísta, imoderado — era com esses adjetivos que Deífobo era descrito. Sentia por nós um ódio terrível! Sobretudo por Heitor, que lhe usurpara o título a que tinha direito — pelo menos era isso o que ele pensava.

A inclusão de tio Antenor era lógica. O chanceler tinha de estar presente em todas as reuniões. Mas, por que Calcas? Uma criatura inquietante...

Tio Antenor fitava-me com uma expressão feroz e não era por eu ter chegado atrasado. Na verdade, há dois verões, no monte Ida, eu disparara uma seta sobre um alvo fixado numa árvore, mas um vento repentino desviara seu curso. Acabei encontrando a seta alojada nas costas do filho mais novo de Antenor com a concubina que ele mais amava; o pobre rapaz estava espiando uma pastora que se banhava nua numa fonte. O filho de Antenor estava morto, e eu era culpado de homicídio involuntário. Não se tratava verdadeiramente de um crime; mesmo assim, eu teria de expiar sua morte, o que só poderia ser feito de uma maneira: teria de encontrar um rei estrangeiro que estivesse disposto a presidir as cerimônias de purificação. Tio Antenor não chegara a ponto de clamar por vingança, mas a verdade é que não me perdoara. A ferocidade de seu olhar fez-me lembrar que eu ainda não movera uma palha para encontrar o tal rei estrangeiro. Os reis eram os únicos sacerdotes aptos a conduzir os ritos de purificação exigidos por um caso de homicídio acidental.

Meu pai bateu no chão a base de seu cetro de marfim, em cuja cabeça redonda cintilava o forte brilho verde, pois continha uma enorme e perfeita esmeralda.

— Convoquei esta reunião porque quero discutir algo que me atormenta há muitos anos — principiou meu pai com sua voz firme e forte. — Um acontecimento que voltou a dominar meus pensamentos, porque me ocorreu, há poucos dias, que meu filho Páris nasceu precisamente no dia em que tudo se passou. Um dia de morte e perda. Meu pai Laomêdon foi assassinado, tal como meus quatro irmãos. Minha irmã Hesíone foi raptada e violada. Só o nascimento de Páris impediu que aquele dia fosse o mais negro de toda a minha vida.

— Pai, por que razão nos convocou? — perguntou Heitor em tom afetivo. Ultimamente, sempre que a mente de nosso pai começava a divagar, Heitor tomava a seu cargo a tarefa de reconduzi-la ao fio de seu raciocínio; de fato, a mente de Príamo revelava tendência cada vez mais acentuada para se perder em estranhos relatos.

— Ah... eu não lhes disse? Bem, convoquei-o, Heitor, por ser o herdeiro. Convoquei Deífobo, porque é o mais velho dos filhos imperiais. Heleno, porque será ele o encarregado dos Oráculos de Tróia. Calcas, porque é quem preside os Oráculos enquanto Heleno não fizer vinte anos. Tróilo e Ílio, porque Calcas diz que há profecias a respeito deles. Antenor, porque ele estava presente nesse dia. E Páris, porque nasceu nesse dia.

— Qual é, então, o assunto desta reunião? — perguntou Heitor.

— Pretendo enviar uma embaixada formal a Telamon, rei de Salamina, logo que o estado do mar permitir — informou nosso pai. Uma resposta que me parecia perfeitamente lógica, ainda que Heitor tivesse franzido muito suas sobrancelhas como se inquieto com a novidade. — Essa embaixada solicitará a Telamon o regresso de minha irmã a Tróia.

Fez-se silêncio. Antenor encaminhou-se para o espaço que havia entre o banco que eu ocupava e o seguinte e voltou-se para meu pai. Pobre tio, andava quase curvado, devido a uma terrível doença de ossos de que padecia há algum tempo; todos acreditavam que os estragos causados pela doença eram a causa de seu notório mau humor.

— Rei Príamo, isso não passa de uma absurda aventura! Por que gastar o ouro de Tróia em empreendimento de tal natureza? Sabe, tão bem quanto eu, que, ao longo de seus trinta e três anos de exílio, Hesíone nunca nos notificou que lamentava seu destino. Seu filho, Teucro, será um bastardo; no entanto, ocupa posição extremamente importante na corte de Salamina e é amigo e mentor do herdeiro, Ajax. A resposta será "não", Príamo. Assim sendo, por que razão nos dar a esse trabalho?

O rei levantou-se de um salto, furioso.

— Está me acusando de estupidez, Antenor? Não sabia que Hesíone estava satisfeita com o exílio! Não, é Telamon que a impede de nos pedir ajuda!

Antenor agitou o punho cerrado.

— Eu estava falando, rei Príamo! E quem está falando não deve ser interrompido! Por que insiste em pensar que fomos nós os ultrajados? Heracles, sim, foi ultrajado: eu sei que, no fundo, até concorda comigo. Gostaria também de lembrar que, se Heracles não tivesse matado o leão, Hesíone não estaria hoje viva.

Meu pai tremia da cabeça aos pés. Apesar de serem cunhados, não havia sombra de afeição entre Antenor e Príamo. O coração de Antenor permanecia fiel à Dardânia: o inimigo dentro de nossas muralhas.

— Se fôssemos jovens — admitiu meu pai, cada palavra uma seta —, haveria uma maneira de pôr termo a esta guerra constante. Poderíamos pegar escudos e espadas e resolver a questão. Mas você não passa de um inválido e eu estou velho demais. Repito: vou enviar uma embaixada a Salamina logo que seja possível. Entendido?

Antenor fitava-o com desdém.

— Você é o rei, a decisão é sua. Quanto a duelos, é natural que se julgue muito velho, mas garanto-lhe que minha invalidez não me impediria de deixá-lo em pedaços! Nada me daria mais prazer!

Dito isso, retirou-se. Meu pai regressou ao trono, mordiscando furiosamente a barba.

Levantei-me, surpreso com o fato de ter-me levantado, mas ainda mais surpreso com o que naquele momento comecei a dizer.

— Pai, eu me ofereço para conduzir a sua embaixada. De qualquer modo, teria mesmo de me deslocar ao exterior, a fim de buscar a purificação que a morte do filho de Antenor exige.

Heitor riu e até bateu palmas.

— Páris, deixe-me saudar sua iniciativa!

Mas Deífobo não gostou.

— Por que não *eu*, pai? Eu deveria ser nomeado! Sou o mais velho!

Heleno declarou-se favorável a Deífobo; não consegui acreditar no que ouvi, pois Heleno detestava nosso irmão mais velho.

— Pai, por favor, mande Deífobo! Se for Páris o escolhido, Tróia chorará lágrimas de sangue!

Com ou sem lágrimas de sangue, a decisão do rei Príamo estava tomada. Confiou-me a embaixada a Salamina.

Depois de todos terem saído, permaneci algum tempo com meu pai.

— Estou tão contente, Páris! — confessou, afagando-me o cabelo.

— Seu contentamento é prêmio suficiente para mim. — De súbito, comecei a rir. — Se não conseguir trazer tia Hesíone, pode ser que traga uma princesa grega!

Meu pai riu também; minha piada apontava para algo que não lhe desagradava.

— Não faltam princesas na Grécia, meu filho. Olho por olho, dente por dente: admito que, se seguíssemos essa norma, os gregos receberiam o mais correto dos castigos.

Beijei-lhe a mão. O ódio implacável que votava à Grécia e a tudo que fosse grego era bem conhecido em Tróia; e eu o fizera feliz. Pouco importava que a piada não fosse mais do que isso, uma simples piada sem quaisquer conseqüências; ela o fizera rir.

Como parecia que o ameno inverno terminaria cedo, instalei-me em Sigeu durante vários dias, a fim de discutir a organização da frota com os comandantes e mercadores que dela participariam. Queria vinte navios grandes com tripulações completas e porões vazios; como o Estado pagaria a conta, não faltariam voluntários. Embora sem perceber que demônio me levara a oferecer meus serviços ao rei, o certo é que sentia uma excitação extraordinária à perspectiva daquela aventura. Em breve poderia ver longínquos lugares, lugares que muitos olhos troianos nunca veriam. Lugares gregos.

Terminada uma das reuniões, decidi dar um passeio pelo porto, a fim de respirar aquele ar cortante e salgado e observar a azáfama dos homens na praia; os navios que, durante o inverno, eram arrastados para um leito de seixos longe das águas, viam-se agora rodeados por uma pequena multidão que inspecionava os costados revestidos de pez e concluía se as embarcações estavam ou não em condições de navegar. Um enorme navio escarlate manobrava nas proximidades da praia; os olhos de sua proa tentavam fixar-me, e a figura que arrematava o capuz curvo de sua popa era, obviamente, a de minha própria deusa: Afrodite. Que construtor de navios a teria visto em sonhos (e em que sonhos?) para tê-la representado de uma forma tão maravilhosa?

Por fim, o capitão do navio encontrou espaço suficiente para instalar seus pesados costados entre os seixos; logo desceram as escadas de corda. Nesse instante, reparei que o navio trazia uma bandeira real na proa, decorada com incrustações escarlates e debruada a ouro — aquele navio trazia um rei estrangeiro! Avancei lentamente, ajeitando meu manto em elegantes dobras.

O régio indivíduo desceu cuidadosamente. Era um grego, conclusão fácil, dado o modo como estava vestido e a superioridade inconsciente com que ele — como qualquer grego — observava o resto do mundo. Porém, à medida que o rei se foi aproximando, todo meu espanto inicial se dissipou. Um homem de aspecto tão vulgar! Não era especialmente alto nem bem-apessoado. Era ruivo. Sim, não havia dúvida: era grego. Aparentemente, metade dos gregos era ruiva. Seu saiote de couro fora tingido de púrpura e adornado a ouro, a franja que o debruava era de ouro, o largo cinto também, incrustado com pedras preciosas, a blusa púrpura abria-se para revelar um peito magro, e, no pescoço, usava um imponente colar de ouro e jóias. Um homem muito rico.

Quando me viu, alterou seu curso.

— Bem-vindo às praias de Tróia! — saudei-o formalmente. — Sou Páris, filho do rei Príamo.

O homem tomou o braço que eu lhe estendera e envolveu-o com seus dedos.

— Obrigado, príncipe. Eu sou Menelau, rei da Lacedemônia e irmão de Agamêmnon, rei supremo de Micenas.

Meus olhos arregalaram-se de espanto.

— Gostaria de oferecer-lhe meu carro, rei Menelau. Poderemos seguir sem demora para a cidade.

Meu pai estava ocupado com suas audiências diárias. Segredei ao arauto, que, imediatamente, abriu as portas de par em par.

— Rei Menelau, da Lacedemônia! — atroou o homem.

Entramos juntos e deparamo-nos com uma multidão reduzida à mais absoluta imobilidade. Heitor estava de pé, ao fundo, com a mão estendida e a boca aberta devido a uma palavra que não chegara a pronunciar, Antenor, meio virado para nós, e meu pai, sentado em seu trono, tenso como um fuso, a mão apertando com tanta força o bastão, que este não parava de tremer. Se meu companheiro concluiu nesse instante que os gregos não eram bem-vindos, a verdade é que não houve nele nada que o denunciasse; depois de conhecê-lo melhor, concluí que, provavelmente, não reparara na hostilidade. Observou a sala e o mobiliário e, pelo visto, não ficou particularmente impressionado: imaginei como não seriam os palácios gregos, já que ele não abrira a boca de espanto.

Meu pai desceu do estrado e estendeu-lhe a mão.

— Sentimo-nos muito honrados com sua visita, rei Menelau — declarou. Apontando para um enorme divã juncado de almofadas, meu pai tomou o braço do visitante.

— Proponho-lhe que nos sentemos. Páris, venha conosco, mas primeiro diga a Heitor que venha também e aos criados que nos tragam comida e vinho.

A corte estava em silêncio (só os olhos dos cortesãos andavam em roda-viva), mas a conversa no divã era inaudível a dois passos de distância.

Terminadas as necessárias formalidades, meu pai perguntou a Menelau o motivo de sua visita.

— Trata-se de um caso de vital importância para o povo da Lacedemônia, rei Príamo — respondeu Menelau.

— Eu sei que aquilo que busco não se encontra nas terras troianas, mas Tróia pareceu-me o melhor local para dar início a meu inquérito.

— Pergunte à vontade, rei Menelau.

Menelau inclinou-se para a frente e virou-se, a fim de poder fixar o rosto inexpressivo de meu pai.

— Rei Príamo, meu reino está sendo assolado pela peste. Meus sacerdotes não conseguiram adivinhar a causa. Procurei, então, a Pitonisa de Delfos, que me orientou a procurar pessoalmente os ossos dos filhos de Prometeu e levá-los para Amiclas, minha capital. Têm de ser enterrados em Amiclas. Só então venceremos a peste.

Ah! Afinal, sua missão nada tinha a ver com tia Hesíone, a escassez de estanho e cobre ou os embargos comerciais no Helesponto. A missão de Menelau era muito mais simples. Perfeitamente comum. A luta contra a peste exigia medidas extraordinárias; havia sempre um ou outro rei vagando pelos mares e pelas praias, à procura de algum objeto que os Oráculos exigiam que levasse para casa. Perguntava-me, por vezes, se o objetivo dos oráculos não seria afastar o rei até que a doença chegasse a seu inevitável fim. Uma forma de proteger o rei do castigo; se permanecesse em casa, seria muito provável que morresse da mesma peste ou que acabasse por ser ritualmente linchado.

Claro que o rei Menelau tinha de ser hospedado. Talvez no ano seguinte o Oráculo ordenasse ao rei Príamo que pedisse ajuda ao rei Menelau... Os elementos da realeza, fossem quais fossem suas divergências ou suas nacionalidades, mostravam-se solidários em determinadas situações. Por isso, enquanto o rei Menelau se instalava em nossa cidade, os batedores de meu pai trataram de localizar os ossos dos filhos de Prometeu. Concluíram que estavam na Dardânia. O rei Anquises da Dardânia protestou energicamente, mas nada podia fazer. Estivesse ou não de acordo, teria de ficar sem as relíquias.

Foi-me atribuída a tarefa de velar pelo bem-estar de Menelau até que ele pudesse seguir, com toda a pompa que seu cargo exigia, para a cidade de Lirnesso, onde reclamaria os ossos. O que me levou a fazer-lhe uma oferta que, em tais circunstâncias, era perfeitamente comum: a escolha de uma mulher de que ele gostasse, desde que a mulher em questão não tivesse sangue real.

Menelau começou a rir, meneando enfaticamente a cabeça.

— Eu não preciso de outras mulheres, Páris! Basta-me minha Helena! — replicou

Fiquei curioso, muito curioso.

— Deveras? — murmurei.

Os olhos dele ganharam uma luminosidade extrema; dir-se-ia que o homem estava embriagado, não de vinho, mas de adoração.

— Páris, estou casado com a mulher mais bela do mundo — comunicou com solenidade.

Sem perder a polidez que um tal diálogo impunha, dei rédea solta à minha incredulidade.

— Deveras, rei Menelau?

— Ah, sim, Páris, sem a menor dúvida. Helena não tem rival neste nosso mundo.

— É mais bela do que a mulher de meu irmão Heitor?

— A princesa Andrômaca é uma pálida Selene, se comparada com o esplendor de Hélio.

— Gostaria que fosse mais preciso, Menelau.

O rei suspirou, agitou os braços.

— Como descrever Afrodite? Como pintar a perfeição visual com meras palavras? Vá ver meu navio, Páris, e preste atenção na figura de proa. Helena foi o modelo.

Semicerrei os olhos, tentando lembrar-me. Mas tudo o que consegui ver foi um par de olhos tão verdes como os de um gato do Egito.

Ah, eu *tinha* de conhecer aquela beldade! Não que acreditasse nele — a figura de proa seria certamente superior ao modelo. Nenhuma das estátuas de Afrodite que conhecia poderia rivalizar com o rosto daquela figura (embora, verdade seja dita, os escultores não passassem de uns artífices medíocres que teimavam em dar sorrisos tontos, traços desgraciosos e corpos ainda mais desgraciosos a suas estátuas).

— Rei Menelau — disse eu, movido por um irresistível impulso. — Em breve, terei de conduzir uma embaixada a Salamina, a fim de me avistar com rei Telamon e de inquirir sobre o bem-estar de minha tia Hesíone. Porém, enquanto estiver na Grécia, terei de submeter-me a um ritual purificador, visto que cometi um homicídio involuntário. Diga-me uma coisa: a Lacedemônia fica muito longe de Salamina?

— Bem, Salamina é uma ilha que fica ao largo do litoral ático, e a Lacedemônia fica no interior da ilha de Pélops, mas, não, não é uma viagem especialmente difícil.

— Rei Menelau, aceitaria presidir a cerimônia de minha purificação?

O rei fitou-me, radiante.

— Claro que aceito! É o mínimo que posso fazer para retribuir sua amabilidade. Visite-nos no próximo verão e eu realizarei os ritos necessários. — De súbito, assumiu um ar altivo. — Duvidou de mim quando lhe falei a respeito da beleza de Helena... sim, sim, eu sei que duvidou! Seus olhos o traíram... Mais uma razão para visitar Amiclas. Você a verá com seus próprios olhos. Depois disso, espero que me apresente desculpas.

Selamos o pacto com um gole de vinho, após o que nos concentramos no planejamento da viagem a Lirnesso, onde Menelau exumaria os ossos dos filhos de Prometeu, sob o olhar indignado do rei Anquises e de seu filho Enéias. Com que então Helena era tão bela quanto Afrodite! Perguntei-me como é que Anquises e Enéias reagiriam a *essa* comparação quando Menelau a mencionasse — e mencionaria, com toda a certeza. É que, como todos sabiam, Anquises, em sua juventude, fora tão irresistivelmente belo, que a própria Afrodite se humilhara para que ele fizesse amor com ela. Depois, a deusa fora embora, mas deixara-lhe Enéias. Pois é: as loucuras da juventude tinham sempre um preço!

CAPÍTULO SEXTO

NARRADO POR HELENA

Depois de os ossos dos filhos de Prometeu terem sido enterrados em Amiclas rodeados de preciosos artefatos, cada caveira coberta com uma máscara de ouro, os efeitos da peste começaram a desaparecer. Era maravilhoso poder voltar a passear pela cidade, participar de caçadas nas montanhas, assistir aos jogos na arena que ficava atrás do palácio! Não menos maravilhoso era ver os sorrisos de alegria nos rostos das pessoas, ouvi-las saudarem-nos e louvarem-nos quando por elas passávamos. O rei acabara com a peste, e a felicidade voltara ao reino.

Só o coração de Helena não estava feliz. Menelau vivia com um espectro a seu lado. Com o passar dos anos, fui-me tornando uma mulher cada vez mais apagada, cada vez mais grave — respeitável e obediente, sempre. Dei a Menelau duas filhas e um filho. Meu marido dormia em minha cama todas as noites. Nunca lhe recusava o acesso a meus aposentos quando ele batia à porta. E ele me amava. Perante seu amor, eu nada poderia fazer de mal. E, por isso, eu era uma esposa respeitável e obediente; não conseguia resistir a um homem que me tratava como se eu fosse uma deusa. Havia ainda outra razão: eu queria minha cabeça sempre presa a meus ombros.

Se ao menos eu tivesse conseguido manter meu corpo distante e frio quando ele me procurou após o casamento! Mas não consegui. Helena era uma criatura toda feita de carne; uma criatura que não era imune às carícias de um homem, de qualquer homem, mesmo de um homem tão enfadonho e desajeitado quanto meu marido. Um homem, um homem qualquer, era melhor do que homem nenhum.

O verão veio, o mais escaldante de que havia memória. As chuvas cessaram, e os rios secaram, e, nos altares, os sacerdotes começaram a murmurar palavras agourentas. Tínhamos sobrevivido à peste; seria a fome nosso próximo tormento? Por duas vezes, senti Poseidon, o senhor dos terremotos, gemer e mover as entranhas da terra, como se também ele estivesse inquieto. O povo começou a falar a respeito de maldições, e os sacerdotes ergueram ainda mais suas vozes quando o trigo morreu na terra ressequida; até a cevada, mais resistente do que o trigo, parecia encaminhar-se para o mesmo triste fim.

Porém, quando o calor do verão atingiu um pico insustentável, o Senhor dos Trovões, exibindo seu sombrio semblante, falou a nosso reino. Num dia opressivo, sufocante, enviou seus mensageiros, as nuvens que anunciam as tempestades, aglomerando-os contra o branco metálico do céu. Ia a tarde a meio quando o sol se escondeu e a escuridão caiu sobre a terra; Zeus explodiu finalmente. Fazendo atroar todo o seu poder a ponto de ensurdecer os humanos, disparou seus raios com tal ferocidade que a própria Mãe se encolheu, tremendo de medo, pois cada dardo que sua medonha mão lançava era uma coluna de puro fogo.

Tremendo de terror, transpirando de pânico, balbuciando rezas, refugiei-me num divã da pequena sala que usava perto das áreas públicas e tapei os ouvidos enquanto os trovões arrebentavam e aquela luz tão branca e violenta descia vezes sem conta sobre a terra. Menelau, Menelau, onde estás?, perguntava-me eu, desvairada de medo.

Nesse momento, ao longe, ouvi sua voz. Falava com invulgar animação com alguém que também falava grego, embora com sotaque estrangeiro. Lancei-me na direção da porta e corri para meus aposentos, pois não queria provocar o descontentamento de meu marido; como todas as mulheres do palácio, e porque o calor era muito, acostumara-me a vestir roupa feita de linho egípcio, muito leve e transparente.

Imediatamente antes do jantar, Menelau apareceu em meus aposentos para ver-me entrar no banho. Nunca tentava sequer tocar-me quando eu tomava banho; era sua oportunidade de não fazer outra coisa senão olhar.

— Minha querida — disse ele, pigarreando —, temos uma visita. Gostaria que esta noite vestisse seu traje régio.

Fitei-o, surpresa.

— É assim tão importante essa visita?

— Muito. É meu amigo Páris, príncipe de Tróia.

— Ah, sim, lembro-me de ter-me falado a seu respeito.

— Quero que esteja mais bonita do que nunca, Helena, pois eu lhe falei muito sobre sua beleza quando estive em Tróia. E Páris, acredite, mostrou-se cético!

Sorridente, rolei na água quente, fazendo transbordar a imensa banheira.

— Prometo-lhe que nunca me terá visto tão bonita como nesta noite.

Tive certeza de que nunca me tinham visto tão bela, no preciso instante em que entrei no salão de jantar, pouco antes de a corte se reunir para comer a última refeição do dia com o rei e a rainha. Menelau já estava lá, de pé, junto à mesa régia, conversando com um homem que estava de costas para mim; costas, aliás, muito interessantes. Muito mais alto do que Menelau, o homem em questão tinha uma comprida e espessa cabeleira encaracolada que lhe chegava à metade das costas e estava nu da cintura para cima, no que seguia a moda cretense. Sobre os ombros, caía-lhe um enorme colar de pedras preciosas engastadas em ouro; braceletes de ouro e cristal adornavam-lhe os braços portentosos. Observei seu saiote púrpura e as pernas fortes e bem proporcionadas, e senti uma excitação que há muitos anos desconhecia. De costas, era de fato uma bela visão; "provavelmente — disse para mim mesma, desdenhando do que não conhecia — tem cara de cavalo".

Dei um jeito nos folhos para que a música soasse. Menelau e o estrangeiro viraram-se. Olhei para o visitante e apaixonei-me. Simples assim. Apaixonei-me. Se eu era a mulher perfeita, ele era, seguramente, a perfeição feita homem. Fiquei parada e pasma, olhando-o. Defeito nenhum. A perfeição absoluta. E eu estava apaixonada.

— Minha querida — disse Menelau, aproximando-se de mim —, apresento-lhe o príncipe Páris. Devemos-lhe todas as cortesias e atenções que pudermos oferecer; ele foi para mim um excelente anfitrião.

Menelau olhou para Páris, com as sobrancelhas bem arqueadas.

— Então, meu amigo, ainda duvida de mim?

— Não — murmurou Páris. E repetiu: — Não.

Menelau sorriu, radiante; graças à sua esposa, a noite estava ganha.

Um pesadelo, aquele jantar! Rios de vinho eram servidos, ainda que — por ser mulher — eu não pudesse beber uma única gota. Mas que malévolo Deus teria convencido Menelau a beber copo atrás de copo, quando, normalmente, era abstêmio? Páris estava sentado entre nós dois, o que me impedia de fazer fosse o que fosse para, sutilmente, convencer meu marido a parar de beber. Por outro lado, aquele príncipe troiano também não se comportava com a circunspecção que seria de esperar. Claro que eu vira a atração chamejando em seus olhos negros no momento exato em que se haviam, pela vez primeira, fixado em mim; mas havia tantos homens que reagiam assim e que, depois, se mostravam tão tímidos como cordeirinhos... Não era esse o caso de Páris. Ao longo de toda a refeição, desfiou um rosário de escandalosos cumprimentos. Quanto a seus olhares, eram descaradamente íntimos; dir-se-ia que seus olhos se tinham esquecido de que estávamos sentados à mesa régia e observados por uma centena de homens e mulheres da corte.

Num tumulto de medo e confusão, fiz o possível para que esses observadores (metade dos quais era composta por espiões de Agamêmnon) pensassem que nada ocorria de menos decente. Procurando mostrar-me cortês e fingindo descontração que não sentia, perguntei a Páris como era a vida em Tróia, se em todas as nações da Ásia Menor se falava grego, se Tróia ficava muito longe de nações como a Assíria e a Babilônia ou se nessas nações também se falava grego.

Conhecedor dos femininos artifícios, Páris respondeu-me facilmente e com autoridade, enquanto seus olhos maliciosos vagavam entre meus lábios e meu cabelo, entre meus dedos e meus seios.

À medida que a interminável refeição ia avançando, o discurso de Menelau tornava-se cada vez menos inteligível; meu marido parecia não ver outra coisa senão o vinho que transbordava de seu copo. E Páris tornou-se cada vez mais atrevido. A certa altura, aproximou-se tanto de mim, que pude sentir seu hálito em meu ombro e aspirar seu embriagante perfume. Pouco a pouco fui-me afastando dele, acabando por ficar sentada na ponta do banco.

— Os Deuses são cruéis — sussurrou ele — por deixarem tanta beleza nas mãos de um único homem.

— Príncipe Páris, tenha cuidado com o que diz! Suplico-lhe: seja discreto!

A resposta que me deu foi um sorriso. O coração pareceu afundar-se em meu peito. Presa de um fogo súbito, comprimi os joelhos um contra o outro.

— Eu a vi esta tarde — prosseguiu ele, como se eu nada tivesse dito — fugindo de nós. Seu vestido era tão transparente...

Um mar escarlate desenhava-se sob minha pele; pedi a todos os Deuses que os muitos olhos que nos miravam não reparassem nada do que se passava.

A mão dele desceu e encontrou meu braço. Dei um salto, tão intolerável era aquele toque; a sensação que produzira em meu corpo era idêntica à que sentira quando o Senhor dos Trovões falara.

— Príncipe Páris, *por favor*! Meu marido pode ouvi-lo!

Rindo, voltou a pôr a mão sobre a mesa, mas de uma forma tão abrupta, que fez tombar seu copo; o vinho tinto espalhou-se como um lago sobre a pálida madeira. Acenei para que um criado viesse limpar a mesa, mas, enquanto eu acenava, ele se aproximava uma vez mais de mim.

— Amo-a, Helena — murmurou.

Os criados! Teriam ouvido? Por que os rostos dos criados nunca diziam nada sempre que executavam as ordens de seus superiores? Olhei de relance para Menelau: estava ébrio, muito ébrio, e seus olhos sonolentos miravam o vazio.

De fato, estava embriagado demais para procurar-me naquela noite. Os criados levaram-no para seus aposentos e deixaram-me seguir sozinha para os meus. Por um longo período, deixei-me ficar sentada à janela do meu salão, pensando. O que fazer? Como haveria de passar os próximos dias — talvez muitos, não sabia quantos — consciente da presença daquele homem, daquele perigo? Uma única refeição a seu lado me deixara arrasada. Seduzia-me despudoradamente, julgando meu marido muito idiota para se dar conta disso. Menelau, porém, só não percebera tudo por causa do vinho e, no jantar do dia seguinte, estaria sóbrio. Mesmo o mais estúpido dos homens tem, dentro de si, um vigilante; além disso, não me admirava nada que um dos nobres da casa fosse fazer intrigas junto dele. Agamêmnon pagava-lhes para que espionassem tudo. Bastava que um deles decidisse que eu era infiel e, um dia depois, Agamêmnon me condenaria por infidelidade. Páris, ainda que fosse um príncipe troiano, perderia a cabeça. Tal como eu. *Tal como eu*!

Dividida entre o medo e o desejo, sofria horrivelmente. Ah, eu o amava tanto! Mas que espécie de amor era aquele, tão súbito, tão avassalador, tão de repente? À mera lascívia, eu sabia resistir; aprendera a resistir-lhe ao longo do meu casamento. O amor, em contrapartida, era irresistível. Ansiava estar com Páris por todos os motivos. Ansiava viver minha vida com ele. Queria saber o que ele pensava, como vivia, o que sentia, como era sua aparência enquanto dormia. A seta trespassara-me, a seta que levara Fedra ao suicídio, Danae a atirar-se numa arca que seu pai lançara ao mar, Orfeu a enfrentar o reino de Hades em busca de Eurídice. Minha vida já não me pertencia: pertencia a Páris. Eu seria capaz de morrer por ele! Contudo... que êxtase poder *viver* para ele!

Menelau entrou em meu quarto pouco depois de eu ter-me deitado, exausta, enquanto os galos cantavam estridentes e a orla do céu oriental empalidecia sob o nevoeiro. Constrangido, recusou-se a beijar-me.

— Meu hálito é puro vinho, minha querida. É estranho que eu tenha bebido tanto. Não faz sentido.

Acenei-lhe para que se sentasse a meu lado.

— Como está esta manhã, tirando o hálito?

Menelau sorriu.

— Um pouco maldisposto. — De súbito, franziu as sobrancelhas. — Helena, estou com um problema.

Fiquei com a boca seca; percebi-me umedecendo os lábios. Um dos nobres da casa lhe teria contado tudo! Palavras! Eu *precisava* encontrar as palavras certas!

— Um problema? — balbuciei.

— Sim. Um mensageiro de Creta acordou-me. Meu avô Catreu morreu, e Idomeneu decidiu adiar o funeral, a fim de que eu ou Agamêmnon possamos comparecer. Claro que Idomeneu espera que seja eu. Agamêmnon não pode sair de Micenas.

Sentei-me na cama, boquiaberta.

— Menelau! Você não pode ir!

Minha veemência surpreendeu-o, mas entendeu-a como cumprimento.

— Não há alternativa, Helena. Tenho mesmo de ir a Creta.

— E ficará fora muito tempo?

— Pelo menos meio ano. Você poderia saber um pouquinho mais de geografia... Os ventos outonais me levarão a Creta, mas terei de aguardar os ventos do verão para regressar.

— Oh — suspirei. — Quando tem de partir?

Menelau apertou-me o braço.

— Hoje, minha querida. Terei de ir primeiro a Micenas, a fim de falar com Agamêmnon, e, como terei de lançar-me ao mar a partir de Lerna ou Náuplia, não poderei passar por aqui. É pena, mas o que fazer? — admitiu ele, deliciado com a minha consternação.

— Mas você não pode partir, Menelau. Esqueceu que tem um convidado real em sua casa?

— Páris compreenderá. Realizarei os ritos de purificação esta manhã, antes de partir para Micenas. Mas dir-lhe-ei também que permaneça aqui o tempo que quiser.

— Leve-o para Micenas com você — supliquei de súbito inspirada.

— Helena, francamente! Correndo? Claro que ele pode ir a Micenas, mas com tempo! — sugeriu meu marido, ansioso por agradar ao convidado, mas cego perante o perigo que ele representava.

— Menelau, você não pode deixar-me sozinha com Páris! — exclamei.

Menelau pestanejou.

— Por que não? O que não falta em nossa corte são damas de companhia, Helena...

— Agamêmnon pode não ser da mesma opinião.

Minha mão apertava-lhe o antebraço; ele se abaixou para beijá-la e afagou-me o cabelo.

— Helena, fique tranqüila. Suas preocupações são encantadoras, mas desnecessárias. Confio em você. Agamêmnon também.

Como explicar-lhe que era eu quem não confiava em mim mesma?

Nessa tarde, desci a escadaria do palácio para me despedir de meu marido. De Páris, nem sinal.

Logo que os carros e carroças desapareceram, regressei a meus aposentos e ali fiquei. Disse aos criados que me trouxessem as refeições. Se Páris não me visse, talvez se cansasse daquele jogo de sedução e, quem sabe, podia ser que partisse para Micenas ou para Tróia. Por outro lado, desse modo, os nobres da corte também não teriam qualquer oportunidade de nos ver juntos.

Porém, quando a noite veio, não consegui dormir. Depois de muito vagar pelo quarto, decidi sentar-me junto à janela. A mais absoluta escuridão caíra sobre Amiclas: não se via uma única luz e as montanhas pareciam anônimas corcundas da terra contra o pano de fundo de um céu estrelado. A lua cheia pairava, imensa e prateada, derramando silenciosamente uma delicada luz pelo vale de Lacedemônia. Assomei à janela e, sorvendo o ar da noite com um prazer extremo, deixei que toda essa quietude me penetrasse e aquietasse os nervos. Vivia ainda esse apaziguamento encantado quando me dei conta de que ele estava atrás de mim, contemplando a beleza dos céus por cima do meu ombro. Não gritei, nem me virei, mas ele sabia que eu estava consciente de sua presença. Suas mãos envolveram meus cotovelos e, suavemente, levaram meu corpo a repousar contra o seu.

— Helena de Amiclas, você é tão bela quanto Afrodite.

Meu corpo ficou sem forças. Movi um pouco a cabeça sob seu queixo.

— Não tente essa deusa, Páris. Ela detesta rivais.

— Mas não a detesta, Helena... Não compreende? Foi Afrodite quem me ofereceu Helena... Eu pertenço à deusa, sou seu favorito.

— É por isso que, segundo se diz, nunca fez um filho?

— É. — As mãos dele moviam-se em círculos lentos em minha cintura, sem qualquer pressa, como se ele tivesse todos os dias do mundo para fazer amor comigo. Seus lábios encontraram minha nuca.

— Helena, nunca desejou ardentemente deixar este palácio durante a noite e correr para as mais recônditas paragens da floresta? Nunca invejou a leveza e a agilidade do veado? Nunca sonhou correr tão livre quanto o vento e cair exausta sob o corpo do único homem que ama?

Duas respostas deu meu corpo: um espasmo percorreu-me os tendões, mas minha boca seca retrucou:

— Não. Eu nunca sonho com isso.

— Pois eu sonho. E, em meus sonhos, você está sempre presente. Vejo sua longa cabeleira loura flutuando enquanto você corre, suas longas pernas lutando para que o caçador que eu sou não consiga alcançá-la. Era assim que eu deveria tê-la conhecido e não neste palácio vazio e sem vida. — As mãos dele abriram meu roupão e descansaram, tão leves como plumas, sobre meus seios.

— Perto de você, todo o brilho dos palácios empalidece.

Nesse momento, tudo se precipitou. Virei-me para seus braços e me esqueci de tudo, exceto que ele era minha outra metade, meu companheiro natural. Que eu o amava, que eu o amava verdadeiramente.

Escrava de seus desejos, jazia em seus braços tão lânguida e mole como a boneca de trapos de minha filha. A manhã nascia, mas eu só queria que não nascesse mais manhã nenhuma.

— Venha para Tróia comigo — ele pediu de súbito.

Ergui-me para ver seu rosto, para ver meu amor refletido naqueles belos olhos negros.

— Isso seria uma loucura — respondi.

— Loucura, não; bom senso. — Uma mão demorava-se em meu ventre, a outra brincava com meu cabelo. — Você não nasceu para ser esposa de um homem insensível e estúpido como Menelau. Você nasceu para ser minha.

— Eu nasci nesta terra, nasci neste mesmo quarto. Eu sou a rainha. Meus filhos vivem neste palácio. — Limpei as lágrimas que começavam a molhar-me as faces.

— Helena, você pertence a Afrodite, tal como eu! Há tempos, jurei solenemente no templo de Afrodite que lhe daria tudo — preteri Hera e Palas Atenéia para adorar apenas a ela. E pedi-lhe que me concedesse apenas uma coisa: uma mulher chamada Helena.

— Eu *não posso* abandonar meu reino!

— Helena, você não pode ficar. Eu não ficarei.

— Oh, amo-o tanto, Páris! Como poderei viver sem você?

— Não viverá sem mim, Helena.

— Você pede o impossível. — Minhas lágrimas eram um rio, descendo pelas faces.

— De modo nenhum! Qual é o obstáculo, Helena? Seus filhos?

Essa pergunta fez-me refletir. Minha resposta não poderia ter sido mais sincera.

— Não, de fato, não. O problema de meus filhos é que... são tão vulgares! São iguais a Menelau. Até no cabelo! Até têm *sardas*...

— Se seus filhos não são um obstáculo, então só vejo uma razão: Menelau.

Seria? Não, não era. Pobre Menelau: dominado, oprimido, um mero títere nas mãos de Micenas. Afinal de contas, que obrigações tinha eu para com ele? Eu não quisera casar com Menelau! As obrigações que tinha para com ele eram as mesmas que tinha para com seu irmão, aquele homem de ar carrancudo e modos ameaçadores que nos usava, a todos nós, como simples peças num jogo monumental. Agamêmnon não atribuía qualquer importância à pessoa que eu realmente era, a meus desejos, a minhas necessidades, a meus sentimentos.

— Irei com você para Tróia — respondi por fim. — Não há nada que me prenda a Amiclas. Nada.

CAPÍTULO SÉTIMO

NARRADO POR
HEITOR

O capitão do porto de Sigeu mandou-me um mensageiro com a notícia de que a frota de Páris regressara finalmente de Salamina; mal cheguei à sala em que o rei concedia suas audiências diárias, ordenei a um pajem que fosse avisar meu pai. Eram as audiências de costume, enfadonhas e intermináveis — disputas por causa de propriedades, escravos, terras e causas semelhantes, uma embaixada da Babilônia, uma queixa a respeito de direitos de pasto apresentada por nossos parentes nobres da Dardânia e defendida, como sempre, por tio Antenor.

A embaixada da Babilônia já fora recebida, e o rei estava prestes a pronunciar sua sentença com relação a um caso sem importância, quando as trombetas soaram e Páris avançou, empertigado, pela Sala do Trono. Impossível não sorrir, dado seu traje; transformara-se num verdadeiro cretense! Tudo nele eram requintes, desde o saiote púrpura franjado de fios de ouro às jóias e aos cabelos. Estava com ótimo aspecto e parecia muito satisfeito. O que andara tramando para parecer um chacal que conseguia chegar à presa antes do leão? Nos olhos de nosso pai, brilhava a luz de seu amor senil — como era possível que um homem sábio o bastante para estar sentado num trono ficasse tão cego diante de coisas tão primárias como encanto e beleza?

Páris chegou rapidamente ao estrado e estava se instalando no degrau superior quando me aproximei. Antenor, um abelhudo incurável, encontrava-se também suficientemente perto para poder ouvir toda a conversa. Decidi, então, colocar-me ostensivamente junto ao trono de meu pai.

— Traz boas notícias, meu filho? — perguntou o rei.

— A respeito de tia Hesíone, não — afirmou Páris, balançando a cabeça, os anéis do cabelo em vaivém. — O rei Telamon mostrou-se extremamente cortês, mas recusou-se categoricamente a entregar-nos tia Hesíone.

Meu pai enrijeceu-se por inteiro: de súbito, a brandura deu lugar à fúria. Nunca conheci ódio tão profundo como aquele. Por que razão — depois de tantos anos! — ele continuava a abominar tão implacavelmente a Grécia? O silvo de sua respiração silenciou toda a sala.

— Como se atreve? Como se atreve Telamon a insultar-me? Viu sua tia, teve oportunidade de falar com ela?

— Não, meu pai, não pude ver tia Hesíone.

— Malditos sejam todos eles! — Ergueu a cabeça e cerrou os olhos. — Ó poderoso Apolo, Senhor da Luz, do Sol, da Lua e das Estrelas, conceda-me a oportunidade de reduzir a pó o orgulho grego!

Inclinei-me para ele e disse-lhe:

— Pai, acalme-se! Não esperava outra resposta, não é verdade?

O rei Príamo virou a cabeça para mim e abriu os olhos.

— Não, suponho que não. Obrigado, Heitor. Como sempre, é você quem me faz regressar à fria realidade. Mas por que os gregos sempre conseguem o que querem? Por que hão de ficar impunes se cometeram um crime — o rapto de uma princesa troiana?

Páris colocou a mão no joelho de nosso pai e afagou-o delicadamente. O rei olhou para ele, e logo sua expressão amenizou-se.

— Pai, a arrogância grega não ficou impune. Eu lhe dei o melhor dos castigos — informou Páris, os olhos muito brilhantes.

Chegara a pensar em retirar-me, mas algo no tom com que Páris disse aquilo me deteve.

— Como, meu filho?

— Olho por olho, dente por dente, meu pai! Os gregos raptaram sua irmã, não foi? Pois eu lhe trouxe da Grécia presa muito mais valiosa do que uma simples menina de quinze anos! — Ergueu-se de um salto, tão cheio de si que já não suportava continuar sentado aos pés do rei Príamo.

— Pai — exclamou ele, com uma voz sonora que alcançava as alturas do teto —, eu lhe trouxe Helena! A rainha da Lacedemônia, esposa de Menelau, o irmão de Agamêmnon, e irmã da rainha Clitemnestra, esposa de Agamêmnon!

Tão grande foi meu choque, que fiquei sem saber o que dizer — uma tragédia, pois tio Antenor pôde falar primeiro do que eu. Avançou tão depressa quanto pôde, erguendo as mãos — as juntas inchadas dos dedos faziam com que elas parecessem enormes e disformes garras.

— O que você fez foi a mais estúpida das ingerências, digna do mais ignorante e imbecil dos homens! — esbravejou Antenor. — Será possível que essa carinha efeminada não veja outra coisa senão saias? Poderia ter feito jus à sua cegueira de sedutor e raptado a própria Clitemnestra! Os gregos não se revoltaram por causa de nossos embargos comerciais nem por causa da escassez de estanho e cobre, mas vão revoltar-se por causa do que você fez! *Idiota*! Você deu a Agamêmnon a oportunidade que ele espera há muitos anos! Lançou-nos numa guerra que será a ruína de Tróia! O que lhe falta em tino sobra-lhe em presunção! Ah, se ao menos seu pai o tivesse enjeitado! Se ao menos ele tivesse sufocado no nascimento sua devassidão! Quando tivermos colhido todas as tempestades dos ventos que você semeou, nenhum troiano pronunciará seu nome sem cuspir de nojo!

Uma parte de mim aplaudiu silenciosamente o discurso do velho; de fato, ele ecoava meus próprios sentimentos. No entanto, ao mesmo tempo, amaldiçoava tio Antenor. Que teria decidido meu pai se ele se tivesse calado? Quando Antenor acusava, o rei defendia. Príamo podia até estar de acordo com Antenor, que, no entanto, com aquele discurso inflamado, empurrara-o para o lado de Páris.

Meu irmão estava estupefato com a reação.

— Pai, fiz isso por você! — exclamou, suplicante.

Antenor fitou-o com um sorriso de escárnio.

— Ah, sim, claro, claro que fez isso por seu pai! E já se esqueceu do mais famoso de todos os oráculos? "*Cuidado com a mulher grega que é raptada e levada para Tróia!*" Não acha que o Oráculo fala por si só?

— Não, eu não me esqueci do Oráculo! — gritou meu irmão. — Mas Helena não foi raptada! Ela veio comigo por vontade própria, porque quer casar-se comigo! E, como prova disso, trouxe um magnífico tesouro — ouro e jóias que podem comprar um reino! Um dote, pai, um dote! — Riu satisfeito. — Fiz pior aos gregos do que raptar uma rainha — eu lhes pus cornos!

Antenor parecia ter perdido a batalha. Meneando lentamente a cabeça alva, refugiou-se entre os cortesãos. Páris fitava-me, suplicante.

— Heitor, ajude-me! — pediu.

— Como posso ajudá-lo? — perguntei, furioso.

Páris virou-se de novo para o pai, ajoelhou e, com seus braços, envolveu as pernas do rei.

— Diga-me, meu pai: que mal poderá advir do que fiz? — perguntou, tentando puxar o pai ainda mais para seu lado. — Alguma vez a fuga voluntária de uma mulher deu origem a uma guerra? Helena veio por vontade própria! Helena não é uma criança! Tem vinte anos, é uma mulher! Esteve casada durante seis anos, tem filhos! Imagine quão terrível foi sua vida para ter tomado essa decisão! Para ter deixado um reino e seus filhos! Pai, eu a amo! E ela me ama! — exclamou ele, com a voz pateticamente embargada, as lágrimas começando a deslizar pelas faces.

Ternamente, o rei afagou o cabelo de Páris.

— Quero vê-la — disse nosso pai.

— Não, espere! — Era Antenor que voltava à carga. — Rei Príamo, antes de ver essa mulher, suplico-lhe que me ouça! Mande-a de volta para sua terra, Príamo, mande-a de volta para a Lacedemônia! Mande-a de volta para Menelau sem que ninguém a veja, apresente suas mais sinceras desculpas, devolva-lhe todos os tesouros que ela trouxe e recomende-lhe que corte a cabeça da esposa infiel! Porque é isso que ela merece! *Amor...*! Que amor é esse que abandona os filhos? Não será isso prova mais do que suficiente? Ela trouxe para Tróia um tesouro magnífico, mas não seus filhos!

Meu pai não queria olhar para ele, mas deveria saber o que todos nós estávamos sentindo, pois não fez qualquer tentativa para interromper o discurso. Antenor pôde continuar a falar.

— Príamo, eu receio o rei supremo de Micenas, e você também deveria receá-lo. No ano passado, ouviu Menelau gabar-se de que seu irmão Agamêmnon conseguira transformar toda a Grécia num obediente vassalo de Micenas! Que acontecerá se Agamêmnon optar pela guerra? Mesmo que o derrotemos, ele nos arruinará. A riqueza de Tróia tem crescido desde tempos imemoriais por uma única razão: Tróia sempre evitou a guerra! A guerra destrói as nações, Príamo, quantas vezes eu o ouvi dizer isso! O oráculo afirma que a mulher que virá da Grécia será a nossa ruína. E, no entanto, você quer vê-la! Preste atenção ao que nossos Deuses dizem! Não feche seus ouvidos à sabedoria de seus oráculos! O que são eles, afinal, senão uma oportunidade que os Deuses dão aos mortais de anteverem o futuro? Você prosseguiu a obra de Laomêdon, seu pai, e agravou suas medidas; enquanto Laomêdon limitou-se a restringir o número de navios mercantes gregos com acesso ao Euxino, você proibiu a entrada de todos os navios gregos no Euxino. E agora os gregos *têm fome* de estanho! Sim, eu sei que eles podem ir buscar cobre no ocidente, ainda que tenham de pagar um preço inviável; mas o estanho, onde poderão buscá-lo? Em lugar nenhum! Apesar de serem ricos e poderosos.

Com o rosto sulcado de lágrimas, Páris ergueu os olhos para o rei.

— Pai, eu já lhe disse: Helena não foi raptada! Ela veio por vontade própria! Portanto, não pode ser a mulher de que falam os oráculos, não pode!

Dessa vez, consegui ser mais rápido do que Antenor. Abandonei o estrado e falei.

— Páris, *você* afirma que ela veio por vontade própria; mas o que dirão os gregos? Acha que Agamêmnon dirá aos reis seus vassalos que seu irmão é o mais ridículo dos homens, um cornudo? Não Agamêmnon, que é o mais orgulhoso dos homens! Não, Agamêmnon lhes dirá que Helena foi raptada. Antenor tem razão, pai. Estamos a um passo da guerra. E uma guerra contra a Grécia não afetará apenas a nós. Temos aliados, pai! Pertencemos a uma federação de Estados da Ásia Menor. Temos tratados de comércio e amizade com todas as nações costeiras entre a Dardânia e a Cilícia, e também com todas as nações interiores até a Assíria e, ao norte, até a Cítia. As terras costeiras são ricas e pouco povoadas; não possuem efetivos suficientes para enfrentar o invasor grego. Essas nações apóiam nosso bloqueio e têm enriquecido com a venda de estanho e cobre aos gregos. Caso haja uma guerra, acredita que Agamêmnon limitará sua ação a Tróia? Não! Haverá guerra por todos os lados.

Meu pai olhava-me fixamente; olhei-o também, sem medo. Momentos antes, dissera-me "Como sempre, é você quem me faz regressar à fria realidade." Mas agora, pensei, desesperado, meu pai abandonara a realidade. Minhas palavras e as de Antenor haviam tido um único efeito: levá-lo a tomar a posição contrária à que pretendíamos.

— Já ouvi tudo que me interessa ouvir — declarou ele, em tom gélido. — Arauto, mande entrar a rainha Helena.

Aguardamos. Toda a sala estava tão quieta e calada como um túmulo. Lancei a meu irmão um olhar feroz, perguntando-me como fora possível que tivéssemos permitido que Páris se transformasse num tão consumado idiota. Páris virara as costas ao pai (ainda que mantivesse uma das mãos em seu joelho, afagando-o) e olhava fixamente para as portas, a boca rasgada num imenso sorriso de vaidade. Ele não tinha a menor dúvida de que estávamos todos à espera de uma surpresa maravilhosa: lembrava-me muito bem de Menelau ter dito que Helena era uma bela mulher. Mas eu sempre desconfiei de tais elogios quando se referiam a rainhas ou princesas. Muitas eram as que o recebiam só porque tinham o título.

As portas abriram-se de par em par e ela parou por um momento antes de se dirigir ao trono. Ao sabor de seus movimentos, a saia emitia um delicado tinido, transformando-a numa melodia viva. Surpreendi-me boquiaberto, a respiração suspensa; tive de forçar-me a exalar. Não havia dúvida: ela era a mais bela mulher que eu jamais vira. Até Antenor estava pasmo.

Com os ombros para trás e a cabeça imperiosamente erguida, caminhava com dignidade e graça, sem sombra de vergonha ou de timidez. De elevada estatura para uma mulher, possuía o mais soberbo corpo que Afrodite dera a fêmeas humanas. Cintura estreita, quadris graciosamente cheios, longas pernas. Não, não havia nela nada que não agradasse. Os seios! Nus, de acordo com a indecorosa moda grega, eretos e cheios, desconheciam todos os artifícios, exceto pelos mamilos, que estavam pintados a ouro. Um tempo infindo pareceu passar até nossos olhos pousarem naquele pescoço de cisne. Superlativo, extremamente superlativo! A memória que tenho dela nesse dia é nítida: Helena era simplesmente... *bela*. Massas de cabelo ouro pálido, sobrancelhas e pestanas negras, os olhos da cor da relva primaveril, maquilados com um fino traço que subia nos cantos, à maneira das cretenses e egípcias.

Quanto do que estávamos vendo seria real e quanto não seria mais do que um encantamento? Nunca saberei. Helena é a maior obra de arte que os Deuses jamais puseram na Mãe Terra.

Para meu pai, Helena era o Destino. Não tão velho que tivesse esquecido os prazeres que as mulheres nos davam, Príamo olhou para ela e apaixonou-se. Não sei se terá sido amor, se mera lascívia. Porém, como era velho demais para roubá-la ao filho, preferiu considerar como um elogio a si mesmo o fato de um filho seu ter conseguido seduzi-la e roubá-la ao marido, aos filhos, à sua própria terra. Cheio de orgulho, virou seus olhos maravilhados para Páris.

Faziam sem dúvida um casal notável: ele, tão escuro como Ganimedes, ela, tão loura e branca como Ártemis da floresta. Apenas com uma breve caminhada, Helena vencera por completo a silenciosa sala. Nenhum dos homens presentes poderia continuar a censurar Páris pela loucura que cometera.

Logo que o rei dissolveu a assembléia, coloquei-me a seu lado, subindo deliberadamente para o estrado e aproximando-me do trono devagar. Ficava, assim, três degraus mais alto do que os amantes fugitivos e muito mais alto do que o trono de ouro e marfim do meu pai. Em geral eu não exibia tão agressivamente meu estatuto de herdeiro, mas a verdade é que Helena mexia com meus nervos; queria que ela soubesse qual era o lugar exato de Páris na corte e, sobretudo, qual era o meu. Seus estranhos e insondáveis olhos verdes fixaram-se em meu rosto.

— Querida rainha, este é Heitor, meu Herdeiro — apresentou-nos meu pai.

Helena inclinou solene e regiamente sua cabeça.

— Muito prazer em conhecê-lo, Heitor. — Os olhos dela ganharam de súbito uma vivacidade coquete. — Por todos os Deuses, Heitor, você é um homem *enorme*!

Era uma óbvia provocação. Porém, não era o desejo que ela

queria provocar em mim; no que dizia respeito a homens, suas inclinações iam mais para os efeminadamente belos, como Páris, do que para os guerreiros fortes, como eu. Ainda bem que assim era: eu não sabia se conseguiria resistir-lhe.

— O maior de Tróia, rainha — repliquei, incapaz de disfarçar a tensão.

Ela riu.

— Não duvido, não duvido... — murmurou.

— Pai — disse eu —, dá-me licença para me retirar?

— Meus filhos são verdadeiramente magníficos, não são, rainha Helena? — observou meu pai, transbordando satisfação. — Heitor é o orgulho do meu coração: um grande homem! Um dia será um grande rei!

Helena nada disse, enquanto me apreciava atentamente; porém, além de seu olhar brilhante, a mente perguntava-se se não seria possível afastar-me e pôr Páris em meu lugar. Ela que pensasse o que quisesse! O tempo lhe ensinaria que Páris abominava qualquer tipo de responsabilidade.

Estava prestes a sair, quando meu pai me chamou:

— Espere, espere! Heitor, diga a Calcas que quero falar com ele.

Uma estranha ordem. Por que quereria o rei falar com aquele homem repulsivo, excluindo Lacoonte e Teano? Havia muitos Deuses em nossa cidade, mas nossa principal divindade era Apolo. O culto de Apolo era uma especificidade nossa, o que fazia com que seus sacerdotes — Calcas, Lacoonte e Teano — fossem os prelados mais poderosos de Tróia.

Encontrei Calcas caminhando sonolento à sombra do altar dedicado a Zeus do Pátio. Não questionei sequer o fato de estar ali, Calcas era o tipo de homem cujos atos ninguém questionava. Envergava uma longa e ondulante túnica negra, bordada em prata com estranhos signos e símbolos, e a pele doentiamente branca de sua cabeça calva brilhava tenuemente à luz do entardecer. Certa vez, era eu ainda criança, descobrira um ninho de cobras, tão brancas como arminho, na cripta do palácio. Porém, depois de ter encontrado essas criaturas cegas e debilitadas, escravas de Kore, nunca mais me aventurara a descer à cripta. Calcas despertava em mim precisamente os mesmos sentimentos.

Dizia-se que ele viajara o mundo inteiro desde as terras dos Hiperbóreos ao rio do Oceano, desde terras muito a oriente da Babilônia a terras muito ao sul da Etiópia. A indumentária de Calcas imitava a dos sacerdotes de Ur e da Suméria. No Egito, assistira aos rituais que haviam sido transmitidos, ao longo de muitas gerações de ilustres sacerdotes, desde o princípio dos Deuses e dos homens. Outras coisas se diziam a respeito dele: que era capaz de preservar os corpos dos mortos, de tal modo que, ao fim de cem anos, pareciam não ter sofrido a corrosão natural do tempo; que participara dos horrendos ritos do negro Seth; dizia-se até que beijara o falo de Osíris, alcançando assim o supremo conhecimento. Jamais consegui gostar dele.

Emergi dos pilares e avancei para o pátio. Ele sabia que era eu quem se aproximava, embora não tivesse olhado para mim uma única vez.

— Procura-me, príncipe Heitor?

— Sim, sagrado sacerdote. O rei quer vê-lo na Sala do Trono.

— Para falar com a mulher que veio da Grécia. Eu vou.

Fui à frente dele, como era meu direito, pois ouvira falar de sacerdotes que julgavam poder tornar-se eminências pardas dos reis; não queria que Calcas nutrisse tais esperanças.

Enquanto Helena o fitava com constrangida repulsa, Calcas beijou as mãos de meu pai e aguardou que ele falasse.

— Calcas, meu filho Páris trouxe uma noiva. Quero que você os case amanhã.

— Como lhe aprouver, rei Príamo.

Em seguida, o rei ordenou a Páris e a Helena que se retirassem.

— Vá, Páris, e mostre a Helena seu novo lar — recomendou ele a meu insensato irmão.

Saíram de mãos dadas. Desviei os olhos daquele espetáculo de felicidade. Calcas permanecia silencioso, imóvel.

— Sabe quem ela é, sacerdote? — perguntou meu pai.

— Sei, sim, rei Príamo: é Helena. A mulher grega raptada. Eu a esperava.

Esperava mesmo? Ou teriam sido seus espiões tão eficientes como sempre?

— Calcas, tenho uma missão para você.

— Sim, rei Príamo.

— Preciso dos conselhos da Pitonisa de Delfos. Vá a Delfos após o casamento e descubra o que significa Helena para nós.

— Sim, rei Príamo. Deverei obedecer à Pitonisa?

— Claro. A Pitonisa é a Boca de Apolo.

O que estaria de fato ocorrendo ali, na Sala do Trono?, perguntei-me. Quem enganava quem? As respostas estavam na Grécia. Todas as respostas pareciam estar na Grécia. Seria o Oráculo de Delfos servo do Apolo troiano ou do Apolo grego? Seriam os dois Apolos o mesmo Deus?

O sacerdote retirou-se. Fiquei finalmente a sós com meu pai.

— Tomou uma decisão lamentável — disse-lhe eu.

— Não, Heitor; tomei a única decisão possível. — Ergueu as mãos, irritado. — Não entende que eu não poderia mandá-la embora? O mal está feito, Heitor. Está feito desde o momento em que ela deixou seu palácio de Amiclas.

— Nesse caso, pai, não a devolva toda aos gregos: devolva-lhes apenas a cabeça.

— É tarde demais, Heitor — respondeu ele, o pensamento já vagando por outras paragens. — Tarde demais... tarde demais...

CAPÍTULO OITAVO

NARRADO POR AGAMÊMNON

Clitemnestra estava de pé junto à janela, banhada pelo sol. A luz semeava em sua cabeleira chamas acobreadas, tão ardentes e brilhantes como ela própria. Minha esposa não possuía a beleza de Helena, mas, para mim, seus atrativos eram mais interessantes e seu sexo, mais forte. Clitemnestra era uma fonte viva de poder, não um simples ornamento.

A vista que dali se desfrutava sempre a encantara, talvez porque era o claro espelho da magnífica situação geográfica de que Micenas gozava. Nossa Cidadela era mais elevada do que todas as outras. Dali se via uma paisagem imensa, desde a montanha do Leão ao vale de Argos, o extenso verde dos campos cultivados e, depois, mais acima, as montanhas que nos rodeavam, com as suas densas florestas de pinheiros a cavaleiro de vastos olivais.

A certa altura, percebi um tumulto à porta de meu quarto; ouvia distintamente as vozes de meus guardas, protestando que o rei e a rainha não queriam ser incomodados. Irritado e intrigado, levantei-me. Porém, não tinha dado ainda um passo quando a porta se abriu de par em par e Menelau entrou, cambaleante. Veio diretamente a mim, caiu de joelhos, encostou a cabeça em minhas coxas e começou a soluçar. Lancei um olhar aturdido a Clitemnestra, que fitava meu irmão estupefata.

— Que se passa? — perguntei, afastando-o de meus joelhos e sentando-o numa cadeira.

Mas a resposta de Menelau eram lágrimas, apenas lágrimas. Tinha o cabelo emaranhado e sujo, as vestes em desalinho, barba de três dias. Clitemnestra encheu um copo de vinho sem água para Menelau e o entregou a mim. Depois de ter bebido, meu irmão acalmou-se um pouco; pelo menos, os soluços diminuíram.

— Menelau, conte-nos o que está acontecendo.

— Helena partiu!

Clitemnestra correu para ele.

— *Morreu*?

— Não! Antes tivesse morrido! Helena deixou-me, Agamêmnon! — Soergueu-se na cadeira, em evidente esforço para se controlar.

— Conte-me tudo, devagar, Menelau — pedi-lhe.

— Regressei de Creta há três dias. Ela não estava lá... Ela fugiu, irmão — fugiu para Tróia com Páris.

Ficamos parados, olhando-o boquiabertos, pasmos.

— Fugiu para Tróia com Páris — repeti, quando pude.

— Sim, sim! E levou o tesouro!

— Não acredito — exclamei.

— Ah, pode acreditar, marido, pode acreditar! Aquela harpia estúpida e lasciva! — silvou Clitemnestra. — Não se esperaria outra coisa de uma mulher que se entregou a Teseu! Uma prostituta! Uma cadela amoral!

— Modere suas palavras, mulher!

Apesar de mostrar-me os dentes, ela obedeceu.

— Quando aconteceu isso, Menelau? Com certeza foi há menos de cinco luas!

— Há quase seis luas, irmão; foi no dia em que eu parti para Creta.

— Não é possível! Admito que não estive em Amiclas durante sua ausência, mas tenho bons amigos na cidade; amigos que, sem demora, me teriam comunicado o sucedido.

— Ela lançou-lhes mau-olhado, Agamêmnon! Helena foi ao Oráculo da Mãe Kubaba e distorceu sua mensagem: o oráculo, segundo ela, dizia que eu usurpara o trono da Lacedemônia. Depois, convenceu Mãe Kubaba a amaldiçoar meus nobres. Nessas condições, ninguém se atreveria a lhe contar.

Sufoquei a raiva que sentia.

— Com que então, na Lacedemônia, a Mãe e a Velha Religião continuam a ser reis e senhores...! Cuidarei disso...! Mais de cinco luas, e eu sem qualquer informação... — Encolhi os ombros. — Bem, agora já não há nada a fazer. Não vale a pena ir atrás de Helena.

— *Não há nada a fazer*? Não vamos fazer nada? — questionou Menelau, erguendo-se de um salto. — Agamêmnon, você é o rei supremo! Tem de fazer tudo para que ela volte!

— Ela levou os filhos? — perguntou Clitemnestra.

— Não. Apenas o tesouro.

— Isso deixa em evidência as prioridades daquela cadela... — rosnou a minha esposa. — Esqueça-a, Menelau! Com certeza, você fica muito melhor sem ela!

Menelau ajoelhou-se de novo em lágrimas.

— Eu a quero de volta! Eu a quero de volta, Agamêmnon! Dê-me um exército! Dê-me um exército e deixe-me seguir para Tróia!

— Levante-se, irmão! Controle-se!

— Dê-me um exército! — exclamou ele, fora de si.

Suspirei de enfado.

— Menelau, trata-se de um caso meramente pessoal. Não lhe posso dar um exército para que você leve a tribunal uma prostituta! Admito que todos os gregos têm razões de sobra para odiarem Tróia e os troianos, mas nenhum dos reis meus vassalos consideraria a fuga voluntária de Helena razão suficiente para declarar guerra a Tróia.

— Tudo que lhe peço é um exército formado por minhas tropas e pelas suas, Agamêmnon!

— Tróia reduziria nossos homens a pó, Menelau. Consta que o exército de Príamo tem cerca de cinqüenta mil soldados — expliquei-lhe.

Nesse instante, Clitemnestra deu-me uma cotovelada nas costas.

— Marido, por acaso se esqueceu do Juramento do Cavalo Esquartejado? — perguntou. — Graças a ele, você pode formar um exército muito maior! Cem reis e príncipes pronunciaram esse juramento!

Abri a boca para dizer-lhe que as mulheres não passavam de seres idiotas, mas fechei-a imediatamente, sem pronunciar uma única palavra. A Sala do Trono não ficava longe; foi para lá que me dirigi sem mais demora. Sentei-me na Cadeira do Leão, as mãos coladas às garras que arrematavam seus braços, e refleti.

Um dia antes, apenas, recebera uma delegação de reis de toda a Grécia, protestando contra o impedimento do Helesponto e as conseqüências daí advindas. Já não tinham dinheiro para comprar estanho e cobre aos Estados da Ásia Menor. Nossas reservas de metais — e, em particular, de estanho — haviam chegado ao fim; as relhas dos arados, agora, eram feitas com madeira e osso. Se as nações da Grécia queriam sobreviver, teriam de acabar com a política troiana de deliberada exclusão dos mercadores gregos. A norte e a oeste, as tribos bárbaras começavam a concentrar-se, prontas para nos exterminar, como, outrora, havíamos exterminado os primitivos gregos. E onde iríamos buscar o bronze necessário para produzir os milhões de armas de que precisávamos para enfrentar essas tribos?

Escutara os reis meus vassalos e prometera-lhes uma solução, sabendo que não havia outra senão a guerra, mas sabendo também que muitos desses reis recusariam a mais desesperada das medidas. Agora, um dia depois, tinha em minhas mãos os meios necessários.

Clitemnestra mostrara-me como. Eu era um homem no pleno apogeu de suas capacidades e já participara de muitas guerras, e era um bom guerreiro, um bom militar. Sim... eu era capaz de chefiar uma invasão de Tróia! Helena serviria de pretexto... O astuto Ulisses previra a guerra sete anos antes, quando aconselhara o falecido Tíndaro a exigir o juramento dos pretendentes de Helena.

Se queria que meu nome permanecesse vivo depois de minha morte, teria de deixar grandes feitos aos que me sucedessem. Haveria no mundo maior feito do que a invasão e conquista de Tróia? O juramento me permitiria dispor de cerca de cem mil soldados; um número suficiente para executar essa missão em dez dias. E, com Tróia em ruínas, quem me impediria de concentrar meus esforços nos Estados costeiros da Ásia Menor, quem me impediria de reduzi-los a meros satélites de um império grego? Pensei no bronze, no ouro, na prata, no eletro, nas jóias, nas terras a conquistar. Tudo isso seria meu: bastava-me invocar o Juramento do Cavalo Esquartejado. Sim, eu poderia construir um império para meu povo!

Minha esposa e meu irmão, de pé no centro da sala, não tiravam de mim seus olhos. Aprumei-me no trono e decretei com gravidade:

— Helena foi raptada.

Menelau balançou a cabeça, com a mais infeliz das expressões.

— Quem me dera que tivesse sido, Agamêmnon! Mas a verdade é que não foi. Helena não precisou de nenhuma coação para fugir.

Tinha vontade de bater-lhe. Era isso que eu costumava fazer quando éramos pequenos. Não bati, mas confesso que tive de fazer um grande esforço para reprimir meus impulsos. Pela Mãe, que idiota era meu irmão! Como era possível que nosso pai, Atreu, tivesse feito aquele completo imbecil?

— Estou pouco ligando para a verdade, Menelau! — rosnei, furioso. Dirá a todos que ela foi raptada! A mais leve sugestão de que sua fuga foi voluntária destruirá tudo, ainda não entendeu? Se obedecer a minhas ordens sem discussões, garanto-lhe que, recorrendo ao juramento, reunirei um poderoso exército!

O mais infeliz dos homens ganhou ânimo novo; a escuridão deu lugar à luz.

— Isso mesmo, Agamêmnon, isso mesmo!

Olhei de relance para Clitemnestra. Havia em seus lábios um amargo sorriso. Meu irmão era um imbecil, a irmã dela não lhe ficava atrás, e ambos estávamos perfeitamente conscientes disso.

Um criado encontrava-se ao fundo da sala, longe demais para ouvir a nossa conversa; bati palmas para que se aproximasse.

— Vá chamar Calcas — ordenei.

O sacerdote entrou na sala momentos depois. Prostrou-se a meus pés. Olhei-o na nuca, perguntando-me o motivo que o trouxera efetivamente a Micenas. Calcas era um troiano da mais alta nobreza. Até há pouco tempo, fora um dos supremos sacerdotes de Apolo em Tróia. Quando de uma peregrinação a Delfos, a pitonisa dissera-lhe que deveria servir Apolo em Micenas. Ordenara-lhe ainda que não regressasse a Tróia e que nunca mais voltasse a servir o Apolo troiano. Depois de ter aparecido em minha corte, mandei um enviado a Delfos para confirmar a história; a pitonisa não deixara margem para dúvidas: era tudo verdade. Calcas teria de ser sacerdote de Micenas porque o Senhor da Luz assim o queria. Tenho de admitir, por outro lado, que nunca me dera razões para que eu suspeitasse de eventual traição. Dotado da Segunda Visão, informara-me, poucos dias antes, de que meu irmão me procuraria devido a um grave problema.

Sua aparência era desagradável, pois Calcas era uma raridade entre as raridades: um albino verdadeiro. A cabeça era completamente calva, a pele tão branca quanto a barriga de um peixe. Os olhos eram rosa-escuros e muito vesgos, num rosto enorme e redondo que exibia permanentemente a expressão da mais absoluta estupidez. Pura ilusão: Calcas seria tudo, menos estúpido.

Enquanto se erguia, tentei sondar sua mente. Contudo, era impossível ler algo naqueles olhos nublados, como se cegos fossem.

— Calcas, há quanto tempo você deixou o rei Príamo?

— Há cinco luas, rei Agamêmnon.

— O príncipe Páris já havia regressado de Salamina?

— Não, rei Agamêmnon.

— Pode retirar-se.

Notei que ficara ofendido pelo fato de eu o ter tratado tão sumariamente; era evidente que, em Tróia, estava habituado a receber mais deferência. Mas Tróia adorava Apolo como Deus supremo, enquanto em Micenas o Deus supremo era Zeus. Deveria ser uma terrível humilhação para ele um troiano ser obrigado por Apolo a servir numa terra em que era rebaixado.

Bati palmas outra vez.

— Chamem o arauto-mor.

Menelau suspirou, lembrando-me de que continuava ali, na Sala do Trono; eu não me havia esquecido, contudo, nem por um só momento, de que Clitemnestra ainda ali estava.

— Coragem, irmão. Nós traremos Helena de volta. Ninguém pode infringir o Juramento do Cavalo Esquartejado. Terá seu exército na primavera do próximo ano.

O arauto-mor entrou.

— Arauto, envie mensageiros a todos os reis e príncipes da Grécia e de Creta que pronunciaram o Juramento do Cavalo Esquartejado, diante do rei Tíndaro, há sete anos. O funcionário encarregado dos juramentos sabe de cor seus nomes. Os mensageiros recitarão o que vou lhe dizer agora: "Rei — ou príncipe, ou seja lá o que for —, eu, seu suserano, Agamêmnon, rei dos reis, ordeno-lhe que se desloque imediatamente a Micenas, a fim de discutirmos o juramento que pronunciou por ocasião do casamento da rainha Helena com o rei Menelau." Decorou tudo?

Orgulhoso de sua memória, o arauto-mor acenou que sim.

— Decorei tudo, rei Agamêmnon.

— Então, faça o que lhe ordenei.

Clitemnestra e eu nos livramos de Menelau, dizendo-lhe que precisava de um banho. Saiu imediatamente, feliz; Agamêmnon, seu irmão mais velho, tinha a situação controlada; portanto, o menino podia descansar.

— Supremo rei da Grécia é um título grandioso — observou Clitemnestra —, mas rei supremo do Império grego é incomparavelmente melhor.

Fitei-a com um sorriso largo.

— Também acho, mulher.

— Agrada-me a idéia de Orestes herdar esse título — ela continuou, sonhadora.

Esse comentário dizia tudo sobre Clitemnestra. Em seu coração selvagem, minha rainha era uma chefe, uma mulher que considerava humilhante ter de submeter-se ao poder de alguém ainda mais forte do que ela. Eu estava perfeitamente consciente de suas ambições; sabia que ela ansiava substituir-me no trono, fazer renascer a Velha Religião e usar o rei unicamente como um símbolo vivo de sua fertilidade — e mandá-lo para o machado quando a terra gemesse de dor. O culto de Mãe Kubaba, na ilha de Pélops, não estava ainda suficientemente reprimido. Nosso filho, Orestes, era muito pequeno ainda; nascera quando eu já perdia a esperança de ter um filho varão. Electra e Crisôtemis eram já púberes quando ele nascera. Um filho varão era um rude golpe para Clitemnestra, que nutrira a esperança de governar por intermédio de Electra; ultimamente, porém, transferira toda sua afeição para Crisôtemis. Electra adorava o pai, não a mãe. Contudo, Clitemnestra não desistia. Agora que tínhamos a certeza de que Orestes, um bebê forte e saudável, sucederia ao pai, a mãe esperava que eu morresse antes que ele tivesse a idade necessária para subir ao trono. Depois, governaria por seu intermédio. Ou de nossa filha mais nova, Ifigênia.

Alguns dos homens que haviam pronunciado o Juramento do Cavalo Esquartejado chegaram a Micenas antes de Menelau ter regressado de Pilos com o rei Nestor. De Micenas a Pilos era uma longa distância; muitos dos reis que vieram moravam mais perto de minha capital. Palamedes, o filho de Náuplio, não demorou muito a chegar; sua presença alegrou-me muito: só Ulisses e Nestor eram mais sábios do que ele.

Conversava com Palamedes na Sala do Trono, quando reparei que havia alguma agitação no pequeno grupo de reis menores presentes. Palamedes, reparando no mesmo que eu, sufocou o riso.

— Por Heracles, que colosso! Deve ser Ajax, o filho de Telamon. O que terá vindo fazer aqui? Era apenas uma criança quando o juramento foi pronunciado, e seu pai não estava lá.

O jovem avançou decididamente em nossa direção: era, sem dúvida, o homem mais corpulento de toda a Grécia; seus ombros e sua cabeça erguiam-se mais alto do que todos os presentes. Pertencendo a um grupo de jovens que aderia a um regime rigorosamente atlético, Ajax desprezava a blusa comum; fosse qual fosse a estação do ano, fizesse frio ou calor, mantinha-se de tronco nu e descalço. Não consegui tirar os olhos de seu peito maciço, dos poderosos músculos dos braços e das pernas, sem sombra de gordura. A cada vez que punha um pé em minhas lajes de mármore, parecia que as paredes tremiam.

— Dizem que Aquiles, seu primo, é quase tão grande quanto ele — comentou Palamedes.

— Isso não nos interessa — respondi, irritado. — Os senhores do norte nunca se dignam de prestar homenagem a Micenas. A Tessália, pensam eles, é suficientemente forte para ser independente. — Respirei fundo, voltando-me para Ajax. — Bem-vindo, filho de Telamon — cumprimentei-o. — O que o traz a Micenas?

Seus olhos infantis examinaram-me serenamente.

— Vim oferecer os serviços de Salamina, rei Agamênnon, em

representação de meu pai que se encontra doente. Disse-me ele que seria uma boa experiência para mim.

Fiquei sinceramente satisfeito. Pena que o outro filho de Éaco, Peleu, fosse tão arrogante. Telamon reconhecia seus deveres para com o rei supremo; em contrapartida, ninguém esperaria que Peleu, Aquiles e os mirmídones aparecessem.

— Agradecemos sua presença, filho de Telamon.

Sorrindo, Ajax deixou-nos e encaminhou-se, com sua possante passada, na direção de alguns amigos que o saudavam, efusivos. De súbito, porém, parou e virou-se para mim.

— Esqueci-me de uma coisa, rei Agamêmnon. Meu irmão Teucro está comigo. Ele pronunciou o juramento.

Palamedes ainda ria, embora ocultasse o riso com uma das mãos.

— Será que vamos abrir uma escola para jovens camponeses, Agamêmnon?

— É, de fato, pena que o rapaz seja um brutamontes, mas não podemos menosprezar as tropas de Salamina.

À hora do jantar, ao entardecer, tinha já comigo Palamedes; Ajax; Teucro; o outro Ajax da Lócrida, conhecido como o pequeno Ajax; Menesteu, o rei supremo da Ática; Diomedes, de Argos; Toas, da Etólia; Eurípilo, de Ormênion, e outros mais. Para minha grande surpresa, alguns dos que haviam chegado não tinham pronunciado o juramento. Disse-lhes que pretendia invadir a península de Tróia, conquistar a cidade e libertar o Helesponto. Pensando na reabilitação de meu irmão, alonguei-me na descrição das perfídias de Páris, mas a verdade é que nenhum dos presentes se deixou iludir; sabiam muito bem quais eram as verdadeiras razões daquela guerra.

— Nos últimos tempos, nossos mercadores têm-nos massacrado com protestos: querem, e com razão, que o Helesponto seja reaberto. Precisamos de mais estanho e cobre. Os bárbaros canibais do norte e do oeste já começaram a cobiçar nossas terras. Alguns de nós governam estados que se tornaram muito populosos, com todas as conseqüências que daí advêm — pobreza, agitação, motins, conspirações. — Fitei-os com gravidade. — Que ninguém se iluda: Helena não é o único objetivo dessa guerra. Essa expedição contra Tróia e os Estados do litoral da Ásia Menor não conduzirá apenas a uma acumulação de riquezas e à obtenção de bronze barato. Ela nos oferece a oportunidade de colonizar territórios ricos e pouco povoados com nossos excedentes populacionais. O mundo em torno do Egeu já fala grego com mais ou menos sotaque. Mas imaginem que todo esse mundo em torno do Egeu se torne grego! Imaginem a Grécia não como um simples reino, mas como um império!

Ah, eles adoravam ouvir tais palavras! Todos morderam avidamente a isca; terminado o discurso, nem precisei invocar o juramento, e ainda bem que assim foi. A avareza era melhor capataz do que o medo. Claro que Atenas me apoiava inteiramente; nunca duvidara da cooperação de Menesteu. Cooperação que encontrei também em Idomeneu, de Creta, o terceiro rei supremo. Mas o quarto, Peleu, não me apoiaria. Quando muito, contaria apenas com a ajuda de alguns de seus reis vassalos.

Vários dias depois, chegou Menelau com Nestor. Ordenei que trouxessem imediatamente o ancião à minha presença. Mandei Menelau embora e nos reunimos com Palamedes em meu salão privado; mandava a prudência que Menelau continuasse a acreditar que Helena era a única e exclusiva razão para aquela guerra. Felizmente não lhe ocorrera ainda qual seria o inevitável desfecho do suposto resgate de Helena: logo que estivesse em nossas mãos, a bela rainha teria de dizer adeus à sua cabeça.

Não calculava qual seria a idade do rei de Pilos. Era eu ainda rapaz, e ele já era um velho de cabelos brancos. Senhor de notável sabedoria, seu discernimento continuava tão agudo como no tempo em que eu era jovem; não havia sinal de senilidade em seus penetrantes e brilhantes olhos azuis, não havia sombra de tremor em seus dedos carregados de anéis.

— Diga-me, Agamêmnon, afinal qual é a verdadeira razão de tudo isso? — perguntou-me. — Seu irmão está cada vez mais bobo! Sua saúde mental não melhorou nada... Tudo que me disse foi que Helena fora raptada... uma história muito estranha. Nunca me pareceu que Helena precisasse de ser forçada... E não me diga que Menelau convenceu o irmão a satisfazer-lhe os caprichos! Uma guerra por causa de uma mulher? Francamente, Agamêmnon.

— Meu caro Nestor, as razões dessa guerra são o estanho, o cobre, o alargamento das vias mercantis, a livre passagem pelo Helesponto e a colonização do litoral da Ásia Menor. A fuga de Helena com o tesouro de meu irmão é, muito simplesmente, o mais perfeito pretexto.

— Hummm. — Nestor apertou os lábios. — Fico contente ouvindo-o falar assim. Conta com quantos homens?

— As informações de que dispomos referem oitenta mil soldados. Com mais de vinte mil ajudantes não combatentes, teremos mais de cem mil homens. Deveremos navegar em cerca de mil navios, na próxima primavera.

— Uma campanha gigantesca, Agamêmnon. Espero que a estejam planejando com todos os cuidados.

— Naturalmente — repliquei, altivo. — No entanto, será uma guerra muito breve; um tão grande número de homens arrasará Tróia em poucos dias.

Os olhos dele arregalaram-se, surpresos.

— Acha que sim? Tem certeza disso, Agamêmnon? Você já esteve em Tróia?

— Não.

— Mas já deve ter ouvido falar a respeito das muralhas troianas...

— Claro que já ouvi! No entanto, Nestor, não há muralhas que resistam a milhares de homens.

— Talvez... Dou-lhe, porém, um conselho: espere que seus navios aportem em Tróia. Poderá, então, ter uma idéia mais precisa da situação. Tróia, ao que se diz, é o oposto de Atenas, que possui uma Cidadela fortificada e uma única muralha que se estende na direção do mar. Tróia encontra-se completamente cercada por verdadeiros baluartes. Acredito que o desfecho da campanha seja sua vitória. Mas acredito também que será uma longa campanha....

— Teremos de concordar que, quanto a esse ponto, divergimos, rei Nestor — retruquei, firmemente.

Nestor suspirou.

— Seja como for, nem eu, nem nenhum de meus filhos pronunciamos o juramento; contudo, pode contar com nosso apoio. Se não acabarmos com o poder de Tróia e dos Estados da Ásia Menor, Agamêmnon, nós e a Grécia logo pereceremos! — Calou-se, deixando os olhos pousados em seus anéis, depois perguntou: — Onde está Ulisses?

— Mandei um mensageiro a Ítaca.

— Oh! Uma simples mensagem não trará Ulisses — ponderou Nestor.

— Terá de vir! Ele também jurou!

— Os juramentos nada significam para um homem como Ulisses. Não que possamos acusá-lo de sacrilégio, mas a verdade é que foi ele quem *concebeu* todo esse plano! Provavelmente, pronunciou muito baixinho o juramento, do fim para o princípio, e ninguém percebeu. No fundo, Ulisses é um homem que adora a tranqüilidade e, segundo consta, adaptou-se com grande felicidade à rotina doméstica. Disseram-me que havia perdido todo seu velho interesse pela intriga. Não, Agamêmnon, ele não quererá ir com você. Mas tem de contar com ele entre seus chefes.

— Eu sei, rei Nestor.

— Então vá buscá-lo você — respondeu Nestor. — Leve Palamedes — deixou escapar um riso zombeteiro. — Para pegar um ladrão, não há melhor do que outro ladrão...

— Acha que devo levar Menelau?

Seus olhos cintilaram, divertidos.

— Sem a menor dúvida. Sempre é uma maneira de obrigar Menelau a falar mais sobre sexo e menos sobre economia...

Fizemos a primeira etapa de nossa viagem por terra e, numa pequena aldeia da costa ocidental da ilha de Pélops, embarcamos rumo a Ítaca. Mal chegamos à praia, examinei a ilha e confesso que fiquei triste com o que vi; era uma ilha pequena, rochosa, algo árida; enfim, não seria por certo o mais adequado dos reinos para a mente mais notável do mundo. Enquanto avançava a pé por um caminho de pastores que conduzia à única cidade da ilha, amaldiçoei Ulisses por nem sequer se preocupar em assegurar a existência de transportes na única praia da ilha em que um barco poderia aportar. Na cidade, contudo, conseguimos encontrar alguns burros infestados de pulgas; profundamente satisfeito por nenhum de meus cortesãos estar presente (que triste espetáculo, o rei supremo empoleirado num burro!), segui na direção do palácio.

Apesar de pequeno, o palácio foi uma verdadeira surpresa. O exterior era magnífico, os pilares eram enormes, as pinturas levavam-nos a pensar que o interior seria necessariamente suntuoso. Claro que o dote da esposa de Ulisses incluíra vastas extensões de terra, baús cheios de ouro e jóias reais. O pai de Penélope, Icário, fartara-se de protestar contra aquela união, pois não queria dar a filha a um homem que, até para ganhar uma corrida, usava de artimanhas! A verdade, porém, é que agora Penélope era a esposa de Ulisses.

Esperava que Ulisses estivesse à nossa espera no pórtico; era mais do que provável que a notícia da chegada já tivesse alcançado o palácio, levada pelos habitantes da cidade. Porém, quando finalmente deixamos nossos ignóbeis corcéis, verificamos que o palácio estava tão silencioso quanto deserto. Nem os criados se dignavam de aparecer! Tomei o comando do grupo e adentrei as salas —

por Zeus, que afrescos maravilhosos! Excelentes, sem dúvida! —, sentindo-me mais perplexo do que ofendido por descobrir que, de uma ponta a outra do palácio, não havia sinal de vida. Nem sequer aquele maldito cão, Argos, que Ulisses levava aonde fosse se dignava de ladrar aos visitantes.

Um par de magníficas portas de bronze indicou-nos a Sala do Trono; Menelau abriu-as. Ficamos no vão da porta, pasmos, apreciando a qualidade da arte e a perfeita distribuição das cores, até que nossos olhos repararam que havia uma mulher sentada no último degrau do estrado do trono e chorando rios de lágrimas. A cabeça estava parcialmente coberta pelo manto; porém, quando o ergueu, logo descobrimos de quem se tratava, pois em seu rosto estava tatuada uma teia azul, tendo no centro uma aranha carmim: a insígnia de uma mulher consagrada a Palas Atenéia, em seu disfarce de tecelã. Penélope era tecelã.

Levantou-se de repente e logo caiu de joelhos para beijar a bainha de meu saiote.

— Rei Agamêmnon! Não estávamos à sua espera! Ah, é muito triste a recepção que lhe ofereço! — E voltou a chorar.

Fiquei parado, observando aquela cena, sentindo-me o mais ridículo dos homens: uma mulher histérica enroscada em minhas pernas! Olhei de relance para Palamedes e não consegui evitar um sorriso. Como esperar o trivial, se estávamos na corte de Ulisses?

Palamedes inclinou-se para mim e sussurrou-me ao ouvido:

— Rei Agamêmnon, vou dar uma volta pelas imediações para ver se descubro alguma coisa. Dá-me licença?

Acenei que sim, após o que tratei de erguer a chorosa Penélope.

— Então, prima, acalme-se. Conte-me o que se passa.

— Foi o rei, primo! O rei enlouqueceu! Ah, primo, Ulisses ficou louco! Nem sequer reconhece a sua esposa! Está lá embaixo, no pomar sagrado! Fala sozinho e só diz tolices, coitado!

Palamedes regressou a tempo de ouvir aquilo.

— Temos de ir vê-lo, Penélope — sugeri.

— Vão vê-lo, vão... — ela suplicou soluçando.

Penélope conduziu-nos até os fundos do palácio, de onde se viam terras de cultivo que se espalhavam em todas as direções; o centro de Ítaca era muito mais fértil do que o litoral. Descíamos a escadaria quando apareceu uma velha com um bebê no colo.

— Rainha, o príncipe não pára de chorar! Há muito deveria ter mamado!

Penélope pegou imediatamente a criança, embalando-a em seus braços.

— É o filho de Ulisses? — perguntei.

— Sim, é Telêmaco.

Fiz-lhe um afago no rosto, após o que tratei de avançar; o destino de seu pai era muito mais importante. Passamos por oliveiras muito velhas — tão velhas, que seus troncos torturados eram mais grossos do que touros — e vimo-nos por fim numa área murada que seria talvez o pomar, ainda que tivesse mais terra seca do que árvores de fruto. E foi nesse instante que vimos Ulisses. Menelau murmurou qualquer coisa em voz estrangulada, mas eu nem murmurar consegui. Ulisses arava a terra com a parelha mais estranha que eu jamais vira presa a um arado — um boi e uma mula! Os animais puxavam cada um para seu lado, o arado erguia-se da terra e girava obliquamente, os sulcos que fazia na terra eram tão tortuosos como Sísifo. Sobre a cabeleira vermelha, Ulisses usava um chapéu de feltro de camponês e atirava algo a esmo por sobre o ombro esquerdo.

— O que ele está fazendo, Penélope? — perguntou Menelau.

— Semeando sal — respondeu ela, impassível.

Tagarelando tolices consigo mesmo, rindo, desvairado, Ulisses continuou a arar e a semear seu sal. Tinha-nos visto certamente, mas seus olhos não nos tinham reconhecido. Não havia dúvida: o brilho daqueles olhos era inconfundível, era o brilho da loucura! Perdêramos o homem de quem mais precisávamos!

Não suportava assistir por mais tempo àquela triste cena.

— Vamos embora, deixemo-lo em paz — sugeri.

O arado estava agora perto de nós, e os animais, cada vez mais furiosos e incontroláveis. Então, sem mais nem menos, Palamedes tomou o bebê dos braços de Penélope e, numa corrida, foi colocá-lo a uma pequena distância dos cascos do boi. Com um grito estridente, Penélope tentou correr para salvar a criança, mas Palamedes a deteve. Nesse momento, a estranha parelha estancou, Ulisses correu para a frente do boi e pegou seu filho.

— O que está acontecendo? — perguntou Menelau. — Afinal, ele está bom da cabeça ou não?

— Tão bom quanto qualquer um de nós — replicou Palamedes, sorridente.

— Fingiu que estava louco? — perguntei.

— Claro, rei Agamêmnon. Porque só desse modo poderia escapar ao juramento...

— Mas como você descobriu? — quis saber Menelau, aturdido.

— Encontrei um criado à saída da Sala do Trono. O pobre homem tem um defeito: fala pelos cotovelos. Contou-me que Ulisses consultara ontem o oráculo. Ao que parece, se ele for para Tróia, terá de permanecer vinte anos longe de Ítaca — explicou Palamedes, satisfeito com seu pequeno triunfo.

Ulisses entregou o bebê a Penélope, que, agora, chorava de verdade. Todos sabiam que Ulisses era um grande ator, mas, pelo visto, Penélope não lhe ficava atrás. Mereciam-se. Os olhos cinzentos de Ulisses não largavam Palamedes, enquanto seu braço descansava sobre os ombros da mulher. Era uma cara de poucos amigos, a de Ulisses. Palamedes atraíra o ódio de alguém capaz de esperar uma vida inteira pela vingança perfeita.

— Fui descoberto — confessou Ulisses, sem sombra de arrependimento. — É verdade que precisa de meus serviços, rei Agamêmnon?

— Preciso, sim, Ulisses. Mas diga-me: por que tamanha relutância?

— Porque a guerra contra Tróia será longa e sangrenta, rei Agamêmnon, e eu não gostaria de participar dela.

Outro que me assegurava que seria uma longa campanha! Mas como poderia Tróia resistir a cem mil homens, por muito altas que fossem suas muralhas?

Regressei a Micenas com Ulisses, depois de o ter posto a par de todos os fatos. Não valia a pena dizer-lhe que Helena fora raptada. Como de costume, o rei de Ítaca revelou-se uma mina de conselhos e informações. Nem por uma vez virou-se para ver sua ilha desaparecer no horizonte; nem por um momento deu mostras de que teria saudades da mulher — nem ela dele; aliás, Ulisses e Penélope, a mulher da face tatuada com uma teia, eram criaturas que sabiam controlar muito bem suas emoções e que viviam num mundo de segredos.

Quando chegamos ao Palácio do Leão, verifiquei que meu primo Idomeneu, de Creta, já havia chegado. Estava desejoso de participar de minha expedição a Tróia — por um preço, evidentemente. Pediu-me o título de co-comandante: pedido que satisfiz sem demora. Co-comandante ou não, curvar-se-ia às minhas ordens. Idomeneu tivera uma paixão frustrada por Helena e reagiu muito mal a sua fuga (a ele, também tive de contar a verdade).

Poucos tinham faltado ao chamado. Entretanto, enquanto meus funcionários empenhavam-se no que havia para providenciar, todos os construtores de navios da Grécia se lançaram energicamente ao trabalho. Felizmente, nós, os gregos, éramos os melhores construtores de navios do mundo e possuíamos vastas florestas de pinheiros e abetos, todo o pez de que precisávamos, graças à abundante resina, escravos em número suficiente que davam seus cabelos para serem misturados com o pez, e suficientes cabeças de gado para obter a pele necessária às velas. Não precisávamos encomendar navios a estrangeiros que, assim, ficariam cientes de nossos planos. O resultado era melhor do que eu previra: foram-me prometidos mil e duzentos navios e mais de cem mil homens.

Logo que a frota começou a ser construída, convoquei meu conselho restrito. Nestor, Idomeneu, Palamedes e Ulisses analisaram comigo todos os pormenores da campanha. Por fim, pedi a Calcas que realizasse um augúrio.

— Uma boa idéia — observou Nestor, que gostava de se mostrar obsequioso com os Deuses.

— Que lhe disse Apolo, sacerdote? — perguntei a Calcas. — Nossa expedição será bem-sucedida?

Calcas não hesitou.

— Só se dela participar Aquiles, o sétimo filho do rei Peleu.

— Oh, Aquiles, Aquiles! — exclamei, furioso. — Para onde quer que me vire, só ouço esse nome!

Ulisses encolheu os ombros.

— É um grande nome, Agamêmnon.

— O rapaz ainda nem sequer tem vinte anos!

— Mesmo assim — ponderou Palamedes —, creio que deveríamos nos informar melhor a respeito dele. — Virou-se para Calcas. — Quando sair, sacerdote, diga a Ajax, o filho de Telamon, que venha falar conosco.

Calcas não gostava de receber ordens dos gregos. Mas obedecia o albino vesgo. Teria percebido que, por precaução, eu mandara espionar todos os seus movimentos?

Ajax apareceu pouco depois.

— Fale-me a respeito de Aquiles — ordenei-lhe.

Esse simples pedido levou-o a desfiar um rosário de superlativos que me deixaram com os nervos em frangalhos. Por outro lado, não nos disse nada que já não soubéssemos. Agradeci-lhe e mandei-o embora. Que brutamontes!

— Então? — perguntei a meu conselho.

— O que nós *pensamos* ou deixamos de pensar não interessa, Agamêmnon — sugeriu Ulisses. — O sacerdote diz que temos de ter Aquiles.

— Mas Aquiles não virá se Agamêmnon lhe ordenar — objetou Nestor

— Muito obrigado, isso eu também sei! — devolvi.

— Acalme-se, Agamêmnon — murmurou o ancião. — Peleu já não é nenhum jovem. Ele não estava presente na ocasião do juramento. Nada o obriga a nos apoiar e tampouco nos ofereceu seu apoio. No entanto, pense um pouco, Agamêmnon... Imagine o que seria nosso exército se pudéssemos contar com os mirmídones! Sua voz enfatizou aquele nome mágico: «os mirmídones»... Impôs-se na sala um pesado silêncio que o próprio Nestor quebraria momentos depois:

— Preferiria ter um mirmídone nas minhas costas a meia centena de homens de outros povos — concluiu.

— Nesse caso — aparteei, decidido a castigar alguns de meus conselheiros — sugiro-lhe, Ulisses, que leve Nestor e Ajax a Iolcos e que solicite ao rei Peleu os serviços de Aquiles e dos mirmídones.

CAPÍTULO NONO

NARRADO POR
AQUILES

Já estava perto dele: sentia-lhe o cheiro desagradável e a fúria. Empunhando firmemente a lança, rastejei em sua direção por entre as moitas. Senti seu hálito enquanto ele farejava à sua volta o pó que suas patas levantavam ao revolver o chão. Foi então que o vi. Era grande como um touro pequeno, o corpanzil assentado em curtas e vigorosas pernas, a cerda negra eriçada, os beiços largos e cruéis abertos, revelando as presas encurvadas e amarelecidas. Seus olhos eram semelhantes aos dos condenados ao Tártaro; antevia as fúrias diante de si, e a ira tremenda das brutas feras dominava-o por completo. Velho, selvagem, um assassino de homens.

Gritei bem alto para anunciar-lhe minha presença. De início, não se mexeu; depois, lentamente, virou para mim a cabeça maciça. Uma nuvem de pó ergueu-se do chão raspado por suas patas, enquanto abaixava o focinho e rasgava pedaços de terra com as presas, ganhando forças para a investida. Avancei para ele, mantendo minha Velha Pélion preparada para o embate, desafiando-o a avançar também. A visão de um homem enfrentando-o com tamanha ousadia era para ele uma novidade; por um momento, pareceu ficar sem saber o que fazer. Depois, desatou em portentoso trote que fazia tremer o chão, um trote que depressa se transformou em verdadeiro galope. Era espantoso, simplesmente espantoso, que uma criatura tão grande conseguisse correr tão depressa.

Calculei a altura em que ele investiria e permaneci onde estava, as mãos cravadas na Velha Pélion, a ponta um pouco para cima, a base no chão. Estava mais perto agora. Impelido por todo o peso que seus ossos suportavam, poderia ter derrubado um tronco de árvore que se lhe atravessasse no caminho. Quando vi as chispas de fogo de seus olhos, agachei-me e, logo em seguida, arremeti contra ele e enterrei-lhe no peito a Velha Pélion. Ele me abraçou; caímos os dois no chão, e minhas vestes e meu corpo logo ficaram encharcados daquele sangue que jorrava fumegante. Porém, depressa me ergui e, com as mãos ferradas na haste da lança, arrastei-o: uma tarefa difícil, pois meus pés escorregavam naquele sangue lodoso. E foi assim que morreu, assombrado com o fato de ter encontrado alguém mais forte do que ele. Arranquei-lhe do peito a Velha Pélion, cortei-lhe as presas — um belíssimo troféu para adornar o elmo de um guerreiro — e ali o deixei: ali morrera, ali apodreceria.

Não muito longe, avistei uma pequena enseada. Desci por uma picada, ao fundo da qual serpenteava um riacho a caminho do mar. Ignorando o cintilante convite das águas do riacho, corri pela areia a caminho das ondas. Na água do mar, limpei o sangue que o javali me deixara nos pés e nas pernas, em meu traje de caça e na Velha Pélion. Depois de ter despido a roupa e de tê-la posto a secar na areia, corri para as ondas e nadei preguiçosamente por um tempo. Por fim, deitei-me junto da lança e das roupas.

É possível que tenha dormido por um breve período. Ou, quem sabe, talvez o sortilégio já estivesse, nesse momento, produzindo seu efeito. Por muito que tente lembrar-me, não saberei dar uma resposta. Só sei que minha percepção das coisas se apagou. Quando voltei a mim, o sol já se escondia por trás das copas das árvores e o ar arrefecera um pouco. Tempo de partir: Pátroclo já estaria ansioso.

Levantei-me, decidido a pegar minhas coisas e vestir-me, mas, com esse simples ato, todo meu equilíbrio mental desmoronou. Como explicar o inexplicável? Depois de tudo passado, só encontrei uma palavra para definir aqueles momentos: "sortilégio". Um período durante o qual me vi separado da realidade, embora me mantivesse ligado a alguma espécie de mundo. Um cheiro fétido, que associei à morte, invadiu-me as narinas, e a praia toda se encolheu e ficou do tamanho de um grão, enquanto um templo que havia no promontório ergueu-se de súbito, tornando-se tão desmesuradamente grande, que cheguei a pensar que as paredes gigantescas despencariam e cairiam em cima de mim. Aquele era um mundo de contradições, em que o pequeno se tornava gigantesco, e o grande, minúsculo.

Dei-me conta de que, dos cantos de minha boca, escorria uma água salobra. Então, vencido pelo terror, arrasado por uma desolação solitária feita de lágrimas e impotência, deixei-me cair de joelhos na areia; por outro lado, e apesar de toda minha juventude e força, nada podia fazer para erradicar o pavor mortal que me invadia. Minha mão esquerda começou a tremer, o lado direito de meu rosto crispava-se em espasmos, minha coluna arqueava-se e de novo se esticava. Apesar de tudo, consegui não perder a consciência e, com hercúlea força, impedi que as convulsões atingissem um paroxismo do qual por certo não haveria retorno. Quanto tempo terá durado o sortilégio? Não tenho idéia. Só sei que, quando recuperei minha força natural, o sol já se pusera e o céu estava tingido de rosa. O ar estava quieto, parado, repleto da música das aves.

Tremendo como um homem acometido de febre, levantei-me; na boca, sentia o gosto de alguma coisa pútrida. Não parei para me vestir ou pegar a Velha Pélion. Tudo o que desejava era regressar ao acampamento, era morrer nos braços de Pátroclo.

Mal me viu, Pátroclo correu a meu encontro. Inquieto com meu estado, tratou logo de me deitar num leito de peles quentes, junto à fogueira. Bebi um gole de vinho e, momentos depois, comecei a sentir a vida — a normal vida humana — retornando aos músculos, aos tendões, aos ossos; já liberto das garras do pânico, sentei-me em meu leito e, com gratidão maior do que o mundo, escutei o martelar ainda nervoso de meu coração.

— O que aconteceu? — ouvi Pátroclo perguntar.

— Um sortilégio — respondeu minha voz estrangulada. — Um sortilégio.

— O javali o feriu? Você caiu?

— Não, nada disso. Matei o javali com a maior facilidade. Depois, fui até a praia, a fim de lavar o sangue que o animal derramara. Foi então que o sortilégio tomou conta de mim.

Pátroclo caiu de joelhos, os olhos esbugalhados.

— Que sortilégio, Aquiles?

— Foi... foi como se a morte tivesse vindo a meu encontro. Eu cheirei a morte, senti seu sabor em minha boca. A enseada ficou minúscula, o templo tornou-se gigantesco; o mundo rodopiava e ganhava uma nova forma, como se Proteu fosse o mundo. Pensei que fosse morrer, Pátroclo! Nunca me senti tão sozinho! Estava tão paralisado quanto um velho e sentia tanto medo como o mais vil dos covardes! Mas eu não sou velho nem covarde! Por isso... me pergunto o que terá acontecido comigo. Que estranha coisa era aquele sortilégio? Terei eu pecado contra algum Deus? Ofendido o Senhor dos Céus ou o Senhor dos Mares?

Em seu rosto, eu só lia preocupação e apreensão; ele me diria, mais tarde, que, de fato, meu aspecto era o de quem dera à morte o beijo de boas-vindas, pois não havia em meu rosto uma gota de sangue e eu tremia inteiro, como uma árvore nova varrida pelo vento, e as feridas e os arranhões sucediam-se ao longo de meu corpo nu.

— Descanse agora, Aquiles, deixe-me protegê-lo do frio. Pode não ter sido um sortilégio. Talvez fosse apenas um sonho.

— Um sonho, não. Um pesadelo — afirmei.

— Coma qualquer coisa e beba mais vinho. Alguns camponeses trouxeram-nos peles, em sinal de reconhecimento por você ter matado o javali.

Segurei seu braço.

— Se não o tivesse encontrado, teria enlouquecido, Pátroclo. Não suportaria morrer sozinho.

Envolveu minhas mãos nas suas, beijou-as.

— Aquiles, eu sou muito mais seu amigo do que seu primo. Aconteça o que acontecer, estarei sempre a seu lado.

A sonolência veio finalmente, uma suave sensação que afugentava o medo. Sorri, estendi o braço para lhe afagar o cabelo.

— Você por mim e eu por você. Sempre foi assim.

— E sempre será — ele completou.

Pela manhã, estava perfeitamente bem. Pátroclo acordara antes de mim, a fogueira já estava acesa, um coelho crepitava num espeto. E também havia pão, trazido pelas camponesas, que assim agradeciam meu feito.

— Parece completamente recomposto — admitiu Pátroclo, com um largo sorriso, passando-me um naco de coelho assado sobre uma fatia de pão.

— E estou mesmo — respondi, pegando o alimento.

— Suas recordações do que se passou continuam tão vívidas como ontem à noite?

Uma pergunta que me fez estremecer; contudo, o pão e o coelho erradicaram num ápice todo o medo.

— Sim e não — respondi. — Foi um sortilégio, Pátroclo. Algum Deus falou comigo e eu não entendi a mensagem.

— O tempo resolverá esse mistério — sugeriu ele, entregando-se às pequenas tarefas domésticas de todos os dias. Nunca permitia que eu as partilhasse com ele. Por muito que eu fizesse, nunca consegui convencê-lo a desistir desse hábito de servir-me como se eu fosse seu amo.

Pátroclo era cinco anos mais velho do que eu. O rei Licomedes, de Ciros, o adotara como seu herdeiro quando o pai de Pátroclo, Menécio, morrera, muito tempo antes, na ilha. Pátroclo era meu primo, pois Menécio fora filho bastardo do meu avô Éaco; sentíamos profundamente esse elo de sangue, pois ambos éramos filhos varões únicos e sem irmãs. Licomedes tinha-o em alta estima, o que não espantava ninguém. De fato, Pátroclo era, entre os homens, uma raridade; um homem verdadeiramente *bom*.

Concluído o desjejum e levantado o acampamento, vesti o saiote, calcei as sandálias e tratei de encontrar novas armas: um punhal de bronze e outra lança.

— Espere-me aqui, Pátroclo. Não demorarei. Minhas roupas e meu troféu estão ainda na praia, junto da Velha Pélion.

— Deixe-me ir com você — ele pediu imediatamente, ainda que hesitante.

— Não. Isso é um assunto meu e do Deus que quis falar comigo.

Pátroclo abaixou a cabeça, resignado.

— Como quiser, Aquiles.

Achando o caminho mais fácil dessa vez, cheguei à praia tão depressa como um leão. A enseada pareceu-me perfeitamente inocente. Não, não era a enseada a fonte do sortilégio. Nesse exato instante, meus olhos, vagando sem pressa pelo promontório, detiveram-se no templo. Meu coração disparou. Minha mãe era uma sacerdotisa não-oficial de Nereu e vivia em algum lugar naquele lado da ilha — seria aquele seu domínio? Teria eu penetrado seu território por engano, teria eu profanado algum mistério da Velha Religião e sido castigado por isso?

Subi lentamente ao ponto mais alto do promontório e aproximei-me do templo, lembrando-me agora das gigantescas paredes que o sortilégio me fizera ver. Ah, sim, não tinha agora qualquer dúvida: aquele era o domínio de minha mãe! Não me avisara o rei

Licomedes de que deveria ter o máximo cuidado com aquelas paragens onde minha mãe, desafiando o poder do rei, instalara sua residência?

Ela estava à minha espera nas sombras junto ao altar. De súbito, dei-me conta de que precisava usar a Velha Pélion como uma bengala; minhas pernas haviam perdido toda a força; quase não conseguia manter-me de pé. Minha mãe! Uma mulher que eu nem sequer conhecia!

Tão pequena de estatura! Pouco mais alta do que minha cintura... O cabelo era de uma alvura azulada, os olhos, de um tom cinzento-escuro, a pele tão transparente, que deixava ver as veias.

— Você é meu filho: aquele a quem Peleu negou a imortalidade.

— Sim, eu sou seu filho.

— Foi ele que o mandou?

— Não. Nosso encontro deve-se a um mero acaso — expliquei, apoiando-me na Velha Pélion.

O que deveria um homem sentir quando, pela primeira vez, vê sua mãe? Édipo sentiu um desejo lascivo e fez da mãe esposa e rainha. Pelo visto, porém, não havia em mim nada do que movera Édipo, pois não sentia resquício algum de desejo ou de admiração por sua beleza ou por sua visível juventude. O que eu sentia, julgo que poderia ser resumido pelas palavras espanto, constrangimento e, também, rejeição. Aquela estranha mulher matara meus seis irmãos e traíra meu pai, que eu amava.

— Você me odeia! — ela gritou, aparentemente ofendida.

— Não é ódio. Mas não gosto de você.

— Que nome lhe deu Peleu?

— Aquiles.

Ela fixou minha boca e aquiesceu com desprezo.

— Um nome muito apropriado! Até mesmo os peixes têm lábios... Você não tem nada que se pareça com lábios. Essa ausência faz com que seu rosto, que poderia ser belo, se assemelhe a algo incompleto. Uma saca com uma fenda...

Ela tinha razão: eu a odiava.

— O que faz em Ciros? Peleu veio com você?

— Não. Todos os anos passo seis luas em Ciros. Sou genro do rei Licomedes.

— Já *casado*? — ela questionou, com notória maldade.

— Casei-me aos treze anos. Já tenho quase vinte. Meu filho tem seis anos.

— Lamentável, lamentável... E sua mulher? Ainda é uma criança, como você?

— Minha mulher chama-se Deidâmia e é mais velha do que eu.

— Enfim, o melhor dos casamentos para Licomedes. E para Peleu também. Dominaram-no — amansaram-no — com a maior facilidade.

Incapaz de encontrar uma resposta, nada lhe disse. Ela também se manteve calada. Um silêncio interminável. Eu, que fora tão bem ensinado por meu pai e por Quíron a mostrar deferência pelos mais velhos, não quebraria o silêncio: seria falta de educação. Talvez ela fosse realmente uma deusa, ainda que meu pai negasse sempre que bebia um pouco mais do que de costume.

— Deveria ter sido imortal — ela suspirou por fim.

— Eu não quero a imortalidade! — contestei, rindo. — Sou um guerreiro, gosto das coisas humanas! Respeito os Deuses, mas nunca desejei ser um deles.

— Nunca pensou no que significa ser mortal.

— O que pode significar ser mortal, senão que terei de morrer?

— Precisamente — concordou ela, em tom brando. — Terá de morrer, Aquiles. E a idéia da morte não o assusta? Diz que é um homem, um guerreiro; mas os guerreiros morrem cedo, antes que os homens de paz.

Dei de ombros.

— Em paz ou em guerra, o destino de um homem é sempre a morte. E eu prefiro morrer jovem e em plena glória a ficar velho e coberto de ignomínia.

Por um instante, seus olhos ganharam um tom azul enevoado, e seu rosto ficou marcado por uma tristeza que não a imaginava capaz de sentir. Uma lágrima deslizou pela face translúcida, mas ela a afastou, impaciente, e de novo se tornou uma criatura destituída de piedade.

— É muito tarde para discutir essas questões, meu filho. Você *terá* de morrer. Mas posso lhe oferecer uma escolha, porque vejo o futuro. E conheço seu destino. Muito em breve, alguns homens virão pedir-lhe que participe de uma grande guerra. Se for, morrerá. Se não for, viverá muito e gozará de imensa felicidade. Jovem e em plena glória ou velho e coberto de ignomínia. A escolha é sua.

Pestanejei, surpreso, e ri.

— Mas que proposta é essa? A escolha é óbvia... Já lhe disse: prefiro morrer jovem e coberto de glória.

— Sugiro-lhe que pense um pouco a respeito do que é a morte...

Aquelas palavras penetraram-me como se fossem veneno. Olhei-a nos olhos e vi-os nadar e dissolver-se, vi seu rosto tornar-se informe e vi o céu acima dela diluir-se e flutuar sob seus pés minúsculos. Tétis crescia, imensa, gigantesca. No momento em que sua cabeça penetrou as nuvens, soube que o sortilégio voltara a dominar-me — e quem me enfeitiçara. Água salobra escorria-me dos cantos da boca, o fedor da podridão enchia-me as narinas, o terror e a solidão fizeram-me cair de joelhos diante dela. Minha mão esquerda começou a tremer, o lado esquerdo de meu rosto contorcia-se em espasmos. Dessa vez, porém, o sortilégio foi mais longe: perdi a consciência.

Quando acordei, minha mãe estava a meu lado no chão, esfregando ervas docemente fragrantes entre as palmas das mãos.

— Levante-se — ordenou-me.

Incapaz de organizar minimamente meus pensamentos, o corpo e a mente debilitados, levantei-me devagar.

— Aquiles, ouça-me com atenção! — exclamou ela com voz

poderosa. — *Ouça-me com atenção*! Vai pronunciar um juramento da Velha Religião; um juramento muito mais grave e terrível do que todos os da Nova Religião. Jurará diante de Nereu, meu pai, o Velho Rei do Mar, diante da Mãe, pois é ela que a todos nós dá vida, diante de Kore, rainha do horror, diante dos governantes do Tártaro, lugar de tormento, diante da Deusa que eu sou. Jurará agora, sabendo que esse juramento não poderá ser infringido. Se o infringir, enlouquecerá para toda a eternidade, e Ciros afundará sob as ondas, tal como Tera depois do grande sacrilégio. — Apertou-me o braço com uma força impressionante. — Ouviu-me bem, Aquiles? Ouviu-me bem?

— Sim — gaguejei.

— Tenho de salvá-lo de você mesmo — ela justificou, partindo um ovo velho e muito duro sobre sangue gorduroso e deixando-o se espalhar pelo altar. Depois, pegou minha mão direita e mergulhou-a no sangue e no ovo. — Agora jure!

Repeti as palavras que ela me ia dizendo.

— Eu, Aquiles, filho de Peleu, neto de Éaco e bisneto de Zeus, juro que regressarei imediatamente ao palácio do rei Licomedes e que me vestirei como uma mulher. Permanecerei entre as paredes do palácio durante um ano, sempre vestido de mulher. Quando aparecer alguém perguntando por Aquiles, me esconderei no harém e não falarei com ninguém, nem mesmo por intermediários. Deixarei que o rei Licomedes fale em meu nome e obedecerei a tudo o que ele disser. E tudo isso eu juro por Nereu, pela Mãe, por Kore, pelos governantes do Tártaro e pela Deusa Tétis.

Mal concluí o juramento, minha confusão desvaneceu-se; o mundo reencontrava seus contornos reais e suas cores normais, e eu conseguia pensar de novo com clareza. Mas já era tarde. Nenhum homem poderia renunciar a tal juramento. Minha mãe tinha-me atado de pés e mãos à sua vontade.

— Maldita seja! — gritei, começando a chorar. — Maldita seja! Fez de mim uma mulher!

— Há uma mulher em todos os homens — ela argumentou com um sorriso malicioso.

— Condenou-me à desonra!

— Não; impedi que morra cedo — ela retrucou e deu-me um empurrão. — Vá, agora volte para Licomedes. Não precisará lhe dar explicações; quando chegar ao palácio, ele já saberá de tudo. — Seus olhos tornaram-se de novo azuis. — Fiz isso por amor, Aquiles, meu pobre filho sem lábios. Eu sou sua mãe.

Nada disse a Pátroclo, quando o encontrei. Peguei meus pertences e dei início à jornada que nos conduziria ao palácio. E ele, concordando sempre com tudo que eu queria, não me fez uma única pergunta. Ou talvez já soubesse aquilo que Licomedes seguramente sabia quando chegamos a seu palácio. Estava à nossa espera no pátio, com ar abatido, derrotado.

— Recebi uma mensagem de Tétis — revelou.

— Nesse caso — observei —, já sabe o que temos de fazer.

— Sim, já sei.

Minha mulher estava sentada à janela quando entrei em seu quarto. Ao ouvir a porta, virou-se para mim. Com um sorriso cansado, abriu muito os braços para que eu a abraçasse. Beijei-a na face e logo meus olhos se fixaram no porto e na pequena cidade que se viam da janela.

— É tudo o que tem para me dar depois de tantos dias fora? — perguntou ela, mas sem qualquer sinal de indignação; Deidâmia nunca se irritava.

— Com certeza já está a par daquilo que todos sabem — disse-lhe com um suspiro.

— Terá de vestir-se como uma mulher e de esconder-se no harém de meu pai; mas só quando tivermos visitas, e nós não temos muitas visitas.

A madeira de uma das ripas da persiana começou a desfazer-se tal era a força com que eu a agarrava — tal era a minha angústia.

— Como é que vou fazer isso, Deidâmia? Que humilhação! Que vingança perfeita! Aquela cadela zomba da minha masculinidade!

Deidâmia, aflita, levou imediatamente a mão direita ao amuleto que afastava mau-olhado.

— Aquiles, não a enfureça mais! Ela é uma Deusa! Trate-a com respeito!

— Nunca! — explodi, enraivecido. — Ela não tem qualquer respeito por mim, por minha masculinidade. Ah, todos vão rir de mim!

Deidâmia ficou horrorizada com as minhas palavras.

— Aquiles, não vejo razão nenhuma para as pessoas rirem! Não é caso para rir, muito pelo contrário.

CAPÍTULO DÉCIMO

NARRADO POR

ULISSES

Os ventos e as correntes seriam sempre mais favoráveis do que o longo e tortuoso caminho por terra; por isso, seguimos por mar rumo a Iolcos, sempre perto da costa. Quando já nos aproximávamos do porto, subi ao convés com Ajax; era a primeira vez que visitava a pátria dos mirmídones, e Iolcos pareceu-me uma bela cidade, uma cidade de cristal tremeluzindo sob o sol de inverno. Não tinha muralhas. Por trás do palácio, erguia-se o monte Pélion, encoberto pela brancura imaculada da neve. Ajeitei melhor as peles sobre os ombros e soprei as mãos para aquecê-las; olhei de relance para Ajax, tão despido quanto sempre.

— Você desce primeiro, colosso? — perguntei-lhe.

Ajax aquiesceu tranqüilamente; o gigante não tinha a menor inclinação para a conversação humana normal. Uma perna maciça ergueu-se sobre a amurada, encontrou o primeiro degrau da escada de corda, e o resto do corpo desapareceu rapidamente. Seu vestuário era o mesmo que lhe vira nos salões de Micenas: um saiote. E sua bela pele não revelava o menor sinal de frio. Deixei-o descer até a praia e chamei-o depois, pedindo-lhe que nos arranjasse algum transporte. Bem conhecido em Iolcos, Ajax poderia escolher à vontade o transporte mais adequado.

Nestor estava atarefado arrumando suas trouxas no abrigo construído no convés de ré.

— Pedi a Ajax que nos arranjasse um carro. Acha que está em condições de descer até a praia ou prefere esperar aqui? — perguntei-lhe com ironia. Eu adorava provocar Nestor.

— Por quê? Porventura julga que estou senil? — bombardeou-me, erguendo-se de um salto. — É claro que espero na praia!

Resmungando, encaminhou-se decidido para o convés; afastando impacientemente a mão do marinheiro que tentava ajudá-lo, desceu a escada de corda com a agilidade de um rapaz. Ah, o maldito velho!

Peleu estava à nossa espera para nos dar as boas-vindas. Estivera muitas vezes com ele, eu ainda um rapaz e ele um homem no apogeu de suas aptidões. Porém, desde então, nunca mais o vira. Era agora um homem velho, mas, em sua aparência, havia ainda a altivez de um rei. Um homem de boa aparência; e sábio. Pena que tivesse apenas um filho; Aquiles teria de se esforçar muito se quisesse manter a reputação da casa de seu pai.

Confortavelmente sentados diante da grande trípode de fogo, com vinho quente e discretamente adoçado, comecei a expor as razões de nossa visita. Apesar de Nestor ser mais velho, eu fora eleito porta-voz da delegação; se a missão falhasse, o culpado seria eu, e o patife do velho teria sempre escapatória.

— Peleu, Agamêmnon enviou-nos a Iolcos para que lhe pedíssemos um favor.

Os seus astutos olhos examinaram-me atentamente.

— Helena — ele suspirou.

— As notícias viajam depressa.

— Estava à espera de um mensageiro imperial, mas a verdade é que esperei em vão. No porto de Iolcos, ninguém viu passar tal personagem.

— Como você não pronunciou o Juramento do Cavalo Esquartejado, não faria sentido que Agamêmnon enviasse um mensageiro imperial. Nada o obriga a aderir à causa de Menelau.

— Ainda bem, Ulisses. Estou muito velho para a guerra.

Nestor decidiu que eu estava com excesso de rodeios.

— Na realidade, meu caro Peleu, não é a você que procuramos — declarou ele. — De fato, o que pretendemos é assegurar os serviços de seu filho.

O rei supremo da Tessália pareceu de súbito abatido.

— Aquiles... Bem, eu tinha esperança de que não lhe fizessem tal convite, mas, de certo modo, estava à sua espera... Não duvido, aliás, de que Aquiles aceite de bom grado a proposta de Agamêmnon.

— Nesse caso, permite que lhe apresentemos nosso pedido? — perguntou Nestor.

— Claro que permito.

Sorri, aliviado.

— Agamêmnon lhe agradece, Peleu. E eu também; do fundo do coração.

Fitou-me demorada e fixamente.

— E você *tem* coração, Ulisses? — perguntou. — Imaginava que só possuísse mente.

Uma imagem desfilou por um instante diante dos olhos de minha memória. Era Penélope, pensei, e logo a imagem se desvaneceu. Fitei Peleu como ele me fitava.

— Não, Peleu, eu não tenho coração. Que falta faz o coração aos homens? Ter coração é um perigo, Peleu.

— Então é verdade o que se diz a seu respeito. — Pegou seu copo, que estava sobre a mesa pousada na trípode, um belo exemplar da arte egípcia. — Se Aquiles resolver participar da guerra de Tróia — admitiu ele então —, chefiará os mirmídones. Há mais de vinte anos que meu povo se prepara para uma dura campanha.

Alguém entrou nesse momento; Peleu sorriu e estendeu-lhe a mão.

— Ah, Fênix! Meus senhores, apresento-lhes Fênix, meu amigo e companheiro de muitos, muitos anos. Temos convidados prestigiosos, Fênix — apresento-lhe o rei Nestor, de Pilos, e o rei Ulisses, de Ítaca.

— Eu vi Ajax lá fora — Fênix falou, fazendo uma respeitosa vênia. Sua idade estaria entre a de Peleu e a de Nestor, mas era ainda um homem poderoso, de aparência marcial, com o físico típico dos mirmídones — branco, grande e atlético.

— Fênix, você acompanhará Aquiles a Tróia — Peleu determinou. — Cuidará dele como eu cuidaria. Protegê-lo-á de seu destino.

— Nem que para isso tenha de dar a vida, rei Peleu.

Belas palavras, pensei eu, impaciente; mas já bastava de conversa.

— Podemos, então, falar com Aquiles? — perguntei.

Peleu e Fênix fitaram-nos, espantados.

— Não sabiam que Aquiles não está em Iolcos? — perguntou Peleu.

— Não está? Então onde está ele? — quis saber Nestor.

— Em Ciros. Todos os anos meu filho passa as seis luas do inverno na ilha de Ciros; ele está casado com Deidâmia, a filha de Licomedes.

Irritado, dei uma palmada na coxa.

— Nesse caso, teremos de fazer mais uma viagem por mar em pleno inverno.

— Não, de modo nenhum — sugeriu Peleu, muito amável. — Mandarei chamá-lo e lhe comunicarei seu pedido.

Porém, fosse lá pelo que fosse, eu sabia que, se não fôssemos nós mesmos procurá-lo, nunca veríamos Aquiles. Balancei a cabeça e repliquei:

— Não, rei Peleu, Agamêmnon não estaria de acordo. Ele nos recomendou que deveríamos falar pessoalmente com Aquiles.

E foi assim que fizemos nova viagem, alcançamos novo porto e, lá chegados, procuramos novo palácio; a diferença estava no fato de o novo palácio pouco mais ser do que uma casa grande. Ciros era uma ilha pobre. Licomedes deu-nos as boas-vindas, mas, logo que nos sentamos para comer uma frugal refeição e beber mais frugalmente ainda, comecei a ter uma insólita sensação.

Havia algo estranho naquilo tudo — e não apenas no comportamento de Licomedes. Uma tensão muito peculiar impregnava a atmosfera do palácio. Criados — todos homens — apareciam e logo desapareciam sem sequer nos olhar; a fisionomia de Licomedes não conseguia esconder a pesada pressão do medo; seu herdeiro, Pátroclo, entrou na sala e saiu tão rapidamente, que cheguei a questionar se minha imaginação não o teria inventado. Porém, o mais insólito de tudo era não se ouvir um único som feminino! Não escutávamos uma mulher que fosse — mesmo que distante — rindo ou se lamentando, gritando ou se desfazendo em lágrimas. Muito estranho! Claro que as mulheres não participavam dos assuntos dos homens, mas não era menos verdade que elas tinham plena consciência de sua importância na ordem instituída e que gozavam de liberdades que nenhum homem se atrevia a negar-lhes. Não nos esqueçamos de que, durante a Velha Religião, eram elas que governavam.

Minha sensação transformara-se em inquietante suspeita, meu nariz começava a detectar o velho e conhecido cheiro de perigo; olhei de relance para Nestor: sim, ele sentia o mesmo que eu. Ergueu muito as sobrancelhas e suspirou: não, eu não me enganara. Havia ali algum problema...

Pátroclo, o belo herdeiro, regressou, entretanto. Examinei-o mais atentamente, perguntando-me qual poderia ser seu papel naquela estranha situação. Era um rapaz terno, amável e tinha coragem e valentia de sobra; pareceu-me, porém, que seus apetites de homem iam todos num sentido e excluíam as mulheres. Bem, a escolha era dele, e ninguém o censuraria por preferir homens.

Não se notariam muito esses apetites, naquela noite, pois o belo Pátroclo mostrava-se muito apagado; mais exatamente, tinha um ar infeliz.

— Rei Licomedes — falei —, nossa missão é muito urgente. Procuramos seu genro Aquiles.

Houve um silêncio bizarro, intangível; Licomedes quase deixou cair seu copo, após o que se levantou, desajeitadamente.

— Meus senhores, Aquiles não se encontra em Ciros.

— Não está aqui? — perguntou Ajax, desanimado.

— Não. — Licomedes parecia embaraçado. — Ele... teve uma violenta discussão com sua esposa, minha filha, e partiu para o continente, jurando nunca mais regressar.

— Também não está em Iolcos — informei, afável.

— Confesso que esperava que não estivesse, Ulisses. Ele me informou que estava indo para a Trácia.

Nestor suspirou.

— Por todos os Deuses! Parece que estamos condenados a não encontrar nunca o jovem Aquiles, não é verdade?

Nestor dirigira-se a mim, mas não lhe respondi imediatamente, pois dei-me conta de que uma curiosa leveza impregnara de súbito a tensa atmosfera, de que um grande alívio fizera sossegar os corações de Licomedes e Pátroclo. Sim, meu instinto não me enganara. Havia algum problema muito grave, em cujo centro estava Aquiles. Levantei-me.

— Visto que Aquiles não está em Ciros, creio que será melhor partirmos sem demora, Nestor.

Esperei, sabendo que Licomedes era obrigado, por Zeus hospitaleiro, a brindar-nos com as costumeiras cortesias — caso contrário, estaria transgredindo as leis divinas. Enquanto esperava, virei-me de modo que Nestor pudesse ver-me o rosto; então, lancei-lhe um olhar de alerta.

Licomedes fez a oferta que dele se esperava.

— Passem esta noite em meu palácio. O rei Nestor deveria descansar um pouco.

Por sorte eu o alertara; em vez de responder que se sentia com energia suficiente para declarar guerra ao Olimpo, Nestor mostrou-nos uma fisionomia patética, transformando-se, como que por magia, na encarnação de todas as desgraças da velhice. Que astuto, aquele velho!

— Agradeço-lhe muito, rei Licomedes! — exclamei, aliviado. Nestor estava tão cansado esta manhã... ele sofre bastante com esses ventos frios! — Baixei os olhos. — Espero que nossa presença não seja um incômodo.

Mas era! Nunca ocorrera a Licomedes que eu poderia aceitar seu convite formal, uma vez que nossa missão fracassara e teríamos de regressar rapidamente a Micenas a fim de transmitir as tristes notícias a Agamêmnon. No entanto, tratou de disfarçar com amáveis sorrisos sua decepção. Ele e Pátroclo.

Deixei passar algum tempo e fui procurar Nestor em seu quarto. Sentei-me no braço de uma cadeira enquanto ele repousava num banho fumegante, e um velho criado — que coisa rara: de novo um homem! — lhe esfregava a pele enrugada, retirando-lhe o sal e a poeira. Logo que Nestor saiu da banheira, enrolado em toalhas de linho, o homem partiu.

— O que você pensa a respeito de tudo isso? — perguntei a Nestor.

— Essa casa está invadida por alguma sombra — respondeu com total certeza. — Seria lógico que a eventual discussão de Aquiles com a esposa e sua conseqüente partida para a Trácia tivessem provocado uma reação desse tipo. No entanto, creio que não foi isso o que aconteceu. Seja qual for o problema, não é essa a causa.

— Creio que Aquiles está aqui, neste palácio!

Nestor arregalou os olhos.

— Não! — replicou. — Escondido está, mas não aqui.

— Está aqui — insisti. — Todos sabem que Aquiles é um jovem tão impulsivo quanto belicoso. Licomedes e Pátroclo só conseguem controlá-lo se ele estiver por perto... Portanto, Aquiles só pode estar neste palácio.

— Mas *por quê*? Aquiles não prestou o juramento e Peleu também não. A honra deles não seria afetada se se recusassem a combater em Tróia.

— Ah, mas Aquiles quer ir! Desesperadamente! Os outros é que não querem que ele vá. E, não sei como, amarraram seus pés e mãos.

— O que faremos então?

— O que você acha? — contrapus.

— Acho que temos de dar umas voltas neste pequeno edifício... Eu, de preferência, durante o dia. Posso fingir que estou senil. Você poderá investigar quando todos estiverem dormindo. Acredita que Aquiles possa estar prisioneiro de Licomedes?

Não, isso era impossível.

— Licomedes não se atreveria, Nestor. Se Peleu soubesse, tornar-se-ia mais temível do que Poseidon. Arrasaria esta ilha. Não, creio que a prisão de Aquiles decorre de algum juramento.

— Lógico — comentou Nestor, começando a vestir-se. — Ainda falta muito para o jantar?

— Ainda temos algum tempo.

— Então vá descansar um pouco, Ulisses, enquanto eu faço a minha ronda.

Nestor veio acordar-me para o jantar. Parecia extremamente irritado.

— Que a peste os leve a todos! — resmungou. — Se o esconderam aqui, esconderam-no muito bem. Percorri o palácio desde o telhado às cavas, e nem sinal de Aquiles! Só não pude entrar nos aposentos das mulheres. Há um guarda à porta.

— Então é lá que ele está — afirmei, levantando-me. — Hummm!

Descemos juntos à sala de jantar, perguntando-nos se Licomedes se teria tornado um verdadeiro assírio, pois os homens assírios proibiam as mulheres de jantar com eles. Um homem cuidando dos banhos? As mulheres do palácio todas escondidas? Um guarda à porta de seus aposentos? Muito estranho... Licomedes não queria que ouvíssemos mexericos: por isso, era preciso que suas mulheres se mantivessem longe de nós.

Mas havia mulheres na sala de jantar, ainda que mantidas no canto mais sombrio da sala. Supus que Licomedes deixasse as mulheres do palácio comerem na sala; o palácio e suas cozinhas eram tão pequenos, que, se as mulheres fossem servidas em seus aposentos, haveria um verdadeiro caos culinário que deixaria os convidados muito mal-impressionados.

Contudo, nem sinal de Aquiles. Nenhuma daquelas indistintas formas femininas era suficientemente corpulenta para pertencer a ele.

— Por que segrega as mulheres? — perguntou Nestor quando a comida chegou e nos sentamos à mesa de honra com Licomedes e Pátroclo.

— As mulheres ofenderam Poseidon — respondeu imediatamente Pátroclo.

— E? — indaguei eu.

— Poseidon proibiu-as de manterem contatos com os homens durante cinco anos.

Ergui as sobrancelhas, pasmo.

— Mesmo os contatos sexuais?

— Não, esses não.

— Isso parece mais uma exigência da Mãe do que de Poseidon — observou Nestor, bebendo um gole de vinho.

Licomedes deu de ombros.

— A ordem foi de Poseidon, não da Mãe.

— Por intermédio de Tétis, sua sacerdotisa? — perguntou o rei de Pilos.

— Tétis não é sacerdotisa de Poseidon — retrucou Licomedes, visivelmente constrangido. — O Deus recusou-se a aceitá-la. Por isso, agora, Tétis serve a Nereu.

Depois de a comida ter desaparecido (tal como as mulheres), aproximei-me de Pátroclo, deixando Licomedes à mercê de Nestor.

— Lamento muito não ter podido encontrar-me com Aquiles — observei.

— Você teria gostado dele — Pátroclo declarou em tom perfeitamente inexpressivo.

— Imagino que ele teria adorado ir para Tróia.

— Sim. Aquiles nasceu para a guerra.

— Bem, não pretendo vasculhar a Trácia para encontrá-lo! Aquiles ficará certamente muito triste quando souber o que perdeu.

— Sim, muito triste.

— Fale-me um pouco mais a respeito dele, Pátroclo. De sua aparência, de sua maneira de pensar... — pedi, no tom o mais sedutor possível, pois, a respeito de Pátroclo, uma coisa eu sabia: era Aquiles o homem a quem ele dera seu amor.

Seu rosto jovem iluminou-se subitamente.

— É um pouco menos corpulento do que Ajax... muito... muito gracioso quando caminha! E é muito belo.

— Ouvi dizer que não tem lábios. Como pode um homem sem lábios ser belo?

— Porque... porque — Pátroclo hesitou, à procura de palavras adequadas. — É preciso conhecê-lo para compreender, Ulisses. Sua boca comove até as lágrimas, tão intensa é a dor que ela exprime! Aquiles é a beleza personificada.

— Parece bom demais para ser verdade — comentei.

Pátroclo quase caíra na armadilha. Por pouco não me disse que eu era um idiota por duvidar dele, por pouco não me disse que, se eu quisesse, iria naquele momento buscar seu modelo de excelência física para que eu visse com meus próprios olhos... Mas cerrou os lábios com força e não chegou a proferir as palavras que o amor ditava. E nem precisava: eu já tinha a resposta que queria.

Antes de nos retirarmos, conferenciei com Nestor e Ajax, após o que fomos para a cama dormir o sono dos justos. Mal a manhã se anunciou, fui com Ajax até a cidade onde deixara alojado meu primo Sinão; não era sensato exibir todos os tesouros ao mesmo tempo, e Sinão era um verdadeiro tesouro. Escutou impassível minhas instruções, após o que recebeu de minhas mãos um dos vários sacos de ouro que Agamêmnon me entregara para custear nossas despesas. Àquilo que era meu, eu era agarrado; um dia, todos os meus bens seriam de meu filho. Quanto a Agamêmnon, tinha dinheiro de sobra para pagar por Aquiles.

A corte dormia ainda quando regressei ao palácio, ainda que sem Ajax, que tinha certas tarefas a executar na cidade. Nestor estava acordado, arrumando sua bagagem; não pretendíamos manter Licomedes em suspense. Claro que o rei de Ciros protestou muito cortesmente quando lhe anunciamos que estávamos de partida. Rogou-nos que ficássemos mais tempo, mas, dessa vez, declinei educadamente o convite, para seu grande alívio.

— Onde está Ajax? — perguntou Pátroclo.

— Disse-lhe que desse uma volta pela cidade e que perguntasse às pessoas se sabiam para onde Aquiles tinha ido — respondi, após o que me virei para Licomedes. — Rei Licomedes, gostaria de lhe pedir um pequeno favor: poderia chamar todas as pessoas livres que moram em seu palácio à Sala do Trono?

Licomedes pareceu, primeiro, espantado e, depois, desconfiado.

— Bem..

— São ordens de Agamêmnon; caso contrário, não lhe pediria. O rei supremo de Micenas ordenou-me que apresentasse seus agradecimentos a *todas* as pessoas livres da corte. Já o fiz em Iolcos; terei de fazê-lo também em Ciros. Determinou Agamêmnon que deverão comparecer todos os membros da corte, incluindo as mulheres. A proibição do Deus não impedirá que as convoque.

Mal disse essas palavras, alguns de meus marinheiros entraram, trazendo grandes quantidades dos mais diversos presentes. Pequenas lembranças para as mulheres: contas, roupas, perfumes, óleos, ungüentos e essências, belíssimas lãs e diáfanos linhos. Pedi que me trouxessem mesas, a fim de que os homens pudessem descarregar suas pesadas cargas. Mais marinheiros entraram, dessa vez com presentes para os homens: protetores de braços em bronze, escudos, lanças, espadas, couraças, elmos e grevas. Mais mesas pedi para que tudo aquilo fosse descarregado.

A cobiça lutava com a prudência nos olhos do rei; quando Pátroclo o advertiu do perigo, segurando-lhe o braço, Licomedes libertou-se da mão do herdeiro e bateu palmas para chamar o chefe dos criados.

— Convoque toda a corte à Sala do Trono. As mulheres não deverão aproximar-se dos homens, de acordo com a proibição decretada por Poseidon.

A sala encheu-se de homens; as mulheres chegaram depois. Nestor e eu as examinávamos atentamente. Vãos esforços: nenhuma delas poderia ser Aquiles.

— Rei Licomedes — falei, então —, o rei Agamêmnon deseja agradecer-lhe e à sua corte a hospitalidade e ajuda. — Apontei para os presentes destinados às mulheres. — Aqueles são para as mulheres. — Virei-me para as armas e armaduras. — Estes, para os homens.

Homens e mulheres começaram a murmurar fascinados, mas ninguém se mexeu enquanto o rei não fez sinal para que se aproximassem. Depois, correram para as mesas e, com a felicidade estampada nos rostos, passaram a escolher os presentes que mais lhes agradavam.

— Este é para você, rei Licomedes — anunciei, estendendo-lhe um objeto envolvido em linho.

Radiante de prazer, Licomedes abriu o embrulho: um machado cretense, a cabeça dupla de bronze, a haste de madeira de carvalho.

Nesse preciso momento, ouviu-se nas proximidades do palácio um penetrante grito de alarme. Alguém fizera soar uma trombeta e, ao longe, todos ouvimos Ajax soltando um estridente grito de guerra, típico dos homens de Salamina. Logo a seguir, ouviu-se um barulho inconfundível: o ruído de homens vestindo suas armaduras. Ajax voltou a gritar, mais perto agora, como se estivesse em retirada. As mulheres fugiam, aflitas, para o vão da porta; os homens formaram grande confusão com suas perguntas; o rei Licomedes, lívido como um moribundo, esqueceu-se até de seu machado.

— Piratas! — gritou o rei, sem saber o que fazer.

Ajax repetiu uma vez mais, mais alto e muito mais perto, o grito de guerra das encostas do Pélion, um grito que só Quíron ensinava. Diante da imobilidade expectante que se instalara na Sala do Trono, peguei o machado e ergui sua cabeça dupla.

Mais alguém, entretanto, se mexeu: alguém que adentrou a Sala do Trono com tal força e violência, que as mulheres, apinhadas no vão da porta, rodopiaram como simples meadas de lã. A criatura em questão parecia ser uma mulher... Logo percebemos por que razão Licomedes não se atrevera a apresentá-la à nossa embaixada! Despindo impacientemente a túnica de linho e revelando, assim, um peito tão magnificamente musculado que eu próprio fiquei de olhos arregalados de admiração, a valente mulher correu para a mesa onde estavam empilhadas as armas. Finalmente encontráramos Aquiles.

Jogando no chão tudo o que estava sobre uma mesa, pegou um escudo e uma lança, e logo se ergueu, pronto para a luta. Encaminhei-me em sua direção, oferecendo-lhe o machado.

— Minha senhora, é melhor usar isto! É a arma mais adequada para uma mulher tão corpulenta... — Passei-lhe o machado, pesado demais para meus pobres braços. — Estou na presença do príncipe Aquiles, não é verdade?

Ah, o jovem Aquiles era realmente uma estranha criatura! Poderia ter sido o mais belo dos homens, mas, de fato, não o era, apesar de todos os louvores de Pátroclo e ainda que a causa não fosse exatamente a boca ou sua ausência. A fenda que tinha no lugar dos lábios, aliás, conferia a sua expressão um *pathos* que só lhe ficava bem. Em Aquiles, a ausência de beleza — sempre achei isso, desde o momento em que o conheci — vinha de dentro, não de fora. Os olhos eram um mar de orgulho e suprema inteligência; não, com certeza, Aquiles não era um brutamontes como Ajax.

— Os meus agradecimentos! — exclamou ele, rindo tanto quanto eu.

Ajax entrou na Sala do Trono empunhando ainda as armas que usara para criar o pânico nas proximidades do palácio; mal viu Aquiles, correu para ele, aos gritos, e, um segundo depois, já o abraçava com tal força, que, fosse eu o abraçado, teria sido esmagado. Aquiles libertou-se de Ajax aparentemente sem ter sofrido qualquer dano e passou um braço por cima dos ombros dele.

— Ajax, Ajax! Seu grito trespassou-me como a mais aguçada das flechas! Eu não poderia deixar de responder, não consegui ficar quieto nem mais um momento! Quando você deu o grito de guerra do velho Quíron, era a mim que estava chamando; como poderia eu resistir? — Olhou de relance para Pátroclo e estendeu-lhe a mão. — Venha, Pátroclo, venha conosco. Vamos para a guerra contra Tróia! Meu maior desejo vai ser satisfeito! O Pai Zeus respondeu às minhas súplicas!

Licomedes, fora de si, chorava e contorcia as mãos, aflito.

— Meu filho, meu filho, o que vai ser de nós? Você quebrou o juramento que fez diante de sua mãe! Ela vai arrasar-nos!

Um pesado silêncio caiu sobre a sala. Imediatamente, Aquiles perdeu toda a alegria. Ergui as sobrancelhas para Nestor e suspiramos ambos; tudo estava explicado.

— Não entendo, pai. Como quebrei o juramento? — indagou finalmente Aquiles. — Limitei-me a responder a um estímulo... Sem pensar, reagi a um apelo que me foi incutido quando ainda menino. Ouvi Ajax e respondi. Não quebrei nenhum juramento. A astúcia de outro homem destruiu os grilhões desse juramento.

— Aquiles diz a verdade — observei em voz bem forte. — Eu o enganei. Nenhum Deus poderá considerá-lo culpado da quebra de um juramento.

Claro que duvidaram de mim, mas o mal estava feito.

Aquiles, exultante, ergueu os braços e logo se virou para Pátroclo e Ajax, abraçando os dois.

— Primos, nós vamos para a guerra! — declarou, com um sorriso de pura alegria. Depois, lançou-me um olhar grato. — É o nosso destino. Apesar de seus hediondos sortilégios, minha mãe nunca conseguiu transformar minha verdadeira natureza. Nasci para ser guerreiro, para lutar ao lado dos maiores homens de nossa época, para alcançar a fama eterna e a glória imorredoura!

Provavelmente aquilo era verdade. Observando aquele esplêndido trio de jovens, lembrei-me de minha mulher e de meu filho, da eternidade que meu exílio duraria. Aquiles alcançaria sem dúvida fama eterna e glória imorredoura na guerra de Tróia; eu, porém, trocaria de bom grado minha quota de fama e glória pelo direito de regressar a casa no dia seguinte.

Até consegui voltar a Ítaca, sob pretexto de organizar pessoalmente meu contingente para a guerra de Tróia. Agamêmnon não ficou nada contente quando me viu partir de Micenas; eu representava para ele uma apetecível bengala.

Passei três preciosas luas com minha Penélope tecelã. Um tempo com que não contáramos, mas que eu não poderia prolongar. Enquanto minha pequena frota enfrentava o alteroso mar de Pélops, decidi rumar para Áulida por terra. Atravessei rapidamente a Etólia, pois não parei para descansar nem à noite nem de dia.

Cheguei finalmente à montanhosa Delfos, onde Apolo, senhor da profética boca, tinha seu santuário, e sua sacerdotisa, a pitonisa, pronunciava seus infalíveis oráculos. Perguntei-lhe se o Oráculo de Ítaca estava certo, ou seja, se eu passaria realmente vinte anos longe de minha pátria. Sua resposta não poderia ter sido mais simples e direta:

— Sim. — Acrescentou que era essa a vontade de minha protetora, Palas Atenéia. Perguntei-lhe por quê. A única resposta que me deu foi um sorriso.

Reduzidas a cinzas minhas esperanças, avancei na direção de Tebas, onde deveria encontrar-me com Diomedes, que vinha de Argos. Porém, a cidade de Tebas, agora não mais do que ruínas, estava deserta; Diomedes não se atrevera a demorar-se naquela cidade sombra. Não lamentei a solidão e iniciei sem demora a última e curta etapa de minha viagem, tomando o caminho que conduzia ao estreito de Eubéia e à praia de Áulida.

O local de partida da expedição fora cuidadosamente discutido; mil ou mais navios precisavam de algumas léguas de espaço, e as águas tinham de ser abrigadas. Portanto, Áulida era uma boa escolha. A praia tinha mais de duas léguas de comprimento, e a ilha de Eubéia, não muito longe do litoral, protegia-a das correntes e dos ventos mais impetuosos.

Fui o último a chegar. Do alto da colina a cavaleiro da praia, apreciei o espetáculo. Até mesmo meus cavalos pareciam dar-se conta de algo ameaçador no ar, pois pararam, esquivaram-se e começaram a empinar, que é o que os cavalos fazem quando os obrigamos a se aproximar de carne putrefata. O cocheiro teve de se esforçar para controlá-los, mas afinal conseguiu convencê-los de que não havia perigo.

Diante de meus olhos, espraiava-se um mar de navios! A meus pés, ao longo de toda a praia, estendiam-se duas filas de navios de proas altas, pintados de vermelho e negro, cada um deles construído para levar pelo menos cem homens — com espaço suficiente para cinqüenta homens manobrarem os remos enquanto os outros cinqüenta descansavam — e todos com mastro alto para receber convenientemente a vela. Fiquei imaginando quantas árvores não teriam sido derrubadas para construir aqueles mais de mil navios, na multidão de gotas de suor que não teriam molhado seus cascos até que o último prego tivesse sido batido, até que cada um daqueles barcos estivesse em condições de enfrentar o mar. Navios, navios, navios. Do alto da colina pareciam pequenos, mas a verdade é que conduziriam a Tróia oitenta mil soldados e várias dezenas de milhar de não-combatentes. Mentalmente, aplaudi Agamêmnon. Ele ousara e vencera. Ainda que aquelas duas filas de navios não saíssem da praia de Áulida, o esforço já teria valido a pena, porque o feito era esplêndido. Esqueci a beleza da terra; as montanhas ficaram de repente muito pequenas, o mar ficou reduzido a um instrumento passivo, só existente para que Agamêmnon, o rei dos reis, o usasse a seu bel-prazer. Ri bem alto e gritei: "Agamêmnon, você venceu!"

Avancei pela pequena aldeia pesqueira de Áulida em rápido trote, ignorando a multidão de soldados que enchia sua única rua. Quando a aldeia ficou para trás, parei, sem saber o que fazer. Em meio a tantos navios, onde ficaria o quartel-general? Chamei um oficial.

— Qual é o caminho para a tenda de Agamêmnon, o rei dos reis? — perguntei.

Examinou-me vagarosamente, palitando os dentes enquanto apreciava minha armadura, meu elmo repleto de presas de javali, o portentoso escudo que pertencera a meu pai.

— Quem pergunta? — quis saber o impertinente.

— Um lobo que já devorou ratazanas muito maiores do que você.

Surpreso com a resposta, engoliu em seco e respondeu-me educadamente.

— Siga por esta estrada e, adiante, volte a perguntar.

— Ulisses, de Ítaca, agradece-lhe.

O quartel-general de Agamêmnon era temporário, constituído por boas tendas de couro, razoavelmente grandes e confortáveis. Não construíra nada sólido ou duradouro, à exceção de um altar de mármore sob um solitário plátano, uma pobre e desolada árvore que lutava contra o sal e contra o vento na esperança de que, agora que a primavera chegara, o verde voltasse a ser sua cor. Depois de ter deixado meu cocheiro e meus cavalos entregues aos cuidados dos guardas imperiais, fui escoltado até a maior das tendas.

Estavam lá todos os homens realmente importantes: Idomeneu, Diomedes, Nestor, Ajax e seu homônimo, a quem chamávamos Pequeno Ajax, Teucro, Fênix, Aquiles, Menesteu, Menelau, Palamedes, Meriones, Filoctetes, Eurípilo, Macáon, Podalírio e Toas. O sacerdote albino, Calcas, muito quieto, num canto, deixava seus olhos vermelhos saltitarem de homem em homem, calculando, avaliando; aqueles olhos vesgos não me enganavam. Por um momento, observei-o sem que ele percebesse, tentando perscrutar o que lhe iria na alma. Não gostava dele: além de sua aparência repulsiva, havia também em sua máscara algo de menos tangível, que me inspirava intensa sensação de desconfiança. Sabia que Agamêmnon sentira o mesmo de início. Porém, depois de muitas luas observando-o, chegara à conclusão de que Calcas era leal. Eu, contudo, não me sentia assim tão seguro... Aquele homem era muito esperto. Além de ser troiano.

Aquiles saudou-me jubilosamente.

— Ulisses, por que demorou tanto? Seus navios chegaram há meia lua!

— Vim por terra. Tive de tratar de algumas coisas.

— Chegou a tempo, meu velho amigo — recebeu-me Agamêmnon. — Vamos dar início a nosso primeiro conselho formal.

— Então, sou mesmo o último?

— O último dos que têm, de fato, importância, Ulisses.

Sentamo-nos. Calcas saiu de seu canto para empunhar, com pouco empenho, o Bastão do Debate. Apesar do tempo primaveril e ensolarado, fora preciso acender lamparinas, pois era escassa a luz que entrava pela fresta da porta da tenda. Como era de praxe num conselho de guerra formal, todos envergávamos armaduras; a de Agamêmnon era belíssima, de ouro, incrustada com ametistas e lápis-lazúli; desejei que, quando soasse a hora da batalha, ele tivesse outra para vestir, mais adequada para a ocasião. Recebendo das mãos de Calcas o Bastão do Debate, encarou-nos com uma expressão orgulhosa.

— Convoquei este primeiro conselho obviamente para discutir a viagem e não a campanha. Porém, em vez de ordenar, creio que seria melhor responder às suas perguntas. Creio que não será necessário um debate formal. Calcas empunhará o bastão. Contudo, se algum dos presentes desejar fazer um discurso mais demorado, poderá fazê-lo à vontade. — Com ar satisfeito, passou o bastão a Calcas.

— Quando você pretende partir? — perguntou Nestor placidamente.

— Na próxima lua nova. Deleguei as principais tarefas de organização a Fênix, que é, de todos nós, o marinheiro mais experiente. Ele já nomeou uma equipe especial de oficiais que está estudando a ordem de partida dos navios, quais os contingentes mais rápidos e quais os mais lentos, quais os navios que deverão levar tropas indispensáveis e quais os que deverão transportar cavalos e não combatentes. Sossegue, Nestor: não será o caos quando desembarcarmos

— Quem é o piloto-chefe? — perguntou Aquiles.

— Télefo. Viajará comigo na nau capitânia. Cada piloto tem ordens para manter seu navio à vista de pelo menos uma dúzia de outros. Desse modo, a frota permanecerá intacta — se as condições de tempo forem favoráveis, é claro. As tempestades dificultarão nosso avanço, mas esta época do ano é propícia às viagens, e Télefo está treinando todos os pilotos com extremo cuidado.

— Quantos são os navios de abastecimento? — perguntei eu.

Agamêmnon pareceu um pouco melindrado com a pergunta. Não esperava que lhe fizessem perguntas tão práticas.

— Cinqüenta navios, Ulisses; nossa campanha será curta e incisiva.

— Só cinqüenta? Para mais de cem mil homens? Vão acabar com a comida em menos de uma lua.

— Em menos de uma lua — replicou o rei supremo de Micenas — teremos toda a comida de Tróia à nossa disposição. — Sua expressão dizia mais do que as meras palavras: tomara uma decisão e dela não se desviaria. Ah, mas por que precisamente naquele ponto — o mais problemático, mais imprevisível? Agamêmnon, contudo, era assim mesmo, e nada do que eu, Nestor ou Palamedes lhe disséssemos poderia ter alguma influência sobre ele.

Aquiles levantou-se e pegou o bastão.

— Esse problema preocupa-me, rei Agamêmnon. Estou convencido de que deveria prestar tanta atenção aos abastecimentos quanto às embarcações, à viagem ou mesmo às táticas de batalha. Mais de cem mil homens comerão mais de cem mil canecas de cereais por dia, mais de cem mil nacos de carne, mais de cem mil ovos ou queijos por dia e beberão mais de cem mil copos de vinho misturado com água por dia. Se os abastecimentos não forem cuidadosamente organizados, o exército passará fome. Cinqüenta navios, como disse Ulisses, não nos suprirão por mais de uma lua. E se mantivéssemos esses cinqüenta navios em constante trânsito entre a Grécia e a Tróada, trazendo mais mantimentos? O que acontecerá se a campanha for mais longa do que espera?

Se Nestor, Palamedes e eu não o conseguíamos demover, que possibilidades teria um jovem como Aquiles? Agamêmnon tinha os lábios franzidos e cerrados e, em cada face, uma mancha vermelha.

— Louvo muito sua preocupação, Aquiles — respondeu em tom amável. — Sugiro-lhe, contudo, que não se preocupe tanto: eu me encarregarei de tudo.

Nada convencido, Aquiles entregou o bastão a Calcas e sentou-se. Ao sentar-se, porém, comentou, aparentemente para ninguém em particular:

— Meu pai sempre disse que só um chefe tolo deixa a outros os cuidados com seus soldados. Por isso, levarei mantimentos adicionais para meus mirmídones em meus próprios navios. E vou alugar alguns navios mercantes para levar mais.

A mensagem teve efeito imediato: outros decidiram, no mesmo instante, seguir o exemplo de Aquiles.

E Agamêmnon deu-se conta disso. Vi os seus cismáticos olhos escuros demorando-se no rosto ávido e fresco do jovem Aquiles e suspirei. Agamêmnon estava visivelmente com ciúmes. O que acontecera em Áulida durante a minha ausência? Estaria Aquiles conquistando partidários e Agamêmnon perdendo-os?

Na manhã seguinte reunimo-nos para passar revista às tropas. Para irmos de uma ponta à outra da praia, demoramos a maior parte do dia; meus joelhos tremiam depois de ter passado tanto tempo de pé sobre os estribos de vime de meu carro e, pior, usando a armadura. Duas filas de navios erguiam-se acima de nós: imponentes, de cascos vermelhos listrados com costuras negras de breu, as proas bicudas pintadas de azul e rosa, os grandes olhos das proas fitando-nos, inexpressivos.

Os soldados beneficiavam-se das sombras projetadas pelos navios. Cada homem envergava armadura completa e empunhava escudo e lança prontos a serem usados; filas intermináveis de homens, todos eles leais a uma causa a respeito da qual nada sabiam, exceto que, em futuro próximo, haveria despojos a dividir por todos. Ninguém saudava seus soberanos, ninguém corria para melhor ver seus reis.

No extremo da longa linha de homens e navios, encontravam-se as embarcações de Aquiles e os homens de que tanto ouvíramos falar, mas que nunca havíamos visto: os mirmídones. Tinha experiência suficiente para não esperar que eles fossem diferentes — os mirmídones, contudo, eram de fato diferentes. Altos, brancos e louros, os olhos uniformemente azuis ou verdes, ou cinzentos sob belos elmos de bronze, usando, em vez das habituais armaduras de couro, próprias dos soldados, modelos confeccionados em bronze. Cada homem empunhava um feixe de dez lanças, em vez das usuais duas ou três, e pesados escudos, da altura de um homem, não muito inferiores a meu veterano escudo; e suas armas eram espadas e punhais, em vez de flechas ou fundas. Sim, não havia dúvida, aquelas eram tropas de primeira linha, as melhores de que dispúnhamos.

Quanto a Aquiles, Peleu teria gasto uma fortuna para equipar seu único filho para a guerra: o carro era decorado a ouro, e os cavalos, indiscutivelmente, eram os melhores do cortejo — três garanhões brancos da Tessália, cujos arreios cintilavam de ouro e jóias. Não sei de onde viera a armadura que Aquiles envergava, mas sei que só conhecia uma melhor do que aquela: a que estava guardada em meu cofre-forte. Tal como a de Agamêmnon, também a de Aquiles era revestida a ouro, ainda que sobre fundo de bronze e estanho: enfim, era tão pesada, que, muito provavelmente, só Aquiles e Ajax teriam físico para suportá-la. Toda a armadura fora decorada com símbolos e padrões sagrados e enfeitada com âmbar e cristal. Empunhava apenas uma lança, e, em meio a tanto brilho, a lança marcava incrível contraste, pois, além de ser um objeto feio, não possuía vestígio de brilho. Quem conduzia o carro era o primo Pátroclo. Ah, que astutos eram! Quando o cortejo dos reis era obrigado a parar, os cavalos de Aquiles começavam a falar!

"Nossas saudações, mirmídones!", exclamava o cavalo mais próximo dos soldados, agitando a cabeça até que sua longa crina branca flutuasse como uma bandeira.

"Nós os serviremos corajosamente, mirmídones!", diziam os lábios do cavalo do meio, o mais calmo.

"Não temam por Aquiles enquanto formos nós a puxar seu carro!", dizia o mais distante, em voz mais estridente do que a dos outros.

Os mirmídones os observavam com amplos sorrisos e batiam no chão com seus feixes de lanças para saudar os régios cavalos. Em contrapartida, Idomeneu, que seguia no carro anterior ao de Aquiles, por mais de uma vez virou-se para trás boquiaberto, como se estivesse vendo alguma assombração.

Eu, porém, percebera o truque, pois estava colocado exatamente atrás do carro dourado de Aquiles. Era Pátroclo quem falava, reduzindo ao mínimo os movimentos de seus lábios! Esperto, o amigo de Aquiles!

O tempo continuava ensolarado, e a brisa, suavíssima; tudo indicava uma partida normal e uma travessia calma. Porém, na noite anterior à largada, não consegui dormir e tive de me levantar para dar um longo e inquieto passeio pela praia, tendo por única companhia as estrelas que no céu brilhavam. Estava contemplando o perfil de um navio próximo quando surgiu alguém por entre as dunas.

— Também não consegue dormir?

Não precisei de grande esforço para saber de quem se tratava. Só Diomedes preferiria procurar Ulisses a qualquer outro. Um bom amigo, meu companheiro de tantas guerras. E tão cheio de cicatrizes dessas guerras...! Entre todos os que iam para Tróia, Diomedes era, sem dúvida, o homem mais castigado por armas inimigas. Combatera em todas as campanhas, pequenas ou grandes, de Creta à Trácia, e pertencera ao segundo grupo dos Sete contra Tebas, os sete que haviam conquistado e arrasado a cidade, realizando, assim, o que seus pais não tinham conseguido fazer. Diomedes era uma criatura apaixonada e implacável e, portanto, bastante diferente de mim; eu era implacável, sem dúvida, mas não me deixava levar por paixões; meu espírito era perpetuamente temperado pelo gelo que havia em minha mente. Devo confessar que o invejava, pois Diomedes havia jurado construir um templo com as caveiras de seus inimigos e cumprira a promessa. Seu pai fora Tideu, um rei de Argos particularmente famoso; mas o filho era muito melhor do que o pai. Em Tróia, Diomedes não falharia. Seguira de Argos para Micenas com toda a fogosa ânsia que seu coração poderia abrigar, já que amava loucamente Helena, e, tal como o pobre Menelau, também ele se recusara a acreditar que Helena fugira por vontade própria. Nutria por mim elevada estima, um sentimento que, às vezes, me parecia próximo da adoração que se tem pelos heróis. *Eu*... um herói? Que estranho!

— Amanhã vai chover — declarou, erguendo seu longo pescoço e contemplando o céu.

— Vai chover? Mas não há nuvens... — objetei.

Diomedes deu de ombros.

— Meus ossos doem, Ulisses. Meu pai dizia que um homem marcado pela guerra — ossos quebrados, carne dilacerada por lanças ou flechas, enfim, tudo isso — podia prever chuva e frio. Esta noite, as dores eram tamanhas, que nem consegui dormir.

Eu já ouvira falar a respeito desse fenômeno e devo dizer que fiquei seriamente apreensivo.

— Para bem de todos nós, espero que, pelo menos desta vez, seus ossos se enganem. Mas diga-me, Diomedes, por que razão me procurou?

Fitou-me com um sorriso largo.

— Eu sabia que a Raposa de Ítaca não dormiria enquanto não sentisse as ondas sob seu navio. Queria falar com você.

Pondo meu braço sobre seus largos ombros, conduzi-o na direção de minha tenda.

— Vamos, então. Tenho vinho e um bom fogo na trípode.

Instalamo-nos em divãs, com o fogo entre nós e copos cheios

à nossa disposição. A tenda estava quente e mergulhada em semi-obscuridade, e os divãs bem guarnecidos de almofadas, e o vinho sem água equivalia, afinal, a uma boa maneira de atrair o sono. Era altamente improvável que alguém viesse incomodar-nos; de qualquer modo, para evitar um eventual importuno, desci a cortina da porta da tenda.

— Ulisses, você é o homem mais notável e capaz dessa expedição a Tróia — declarou com seriedade.

Não consegui evitar o riso.

— Não, nem pensar! Esse homem é Agamêmnon! Ou, então, Aquiles.

— *Agamêmnon*? Aquele autocrata presunçoso e teimoso como um burro? Não, de modo algum! Ele pode ficar com os louros, mas só porque é o rei supremo; não por ser o maior dos vultos aqui presentes. Quanto a Aquiles, bem, ele não passa de um rapaz. Claro que tem tudo para vir a ser um dos grandes! Possui uma inteligência superior. Sim, de fato pode vir a revelar-se um homem formidável. Mas, por enquanto, falta-lhe experiência. Sabe-se lá... até pode ser que meta o rabinho entre as pernas e comece a fugir mal veja sangue derramado.

Sorri.

— Não, Aquiles não é desses.

— Muito bem, admito que não seja. Mas Aquiles nunca poderá ser o vulto mais notável de nosso exército, porque esse vulto é você, Ulisses. A conquista de Tróia só poderá ser obra sua.

— Que tolice, Diomedes! O que pode a inteligência de um homem fazer em dez dias?

— Dez dias? — ele repetiu, sarcástico. — Segundo a Mãe, é muito mais provável que sejam dez anos! Trata-se de uma guerra séria, não de uma caçada. — Pôs o copo vazio no chão. — Mas eu não o procurei para falar sobre guerras. Na verdade, queria pedir sua ajuda.

— *Minha* ajuda? Você é o guerreiro experiente, não eu, Diomedes!

— Não, isto não tem nada a ver com campos de batalha! Quanto a batalhas, posso travá-las até de olhos vendados...! Preciso de sua ajuda em outros domínios, Ulisses. Quero ver como você trabalha. Quero ver como é que se consegue controlar. — Inclinou-se um pouco para a frente e prosseguiu: — Eu preciso de alguém que vigie meu terrível mau gênio, alguém que me ensine a dominar meu demônio interior, em vez de deixá-lo em total liberdade, como venho fazendo — uma liberdade cujo preço é muito alto para mim. Pensei que talvez pudesse assimilar parte de sua frieza se o visse agir, se o visse organizar, comandar, combater.

Sua simplicidade me comoveu.

— Nesse caso, Diomedes, a solução é simples: junte-se a mim. Diga a seus pilotos que mantenham seus navios perto dos meus, participe comigo em todas as missões, coloque suas tropas ao lado das minhas quando chegar a hora da batalha. Qualquer homem precisa de um bom amigo que o anime — é o único remédio para nossa solidão, para as saudades que temos do lar e da pátria.

Diomedes estendeu a mão por sobre as vivas chamas, aparentemente sem perceber que o fogo quase lambia seu pulso. Meus dedos envolveram seu antebraço, e assim selamos nosso pacto de amizade, assim partilhamos nossa solidão, tornando-a menos opressiva.

Devemos ter adormecido quando a noite já ia alta, pois acordei à primeira luz da manhã com o bramido de um vento ameaçador, um vento que cantava nas enxárcias daquela multidão de navios, que chiava, sonoro e impiedoso, em torno das proas. Do outro lado da fogueira, agora reduzida a cinzas, Diomedes começou a mexer-se, maculando a ágil beleza de seu despertar com um ronco de dor.

— Meus ossos ainda doem mais do que ontem à noite — reclamou sentando-se.

— E com razão! Temos vendaval!

Diomedes levantou-se lentamente, foi até a cortina, observou o dia e voltou para seu divã.

— É o vento norte, o pai de todas as tempestades. Garanto-lhe que até neve vamos ter. Não, Ulisses, não partiremos hoje. Nossas embarcações iriam parar todas no Egito.

Um escravo trouxe uma trípode com fogo novo, fez as camas e foi buscar água quente para nos lavarmos. Não havia razão para pressas; Agamêmnon ficaria tão desconsolado, que não convocaria o conselho antes do meio-dia. Minha cozinheira trouxe-nos bolos de mel ainda quentes, pão de cevada, queijo de ovelha e vinho quente e adoçado para terminar o repasto. Era uma boa refeição e ficara ainda melhor porque fora partilhada; ficamos muito tempo aquecendo as mãos no fogo, até que Diomedes regressou à sua tenda para vestir a indumentária que o conselho exigia. Quanto a mim, vesti um saiote de couro e uma blusa, apertei as correias das botas altas e pus por cima dos ombros um manto forrado de pele.

O rosto de Agamêmnon estava tão sombrio e tempestuoso como o dia; a fúria e a humilhação travavam uma guerra sem tréguas em seus rígidos traços, agora que seus planos haviam ruído. Havia nele o secreto medo de parecer ridículo aos olhos dos demais chefes, agora que sua grandiosa aventura se desmoronara antes mesmo de ter começado.

— Convoquei Calcas para realizar um augúrio! — exclamou ele repentinamente.

Suspirando resignados e apertando bem os mantos, saímos para o vendaval. A vítima encontrava-se no altar de mármore sob o plátano, as patas presas por correias. E Calcas envergava uma túnica púrpura! *Púrpura*? Mas o que, afinal, acontecera em Áulida antes de minha chegada? Agamêmnon deveria tê-lo em altíssima consideração para lhe permitir usar túnica púrpura!

Uma coincidência muito estranha, pensei, enquanto aguardava que a cerimônia começasse; duas luas de tempo perfeito e, precisamente no dia previsto para nossa partida, todos os elementos conspiravam para atrasá-la. A maior parte dos reis decidira voltar para suas tendas, bastante mais quentes e agradáveis do que o vento e a saraiva que teriam de suportar se assistissem à cerimônia. Só os mais velhos ou aqueles que dispunham de mais poder ficaram para apoiar Agamêmnon e testemunhar a mensagem do augúrio: eu próprio, Nestor, Diomedes, Menelau, Palamedes, Filoctetes e Idomeneu.

Era a primeira vez que via Calcas realizar um augúrio e tive de admitir que era um especialista. Com mãos tão trêmulas, que mal conseguiam erguer a faca adornada com jóias, o rosto da cor da cera, cortou com um movimento brusco a garganta da vítima, quase virando o grande cálice de ouro enquanto o segurava para recolher o sangue, que pareceu fumegar ao ser derramado sobre o frio mármore. Depois, abriu a barriga do animal e começou a interpretar a disposição das entranhas de acordo com a prática dos sacerdotes treinados na Ásia Menor. Seus movimentos eram rápidos e disrítmicos, e sua respiração tão estertorosa, que eu conseguia ouvi-la sempre que o vento diminuía por um momento.

De repente, voltou-se para nós.

— Escutem a palavra do Deus, ó Reis da Grécia! Eu vi a vontade de Zeus, o Senhor de Tudo! Ele lhes virou as costas, ele se recusa a abençoar essa aventura! Sua cólera obscurece os motivos que o levaram a tomar essa atitude, mas uma coisa eu sei: é Ártemis quem está sentada em seu colo e lhe pede que se mostre intransigente! Não consigo ver mais, pois sua fúria cega-me!

Era mais ou menos o que eu esperava, ainda que a referência a Ártemis constituísse um toque inegavelmente hábil. Contudo, justiça seja feita, Calcas parecia mesmo um homem perseguido pelas filhas de Kore, um homem que fora despojado de tudo, exceto de sua vida, numa fração mínima de tempo. Havia em seus olhos sincera angústia. Não parava de me surpreender aquele homem; de fato, era óbvio que ele acreditava em tudo que dissera, ainda que tivesse preparado toda a sua atuação. Todos os homens que possuem o poder de influenciar os outros me interessam; porém, nunca nenhum sacerdote me interessou tanto como Calcas.

Mas sua atuação ainda não terminou, pensei; faltam alguns detalhes.

Aos pés do altar, Calcas rodopiou e abriu muito os braços, as mangas enormes adejando, empapadas de sangue, ao sabor do vento, a cabeça inclinada para trás, a linha dessa inclinação revelando que o sacerdote olhava para o plátano. Reparei no que seus olhos viam: os ramos ainda nus, os botões carcomidos ainda por abrir. Entre dois ramos, ocultava-se um ninho onde um pássaro chocava seus ovos. Um vulgar pássaro castanho, igual a tantos outros.

A cobra do altar já subia ao longo do ramo, a gula estampada nos frios olhos negros. Calcas juntou os braços, ainda erguidos, até que ambas as mãos apontaram para o ninho; com a respiração suspensa, seguimos os movimentos da cobra. A certa altura, a terrível boca do réptil abriu-se para, num ápice, engolir o pássaro inteiro; enquanto o devorava, suas cintilantes escamas castanhas faziam lembrar uma série de tatuagens vivas. Depois, devorou os ovos um a um: seis, sete, oito, nove, contei eu. A mãe e os nove ovos, esse fora o repasto.

Como é costume entre os animais de sua espécie, a cobra, depois de saciada a gula, ficou parada, enroscada no fino ramo como se fosse uma estátua de pedra. Seus olhos fixavam impassíveis o sacerdote: a frígida penetração de seu olhar não era perturbada pelos movimentos que, nos olhos dos humanos, são normais.

Calcas virou-se para nós como se um Deus tivesse espetado uma estaca em seu estômago. Gemia brandamente. Então, falou de novo.

— Escutem-me, ó Reis da Grécia! Acabam de testemunhar a mensagem de Apolo! Ele fala quando o Senhor de Tudo se recusa a falar! A cobra sagrada engoliu a ave e seus nove ovos. A ave é a estação que ora se avizinha; seus nove filhos que morreram nos ovos são as nove estações que a Mãe não deu ainda à luz. A cobra é a Grécia! A ave e seus ovos são os anos que a Grécia demorará para conquistar a vitória! Dez anos serão necessários para conquistar Tróia! *Dez anos*!

O silêncio que se seguiu era tão profundo, que parecia ter vencido o ruído constante da tempestade. Por um longo tempo, ninguém se mexeu ou falou. Nem eu sabia o que pensar de tão espantosa atuação! Seria esse sacerdote estrangeiro um verdadeiro vidente? Ou estaríamos diante de uma mistificação muito bem elaborada? Olhei para Agamêmnon, perguntando-me quem levaria a melhor: se sua certeza de que a guerra não duraria mais do que poucos dias, se sua fé no sacerdote. Era uma luta violenta, pois Agamêmnon era, do ponto de vista religioso, um homem supersticioso. Mas, no fim, foi seu orgulho que venceu. Dando de ombros, deu meia-volta e foi-se embora. Fui eu o último a partir. Enquanto ali estive, não tirei os olhos de Calcas. Estava de pé e tão imóvel quanto uma pedra, os olhos fixos nas costas do rei supremo. Havia em seus olhos um rancor evidente, o que não admirava: sua primeira exibição de poder fora pura e simplesmente ignorada.

Os dias foram seguindo seu implacável caminho, e a primavera ia já avançada, mas os ventos fortes e os dilúvios de chuva continuavam. Fustigado pelo vento, o mar erguia-se em ondas tão altas quanto o convés do mais imponente dos navios; impossível partir em tais condições. Todos aguardávamos, cada um segundo seu jeito peculiar: Aquiles treinava impiedosamente os mirmídones; Diomedes abrigava-se em minha tenda, andando de um lado para outro com impaciência cada vez maior; Idomeneu divertia-se nos braços das cortesãs que trouxera de Creta; Fênix cacarejava como uma galinha demente para os comandantes parados em terra; Agamêmnon mordiscava a barba e recusava-se a dar ouvidos a conselhos, enquanto os soldados jogavam dados, discutiam e bebiam. Por outro lado, dar de comer a tanta gente vinha tornando-se uma missão quase impossível, pois as equipes encarregadas dessa tarefa tinham de vencer léguas e léguas de lama para levar comida suficiente a todas as vorazes bocas.

Quanto a mim, tanto fazia. Meu exílio duraria vinte anos; pouco importava o modo como começava. Poucos eram os que se reuniam todos os dias, ao meio-dia, para assistir à interpretação dos augúrios. Nenhum de nós esperava ouvir da boca de Calcas uma razão clara para a hostilidade do grande Deus. A lua nova deu lugar à lua cheia que logo se esvaziou, e a tempestade permanecia, sem amainar; começávamos a pensar seriamente na hipótese de os navios não partirem: mais uma lua, e os ventos se tornariam imprevisíveis e, se o verão terminasse, teríamos de nos despedir de Tróia até o ano seguinte.

Mais por causa do fascínio que Calcas me inspirava do que por nutrir alguma esperança de que o grande Deus erguesse seu véu e nos deixasse entrever seus motivos, eu não perdia o ritual do meio-dia. Nada sugeria que aquele dia particular seria diferente de todos os outros. Limitei-me a estar presente, na qualidade de observador de Calcas, acompanhado apenas por Agamêmnon, Nestor, Menelau, Diomedes e Idomeneu. Reparara, de passagem, que a cobra do altar emergira de sua gulosa hibernação e voltara a seu nicho.

Aquele dia, contudo, foi diferente. Quando sondava as entranhas da vítima, Calcas virou-se de repente e apontou para Agamêmnon um longo e ossudo dedo escorrendo sangue.

— Eis aí quem impede a partida! — gritou ele. — Agamêmnon, Rei dos Reis, você não deu à Arqueira o que lhe era devido! Sua fúria, durante tanto tempo adormecida, acabou por despertar, e Zeus, seu divino pai, atendeu a suas súplicas de justiça. Rei Agamêmnon, enquanto não der a Ártemis o que lhe prometeu há dezesseis anos, sua frota não partirá!

Ninguém tinha a mínima idéia do que se tratava. Agamêmnon vacilava sob a violência do choque, e seu rosto, de súbito, parecia o de um cadáver. Calcas *sabia* a respeito do que estava falando.

O sacerdote desceu os degraus, o corpo hirto de ultraje.

— Dê a Ártemis o que lhe negou há dezesseis anos e, então, poderá fazer-se ao mar! De outro modo, será impossível! Zeus Onipotente falou!

Cobrindo o rosto com as mãos, Agamêmnon recuou perante aquela visão fatídica, de púrpura vestida.

— Não posso! Não posso! — gritou.

— Então, desmobilize seus soldados — respondeu Calcas.

— Não posso dar à Deusa o que ela quer! Ela não tem o direito de me pedir! Se sonhasse que o desfecho seria este, ah, eu nunca teria feito tal promessa! Ela é Ártemis, casta e santa! Como é possível que me exija isso?

— Ela só exige o que lhe é devido. Dê-lhe o que ela pede e poderá partir — repetiu Calcas, a voz tão fria quanto o vento. Se se recusar a cumprir o voto que fez há dezesseis anos, a Casa de Atreu mergulhará na escuridão e você morrerá na mais terrível ruína.

Avancei para Agamêmnon e, com toda a minha força, arranquei-lhe as mãos que cravara no rosto.

— O que prometeu a Ártemis, Agamêmnon?

Com os olhos cheios de lágrimas, o rei supremo agarrou-se a meus pulsos como um homem prestes a afogar-se se agarra a um cabo do navio.

— Um voto *idiota*, Ulisses, um voto impensado! Há dezesseis anos, Clitemnestra estava prestes a dar à luz nossa última filha... Contudo, o trabalho de parto arrastou-se durante três dias sem qualquer resultado... Ela não conseguia dar à luz a criança! Então, pedi a todos os Deuses — à Mãe; a Hera, a misericordiosa; e a Hera, a estranguladora; aos Deuses e Deusas do lar; do parto; das crianças; das mulheres. Nenhum me respondeu, nenhum!

As lágrimas continuavam a cair, mas Agamêmnon prosseguiu.

— Desesperado, orei a Ártemis, apesar de ela ser virgem e não gostar de mulheres fecundas. Pedi-lhe que ajudasse minha mulher a dar à luz uma bela e saudável criança. Em troca, prometi-lhe a mais bela criatura que nascesse nesse ano em meu reino. Pouco depois, Clitemnestra dava à luz Ifigênia. E, no fim desse ano, mandei mensageiros a toda Micenas, a fim de que me trouxessem as criaturas nascidas nesse ano que considerassem mais belas. Cabritos, vitelos, cordeiros, até mesmo pássaros. Ofereci a Ártemis todos esses belos animais, ainda que, no fundo, soubesse que a deusa não ficaria satisfeita. E, de fato, Ártemis rejeitou todos os sacrifícios.

Seria possível que, no mundo, não houvesse nunca mudança? Sabia já o desfecho daquela horrenda história — era como se ele estivesse pintado numa parede diante de meus olhos. Por que eram os Deuses tão cruéis? Por quê?

— Termine, por favor, Agamêmnon — pedi-lhe.

— Certo dia, estava com minha mulher e minha filha, ainda bebê, quando Clitemnestra comentou que Ifigênia era a mais bela criatura de toda a Grécia — mais bela, disse, do que a própria Helena. Antes que ela concluísse a frase, eu já sabia que Ártemis lhe pusera as palavras na boca. A Arqueira queria minha filha. Só com minha filha ficaria satisfeita. Mas eu não poderia fazer isso, Ulisses. Nós abandonamos crianças recém-nascidas, mas os sacrifícios humanos não são praticados na Grécia desde que a Nova Religião baniu a Velha. Pedi por isso à Deusa que compreendesse por que razão eu não poderia fazer o que ela queria. O tempo foi passando e, como ela nada fizesse, pensei que havia compreendido. Agora, vejo que ela só estava à espera de uma oportunidade. Ela quer o que não lhe posso dar, a vida que ela permitiu que nascesse, e insiste em que eu lhe dê essa vida ainda virgem. A vida de minha filha é um círculo perfeito. Mas eu *não* posso permitir um sacrifício humano!

Dei a meu coração a dureza fria do metal: se eu perdera meu filho (estar longe dele vinte anos não era o mesmo que perdê-lo?), por que haveria *ele* de poupar sua filha? Agamêmnon tinha mais duas filhas. Sua ambição obrigara-me a separar-me de tudo o que me era querido — por que não haveria *ele* de sofrer também? Se homens de *status* inferior eram forçados a obedecer aos Deuses, por que não haveria o Rei Supremo — o representante de todos diante dos Deuses — de lhes obedecer também? Agamêmnon fizera uma promessa e adiara seu cumprimento durante dezesseis anos porque essa promessa o afetava pessoalmente. Se a mais bela criatura nascida nesse ano tivesse sido o filho de outro homem, Agamêmnon teria realizado o sacrifício sem qualquer peso na consciência. Por tudo isso, olhei-o bem nos olhos, o coração consumido pela dor do exílio, e sucumbi ao apelo de um demônio que vivia dentro de mim desde o dia em que o oráculo pronunciara meu destino.

— Você cometeu uma transgressão terrível, Agamêmnon — declarei. — Se Ifigênia é o preço que Ártemis exige, terá de pagá-lo! Ofereça à Deusa sua filha! Se não o fizer, seu reino ruirá e a expedição a Tróia fará de você o homem mais ridículo de todos os tempos!

Ah, o quanto ele odiava o ridículo! Para Agamêmnon, nem mesmo o mais querido membro de sua família poderia significar tanto como seu reino, como seu orgulho. Vi o conflito desenhando-se nitidamente em seu rosto; vi o desespero e o sofrimento; vi também visão de sua miserável queda na ignomínia e no ridículo. Então, o pobre rei supremo virou-se para Nestor, procurando apoio.

— Nestor, Nestor, o que devo fazer?

Dividido entre o horror e a piedade, o velho começou a chorar.

— É um dilema terrível, Agamêmnon! Mas *temos* de obedecer aos Deuses. Se Zeus Onipotente disse que você deve dar à Arqueira o que ela pede, não há alternativa. Lamento muito, mas tenho de concordar com Ulisses.

Chorando desolado, nosso rei supremo pediu o apoio de cada um dos outros; um a um, lívidos e graves, todos lhe repetiram minha resposta.

Só eu, entretanto, observava atentamente Calcas, perguntando-me se o velho não teria feito um discreto inquérito sobre o passado de Agamêmnon. Quem poderia esquecer o ódio e o desejo de vingança que encontrei em seu rosto no dia em que a tempestade começara? Um homem muito sutil; e, além disso, troiano.

Depois de todos os principais chefes se terem recusado a apoiar Agamêmnon, a resolução do caso não excederia o âmbito da logística. Agamêmnon, convencido — graças a mim — de que não tinha alternativa senão sacrificar sua filha, explicou-nos como seria difícil separar a jovem da mãe.

— Clitemnestra não permitirá que tragam Ifigênia para Áulis, sabendo que ela vai ser vítima da faca do sacerdote — informou, de súbito velho e alquebrado. — A rainha pedirá o apoio do povo, e o povo a apoiará.

— Há soluções para isso.

— Que soluções?

— Eu falarei com Clitemnestra, Agamêmnon. Direi que, devido à tempestade, Aquiles ficou tão impaciente que pretende regressar sem demora a Iolcos e levar de volta os mirmídones. Direi também que você teve a brilhante idéia de lhe oferecer a mão de Ifigênia desde que ele permaneça em Áulis. Clitemnestra não se oporá. Ela chegou a dizer-me, aliás, que gostaria muito que Ifigênia se casasse com Aquiles.

— Mas isso será uma desonra para Aquiles! — exclamou Agamêmnon, desconfiado. — Aquiles não consentirá. Já o conheço bem e sei que ele é um homem correto — o que não admira, pois é filho de Peleu!

Exasperado, ergui os olhos para o céu.

— Agamêmnon, Aquiles *nunca saberá*! Você não pretende contar essa história ao mundo inteiro, não é? Cada um de nós jurará de bom grado um voto de absoluto segredo. O sacrifício humano não conquistaria nenhum coração entre nossos homens, que começariam a pensar em quem seria o próximo. Porém, se nenhum rumor transpirar, tudo correrá bem, e Ártemis ficará apaziguada. *Aquiles nunca saberá*!

— Muito bem. Falará então com Clitemnestra — assentiu ele.

Quando abandonamos o sagrado recinto, procurei Menelau.

— Menelau, quer que Helena volte para você?

Uma onda de dor inundou-lhe o rosto.

— Por todos os Deuses, Ulisses, você conhece a resposta.

— Então me ajude, ou a frota nunca partirá!

— Farei tudo que me pedir, Ulisses!

— Agamêmnon vai enviar um mensageiro a Clitemnestra. Esse mensageiro chegará antes de mim e lhe dirá que ignore minha história e que se recuse a entregar-me Ifigênia. Você tem de interceptar esse mensageiro.

Sua boca transformou-se nesse instante numa linha fina e dura.

— Juro-lhe, Ulisses, que você será o único a falar com Clitemnestra.

Fiquei satisfeito. Por Helena, Menelau seria capaz de tudo.

Minha missão não poderia ter sido mais fácil. Clitemnestra ficou deliciada com o suposto casamento que Agamêmnon arranjara para sua querida filha. Além disso, agradava-lhe o fato de Ifigênia casar-se com um homem que estava prestes a embarcar para uma guerra no exterior. Clitemnestra adorava Ifigênia; o casamento com Aquiles lhe permitiria manter a filha perto até que Aquiles regressasse de Tróia. Rejubilou o Palácio do Leão enquanto Clitemnestra tratava das bagagens da filha sem a ajuda de nenhuma criada e a iniciava nos mistérios da vida das mulheres. Acompanhou a liteira de Ifigênia até a Porta do Leão, enquanto sua filha Crisôtemis, que ainda estava solteira, chorava de frustração e inveja, e Electra, a mais velha de todas, uma réplica magra, amarga e muito pouco atraente do pai, assistia à partida do alto das muralhas, com o irmão Orestes, ainda bebê, ao colo. Entre ela e a mãe não havia qualquer laço afetivo; isso era bem visível.

Quando a liteira parou na Porta do Leão, Clitemnestra afastou as cortinas e beijou a larga testa branca de Ifigênia. Tremi. A rainha suprema era uma mulher dada a amores e ódios extremos; o que faria quando soubesse a verdade (e acabaria por sabê-la)? Se, um dia, Clitemnestra viesse a odiar Agamêmnon, o rei supremo teria boas razões para temer sua vingança.

Ordenei aos homens que conduzissem a liteira tão rapidamente quanto possível, ansioso por chegar a Áulis. Sempre que parávamos para descansar ou acampar, Ifigênia começava a conversar comigo — que muito admirava Aquiles, dizia ela, que o apreciara demoradamente, sem que ele percebesse, no Palácio do Leão, que se apaixonara perdidamente por ele, que seria maravilhoso casar-se com ele, porque esse era o desejo de seu coração.

Armara-me para não sentir pena dela, mas, por vezes, confesso que não era fácil; seus olhos eram tão inocentes, tão felizes! Ulisses, porém, era mais forte do que todos os outros homens, sobretudo na resistência que os leva a vencer a adversidade.

Depois de a noite ter caído, ordenei que levassem a liteira, com as cortinas baixas, para o acampamento imperial. Sem mais demoras, conduzi Ifigênia a uma pequena tenda que ficava perto daquela ocupada por seu pai. Deixei-a com ele. Menelau ficou à porta, pois eu temia que a presença de Ifigênia reduzisse a pó a determinação de Agamêmnon. Considerando que seria mais sensato não chamar a atenção dos reis e de suas tropas para a chegada de Ifigênia, decidi não colocar sentinela à porta de sua tenda. Menelau ficaria de guarda.

CAPÍTULO DÉCIMO PRIMEIRO

NARRADO POR AQUILES

Todos os dias, sob chuva e frio, exercitava meus soldados, aquecendo-os com trabalho pesado. Outros chefes permitiriam que seus homens ficassem à toa, mas os mirmídones sabiam que eu não era desses. Adoravam as condições em que viviam, gostavam da disciplina rígida e sentiam-se superiores aos demais soldados, pois sabiam que eram mais profissionais do que todos os outros.

Não me dava sequer ao trabalho de comparecer ao quartel-general imperial. Francamente, achava que não valia a pena. E, quando surgiu a segunda lua, não mais do que um pavio aceso no céu, todos nós começamos a pensar que a expedição a Tróia não se concretizaria. Para dizer a verdade, já esperávamos que, mais dia menos dia, viesse a ordem de desmobilização.

Na primeira noite de lua cheia, Pátroclo saiu com Ajax, Teucro e o Pequeno Ajax. Eu também fora convidado, mas preferi desistir do convite, pois não estava com disposição para frivolidades, quando tudo apontava para o ignominioso fim da grandiosa empresa. Durante algum tempo, toquei minha lira e cantei; depois, deixei-me arrastar para uma espécie de inércia sonolenta.

O ruído produzido por alguém entrando em minha tenda fez-me erguer a cabeça; à porta estava uma mulher que envergava um manto úmido, esfumaçado. Perplexo, fixei aquela visão, sem acreditar no que os meus olhos viam. Então, a mulher se aproximou, afastou a cortina da entrada, baixou o capuz do manto e balançou a cabeça para libertar a longa cabeleira de algumas gotas de chuva.

— Aquiles! — exclamou ela, os olhos brilhando como âmbar acastanhado. — Eu o vi em Micenas quando espiei pela porta atrás do trono de meu pai! Oh, estou tão feliz!

A essa altura, eu já me levantara; porém, continuava boquiaberto e pasmo.

A jovem não tinha mais de quinze ou dezesseis anos: cheguei a essa conclusão antes mesmo de ela ter despido o manto, mostrando-me uma pele que fazia lembrar um mármore leitoso tenuemente percorrido por veios e dois carnudos seios. A boca era de um suave rosa e meigamente encurvada, o cabelo era da cor do fogo mais brilhante. Tão viva era ela, que o ar à sua volta parecia quebrar-se; havia um frescor em seu riso e uma força oculta sob sua extrema juventude.

— Minha mãe nem precisou convencer-me — prosseguiu, já que eu nada dizia. — Não consegui esperar até amanhã para lhe dizer como me sinto feliz! Era com você que Ifigênia queria casar-se!

Senti um estranho sobressalto. *Ifigênia*? A única Ifigênia que eu conhecia era a filha de Agamêmnon e Clitemnestra! Mas que estranha conversa era aquela? Por quem me estaria tomando? Continuei de olhos fixos nela, mudo, como se me tivesse esquecido de todas as palavras do mundo.

Meu silêncio e o puro espanto de meu rosto acabaram por transformar a expressão da jovem: um prazer ardente dava agora lugar a uma ansiedade prenhe de incertezas.

— O que você faz em Áulis? — consegui finalmente perguntar.

Nesse momento Pátroclo entrou, viu-nos e parou.

— Uma visita, Aquiles? — Piscou-me o olho. — Vou embora.

Atravessei rapidamente o espaço que nos separava e segurei-o pelo braço.

— Pátroclo, ela diz que é Ifigênia! — murmurei. — Deve ser a filha de Agamêmnon! E pensa que eu mandei um mensageiro a Micenas e que a pedi em casamento!

— Por todos os Deuses! — exclamou Pátroclo agora muito pouco divertido. — Será uma conspiração para desacreditá-lo? Um teste à sua lealdade?

— Não sei.

— E se a levássemos para a tenda do pai?

Mais calmo agora, recusei a possibilidade.

— Não. É óbvio que ela fugiu de sua tenda. Ninguém sabe que ela está aqui. Vamos fazer o seguinte: eu a detenho aqui enquanto você observa a tenda de Agamêmnon e procura saber o que se passa. Você precisa ser quase tão rápido quanto o relâmpago.

Pátroclo desapareceu imediatamente.

— Sente-se, Ifigênia — convidei-a e logo me deixei cair numa cadeira. — Posso lhe oferecer água? Bolos?

Não me respondeu. Um momento depois, estava sentada em meu colo, os braços enroscados em meu pescoço, a cabeça encostada em meu ombro. Inclinei-me um pouco com a intenção de levantá-la, mas meus olhos detiveram-se nos revoltos cachos de sua cabeleira e logo mudei de idéia. Era uma criança — e estava apaixonada por mim. A seus olhos, eu era velho: uma sensação nova para mim. Há cerca de meio ano não via Deidâmia, e aquela mocinha despertava em mim emoções muito diferentes. Minha preguiçosa e convencida esposa era sete anos mais velha do que eu — fora ela quem me cortejara, não eu. Para um rapaz de treze anos, que acabava de despertar para as funções sexuais de seu corpo, ser iniciado por uma mulher mais velha era maravilhoso. Agora, surpreendia-me muitas vezes perguntando-me o que sentiria por Deidâmia quando regressasse de Tróia, já não mais um rapaz, mas um homem endurecido pela guerra. Ah, era tão agradável ter

Ifigênia em meus braços, sentir não os perfumes que as mulheres mais velhas usam, mas sim o doce e natural odor da juventude!

Sorridente e satisfeita, ergueu a cabeça para me fitar; depois, voltou a pousá-la em meu ombro. Senti seus lábios acariciando-me a garganta; os seios, colados a meu peito, queimavam como brasas. *Pátroclo, Pátroclo, apresse-se*! Depois, disse-me palavras que não consegui ouvir; afaguei-lhe a densa cabeleira cor de fogo e ergui-lhe a cabeça para que pudesse ver seu rosto encantador.

— O que você disse? — perguntei.

Ela corou.

— Só perguntei se você não ia me beijar.

Fiquei aflito.

— Não. Olhe para a minha boca, Ifigênia, ela não foi feita para beijar. A sensação do beijo está nos lábios.

— Então, deixe-me beijá-lo todo.

Deveria tê-la afastado de mim nesse exato momento, mas não consegui. Em vez disso, deixei que seus lábios, tão suaves como as penas de um cisne, vagueassem por meu rosto, roçassem minhas pálpebras fechadas, se aninhassem em meu pescoço, onde os nervos têm sobre o coração de um homem uma ação mágica, pois põem-no a martelar desordenadamente. Ansiando estreitá-la contra mim até que ela pedisse trégua para respirar, tive de lutar contra mim mesmo para lhe ordenar que parasse e para olhá-la nos olhos com grande seriedade.

— Basta, Ifigênia. Fique quieta agora. — E mantive-a quieta até que, finalmente, Pátroclo chegou.

Meu amigo permaneceu à porta, e seus olhos me interrogavam. Afastei dela meus braços e ergui-os no ar, dividido entre o riso e a irritação. Não era costume de Pátroclo zombar de mim. Com suaves afagos, obriguei-a a sair de meu colo e sentei-a na cadeira. No rosto de Pátroclo, já não havia sinal de zombaria; pelo contrário, havia sombras e muita fúria. Quando me aproximei dele, declarou que só falaria quando tivesse certeza de que ela não conseguiria ouvir.

— Uma bela conspiração, Aquiles.

— Foi o que pensei. Que conspiração?

— Tive sorte, Aquiles. Agamêmnon e Calcas estavam sozinhos na tenda do rei supremo. Consegui esconder-me e ouvir quase tudo que diziam. — Respirou fundo. Tremia. — Aquiles, eles usaram seu nome para convencer Clitemnestra a deixar partir a filha! Disseram-lhe que você queria casar com Ifigênia antes de partirmos para Tróia. Mas a realidade é bem diferente: amanhã, Ifigênia será sacrificada a Ártemis, a fim de expiar um delito — não sei qual — que Agamêmnon cometeu contra a deusa.

A raiva é algo que todos os homens sentem, embora alguns mais do que outros. Não me imaginava presa fácil dessa emoção, mas a verdade é que, logo que Pátroclo terminou, senti-me invadido por uma tão grande raiva que, de um momento para o outro, esqueci tudo o que me haviam ensinado sobre bom senso, ética, princípios ou decência. Os Deuses no Olimpo deveriam ter tremido. Minha boca pareceu separar-se de meus dentes, e todo o meu corpo se agitava, como se o sortilégio tivesse voltado a atormentar-me. Estou certo de que, se Pátroclo não me tivesse segurado com uma força, aliás, que lhe desconhecia, teria corrido naquele momento até a tenda de Agamêmnon e cortado ao meio o rei supremo e o sacerdote com meu machado!

— Aquiles, *pense*! — ponderou-me ele muito baixinho. — *Pense*! Acha que ganhará alguma coisa se os matar? O sangue de Ifigênia é necessário para que a frota parta! Pelo que pude ouvir, pareceu-me evidente que nosso rei supremo só tomou essa decisão depois de ter sido muito atormentado e intimidado!

Cerrei com tanta força os punhos, que consegui libertar-me dele.

— Espera que eu me limite a assistir a tudo e a aplaudir? Eles usaram meu nome para perpetuar um crime que é proibido pela Nova Religião! Um crime bárbaro! Um crime que empesta o próprio ar que respiramos! E, além disso, usaram meu nome! — Sacudi-o tanto, que seus dentes começaram a bater uns nos outros.

— Repare na pobre menina, Pátroclo! Você será capaz de ficar parado e de assistir a seu sacrifício como se ela fosse um cordeiro?

— Não, você não me entendeu, Aquiles! — murmurou, aflito. — O que eu quis dizer foi que deveríamos examinar o caso com cabeça fria e não com a fúria que sempre cega os homens! Aquiles, pense! Pense!

Tentei pensar. Lutei contra mim mesmo para pensar. O demônio da loucura fervia dentro de mim com tal violência, que, para dominá-lo, quase me matei. Até que, em meio à confusão, a lógica, com passos titubeantes, regressou a meu espírito. Tínhamos de enganá-los. Haveria por certo alguma maneira de fazer isso. Minhas mãos envolveram as de Pátroclo.

— Pátroclo, seria capaz de fazer qualquer coisa que eu lhe pedisse?

— Qualquer coisa, Aquiles. Tudo.

— Então, procure Automedonte e Alquimos. Podemos confiar sempre neles, seja qual for a empresa: eles são mirmídones. Diga a Alquimos que encontre um veado ainda novo e que pinte seus chifres de ouro. Terá de ter o animal amanhã de manhã, bem cedo! Pode confiar inteiramente em Automedonte. Você e ele devem esconder-se atrás do altar antes de o sacrifício começar. Leve o veado com você, preso a uma corrente de ouro. Calcas costuma usar muita fumaça em seus rituais. Quando Ifigênia estiver no altar e as nuvens de fumaça se tornarem muito espessas — o sacerdote só lhe cortará a garganta se a fumaça impedir Agamêmnon de ver —, retire-a do altar e deixe o veado em seu lugar. Calcas, como é evidente, perceberá que alguém o enganou. Mas Calcas gosta de estar vivo. Não dirá que houve ali mão humana: dirá apenas que se trata de um milagre!

— Sim, pode funcionar... Mas diga-me: depois que a tivermos tirado do altar, o que faremos?

— Há um pequeno esconderijo atrás do altar: o local onde costumam guardar a vítima. Esconda-a ali até todos partirem.

Depois, traga-a para a minha tenda. Eu a devolverei à mãe, com uma mensagem explicando tudo que aconteceu. Conseguirá fazer o que lhe peço?

— Sim, Aquiles. E você? O que vai fazer?

— Há muito tempo não assisto aos augúrios de Calcas, mas, amanhã, chegarei cedo para assistir à cerimônia. Agora, vou mandá-la de volta para sua tenda. Não sei como chegou até aqui sem ninguém perceber, mas é absolutamente necessário que ela regresse à sua tenda sem que ninguém a veja. Eu próprio a levarei.

— Talvez a tivessem deixado vir — sugeriu Pátroclo.

— Não. Nunca permitiriam que ela passasse comigo tempo suficiente para perder a virgindade. Ártemis gosta de virgens.

Pátroclo franziu as sobrancelhas.

— Aquiles, não seria melhor se a mandássemos de volta para a mãe imediatamente?

— Não posso, Pátroclo. Isso implicaria confrontação aberta com Agamêmnon. Se tudo correr bem amanhã no sacrifício, teremos partido para Tróia antes de Clitemnestra tomar conhecimento de tudo.

— Acredita, então, que a morte de Ifigênia é necessária para que o tempo melhore? — perguntou ele em tom muito peculiar.

— Não. Creio que o tempo melhorará por si mesmo dentro de um ou dois dias. Pátroclo, eu não me atrevo a correr o risco de uma confrontação aberta com Agamêmnon. Será possível que você não entenda? *Eu quero estar presente em Tróia*!

— Sim, eu entendo. — Sacudiu os ombros. — Bem, tenho de ir. Pobre Alquimos, morrerá de susto quando eu lhe disser que tem de encontrar um veado novo! Ficarei com Automedonte o resto da noite. Se não receber nenhuma mensagem dizendo que o plano falhou, pode estar certo de que amanhã, ao meio-dia em ponto, estaremos atrás do altar!

— Ótimo.

Furtivamente, Pátroclo saiu para a noite chuvosa.

Ifigênia nos observara, os olhos muito abertos.

— Quem era? — perguntou, curiosa.

— Meu primo Pátroclo. Há problemas com os homens.

— Ah, é muito parecido com você, mas os olhos dele são azuis! E é menor.

— E tem lábios.

Ela riu.

— Isso o torna um homem igual aos outros. Eu gosto de sua boca como ela é, Aquiles.

Segurei sua mão, obrigando-a a levantar-se.

— Agora você tem de ir para sua tenda, antes que alguém descubra sua fuga.

— Ainda não — pediu com ar sedutor, afagando-me o braço.

— Imediatamente, Ifigênia.

— Nós nos casaremos amanhã. Por que não me deixa passar a noite com você?

— Por que você é filha do supremo rei de Micenas, e a filha do supremo rei de Micenas tem de se casar virgem. A sacerdotisa confirmará essa virgindade antes do casamento. E, depois, eu terei de mostrar os lençóis do tálamo nupcial para provar que sou seu marido em todos os aspectos — concluí firmemente.

Ela fez beicinho.

— Mas eu não quero ir!

— Queira ou não, terá de ir, Ifigênia. — Envolvi-lhe o rosto com minhas mãos. — Antes de levá-la para sua tenda, quero que me prometa uma coisa.

— A você prometo tudo — exclamou, sorridente e animada.

— Não conte a seu pai nem a qualquer outra pessoa que veio ver-me. Se contar, desconfiarão de sua virgindade.

Ela sorriu.

— Só mais uma noite acho que consigo suportar... Leve-me para a minha tenda, Aquiles.

* * *

Pátroclo não me mandou nenhuma mensagem informando sobre problemas. Muito antes do meio-dia, vesti minha armadura, aquela que meu pai me dera, originária do tesouro de Minos, e encaminhei-me para o altar sob o plátano. Tudo parecia correr bem; suspirei de alívio. Pátroclo e Automedonte já deveriam estar a postos.

Oh, as expressões dos reis quando me viram! Ulisses deu imediatamente o braço a Agamêmnon, Nestor encolheu-se entre Diomedes e Menelau, enquanto Idomeneu parecia atemorizado e constrangido. Era óbvio: todos eles estavam envolvidos naquilo. Saudei-os muito informalmente e caminhei um pouco pelo recinto, como se estivesse ali por mero acaso. Atrás de nós, ouviu-se o som de passos na erva encharcada; Ulisses sacudiu os ombros, percebendo que já não havia tempo para me convencerem a partir. Não que eu adivinhasse seus pensamentos; em Ulisses, a própria simpatia e normalidade eram resultado de sua sutileza. O homem mais perigoso do mundo. Ruivo e canhoto: claros indícios do mal.

Como se movido por vaga curiosidade, virei-me para ver Ifigênia aproximando-se lenta e orgulhosamente do altar, o queixo erguido; um tremor ocasional dos lábios, contudo, traía o profundo terror que lhe ia na alma. Quando me viu, recuou como se eu tivesse feito menção de agredi-la; fitei seus olhos e vi evaporarem-se suas derradeiras esperanças. O choque transformou-se em ira, uma emoção amarga e corrosiva que nada tinha a ver com o tipo de raiva que eu sentira quando Pátroclo me revelara a conspiração. Ela me odiava, me abominava e me fitava exatamente como minha mãe. Enquanto meus olhos imperturbáveis se viravam para o altar, ansiava pelo momento em que pudesse explicar-lhe tudo.

Diomedes juntara-se a Ulisses. Na verdade, ajudavam Agamêmnon a manter-se de pé, apoiando-o pelas axilas. As feições do rei supremo eram um límpido espelho do horror que sentia, e seu rosto ganhara lividez cadavérica. Calcas empurrou Ifigênia, espetando-lhe um dedo nas costas. A filha de Agamêmnon não vinha acorrentada. Podia imaginar o desprezo que sentia por eles — ela era a filha de Agamêmnon e Clitemnestra, e seu orgulho era uma fortaleza inexpugnável.

Aos pés do altar, virou-se para nos olhar e era apenas desprezo o que havia em seus olhos; depois, subiu os poucos degraus e, com um movimento suave, deitou-se sobre a mesa, as mãos juntas sob os seios, o perfil delineado contra o mar lúgubre, alteroso. Não chovera nessa manhã; o leito de mármore da morte estava seco.

Calcas jogou substâncias pulverizadas às chamas que se erguiam em três trípodes colocadas em torno do altar; nuvens de fumaça verde e outras de fumaça amarela como a bílis ergueram-se imediatamente, espalhando um fedor insuportável de enxofre e putrefação. Empunhando uma grande faca ornamentada com jóias, Calcas caminhou de um lado para o outro como um enorme e obsceno morcego. Quando seu braço se ergueu e a faca faiscou, permaneci tão imóvel quanto uma estátua, horrorizado e, no entanto, fascinado. A cintilação da lâmina deslocou-se então para baixo; nuvens de fumaça engoliram o sacerdote, eclipsaram-no. Alguém gritou, um grito estridente, gorgolejante, que logo se transformou num estertor. Os corpos dos presentes pareciam ter-se transformado em pedra. Então, uma rajada de vento varreu a fumaça. Ifigênia jazia no altar, o sangue escorrendo por um sulco que havia no mármore, deslizando a caminho de uma enorme taça que Calcas segurava.

Agamêmnon começou a vomitar. Até mesmo Ulisses sentiu-se nauseado com o miserável espetáculo. Eu não conseguia desprender os olhos de Ifigênia, daquele corpo morto. Minha boca abriu-se num único uivo de tortura. A loucura inundou-me as veias. Minha espada já estava em minha mão quando corri para Agamêmnon; se Ulisses e Diomedes não estivessem ali para protegê-lo, eu o teria degolado; o vômito escorria-lhe agora pela barba que tantos cuidados lhe merecia. Deixaram-no cair como uma pedra para me deter; desesperados, procuravam arrancar-me a espada, mas eu os obrigava a dançar à minha volta, como se eles não fossem mais do que títeres. Idomeneu e Menelau correram para ajudá-los; até o velho Nestor avançou, trôpego, para o meio da rixa. Por fim, os cinco conseguiram segurar-me e deitar-me no chão. Meu rosto ficou a uma curta distância do de Agamêmnon. Amaldiçoei-o até que minha voz se transformou num mero grito. De súbito, porém, toda a minha força se esvaneceu e comecei a chorar. Só assim conseguiram arrancar a espada das garras de meus dedos. Por fim, ergueram-nos do chão.

— Usou meu nome para cometer esse crime hediondo, Agamêmnon! — exclamei, o rosto lavado em lágrimas, o coração já sem raiva, mas impregnado do ódio mais profundo. — Permitiu que sua filha fosse sacrificada! E para quê? Apenas para satisfazer seu orgulho! Com esse crime, o rei supremo transformou-se, a meus olhos, no mais vil dos escravos! Não é melhor do que eu. No entanto, eu sou pior do que você. Se não tivesse cedido à minha ambição, poderia ter impedido que isso acontecesse. Mas ouça bem o que lhe digo, rei dos reis! Vou enviar uma mensagem a Clitemnestra, informando-a a respeito de tudo que aqui ocorreu. Não pouparei ninguém — e muito menos eu próprio! Nossa honra foi irremediavelmente maculada. Esse crime é, para todos nós, uma maldição!

— Eu tentei impedir que isso acontecesse... — protestou o destroçado Agamêmnon. — Mandei uma mensagem a Clitemnestra, mas o mensageiro foi assassinado. Eu tentei, Aquiles, eu tentei... Ao longo de dezesseis anos, tentei impedir que este dia chegasse. A culpa é dos Deuses. Caímos em sua armadilha.

Cuspi na direção de seus pés.

— Não culpe os Deuses por seus próprios erros, rei supremo! Nós é que somos fracos! *Nós* somos mortais!

Não sei como, cheguei à minha tenda, e a primeira coisa que fiz foi olhar a cadeira em que eu a abraçara. Pátroclo estava sentado ao lado e chorava. Quando me ouviu entrar, pegou uma espada e ajoelhou-se diante de mim, estendendo-me a arma.

— O que é isto? — perguntei, sem saber se meu coração suportaria novas angústias.

Com a ponta da espada encostada à garganta, Pátroclo oferecia-me o punho.

— Mate-me, Aquiles, mate-me! Eu o traí! Eu manchei sua honra!

— Eu próprio me traí, Pátroclo. Eu próprio manchei minha honra.

— Mate-me! — implorou.

Peguei a espada e joguei-a no chão.

— Não! — respondi-lhe.

— Eu mereço morrer!

— Todos nós merecemos morrer, mas não será esse nosso destino — murmurei, desapertando as correias de minha couraça.

Pátroclo veio ajudar-me: os hábitos não se perdem nunca, mesmo quando a dor nos despedaça o coração.

— Sou eu o único culpado, Pátroclo. Ah, meu orgulho e ambição...! Como pude deixar que a sorte dela ficasse dependente de fios tão tênues, tão finos? Já começava a amá-la, teria casado com ela de bom grado. Não teria qualquer pejo em divorciar-me de Deidâmia; meu casamento não passou do resultado de um astucioso plano tramado por meu pai e Licomedes. Você sugeriu que mandássemos imediatamente Ifigênia para o palácio da mãe. Um conselho sensato, Pátroclo. Respondi-lhe que não porque não quis arriscar minha posição neste exército. Dei ouvidos ao meu orgulho e à minha ambição, cedi à minha fraqueza.

Despira toda a armadura, e Pátroclo guardara-a no seu baú — meu criado, do princípio ao fim.

— O que aconteceu afinal? — perguntei-lhe enquanto enchia de vinho nossos copos.

— No começo, tudo deu certo — relatou, sentando-se diante de mim. — Não foi difícil arranjar o veado. — Sombras percorreram seus olhos, anunciando lágrimas. — Mas decidi não partilhar a glória com Automedonte. Queria que todos os seus elogios fossem só para mim. Por isso, fui sozinho para o altar. De repente, porém, o veado começou a ficar agitado e balir. Tinha-me esquecido de drogá-lo! Se Automedonte estivesse comigo, teríamos conseguido calá-lo. Mas eu estava sozinho e não consegui dominá-lo. Calcas descobriu-me. Ele é um guerreiro, Aquiles! Mal me viu, pegou o cálice e deu-me uma pancada forte na cabeça. Quando recuperei os sentidos, estava amarrado por pés e mãos e com um pano enfiado na boca. Por isso quero que você me mate. Se eu tivesse levado Automedonte, o desfecho teria sido outro.

— Matá-lo, Pátroclo, implicaria matar-me. São soluções muito fáceis... Temos de viver: só vivendo, poderemos cumprir inteiramente nosso castigo. Mortos nada sentiríamos, seríamos apenas sombras, e as sombras desconhecem tanto a dor como a alegria. Não seria um castigo justo, Pátroclo — ponderei, bebendo o vinho que parecia fel.

Pátroclo aquiesceu.

— Sim, eu compreendo. Enquanto for vivo, não poderei esquecer meus ciúmes; nem você, sua ambição. Um destino muito pior do que a morte.

Pátroclo, contudo, não vira o olhar de Ifigênia, não vira seu desprezo. Não viveria a vida toda atormentado por esse olhar. Que pensamentos teriam desfilado por sua mente entre o momento em que lhe contaram a verdade e o momento em que a faca de Calcas encontrou sua garganta? Que teria ela pensado a meu respeito — daquele que fingira ser o seu amado e que depois, impiedosamente, a abandonara? A sombra de Ifigênia me perseguiria até o fim de meus dias. Que esse fim não tardasse!, era tudo que eu pedia. Que minha vida fosse curta e gloriosa!

— Quando partimos para Iolcos? — perguntou Pátroclo.

— *Iolcos*? Nós vamos partir, Pátroclo, mas para Tróia.

— Depois disso?

— Tróia é uma parte de minha punição. E significa que não terei de enfrentar meu pai, pois em Tróia morrerei. Que pensaria ele de mim se tomasse conhecimento de meu miserável comportamento? Que os Deuses o poupem de tamanho desgosto!

CAPÍTULO DÉCIMO SEGUNDO

NARRADO POR

AGAMÊMNON

A noite ia já alta quando mandei que enterrassem minha filha numa cova funda, sob um monte de rochas junto ao lúgubre mar. Nada identificava sua derradeira morada. Nem na morte lhe dei um dote condigno, pois tudo o que Ifigênia levava era um belo vestido e seu pequeno tesouro de jóias de menina.

Aquiles prometera enviar uma mensagem a minha esposa, atribuindo-nos a culpa pela morte de Ifigênia; poderia tentar impedir que isso acontecesse; bastaria que meu mensageiro chegasse primeiro. No entanto, não conseguia encontrar as palavras necessárias, tampouco um mensageiro; todos aqueles em quem eu poderia confiar iam partir comigo. E não havia no mundo palavras capazes de atenuar o golpe que eu desferira em Clitemnestra. Haverá porventura palavras que sejam capazes de mitigar o desgosto da perda de um filho? Se há, não são por certo humanas. Por muito acesas que fossem nossas divergências, minha esposa sempre me considerara um grande homem; um homem digno de ser seu marido. Contudo, Clitemnestra era da Lacedemônia, e, nessa nação, a influência de Mãe Kubaba era ainda muito forte. Logo que soubesse da morte de Ifigênia, a rainha suprema tentaria reinstaurar a Velha Religião e substituir-me no trono. O poder passaria para as suas mãos.

Nesse momento, lembrei-me de um membro da minha comitiva que poderia dispensar: meu primo Egisto.

A história de nossa Casa — a Casa de Pélops — é horrenda. Meu pai, Atreu, e o pai de Egisto, Tiestes, disputaram o trono de Micenas após a morte de Euristeu; Heracles deveria ter sido o herdeiro, mas foi assassinado. Muitos crimes foram cometidos por causa do Trono do Leão de Micenas. Meu pai cometeu o mais horrível desses crimes: matou os sobrinhos, cozinhou-os e serviu-os a Tiestes, dizendo-lhe que era um prato digno de um rei. Mesmo sabendo disso, o povo escolheu Atreu como rei supremo e baniu Tiestes. Egisto nasceu da união de Tiestes com uma mulher pelópida, com quem Atreu se casaria depois. Tiestes procurou então fazer vingar a versão de que Egisto era filho de Atreu. Mas a triste história não terminou aí. Tiestes colaborou no assassinato de meu pai e voltou a sentar-se no trono supremo, até o momento em que, já adulto, o derrubei e bani.

No entanto, eu sempre gostara de meu primo Egisto, muito mais novo do que eu. Um homem bonito e encantador com quem me dava melhor do que com meu próprio irmão, Menelau. Minha esposa, contudo, não gostava de Egisto nem confiava nele, porque Egisto era filho de Tiestes e tinha legítimas pretensões ao trono, que, aos olhos de Clitemnestra, só poderia ser herdado por Orestes.

Mandei-o chamar logo que decidi o que lhe dizer. Sua situação na corte dependia inteiramente de mim; convinha-lhe, portanto, fazer tudo para me agradar. E foi assim que enviei Egisto ao palácio de Clitemnestra, perfeitamente esclarecido e carregado de presentes. Ifigênia estava morta, mas não fora eu quem dera a ordem. Ulisses planejara e executara tudo. Ela acreditaria *nisso*.

— Não ficarei muito tempo longe da Grécia — instruí Egisto —, mas é indispensável que Clitemnestra não peça o apoio do povo para reinstaurar a Velha Religião. Egisto, você será meu cão de guarda.

— Ártemis sempre foi sua inimiga — ele declarou, ajoelhando-se para me beijar a mão. — Não se preocupe, Agamêmnon. Farei tudo o que for necessário para controlar Clitemnestra. — Pigarreou. — Claro que perderei os despojos de Tróia; continuarei tão pobre quanto antes.

— Terá seu quinhão dos despojos, Egisto — assegurei-lhe. — Agora vá.

Na manhã seguinte ao sacrifício, acordei de um sono que só muito vinho pudera induzir e deparei-me com um dia tão claro quanto calmo. As nuvens e o vento tinham-se dissipado durante a noite; só as gotas d'água que caíam das tendas lembravam as várias luas de tempestade que tivéramos de suportar. Obriguei-me a agradecer a cooperação de Ártemis, mas nunca mais pediria ajuda à Arqueira. Minha querida filha estava morta, e, em sua cova, não havia sequer uma estela que a tirasse do anonimato. Não conseguia olhar para o altar.

Fênix estava em minha tenda, desejoso de partir sem demora; considerava eu que deveria esperar mais um dia, certificando-nos de que a tempestade não voltaria.

— O tempo vai continuar bom por muito tempo — garantiu-me o velho Fênix, cheio de confiança nos elementos. — Os mares entre Áulis e Tróia permanecerão tão calmos como leite numa tigela.

— Nesse caso — ordenei-lhe, lembrando-me de repente das críticas de Aquiles a meus planos de abastecimento —, faremos uma oferenda a Poseidon e correremos o risco. Entretanto, Fênix, quero os navios cheios de comida! Abasteça-se nos campos próximos; traga todos os alimentos que houver.

Fênix pareceu surpreso, mas logo abriu um sorriso largo.

— Imediatamente, rei Agamêmnon, imediatamente!

Aquiles perseguia-me; suas maldições ecoavam em minha memória, seu desprezo era uma espada cravada em meu peito. Por que razão se culpava era algo que eu não entendia; ele era tão pouco capaz de desafiar os Deuses como eu. Contudo, e ainda que não o desejasse, tinha-lhe admiração. Aquiles tivera coragem de proclamar sua culpa diante de seus superiores. Daria tudo para que Ulisses e Diomedes não estivessem tão preocupados com minha segurança. Daria tudo para que Aquiles me tivesse cortado a cabeça diante do cadáver de minha filha e minha vida tivesse terminado ali, naquele exato momento.

Na manhã seguinte, quando a primeira luz começou a tingir de rosa o pálido céu, a nau capitânia deslizou pela rampa rumo ao mar. Com as mãos cravadas na amurada, mantive-me na proa, sentindo-a mergulhar e tremer nas calmas águas. Finalmente a partida! Segui depois até a popa, onde o casco do navio parecia erguer-se num capuz e a carranca de Anfitrião tudo vigiava. Virei as costas aos remadores, satisfeito com o fato de meu navio possuir uma coberta — os remadores sentavam-se na coberta, deixando, desse modo, suficiente espaço livre para minha bagagem, para meus criados, para o tesouro de guerra e para todos os equipamentos de que um rei supremo precisava. Meus cavalos estavam num cercado juntamente com mais uma dúzia de outros, perto de onde eu me encontrava, e o mar corria suavemente não muito abaixo da coberta. Era muito pesada nossa carga.

Atrás de mim, grandes navios vermelhos e negros deslizavam nas águas como centopéias que tivessem remos em vez de pernas, rastejando ao longo da superfície dos eternos e implacáveis abismos de Poseidon. Um total de mil e duzentos navios; oitenta mil guerreiros e vinte mil ajudantes. Alguns dos navios levavam apenas cavalos e remadores; somos um povo que usa os cavalos para puxarem os carros, como os troianos. Continuava convencido de que a campanha seria breve, mas também sabia que não veríamos os fabulosos cavalos troianos enquanto Tróia não caísse.

Fascinado, contemplei a extraordinária cena; custava-me a crer que fosse minha a mão que ia no leme daquela portentosa força, que o rei supremo de Micenas viesse realmente a ser o supremo rei do Império Grego. Mas nem um décimo dos navios chegara ainda ao mar e já a nau capitânia atravessava o estreito de Eubéia, e a praia, ao longe, parecia um ponto minúsculo. Senti um pânico momentâneo, perguntando-me como é que uma tão vasta frota conseguiria manter-se unida e coesa ao longo das muitas léguas que nos separavam de Tróia.

Contornamos a ilha Eubéia sob sol escaldante, passamos entre Eubéia e Andros, e, enquanto o monte Oca desaparecia à popa, mergulhamos nas brisas que sempre sopram no Egeu. Os remadores, aliviados e gratos, prenderam os remos aos suportes, uma multidão de marinheiros rodeou o mastro e logo a vela escarlate de couro da nau capitânia imperial ganhou vida, sob o impulso de um vento sudoeste, quente e suave.

Dei mais uma volta pela coberta, entre os bancos dos remadores, e subi os curtos degraus que conduziam à coberta de proa, onde fora construído meu camarote especial. Em nossa esteira, muitos navios navegavam já a boa velocidade, vencendo as altas vagas que suas proas bicudas transformavam em minúsculas ondinhas. Aparentemente, não era assim tão difícil mantermo-nos juntos; Télefo encontrava-se no extremo da proa, virando de quando em quando a cabeça para gritar instruções aos dois homens que manobravam o leme e nos faziam seguir a rota previamente definida. A certa altura, Télefo olhou-me com um imenso sorriso de satisfação.

— Excelente, rei supremo! Se o tempo continuar assim, conseguiremos manter esta velocidade. Não precisaremos aportar a Quios, nem a Lesbos. Não demoraremos muito a chegar a Tênedo.

Fiquei satisfeito com a informação. Télefo era o melhor navegador de toda a Grécia, o único homem que poderia levar-nos até Tróia sem corrermos o risco de encalhar numa praia qualquer, longe de nosso destino; era o único homem a quem eu podia confiar os destinos daqueles mil e duzentos navios. Helena, disse para mim mesmo, será muito breve a sua liberdade! Antes que perceba, estará de regresso a Amiclas, e, acredite, será para mim um grande prazer ordenar que cortem sua bela cabeça com o sagrado machado!

Os dias se foram passando sem qualquer problema. Avistamos Quios, mas seguimos viagem. Não precisávamos de reabastecimentos, e o tempo estava tão bom que nem Télefo, nem eu queríamos abusar de nossa boa sorte demorando-nos em terra. A costa da Ásia Menor encontrava-se agora praticamente à vista, e Télefo conhecia bem todos os pontos de referência indispensáveis, pois subira e descera aquela costa centenas de vezes durante sua longa carreira. Jubilosamente, chamou-me a atenção para a vasta ilha de Lesbos, certo e seguro de seu rumo; virou então a oeste, de modo que, de terra, ninguém nos visse. Os troianos não saberiam que rumávamos para Tróia.

Aportamos à zona sudoeste de Tênedo, uma ilha muito próxima do continente e de Tróia, no décimo primeiro dia depois de termos deixado Áulis. Não havia espaço naquela praia para tantos navios; o melhor que podíamos fazer era deixá-los fundeados o mais perto possível da praia e fazer votos para que a clemência do tempo se mantivesse por mais alguns dias. Tênedo era uma ilha fértil, mas eram poucos os habitantes, e a razão para esse fato era só uma: Tênedo ficava muito perto da cidade que era considerada a maior do mundo. Quando nos viram, os tenedenses concentraram-se na praia: seus gestos de desamparo revelavam bem o terror que sentiam.

Aproximei-me de Télefo e dei-lhe amistosas palmadinhas no ombro.

— Muito bem, piloto! Merece um quinhão principesco dos despojos!

Orgulhoso, Télefo sorriu, mas logo desceu correndo os degraus que conduziam à meia-nau, onde, momentos depois, se viu rodeado pelos cento e trinta homens que haviam partido comigo.

Ao cair da noite, chegaram os últimos navios da frota; todos os grandes chefes da Grécia reuniram-se em meu quartel-general temporário na cidade de Tênedo. Já havia sido feito o mais importante: reunir todas as criaturas humanas que viviam na ilha e comunicar-lhes a proibição de se deslocar a Tróia. Pouco era o mar que separava Tênedo de Tróia e era preciso impedir que algum tenedense mais afoito fosse informar o rei Príamo do que se passava na ilha. Quanto a mim, acreditava sinceramente que os Deuses estavam todos com a Grécia.

Na manhã seguinte, fui ao cume das colinas que coroavam o centro da ilha; alguns dos reis me acompanharam, a fim de exercitar as pernas, contentes por reencontrar a solidez da terra. Ali estivemos por um longo período, os mantos esvoaçando ao sabor do vento, mirando as águas tranqüilas e muito azuis que nos separavam do continente e de Tróia.

Daquela posição, até olhos velhos e cansados veriam Tróia; devo confessar que, mal meus olhos fixaram a lendária cidade, um choque percorreu-me o corpo, um choque de espanto e desolação. Claro que eu imaginara Tróia de acordo com parâmetros conhecidos: Micenas no cume do monte do Leão; o portentoso porto comercial de Iolcos; Corinto, erguendo-se dos dois lados do istmo; a fabulosa Atenas. Mas todas essas cidades eram insignificantes se comparadas a Tróia! Além de se erguer imponente nas alturas, Tróia espalhava-se por muitas e muitas léguas, como uma espécie de gigantesco zigurate, tão vasto, tão amplo, que seria difícil descortinar detalhes.

— Então? — perguntei a Ulisses.

Parecia absorto em seus pensamentos, os olhos cinzentos fixos num ponto. Porém, ao ouvir a minha pergunta, como que despertou. Virou-se para mim com um sorriso largo e logo me respondeu:

— Meu conselho é este: façamos a travessia esta noite, encobertos pela escuridão; ao alvorecer, coloquemos o exército em ordem de batalha e ataquemos Príamo sem que ele espere; antes que ele possa fechar as portas da cidade. Amanhã à noite, rei supremo, Tróia será sua!

Nestor começou um berreiro indecifrável, Diomedes e Filoctetes fitaram, horrorizados, Ulisses. Eu me limitei a sorrir. Palamedes também, ainda que em seu sorriso houvesse ironia.

Nestor falou, poupando-me trabalho.

— Ulisses, Ulisses, será possível que você não seja capaz de distinguir entre o bem e o mal? — perguntou, indignado. — Tudo no mundo é governado por leis, incluindo a guerra! E eu não participarei de uma aventura em que as devidas formalidades não sejam cumpridas! *Honra*, Ulisses, é uma questão de honra! Onde está a honra em seu plano? O fedor em nossos nomes chegaria ao Olimpo! Nós não podemos infringir as leis! — Virou-se para mim. — Não lhe dê ouvidos, Agamêmnon! As leis da guerra são inequívocas. *Temos* de lhes obedecer!

— Acalme-se, Nestor; eu conheço as leis tão bem como você. — Segurei Ulisses pelos ombros e o sacudi ligeiramente. — Ulisses, você não espera que eu dê ouvidos a tão ímpio conselho, não é?

Sua resposta começou por uma boa gargalhada; depois acrescentou:

— Não, Agamêmnon, claro que não! Mas você me pediu uma opinião. E eu me senti na obrigação de partilhar com você um excelente fragmento de minha sabedoria. Se os ouvidos à minha volta são surdos, para que queixar-me? Eu não sou o supremo rei de Micenas. Sou apenas um de seus súditos leais — Ulisses, da rochosa Ítaca, onde um homem, se por acaso quiser sobreviver, terá, por vezes, de se esquecer de coisas como honra. Eu lhe disse como conquistar Tróia num só dia e garanto-lhe que não há outra maneira. Porque há uma coisa que você deve ter em mente: se Príamo tiver oportunidade de fechar suas portas, passaremos dez anos uivando às muralhas de Tróia; os dez anos que Calcas profetizou.

— Mas as muralhas podem ser escaladas, e as portas, derrubadas — contrapus.

— Podem? — De novo às gargalhadas, pareceu ficar muito longe de nós, imerso em seus próprios pensamentos.

Sua mente era uma entidade prodigiosa; num ápice, era capaz de captar a mais intrincada das verdades. Intimamente, eu sabia que seu conselho fazia sentido; mas sabia também que, se o seguisse, ninguém me acompanharia. Se atendesse a seu conselho, estaria transgredindo as leis de Zeus e da Nova Religião. Eram ímpias as idéias de Ulisses, mas ele conseguia sempre escapar à punição que tais idéias implicavam. Era isso que eu achava fascinante. Como explicar sua impunidade? Claro que se dizia que Palas Atenéia o amava mais do que a qualquer outro homem e que intercedia sempre a seu favor junto ao onipotente Pai. Dizia-se que a Deusa o amava precisamente pela excelência de sua mente.

— Alguém terá de ir a Tróia levar os símbolos da guerra a Príamo e exigir o regresso de Helena — declarei eu.

Todos pareciam dispostos a fazer parte da delegação, mas eu já fizera minha escolha.

— Menelau, você é o marido de Helena. Terá de ir, evidentemente. Ulisses, você e Palamedes irão também.

— E eu? — perguntou Nestor, francamente aborrecido.

— Você não, Nestor, porque preciso de ter por perto um de meus conselheiros — declarei, esperando que tal explicação soasse convincente. Se Nestor imaginasse que eu pretendia protegê-lo de novas fadigas, começaria a berrar contra mim. É certo que me lançou um olhar desconfiado, mas creio que a longa viagem por mar o deixara realmente extenuado, pois não discutiu as minhas ordens.

Ulisses abandonou finalmente seus estranhos devaneios.

— Rei Agamêmnon, se vou participar dessa missão, terei de lhe pedir um favor. É preciso que não haja o menor indício de que nossas tropas já se encontram aqui, ocultas pelos montes centrais de Tênedo. É preciso que o velho Príamo fique com a impressão de que estamos ainda na Grécia, preparando-nos para a guerra. A lei obriga-nos apenas a notificá-lo formalmente do estado de guerra antes de atacarmos. Não temos de fazer rigorosamente mais nada. Além disso, Menelau deveria exigir uma indenização adequada para os danos psicológicos que sofreu em conseqüência do rapto de Helena. Creio que Menelau deveria exigir de Príamo a reabertura do Helesponto a nossos mercadores e a abolição dos embargos comerciais.

Aquiesci.

— Muito bem pensado, Ulisses.

Começamos a descer a encosta na direção da cidade; os mais jovens e enérgicos iam à minha frente, Ulisses e Filoctetes à frente de todos, conversando e gargalhando como dois rapazes. Eram ambos homens excelentes, embora Filoctetes fosse melhor guerreiro do que Ulisses. O próprio Heracles, em seu leito de morte, dera a Filoctetes seu arco e suas flechas, apesar de Filoctetes ser ainda um garoto.

Saltavam sobre tufos de erva, tonificados por aquele ar tão tonificante; Ulisses saltou bem alto sobre uma moita e bateu com os calcanhares um no outro para demonstrar a sua agilidade. Filoctetes imitou-o, com pernas ligeiras e ágeis. Um momento depois, porém, deu um penetrante grito de alarme. Seu rosto contorcia-se de dor; ajoelhou-se com uma das pernas, mantendo a outra estendida. Imaginando que teria alguma fratura, corremos para o local. Ofegante, curvado, Filoctetes segurava a perna estendida com ambas as mãos. Ulisses já pegara sua faca.

— O que foi? — perguntou Nestor.

— Pisei uma serpente! — respondeu Filoctetes, com a voz entrecortada.

Fiquei paralisado de medo. As serpentes mortíferas eram raras na Grécia: uma espécie muito diversa das cobras que tínhamos em casa e nos altares, cobras de que gostávamos e que honrávamos porque caçavam todo tipo de ratos.

Ulisses fez cortes profundos nos dois pontos em que a serpente picara; depois, baixou-se e colou os lábios nos cortes, sugando o que neles havia, ou seja, tanto o sangue como o veneno. Depois, acenou para Diomedes.

— Diomedes, pegue-o no colo e leve-o a Macáon. Leve-o o mais imóvel possível para evitar que o veneno alcance os órgãos vitais. Meu amigo — advertiu a Filoctetes —, é preciso que você fique parado. E anime-se: não se esqueça de que Macáon é filho de Asclépio. Ele saberá o que fazer.

Diomedes seguiu à nossa frente, levando a pesada carga como se Filoctetes fosse uma criança; corria suave e facilmente, o que não era para mim novidade, pois já o vira correr assim usando a armadura completa.

Fomos imediatamente para a tenda dos cirurgiões. Dera uma boa tenda a Macáon e a seu irmão, o tímido Podalírio; os homens adoecem mesmo antes de as guerras começarem. Filoctetes estava deitado num divã, os olhos fechados, a respiração convertida em estertor.

— Quem tratou a picada? — perguntou Macáon.

— Fui eu — respondeu Ulisses.

— Fez muito bem, Ulisses de Ítaca. Se não tivesse agido de modo tão correto e rápido, Filoctetes teria tido morte imediata. Mesmo assim ainda poderá morrer. O veneno deve ser extremamente letal. Filoctetes já teve quatro convulsões e seu coração apresenta nítida arritmia.

— Quando poderemos ter uma previsão? — perguntei.

Como todos os médicos, também Macáon detestava os prognósticos fatais. Balançou a cabeça e respondeu-me:

— Não tenho idéia, rei Agamêmnon. Alguém pegou a serpente ou pelo menos a viu?

Balançamos nossas cabeças.

— Nesse caso, é impossível prever o desfecho.

* * *

No dia seguinte, a delegação partiu para Tróia, num grande navio com a coberta na maior desordem, a fim de que os troianos pensassem que a embarcação acabara de fazer a longa viagem desde a Grécia sem qualquer companhia. Ficamos calmamente aguardando seu regresso. Mantínhamo-nos tão silenciosos quanto possível, evitávamos que a fumaça de nossas fogueiras se erguesse mais alto do que as colinas, enfim, fazíamos tudo que julgávamos necessário para que nossa presença não fosse detectada por eventuais vigilantes postados no continente. Os tenedenses não nos causavam problema: estavam ainda aturdidos com a magnificência da frota que inopinadamente aportara a suas praias.

Pouco falava com os chefes jovens. Haviam eleito Aquiles como seu chefe — para eles, o exemplo a seguir era Aquiles, não Agamêmnon. O filho de Peleu evitava-me desde o dia em que Ifigênia morrera. Vira-o mais de uma vez, mas ele fingira não me ver e seguira seu caminho. Quanto aos métodos que seguia com os mirmídones, só um cego não os perceberia: Aquiles não perdia tempo e não os deixava à toa, ao contrário do que ocorria com o resto do exército. Treinava-os e exercitava-os todos os dias; aqueles sete mil soldados eram os homens mais capazes e resistentes que jamais vira. Ficara um pouco decepcionado ao saber que Aquiles trouxera apenas sete mil mirmídones, mas entendia agora que Peleu e o filho haviam preferido a qualidade à quantidade. Nenhum daqueles soldados tinha mais de vinte anos, e todos eles eram profissionais e não voluntários (e os voluntários, como era sabido, estavam mais habituados a lavrar a terra e a colher as uvas do que a manejar armas). Nenhum daqueles homens — diziam os rumores — era casado. Uma medida muito inteligente. Só os jovens sem mulher nem filhos correm para o fragor da batalha sem pensar em seu destino.

Sete dias depois de ter partido, a delegação regressou. O navio chegou à praia à noite, e meus três embaixadores seguiram imediatamente para minha tenda. Diziam-me seus rostos que a missão não fora bem-sucedida. Esperei contudo por Nestor para ouvir o que me tinham a dizer. Quanto a Idomeneu, não havia necessidade de convocá-lo.

— Recusaram-se a entregar-nos Helena, Agamêmnon! — informou meu irmão, dando um murro na mesa.

— Acalme-se, Menelau! Você não poderia estar imaginando que isso acontecesse. Mas digam-me: o que aconteceu? Alguém viu Helena?

— Não. Mantêm-na escondida. Fomos escoltados até a Cidadela — eles me conheciam de minha visita anterior. Até em Sigeu me reconheceram. Príamo estava sentado no trono e perguntou-me o que queria eu dessa vez. Respondi-lhe que queria Helena e ele começou a rir! Ah, se o patife do filho dele estivesse presente, eu o teria matado ali mesmo! — Sentou-se, as mãos cobrindo o rosto.

— Matava o patife do filho dele, e, depois, eles o matavam. Prossiga.

— Príamo disse que Helena fora para Tróia por sua livre vontade, que não pretendia regressar à Grécia, considerava Páris seu marido e preferia manter seu tesouro em Tróia, pois o tesouro impediria que ela se transformasse numa carga financeira para seu novo país. Chegou mesmo a insinuar que eu usurpara o trono da Lacedemônia! Argumentou que depois de os irmãos de Helena, Castor e Pólux, terem morrido, *ela* deveria ter subido ao trono! *Ela* era filha de Tíndaro! Ao passo que eu, concluiu ele, não passava de um boneco nas mãos de Micenas!

— Sim senhor... — comentou Nestor, rindo. — Pelo visto, mesmo que tivesse preferido ficar em Amiclas, Helena acabaria por conspirar contra você.

Meu irmão virou-se para o velho com ar feroz. Bati com o bastão no chão e ordenei:

— Prossiga, Menelau!

— Entreguei então a Príamo a tabuleta vermelha com o símbolo de Ares e ele a olhou como se nunca tivesse visto nada parecido em toda a sua vida. Sua mão tremia tanto, que a tabuleta caiu e quebrou-se no chão. Um sobressalto percorreu a sala. Depois, Heitor recolheu os pedaços e levou-os para fora.

— Tudo isso deve ter acontecido há alguns dias. Por que não voltaram logo? — perguntei.

Menelau abaixou a cabeça e não respondeu. Tanto eu como Nestor entendemos imediatamente a razão da demora: Menelau retardara a partida, na esperança de ver Helena.

— Você não contou como terminou essa primeira audiência — observou Palamedes.

— Conto já, se me deixarem! — respondeu Menelau. — O filho mais velho de Príamo, Deífobo, rogou em público ao pai que nos matasse. Depois, Antenor foi até o estrado e ofereceu-nos alojamento. Invocou Zeus Hospitaleiro e proibiu todos os troianos de nos tocarem com um só dedo que fosse.

— Uma reação interessante, tanto mais que Antenor é da Dardânia. — Afaguei Menelau, procurando aliviar-lhe o sofrimento. — Anime-se, irmão! Em breve, você será vingado. Vá descansar agora.

Só quando Nestor e eu ficamos a sós com Ulisses e Palamedes é que descobri aquilo que realmente queria saber. Menelau fora o único que já estivera em Tróia; porém, durante o ano em que nos preparamos para a guerra, meu irmão não conseguira fornecer-nos uma única informação minimamente útil. Qual era a altura das muralhas? Eram muito altas, informava ele. De quantos homens poderia Príamo dispor? De muitos. Eram firmes os laços que uniam Tróia às outras nações da Ásia Menor? Muito firmes. Fora uma missão quase tão impossível como tentar obter informações de Calcas, ainda que o meu irmão não pudesse usar a desculpa do sacerdote — é que, segundo Calcas, Apolo amarrara sua língua.

— Temos de ser rápidos, Agamêmnon — sugeriu Palamedes.

— Por quê?

— Tróia é uma cidade curiosa, dominada por homens inteligentes e idiotas em igual número. Ambos podem ser perigosos. Príamo é uma mistura de inteligência *e* idiotice. Entre seus conselheiros, Antenor e um jovem chamado Polidamas são os que merecem maior respeito. O filho a que Menelau se referiu, Deífobo, não passa de um fanfarrão; contudo, não é o herdeiro. Sua posição é tão importante como a de qualquer outro dos filhos imperiais — os filhos de Príamo e de Hécuba.

— Mas deveria ser ele o herdeiro, visto que é o mais velho.

— Príamo foi, na juventude, um conquistador insaciável. Orgulha-se de ter cinqüenta filhos, um número verdadeiramente incrível — filhos da rainha, das outras esposas, das muitas concubinas. Quanto a filhas, parece que tem mais de cem — disse-me ele que seu sêmen faz mais meninas do que meninos. Perguntei-lhe por que não abandonara algumas das meninas. Rindo, contou-me que as mais belas davam boas esposas para seus aliados, e as feias teciam o suficiente para manter o magnífico aspecto do palácio.

— Como é o palácio?

— Enorme, Agamêmnon. Tão grande, calculo, como a velha Casa de Minos em Cnossos. Cada um dos filhos casados de Príamo dispõe de aposentos privados e vivem todos em grande luxo. Há outros palácios no interior da Cidadela. Antenor tem um, por exemplo. Tal como o herdeiro.

— Quem é o herdeiro, afinal? Menelau mencionou Heitor, e, naturalmente, pensei que ele fosse o mais velho.

— Heitor é um dos filhos mais novos da rainha Hécuba. Estava presente quando chegamos, mas pouco tempo ficou, pois tinha uma missão urgente na Frígia. Devo dizer que ele pediu ao pai que o substituísse nessa missão, mas Príamo não acedeu a seus pedidos. Como é Heitor quem chefia o exército de Tróia, os soldados troianos não dispõem, por ora, de um comandante-chefe, o que me leva a concluir que Heitor é mais inteligente do que o pai. É jovem — não terá mais de vinte e cinco anos. Um homem corpulento, enorme. Para dizer a verdade, fisicamente, não é muito diferente de Aquiles.

Virei-me para Ulisses, que afagava lentamente o rosto.

— E você, Ulisses, o que tem para me dizer?

— Quanto a Heitor, acrescentaria que os soldados e o povo o adoram.

— Estou vendo que não limitou suas atividades ao palácio, não é?

— Não. Palamedes cuidou do palácio; eu, da cidade. Um exercício muito útil e instrutivo. Tróia é uma nação com muralhas, rei Agamêmnon. *Duas* séries de muralhas. As que rodeiam a Cidadela já são imponentes — mais altas do que as muralhas de Micenas ou Tirinte. Porém, as muralhas externas, aquelas que rodeiam toda a cidade, são verdadeiramente gigantescas. Tróia *é* uma cidade no verdadeiro sentido da palavra, Agamêmnon. Toda a cidade se encontra dentro das muralhas externas e não está dispersa pelos arredores, como acontece com as nossas. O povo não precisa fugir para dentro das muralhas quando um inimigo ataca, porque todos moram dentro das muralhas. Há muitas ruas estreitas e casas muito altas, a que eles chamam edifícios de apartamentos, cada um dos quais abriga várias dezenas de famílias.

— Antenor disse-me — interrompeu Palamedes — que, segundo o último censo, havia na cidade cento e setenta mil cidadãos. Tendo em conta esse número, julgo que Príamo poderia mobilizar um exército de quarenta mil bons soldados dentro dos limites da cidade ou cinqüenta mil, se recorresse também aos homens mais velhos.

Pensando em meus oitenta mil homens, sorri.

— Não são suficientes para nos deter — declarei.

— São mais do que suficientes — observou Ulisses. — A cidade é quase uma circunferência; na verdade, é mais alongada do que redonda; e tem um perímetro de várias léguas. As muralhas externas são verdadeiramente fantásticas. Medi uma pedra usando como referência a distância que vai dos ossos de meu punho até o cotovelo e contei depois as várias carreiras de pedras. Concluí que as muralhas têm a altura de trinta cúbitos e, na base, a espessura de pelo menos vinte cúbitos. São tão velhas, que ninguém se lembra de quando foram construídas, nem por quê. Diz a lenda que estão amaldiçoadas e que terão de desaparecer da vista dos humanos para sempre, e tudo por causa do pai de Príamo, Laomêdon. Mas duvido que desapareçam da vista dos humanos devido a nosso assalto. Apresentam uma ligeira inclinação, e as pedras são regularmente polidas, ou seja, não servem para escalar, seja com escadas de corda, seja com arpéus.

— E não há nenhum ponto fraco? — perguntei, dando-me conta do desânimo que se havia instalado. — Nenhuma muralha mais baixa? Ou portas?

— Há de fato um ponto fraco, Agamêmnon, mas creio que seria melhor não contarmos com ele. Uma parte das muralhas originais, no lado ocidental, ruiu devido, acredito, ao mesmo terremoto que arrasou Creta. Éaco reparou a brecha, e, a essa parte da muralha, os troianos chamam agora a Cortina Ocidental. Tem cerca de quinhentos passos de comprimento e, em comparação com o resto da muralha, a construção é francamente grosseira. A pedra foi maltalhada, pelo que apresenta muitas frestas e saliências, ótimas para nossos arpéus. Quanto às portas, existem apenas três: uma que fica perto da Cortina Ocidental, que denominam Porta Ceia; outra, no lado sul, chamada Porta Dardaniana; e uma última, a nordeste, a Porta Ida. Quanto às outras entradas, só escoadouros e dutos, que são muito fáceis de vigiar, além de permitir a passagem de apenas um homem de cada vez. As portas, devo acrescentar, são maciças. Medem vinte cúbitos de altura e são encimadas pela passagem que acompanha o topo das muralhas externas e que permite uma rápida transferência de tropas de uma seção para a outra. As portas foram construídas com toros reforçados com pregos e chapas de bronze. Um aríete, quando muito, as faria apenas tremer. Em resumo, se as portas não estiverem abertas, você precisará de um milagre para entrar em Tróia.

Bem, Ulisses sempre fora pessimista e não seria agora que se curaria dessa doença.

— Não entendo como os troianos poderão resistir a uma força tão portentosa quanto a nossa — retruquei.

Palamedes continuou a examinar o vinho que tinha no copo e nem uma palavra disse; a disposição de Nestor não era muito diferente. Ulisses prosseguiu com seriedade.

— Agamêmnon, se as portas de Tróia permanecerem fechadas, os soldados deles serão suficientes para deter os nossos. Quanto a escaladas, só vejo um lugar possível: a Cortina Ocidental; mas são apenas quinhentos passos de comprimento. Acredite no que digo: os troianos poderão agüentar o cerco durante anos! Tudo depende do fato de eles acreditarem ou não que ainda estejamos na Grécia. Mas bastará que um de seus barcos de pesca venha para este lado de Tênedo para todos os nossos planos irem por água abaixo. Penso que você terá de contar com uma campanha longa. — De súbito, surgiu uma expressão maliciosa em seus olhos. — Claro que você poderia obrigá-los à fome; seria uma arma decisiva.

Nestor ficou boquiaberto de indignação.

— Ulisses, Ulisses! — reagiu. — Recomenda de novo a transgressão das leis? Sabe qual seria o castigo para essa transgressão? A loucura! De um momento para o outro, ficaríamos todos loucos!

Impenitente como sempre, Ulisses arqueou comicamente as ruivas sobrancelhas.

— Eu sei, Nestor. Porém, tanto quanto minha mente consegue divisar, todas as normas da guerra parecem favorecer o inimigo. É pena, mas é assim mesmo. Em tais circunstâncias, creio que a fome dos troianos teria sentido.

De súbito cansado, levantei-me.

— Não gostaria de ser um de seus soldados, Ulisses, pois muitas seriam as punições divinas que teria de sofrer por causa de suas ímpias ações. Vá deitar-se. Amanhã de manhã, convocarei um conselho geral. Depois de amanhã, partiremos ao alvorecer.

Quando se preparava para sair, Ulisses virou-se para mim.

— Como está Filoctetes? — perguntou-me.

— Nenhuma esperança de recuperação.

— Lamento. O que vamos fazer com ele?

— O que podemos fazer, Ulisses? Terá de ficar aqui. Seria o cúmulo da loucura levá-lo para o campo de batalha.

— Concordo que ele não pode ir conosco, Agamêmnon, mas penso que não deveríamos deixá-lo aqui. Logo que virarmos as costas, os tenedenses lhe cortarão a garganta. Mande-o para Lesbos. Os lesbianos são mais cultos e educados; não farão mal a um homem doente.

— Filoctetes não sobreviveria à viagem — protestou Nestor.

— Mesmo assim, seria o menor dos males.

— Tem razão, Ulisses — concordei. — Ele irá para Lesbos.

— Agradeço-lhe muito, Agamêmnon. Vale a pena fazer tudo que esteja ao alcance para salvar um homem como Filoctetes. — De súbito, Ulisses pareceu mais animado. — Vou falar com ele e avisá-lo de que irá para Lesbos.

— Ele não entenderia suas palavras, Ulisses. Está em coma há três dias — informei-o.

CAPÍTULO DÉCIMO TERCEIRO

NARRADO POR

AQUILES

Calcas fez outra profecia, em função da qual Agamêmnon alterou seus planos: não seria ele o primeiro dos reis gregos a pisar solo troiano; com efeito, segundo o sacerdote, o primeiro rei que pisasse solo troiano morreria na primeira batalha. Olhei de relance para Pátroclo e dei de ombros. Se os Deuses já me tinham condenado, por que haveria eu de me preocupar? Cobrir-me-ia de glória, se fosse eu o eleito.

Foram finalmente dadas as ordens relativas à partida e ao desembarque. Sabíamos em que ponto deveríamos manobrar na direção da praia e desembarcar nossos homens. Pátroclo e eu nos instalamos na coberta de proa de minha nau capitânia, contemplando os navios que iam à nossa frente, muito menos do que os que vinham atrás de nós, pois nós, os de Iolcos, seríamos dos primeiros a chegar. A nau capitânia de Agamêmnon seguia em frente, com o imponente comboio de navios de Micenas à esquerda e os navios de um dos reis vassalos de meu pai, Iolau de Fílace, à direita. Eu vinha logo a seguir; atrás de mim, Ajax e todos os demais.

Antes de partirmos, Agamêmnon indicou que não esperava ser saudado por homens hostis empunhando armas; acreditava poder atacar a cidade sem que houvesse ainda em Tróia uma oposição organizada.

Porém, naquele dia, os Deuses não estavam conosco. Logo que o sétimo navio do comboio de Agamêmnon contornou a ponta de Tênedo, grandes nuvens de fumaça elevaram-se no promontório que flanqueava o porto de Sigeu. Os troianos tinham sabido de nossa presença em Tênedo e estavam prontos para o ataque.

Nossas ordens eram para que conquistássemos Sigeu e seguíssemos imediatamente na direção da cidade. Mal meu navio entrou no estreito, pude ver as tropas troianas colocando-se em ordem de combate ao longo da praia.

Até mesmo os ventos estavam contra nós. Tivemos de recolher as velas e usar os remos, o que implicava que muitos de nossos soldados chegariam à praia cansados demais para combater em condições. Para cúmulo do infortúnio, as correntes vindas do Helesponto faziam-se sentir no mar alto. Também o mar estava contra nós. Demoramos a manhã inteira para percorrer a curta distância que separava Tênedo do continente.

Com um sorriso amargo, reparei que a ordem de precedência havia sido alterada; Iolau de Fílace ia agora à frente de Agamêmnon; seus quarenta navios seguiam a pouca distância da nau capitânia de Iolau, e a poderosa frota do rei supremo vinha à sua esquerda. Como encararia Iolau seu destino?, perguntei-me. Amaldiçoando-o ou o recebendo de braços abertos? Para escolher quem primeiro pisaria o solo troiano, procedera-se a uma eleição; e o eleito fora Iolau de Fílace; segundo a profecia de Calcas, Iolau morreria.

Mandava a honra que exigisse de meus remadores maior esforço; contudo, aconselhava a prudência que poupasse os mirmídones, pois esperava-os uma batalha.

— Impossível alcançar Iolau — observou Pátroclo, lendo meus pensamentos. — Deixe tudo nas mãos dos Deuses, Aquiles.

Aquela não era minha primeira batalha, pois combatera várias vezes ao lado de meu pai desde que abandonara o Pélion e os ensinamentos de Quíron; porém, essas campanhas eram insignificantes, se comparadas com o que nos aguardava na praia de Sigeu. Milhares e milhares de troianos — cada vez mais — encontravam-se alinhados, preparados para o combate, e os poucos navios que, no dia anterior, estavam na praia haviam sido recolhidos e encontravam-se agora em terrenos situados além da aldeia.

Quando toquei o braço de Pátroclo, senti que meu amigo tremia; olhei para meus braços: tão firmes como o metal de minha espada.

— Pátroclo, vá à popa e chame Automedonte, que vem no navio imediatamente atrás do nosso. Diga-lhe que ordene a seus timoneiros que diminuam ao máximo a distância que nos separa e que passe essa mensagem não apenas a nossos navios, mas também a todos os outros. Quando a praia já estiver perto, pouco mais poderemos fazer do que flutuar na água e, portanto, os esporões de uns não destruirão os cascos dos outros. Diga a Automedonte que seus homens deverão passar por minha coberta antes de chegar à praia e que todos os outros deverão fazer o mesmo. Caso contrário, nunca conseguiremos reunir em terra homens suficientes para impedir um massacre.

Pátroclo correu ao convés de ré e, com as mãos em redor da boca, gritou minhas instruções para o vigilante Automedonte, cuja armadura cintilava ao sol enquanto respondia. Seu navio depressa se aproximou do nosso, ficando seu esporão a pequena distância de nosso casco. Os navios que conseguia ver estavam fazendo o mesmo: tínhamo-nos transformado numa ponte flutuante. Entretanto, meus homens haviam deixado os remos e começavam a armar-se; nosso ímpeto bastaria para nos levar à terra. Agora, havia apenas dez navios à minha frente, e o primeiro deles era o de Iolau.

O navio de Iolau mergulhou o esporão nos seixos da praia e, como que percorrido por uma convulsão, deteve-se; por um momento, Iolau hesitou; depois, deu o grito de guerra de Fílace, correu para a parte central do navio e desceu com seus soldados atrás dele; ao fim de pouco tempo, formavam uma pequena multidão entoando seus cânticos guerreiros. O inimigo, contudo, dispunha de muito mais soldados do que Iolau, e os danos não tardaram. A certa altura, um corpulento guerreiro com uma armadura de ouro desferiu em Iolau o golpe fatal; com violenta machadada, partiu-o ao meio.

Outros desembarcavam agora. Os navios à minha esquerda deslizavam rumo à praia e seus homens saltavam das amuradas diretamente para o fragor da batalha, incapazes de esperar pelas escadas. Atei as correias de meu elmo, enfiei minha couraça de bronze revestida de ouro e endireitei-a, peguei meu machado com ambas as mãos. Era uma bela arma aquele machado; pertencera aos despojos de guerra de Minos, que o trouxera de uma campanha em terras estrangeiras; era muito maior e muito mais pesado do que qualquer machado cretense. A espada roçava-me a perna, mas a Velha Pélion ficava no navio, pois de nada me serviria em combates corpo a corpo. Aquela era uma batalha para machados, e meus braços eram capazes de erguer e baixar aquela dupla lâmina o dia inteiro sem se cansar. Só Ajax e eu escolhemos o machado para o combate corpo a corpo; um machado suficientemente grande pode ser mais útil do que uma espada; contudo, para um homem comum, é certamente um empecilho. Não admira, portanto, que estivesse ansioso por defrontar-me com o gigante vestido de ouro que matara Iolau.

Excessivamente concentrado na praia e interessado em captar tudo que ocorria, nem sei o que pensei naqueles breves e derradeiros momentos. Um estremecimento em todo o navio avisou-me que tínhamos atracado; seguiu-se outro, mais forte ainda do que o primeiro, e quase perdi o equilíbrio. Olhei de relance para trás e verifiquei que Automedonte unira seu navio ao meu e que seus homens estavam pulando para minha coberta. Como um macaco de estimação, daqueles que as mulheres cretenses costumam ter em suas casas, cheguei à proa com meia dúzia de saltos e na proa fiquei por um instante, observando uma tão desvairada confusão de cabeças, que dificilmente distinguiria entre os nossos soldados e os do inimigo. Mas era necessário que eu fosse visto por todos os homens que vinham dos outros navios, tanto os de Automedonte como os de Alquimos, que já atravessavam a coberta de Automedonte, como os dos navios que vinham atrás; cada vez mais homens chegavam à minha coberta, enquanto meu navio sofria os espasmos cada vez mais tênues provocados pelas colisões que ocorriam cada vez mais longe.

Então, ergui meu machado muito acima de minha cabeça, bradei o grito de guerra dos mirmídones com voz poderosa e saltei da proa diretamente para aquela fervilhante massa de cabeças. A sorte estava comigo; uma cabeça troiana foi esmagada pelo impacto de meus calcanhares. Caí sobre o soldado inimigo, agarrando com toda a força o machado, sem escudo, que era um empecilho numa batalha daquele tipo. Endireitei-me imediatamente, berrando o grito de batalha com toda a força que tinha nos pulmões; poucos momentos depois, todos os mirmídones repetiram meu grito; no ar, ressoava já o medonho grito dos mirmídones; tão medonho quanto sua fúria de matar. Os troianos usavam plumas cor de púrpura nos elmos, um detalhe interessante naquela extrema confusão; entre os gregos, só os quatro reis supremos e Calcas poderiam usar essa cor na indumentária ou em quaisquer acessórios do vestuário.

Olhares faiscantes rodeavam-me, uma dúzia de espadas ameaçavam-me, mas empinei-me e desferi o machado com tal força, que cortei um homem ao meio, do crânio aos rins. Meu golpe fez com que recuassem. Um bom conselho de meu pai, que o ensinara a todos os mirmídones: nos combates corpo a corpo, a agressão deve ser a mais feroz possível, pois isso levaria o inimigo a recuar instintivamente. Voltei a usar o machado, dessa vez contra um círculo de soldados inimigos, como se fosse uma vareta numa roda; os que haviam tido a louca ousadia de se aproximar de mim sentiram a lâmina do machado dilacerando-lhes a barriga sob a frágil armadura, que era de bronze. Não, os troianos não usavam armaduras de couro, o que não admirava, pois eram eles que detinham o monopólio do bronze. Ah, como deveria ser rica a cidade de Tróia!

Pátroclo estava atrás de mim com seu escudo para proteger minhas costas e, atrás de nós, um sem-número de mirmídones saltava dos navios para a praia. A velha equipe estava de novo em ação. Avancei, o machado varrendo os soldados que me apareciam à frente como se fosse uma vara sacerdotal, abatendo todos aqueles que usavam no elmo uma pluma cor de púrpura. Aquilo nada tinha a ver com um verdadeiro teste de força; não havia tempo nem espaço para escolher um príncipe ou um rei para comigo se confrontar; não havia sequer espaço algum separando as forças inimigas. Aquilo não passava de uma multidão de guerreiros, convertidos em iguais pela batalha, peito anônimo contra peito anônimo. Muitos anos antes — ou assim me parecia — jurara contar todos os inimigos que viesse a abater; agora, contudo, estava muito excitado para contar fosse o que fosse, muito fascinado com a súbita fragilidade da carne macia sob a dureza do bronze sempre que a lâmina do machado a dilacerava.

Para mim, nada mais existia a não ser sangue e rostos, terror e fúria, homens corajosos que tentavam aparar o machado com suas espadas e que, por isso mesmo, morriam; covardes que, ao sentirem o abraço da morte, tagarelavam de pavor; e aqueles que eram piores do que os covardes, os que viravam as costas e tentavam fugir. Sentia-me invencível; eu *sabia* que não havia nada naquele campo de batalha que pudesse vencer-me. E era com extremo prazer que via aqueles rostos escancarados golfando sangue; o desejo ardente de matar fazia vibrar todo o meu ser. Sentia uma espécie de loucura enquanto ceifava um campo de peitos e barrigas e cabeças, o machado escorrendo sangue, que, descendo pelo cabo, empapava as grossas fibras de corda que envolviam seu punho, a fim de que minhas mãos não escorregassem. De tudo me esquecera. Tudo o que queria era ver plumas cor de púrpura tingidas de vermelho. Se alguém tivesse posto um elmo troiano em minha cabeça e me tivesse empurrado contra meus próprios homens, mesmo assim teria massacrado todos os que me aparecessem pela frente. O mal e o bem não existiam, apenas o desejo ardente de matar. Esse era o sentido de todos os anos que passei sob o sol, esse era meu destino de homem mortal: ser uma máquina de matar perfeita.

Reduzimos a pó o solo de Sigeu sob a violência de nossas botas; a poeira erguia-se muito acima de nossas cabeças e buscava o céu. Embora em batalhas posteriores viesse a comportar-me com mais lógica (e a pensar em meus soldados), naquela batalha de Sigeu, o bem-estar de meus homens foi coisa que não me ocorreu. Tanto me fazia quem estava vencendo ou perdendo: a única coisa que me interessava era que eu estivesse vencendo. Se o próprio Agamêmnon estivesse combatendo a meu lado, eu não teria percebido. Nem mesmo Pátroclo abalava meu furor, ainda que fosse ele a razão por que sobrevivi à batalha, pois foi ele quem repeliu os troianos que tentavam atacar-me pelas costas.

De súbito, um escudo surgiu em meu caminho. Desferi-lhe um golpe portentoso, pois queria ver o rosto que o escudo ocultava. Porém, como uma seta, o guerreiro desviou-se, e a ponta de sua espada roçou-me o braço direito. Como se tivesse mergulhado num tanque de água gelada, tratei de recobrar o alento; depois, tremi de exultação, pois meu inimigo baixou seu escudo para me ver melhor. Finalmente um príncipe! Todo vestido de ouro. O machado que ele usara para abater Iolau desaparecera e fora substituído por uma espada. Rosnando de intenso prazer, enfrentei-o sofregamente. Era um homem enorme, e tudo nele revelava que estava acostumado a vitórias; além do que era o primeiro homem que ousara desafiar-me. Descrevemos cautelosamente um círculo, meu machado açoitando o chão até o momento em que ele me deu uma abertura. Quando saltei e girei sobre ele, o príncipe troiano desviou-se num ápice; mas eu também fui rápido: esquivei-me a sua espada tão facilmente como ele fugiu de meu machado. Compreendendo ambos que havíamos encontrado um inimigo valoroso, decidimos entregar-nos ao duelo com igual dose de paciência e firmeza. O bronze retinia contra o bronze revestido a ouro, parada atrás de parada; nenhum de nós conseguia ferir o outro, e cada um de nós estava consciente de que os soldados, tanto troianos como gregos, se haviam afastado para que os dois gigantes tivessem o espaço de que precisavam.

Sempre que eu falhava o alvo, ele gargalhava, ainda que, em quatro pontos, seu escudo dourado revelasse já o bronze e o estanho que havia por baixo do ouro. Tinha de combater minha raiva tão duramente quanto o combatia — como era possível que ousasse rir? Os duelos eram sagrados, os homens não os podiam ridicularizar! Ele não respeitava esse caráter sagrado dos duelos, e isso me deixava furioso. Duas investidas fiz e em ambas falhei. Então, o príncipe troiano falou.

— Como se chama? Príncipe Canhestro? — perguntou-me ele, rindo.

— Aquiles! — respondi, os dentes quase cerrados de fúria.

Gargalhou com mais gozo.

— Nunca ouvi falar a seu respeito, príncipe Canhestro! Eu sou Quicnos, filho de Poseidon das Profundezas.

— Filho de Poseidon: todos os homens mortos fedem igualmente, sejam seus pais Deuses ou homens! — gritei-lhe.

Uma resposta que o fez rir ainda mais.

Senti erguer-se dentro de mim a mesma raiva que experimentara quando vira Ifigênia morta no altar e esqueci-me de todas as regras de combate que Quíron e meu pai me haviam ensinado. Com um grito agudíssimo, lancei-me sobre ele, enfrentando a ponta de sua lâmina e erguendo meu machado. Ele recuou de um salto e tropeçou; a espada caiu e eu a desfiz numa centena de fragmentos. Logo surgiu à minha frente seu escudo, tão grande como um homem e com uma cintura fina; protegia assim suas costas enquanto corria, abrindo caminho por entre os soldados troianos, movido por tresloucado desespero, gritando para que lhe dessem uma lança. Alguém lhe atirou a arma que pedira, mas eu estava muito perto de suas costas para que ele a pudesse usar. Meu inimigo não tinha outra alternativa senão manter a retirada.

Mergulhei por entre as hostes troianas sempre em seu encalço. Não houve um único soldado que ensaiasse sequer desferir-me um golpe, fosse porque estavam todos muito assustados, fosse porque respeitavam os tradicionais princípios do duelo (na verdade, nunca cheguei a saber por que me deixaram passar incólume). A multidão de guerreiros minguava; a certa altura, as hostes combatentes ficaram definitivamente para trás; por fim, um rochedo que se erguia na praia obrigou Quicnos, o filho de Poseidon, a parar. Com a lança descrevendo lentos círculos, virou-se para me enfrentar. Parei também, esperando que ele arremessasse a lança; contudo, Quicnos preferia não a usar como um dardo. Uma opção inteligente, visto que eu tinha ainda tanto o machado como a espada. Desviei-me num ápice quando ele tentou pela primeira vez espetar-me a ponta da lança. Vezes sem conta investiu contra meu peito, mas eu era jovem, e minhas pernas tão ágeis como as de um homem muito mais leve do que eu. Por fim, a oportunidade surgiu e não a deixei escapar: investi contra ele e quebrei-lhe a lança. Tudo o que ele tinha agora era o punhal. Não se dando ainda por derrotado, suas mãos tateavam a armadura à procura da derradeira arma.

Nunca desejara tanto ver uma criatura morta como aquele bufão; contudo, não o queria abater com o machado ou a espada. Deixei cair o machado e desfiz-me do pesado suporte de minha espada. Por fim, atirei para o chão meu punhal. O sorriso de gozo apagou-se finalmente em seu rosto. Encarava-me finalmente com o respeito que eu jurara arrancar-lhe. Apesar disso, porém, *ainda* ousava dirigir-me a palavra!

— Como disse que se chamava, príncipe Canhestro? Aquiles?

Consumia-me uma raiva dolorosa, e não consegui responder. Ele não estava suficientemente perto do Deus para entender que um duelo entre dois membros da realeza seria sempre algo tão silencioso quanto sagrado.

Avancei para ele e o joguei por terra antes que conseguisse pegar o punhal; ergueu-se, trôpego, e recuou até que seus calcanhares chocaram contra o cume do rochedo. Tropeçou e todo o seu corpo se esparramou sobre o leito rochoso além do cume. Perfeito. Peguei-lhe o queixo com uma das mãos e usei a outra como se fosse um martelo, esmagando-lhe o rosto até transformá-lo numa massa indistinta, quebrando-lhe todos os ossos que houvesse por baixo da pele ou da carne, sem me preocupar minimamente com os danos que pudesse infligir a mim mesmo. Seu elmo saltara-lhe da cabeça, desfeito; peguei as compridas correias que agora pendiam frouxas e arrastei-as com toda a força sob o queixo, fazendo com que descessem até o pescoço e com elas cingi e apertei seu pescoço enquanto punha meu joelho sobre sua barriga; e tanto lhe apertei o pescoço, que seu rosto ficou negro e seus olhos saltaram das órbitas como se fossem enormes bolas raiadas do sangue do horror.

O príncipe troiano já devia estar morto há algum tempo quando minhas mãos largaram as correias; tinha a meus pés algo que se assemelhava mais a um objeto do que a um homem. Por um momento, senti-me enojado, pois dei-me conta de toda a imensidão de meu desejo de matar; venci, porém, essa fraqueza e ergui Quicnos sobre meus ombros, pendurando depois seu escudo sobre minhas costas a fim de protegê-las, já que teria ainda de passar pelas hostes troianas. Queria que meus mirmídones e todos os outros gregos vissem que eu não perdera o duelo com Quicnos, nem a batalha.

Um pequeno destacamento conduzido por Pátroclo esperava-me no limite extremo do campo de batalha; regressamos a nossas linhas sem sofrer sequer um arranhão. Mas parei para colocar Quicnos aos pés de seus próprios soldados, a língua inchada caindo por entre os lábios dilacerados, os olhos ainda esbugalhados.

— Meu nome — gritei — é Aquiles!

Os troianos romperam em fuga nesse preciso instante; o homem que consideravam imortal era, afinal, tão mortal quanto eles.

Seguiu-se então o ritual que coroa um duelo de morte entre membros da realeza; retirei-lhe a armadura, que passaria a fazer parte de meus despojos de guerra, e mandei sua carcaça para a vala do lixo de Sigeu, onde seria comida pelos cães da cidade. Antes, porém, cortei-lhe a cabeça e enfiei-a numa lança: uma estranha visão, com aquele rosto medonhamente deformado e as belas tranças douradas absolutamente intactas. Dei-a a Pátroclo, que a cravou como se fosse uma bandeira.

De súbito, todo o exército de Tróia debandou. Como os soldados troianos sabiam para onde fugir, seria praticamente impossível alcançá-los. A retirada processou-se, aliás, de forma perfeitamente disciplinada. Porém, o campo de batalha e Sigeu eram nossos.

Agamêmnon ordenou o fim da perseguição, uma ordem a que eu não queria obedecer e por isso continuei a marcha; até que Ulisses me deteve e, com violência, me obrigou a virar-me para ele. Como era forte! Muito mais do que parecia!

— Deixe as coisas como estão, Aquiles — ordenou. — As portas estarão fechadas; poupe suas energias e seus homens para amanhã, caso os troianos tentem atacar-nos de novo. Temos ainda de tratar de muitas providências antes que escureça.

Constatando o bom senso de suas palavras, regressei com ele à praia, Pátroclo a meu lado, como sempre, os mirmídones atrás de nós, entoando o refrão da vitória. Ignoramos as casas da aldeia: se havia mulheres lá dentro, não as queríamos. Logo que nossos pés pisaram os seixos da praia, paramos, estupefatos. Por toda a praia jaziam homens mortos, moribundos, feridos. De todos os lados vinham gritos, gemidos, súplicas aflitas. Alguns dos corpos mexiam-se ainda; outros jaziam inertes, esvaídos de vida: suas sombras demandavam já as desoladas paragens do Reino da Escuridão, os domínios de Hades.

Ulisses e Agamêmnon mantiveram-se à parte enquanto os homens se lançavam numa azáfama por causa dos navios, afastando todos aqueles cujos esporões haviam fendido os cascos de outras embarcações; a praia se esvaziava, e nossos homens eram transferidos para os navios. Quando ergui os olhos para o sol, verifiquei que já declinava; restava-nos apenas um terço do dia. Meus músculos pareciam exaustos; meu braço, muito pesado; o machado, arrastava-o pelo chão, a correia presa à minha mão. Não poderia fazer outra coisa senão juntar-me a Agamêmnon, que me fitava, boquiaberto. Era óbvio que o rei supremo não evitara a batalha, pois sua couraça tinha as correias amarradas, e seu rosto estava sujo de sangue. E, agora que o podia ver calmamente, verifiquei que Ulisses tinha a couraça fendida ao meio, de tal modo, que se via seu peito; no entanto, sua pele não apresentava um único ferimento.

— Esteve tomando banho de sangue, Aquiles? — perguntou o rei supremo. — Está ferido?

Balancei a cabeça, como que aturdido; a reação à tempestade de emoções que experimentara começava a fazer-se sentir e aquilo que eu aprendera acerca de mim mesmo ameaçava abrir as portas de minha mente às Filhas de Kore. Poderia eu viver com aquele fardo e não enlouquecer? Então, pensei em Ifigênia e compreendi que não perder a razão fazia parte de meu castigo.

— Então o homem do machado era você! — exclamou Agamêmnon. — Pensei que fosse Ajax. Mas não há dúvida: você merece nossa gratidão. Quando trouxe o cadáver do homem que matou Iolau, os troianos perderam o ânimo.

— Duvido que fosse eu o responsável, rei supremo — consegui responder-lhe. — Os troianos já tinham sofrido muitas baixas e continuavam a sofrê-las. Quicnos foi apenas uma questão pessoal; ele zombou de minha honra.

Ulisses segurou-me de novo o braço, mas dessa vez suavemente.

— Seu navio está lá, Aquiles. Embarque antes que ele parta.

— Partir? Para onde? — perguntei, perplexo.

— Não sei. A única coisa que sei é que não podemos continuar aqui. Deixe que Tróia enterre seus cadáveres. Télefo diz que há uma boa praia junto a uma lagoa, logo à entrada do Helesponto. Vamos verificar o local. Pode ser que sirva.

Afinal, a maior parte dos reis seguiu no navio de Agamêmnon; a frota rumou para o norte, ao longo da costa, até que atingimos a foz do Helesponto; os primeiros navios gregos a entrarem nessas águas enfrentaram serenamente as altas ondas. Só ao fim de uma ou duas léguas, as colinas de água que envolviam seus cascos deixaram ver uma praia muito mais extensa e ampla do que a de Sigeu, com mais de uma légua de comprimento. Em ambas as pontas da praia, rios corriam para o mar, seus bancos de areia envolvendo uma lagoa quase completamente cercada de terra. A única entrada para a salgada lagoa era uma estreita passagem a meio; as águas da lagoa eram de uma serenidade absoluta. A margem mais longínqua de cada rio era coroada por um promontório e, no topo dele que coroava o maior e mais sujo dos rios, havia uma fortaleza, deserta agora, pois seus homens deveriam ter fugido para Tróia. Nenhuma cabeça observava a nau capitânia de Agamêmnon avançando rumo à praia. Por outro lado, todos os pequenos navios que eram usados na cobrança dos tributos permaneciam parados na praia.

Enquanto nos concentrávamos na amurada, Agamêmnon virou-se para Nestor e perguntou-lhe:

— Nestor, acha que este local serve?

— A meus olhos inexperientes nesses assuntos, parece esplêndido. Mas julgo que será melhor ouvir a opinião de Fênix.

— É um bom lugar, rei supremo — opinei, timidamente. — Não será fácil nos atacarem aqui. Os rios os impedirão de nos flanquearem, embora as forças mais próximas de cada um deles fiquem mais vulneráveis do que as outras.

— Nesse caso, preciso de voluntários para se instalarem junto aos rios — determinou o rei supremo, após o que acrescentou um nada envergonhado: — Meus navios terão de ficar no centro da praia, por uma questão de facilidade de acesso.

— Eu ficarei com o rio maior — ofereci rapidamente — e fortificarei meu campo com uma paliçada para o caso de sermos atacados. Uma defesa no interior de outra defesa.

O rei supremo fitou-me com cara de poucos amigos.

— Por suas palavras, parece que vamos ficar muito tempo por essas paragens, filho de Peleu.

Olhei-o bem nos olhos.

— E vamos, rei supremo. É um fato que tem de aceitar.

Agamêmnon, entretanto, nunca aceitaria esse fato. Passou imediatamente a dar ordens quanto aos locais a que aportariam os diversos navios, enfatizando sempre o caráter temporário de tais medidas.

A nau capitânia permaneceu no centro da lagoa, enquanto, um a um, todos os navios avançavam lentamente na direção da praia; porém, antes de a noite cair, um terço dos navios não tinha ainda aportado. Os meus continuavam nas águas do Helesponto, tal como os de Ajax, do Pequeno Ajax, de Ulisses e Diomedes. Seríamos os últimos de todos. Felizmente, o tempo continuava bom e o Helesponto não estava muito agitado.

Enquanto o sol se despedia em minhas costas, atentei friamente, pela primeira vez, no lugar escolhido e devo dizer que fiquei satisfeito. Com uma boa muralha além das filas de navios descansando na praia, nosso acampamento seria quase tão invulnerável quanto Tróia, que se erguia a leste como uma montanha, mais próxima de nós aqui do que em Sigeu. Íamos precisar de uma boa muralha defensiva; Agamêmnon estava errado. Tróia não cairia num dia, tal como não fora construída num só dia.

Logo que todos os navios se distribuíram convenientemente pela praia, com os calços sob os cascos e os mastros abaixados — havia quatro séries de mastros —, enterramos o rei Iolau de Fílace. O cadáver fora trazido de sua nau capitânia e colocado num esquife elevado no alto de uma colina verdejante; um a um, os homens das nações da Grécia marcharam diante dele, os sacerdotes entoaram seus cânticos e os reis derramaram as libações. Como fora eu quem matara o homem que roubara a vida a Iolau, era meu dever pronunciar a oração fúnebre; lembrei ao silencioso exército a serenidade com que Iolau aceitara seu destino, a coragem com que combatera antes do golpe fatal e a identidade daquele que o matara, um filho de Poseidon. Sugeri depois que sua coragem fosse celebrada por algo mais perene do que um elogio fúnebre e perguntei a Agamêmnon se poderíamos dar a Iolau um novo nome, Protesilau, que significava "o primeiro entre o povo".

Foi-me concedido seu solene consentimento; a partir desse momento o povo de Fílace o chamaria Protesilau. Os sacerdotes cobriram seu rosto adormecido com a máscara mortuária de ouro e despiram-lhe o sudário para revelar a opulência de um traje tecido a ouro. Depois o colocamos numa barca que atravessou o maior dos rios, aportando ao local em que os pedreiros haviam trabalhado sem parar escavando seu túmulo nas pedras do promontório. O carro mortuário fora conduzido para dentro do túmulo que foi finalmente fechado, e os pedreiros começaram a jogar terra pela pedregosa abertura; dentro de uma ou duas estações, olho nenhum — nem mesmo o mais penetrante — conseguiria localizar o túmulo do rei Protesilau.

Iolau ou Protesilau cumprira a profecia e enchera de orgulho seu povo.

CAPÍTULO DÉCIMO QUARTO

NARRADO POR ULISSES

As operações de aportagem e distribuição pela praia de mais de mil e cem navios ocuparam todo o meu tempo e mobilizaram todas as minhas energias nos dias que se seguiram à primeira batalha em solo troiano. O total de embarcações diminuíra um pouco, pois alguns dos pretendentes mais pobres à mão de Helena não se podiam dar ao luxo de construir navios tão capazes como, por exemplo, os de Agamêmnon. Várias dezenas de navios tinham afundado, devido a rombos provocados por choques, durante a frenética corrida para a praia de Sigeu. Contudo, não tínhamos perdido nenhum dos navios de abastecimento, nem os que transportavam cavalos para nossos carros.

Para minha grande surpresa, os troianos não se aventuraram sequer a se aproximar de nosso acampamento, fato que Agamêmnon interpretou como indício seguro de que a resistência troiana sofrera um golpe decisivo. Assim, com toda a frota convenientemente instalada na praia, a fim de evitar que os cascos dos navios inchassem e abrissem fendas por absorver muita água, nosso rei supremo convocou um conselho. Agamêmnon estava tão entusiasmado com o êxito alcançado em Sigeu, que não faria sentido tentar levá-lo a ver as evidências; o que ele interpretava como um feito grandioso revelar-se-ia em breve uma ação menor. Resolvi deixá-lo à vontade com suas opiniões, perguntando-me quem ousaria questionar tamanha confiança. Como era de regra, Agamêmnon pronunciou seu discurso em meio ao mais absoluto silêncio; porém, mal entregou o bastão a Nestor (não sei por que Calcas não estava presente), Aquiles, de pé, o solicitava.

Só Aquiles ousaria, naturalmente. Não procurei sequer esconder meu sorriso. O rei Leão já fora obrigado pelo rapaz de Iolcos a digerir uma farta dose de contestação; dados os sulcos que agora vincavam sua testa, imaginei que o leonino Agamêmnon sofresse de cruciantes dores de indigestão. Teria havido na história do mundo uma empresa tão valorosa e ousada quanto a nossa que tivesse começado tão mal? Tempestades, um sacrifício humano, ciúmes, ganância, extrema antipatia entre indivíduos que, muito provavelmente, acabariam precisando uns dos outros. E o que passara pela cabeça de Agamêmnon para mandar seu primo Egisto a Micenas, a fim de controlar os movimentos de Clitemnestra? Uma ação que considerei, aliás, tão temerária quanto a partida de Menelau para Creta, deixando Páris em sua casa. É que Egisto tinha legítimas pretensões ao trono de Micenas! Provavelmente, os filhos de Atreu já se tinham esquecido do que Atreu fizera aos filhos de Tiestes. Cozinhara-os e servira-os ao próprio pai durante um banquete! Egisto, então muito pequeno, escapara ao horrendo destino de seus irmãos mais velhos. Bem, mas isso não era problema meu. Em contrapartida, o abismo que continuava a cavar-se entre Agamêmnon e Aquiles era, sem a menor dúvida, o maior de meus problemas.

Se Aquiles fosse uma simples máquina de combate, como seu primo Ajax, nunca teria havido aquele abismo ou qualquer outro; mas Aquiles era tão bom pensando quanto combatendo. O sorriso desapareceu de meu rosto quando me surpreendi imaginando que, se tivesse nascido num berço tão magnífico como o daquele jovem e com a mesma força física que ele, mantendo todas as peculiaridades de minha mente privilegiada, seria muito possível e natural que tivesse acabado por conquistar o mundo. O fio que me ligava à vida era mais forte do que o dele; parecia-me plausível que viesse a estar presente quando os sacerdotes cobrissem o rosto sem lábios de Aquiles com uma máscara de ouro também sem lábios; contudo, haveria nos feitos do rapaz de Iolcos uma glória que eu jamais alcançaria. Experimentei uma sensação semelhante à de perda, ao compreender que Aquiles possuía alguma chave para o sentido da vida que, não obstante todos os meus esforços, sempre me escapara. Seria de fato bom um homem ser tão cerebral, tão frio? Ah, se ao menos eu pudesse arder uma única vez, como Diomedes ansiava por uma só vez gelar!

— Se os troianos não saírem da cidade para lutar — observou o filho de Peleu, em tom sereno —, duvido de que consigamos conquistar Tróia. Meus olhos alcançam distâncias que a maior parte dos outros olhos não enxergam sequer e, nestes últimos dias, tenho observado aquelas muralhas que, em sua opinião, nós sobrestimamos. Não posso concordar com você, Agamêmnon. Pelo contrário: acredito que nós as subestimamos. Só haverá uma maneira de esmagarmos Tróia: atrair os troianos para a planície diante das muralhas e derrotá-los em campo aberto. E isso não será fácil. Teremos de flanqueá-los, de impedir que se retirem para a cidade e que voltem no dia seguinte para combater. Não concorda que seria sensato se, ao discutirmos a conquista de Tróia, tivéssemos sempre em mente essa possibilidade? Seremos incapazes de urdir alguma artimanha que faça com que os troianos abandonem suas muralhas?

Gargalhei.

— Aquiles, se estivesse protegido por muralhas tão altas e grossas como as de Tróia, você as abandonaria para se envolver numa batalha? Quanto a batalhas, Sigeu foi para os troianos a melhor oportunidade, pois combateram contra um inimigo que acabava de desembarcar. No entanto, nem mesmo em Sigeu conseguiram vencer-nos. Se eu fosse Príamo, manteria os soldados no alto das muralhas, onde podem zombar de nós à vontade.

Aquiles não se mostrou impressionado com meus argumentos.

— O que exprimi, Ulisses, mais não era do que uma vaga esperança. Contudo, não consigo ver como poderemos tomar de assalto aquelas muralhas ou abater aquelas portas. E você, consegue?

— Ora, mas eu nem sequer pedi a palavra! — retruquei. — Já falei demais sobre esse assunto. Quando houver ouvidos preparados para me escutar, voltarei a falar. Por enquanto, eu me calo.

— *Meus* ouvidos estão preparados para escutá-lo — ele replicou rapidamente.

— Seus ouvidos, Aquiles, não são suficientemente importantes. Os ouvidos de Agamêmnon é que não gostaram do que ouviram.

— Tróia *não conseguirá* resistir! — exclamou.

— Nesse caso, rei supremo — Aquiles insistiu —, se não houver amanhã nenhum sinal das tropas troianas na planície diante das muralhas, você estará de acordo que nos desloquemos a Tróia, a fim de inspecionar mais de perto as muralhas?

— Claro — respondeu, altivo, o rei supremo.

Quando o conselho terminou (sem decidir nada de mais significativo do que um passeio às muralhas de Tróia), acenei para Diomedes. Pouco depois, tinha-o em minha tenda. Servido o vinho e dispensados os criados, Diomedes permitiu que sua curiosidade se exprimisse; começava a aprender a controlar seu ardente fogo.

— O que está acontecendo? — perguntou ele, sôfrego de novidades.

— Tem de estar acontecendo alguma coisa? Pedi que viesse porque gosto de sua companhia.

— De *nossa amizade*, já eu sei, Ulisses... O que estranhei foi a expressão com que você me acenou... Há algo em marcha. O quê?

— Sim senhor... cada vez mais você conhece melhor minhas peculiaridades...

— Os mecanismos de minha mente podem ter sido muito maltratados pela guerra, mas a verdade é que ainda sei distinguir o cheiro de um junquilho do fedor de um cadáver.

— Bem, nesse caso, proponho considerarmos esta reunião um conselho privado. De todos nós, é você quem mais sabe a respeito de guerra e quem melhor sabe tomar de assalto uma fortaleza. Você conquistou Tebas e construiu um templo com as caveiras de seus inimigos — por todos os Deuses, a paixão que não o terá consumido para fazer isso!

— Tróia não é Tebas — retrucou ele, calmamente. — Tebas é uma cidade grega, parte de nossas nações unidas. Esta é uma guerra contra a Ásia Menor. Por que Agamêmnon não quer ver isso? No Egeu, há apenas duas grandes potências — a Grécia e a Federação da Ásia Menor, que *inclui* Tróia. Babilônia e Nínive estão muito pouco preocupadas com o que acontece no Egeu, e o Egito está tão longe, que os Ramsés nem pensam em se preocupar. — Parou, embaraçado. — Mas quem sou eu para lhe dizer isso?

— Não se subestime, Diomedes. Sua avaliação é magnífica. Seria ótimo que houvesse no conselho de hoje mais algumas cabeças que pensassem com metade da lógica com que você pensa!

Diomedes bebeu um gole de vinho para disfarçar o intenso prazer que meu comentário provocara.

— Eu conquistei Tebas, é verdade, mas só depois de uma batalha campal. Entrei em Tebas pisando os cadáveres de seus homens. É provável que Aquiles estivesse pensando nisso quando falou em atrair os troianos à planície. Mas Tróia? Em Tróia, uma dúzia de mulheres e crianças bastam para nos manter eternamente ladrando às portas da cidade...

— A solução é fácil: deixá-los morrer de fome — sugeri.

Diomedes começou a rir.

— Ulisses, você é incurável! Sabe perfeitamente que as leis de

Zeus Hospitaleiro proíbem isso. Como enfrentaria as Fúrias se subjugasse uma cidade pela fome?

— As Filhas de Kore não me assustam. Já as enfrentei, há alguns anos.

Seria aquela mais uma prova de minha irreligiosidade?, foi a pergunta que li na expressão de Diomedes; contudo, meu amigo não chegou a verbalizar a pergunta. Em vez disso, questionou:

— Então? A que conclusão chegou?

— Até agora, só uma. Esta campanha vai ser muito longa; vai durar anos. Por essa razão, tomarei minhas decisões tendo isso em mente. Meu oráculo doméstico informou que eu estaria fora durante vinte anos.

— Como pode acreditar tão piamente num humilde oráculo doméstico, se, ao mesmo tempo, comete a impiedade de advogar a fome para subjugar um inimigo?

— O oráculo doméstico — expliquei-lhe, pacientemente — pertence à Mãe. À Terra. Ela está sempre muito próxima de nós. É ela quem nos lança neste mundo e é ela quem nos recolhe quando nossa caminhada chega ao fim. A guerra, porém, é domínio dos homens. O modo como se faz a guerra deveria depender unicamente da decisão humana. De meu ponto de vista, todas essas malditas leis que regulamentam a guerra acabam por proteger o inimigo. Um dia, surgirá um homem que, desejando desesperadamente obter uma vitória, infringirá todas essas leis; e, depois dele, tudo será diferente! Esse homem subjugará uma cidade pela fome e todos quererão imitá-lo. Eu quero ser esse homem! Não, Diomedes, eu não sou ímpio! Sou apenas um homem que perde a paciência com todas essas limitações! Não duvido de que o mundo cantará os feitos de Aquiles até o dia em que Cronos case novamente com a Mãe — até o fim dos tempos! Mas será, de minha parte, vaidade desmedida querer que o mundo cante também os meus feitos? Eu não possuo as vantagens de Aquiles, não possuo seu físico magnífico nem sou filho de um rei supremo. Tenho de me limitar àquilo que possuo: inteligência, astúcia, sutileza. Não são maus instrumentos.

Diomedes esticou-se.

— Não, de fato não são nada maus. Mas quais são seus planos para esta longa campanha?

— Começarei amanhã, depois de voltarmos da inspeção às muralhas de Tróia. Pretendo selecionar um pequeno exército só meu, a partir das gigantescas hostes gregas.

— Um exército só seu?

— Sim, só meu. Não será um exército convencional, não serão soldados iguais aos outros: só vou recrutar valentões, desordeiros e rebeldes; mais exatamente, vou recrutar os piores exemplares de cada um desses lotes.

Diomedes ficou embasbacado, estupefato.

— Você só pode estar brincando, Ulisses! Desordeiros? Rebeldes? Valentões? Que exército vai ser esse?

— Diomedes, vamos ignorar por enquanto a questão de saber qual dos oráculos tem razão: se o meu, que fala em vinte anos, se o de Calcas, que fala em dez. Até porque dez ou vinte anos é sempre muito tempo. — Ajeitei minha taça de vinho e soergui-me do assento. — Numa campanha curta, um bom oficial é capaz de manter os desordeiros ocupados, bem como os valentões rigorosamente vigiados, de modo que sua fanfarronice não prejudique os outros homens. Do mesmo modo, não lhe é difícil impedir que os rebeldes influenciem outros soldados. Porém, numa campanha longa, a discórdia é mais do que certa. Não teremos batalhas todos os dias nem mesmo todas as luas ao longo dos próximos dez ou vinte anos. Haverá luas e luas de ociosidade, sobretudo durante o inverno. E, durante esses períodos de ociosidade, as línguas começarão a trabalhar e farão tantos e tais danos, que os murmúrios de descontentamento ganharão as proporções de um grito!

Diomedes parecia divertido com minha exposição.

— E os covardes?

— Oh, os covardes não os quero! Os outros comandantes que fiquem com eles, sempre servem para escavar as fossas!

Meu amigo riu.

— Muito bem. Depois de ter recrutado seu pequeno exército, o que vai fazer com ele?

— Mantê-lo permanentemente ocupado. Atribuirei a seus membros tarefas em que seus talentos possam florescer. A categoria de homens em que estou pensando não é a dos vagabundos. É a dos perversos, dos maus, daqueles que têm a ruindade na alma. Os desordeiros não querem outra coisa senão provocar desordens. Os fanfarrões só ficam contentes quando põem em perigo a vida dos outros, além das suas. E os rebeldes seriam capazes de se queixar a Zeus a respeito da qualidade do néctar e da ambrosia do Olimpo. Amanhã, falarei com todos os comandantes e lhes pedirei os três piores exemplares de seus exércitos, excluindo os covardes. Os comandantes, naturalmente, ficarão contentíssimos por se verem livres de tais pestes. Mal conclua o recrutamento, vou fazê-los trabalhar.

Embora soubesse que eu o estava deliberadamente espicaçando, Diomedes não conseguiu resistir em morder a isca.

— Trabalhar *em quê*? — perguntou.

Resolvi continuar a provocá-lo.

— Nos limites da praia, não muito longe do ponto em que se encontram meus navios, há um vale natural. Ninguém o vê, embora se encontre perto do acampamento o suficiente para que Agamêmnon o inclua dentro das muralhas que vai ter de erigir para proteger nossos homens e navios de eventuais ataques troianos. É um vale bastante fundo e suficientemente grande para conter casas necessárias para alojar, com extremo conforto, cerca de trezentos homens. Meu exército aí se instalará, e, no mais absoluto isolamento, treinarei seus homens para o trabalho que irão efetuar. Uma vez recrutados, não voltarão a ter contatos com suas antigas unidades nem com o grosso do exército.

— Mas que *trabalho* é esse, Ulisses?

— Vou criar uma colônia de espiões, Diomedes.

Uma resposta inesperada que o deixou confuso.

— Uma colônia de espiões? Mas o que vem a ser isso? O que fazem os espiões? Para que servem?

— Servem para muito, Diomedes, servem para muito — respondi entusiasmado. — Pense um pouco, Diomedes! Mesmo dez anos é muito tempo na vida de um homem. Às vezes é um sétimo ou um oitavo dessa vida, mas pode ser um terço ou mesmo metade. Entre meus trezentos homens, haverá alguns com todas as condições para passear pelos diversos pisos de um palácio, e é isso que eles farão. Ao longo deste primeiro ano, distribuirei alguns desses homens na própria Cidadela de Tróia. Outros que também gostem de representar, distribuirei por todos os estratos baixos e médios da cidade: de escravos a mercadores. Quero tomar conhecimento de todos os movimentos de Príamo.

— Pelo Senhor do Trovão! — exclamou Diomedes. Depois, pareceu cético. — Serão detectados imediatamente.

— Por quê? Não se esqueça de que, quando entrarem em Tróia, esses homens já terão treino de sobra... Creio que você não se deu conta de um aspecto: meus trezentos homens possuem todos inteligência superior — todos os bons desordeiros, valentões e rebeldes são indivíduos brilhantes. Um homem estúpido nunca é um perigo para as hostes. Eu já estive em Tróia e memorizei a versão troiana do grego — o sotaque, a gramática, o vocabulário. Não se esqueça de que tenho facilidade com as línguas.

— Eu sei, eu sei — exclamou Diomedes, com um largo sorriso.

— Além disso, descobri muitas coisas que não comuniquei a nosso caro amigo Agamêmnon. Antes de entrarem em Tróia, meus espiões saberão tudo o que é preciso saber. Alguns deles, os que não têm queda para as línguas, dirão que são escravos e que fugiram de nosso acampamento. Como não precisam esconder que são gregos, serão particularmente valiosos. Outros que tenham alguma queda para as línguas poderão disfarçar-se de lícios ou cários. E isso — concluí, radiante, as mãos atrás da cabeça — é só o princípio!

Diomedes respirou fundo.

— Agradeço a todos os Deuses o fato de você estar do nosso lado, Ulisses. Detestaria tê-lo como inimigo.

Tróia inteira estava no alto das muralhas para ver desfilar o supremo rei de Micenas à frente de toda a realeza grega. Reparei na crescente vermelhidão que se formou nas faces de Agamêmnon, à medida que seus ouvidos iam captando as vaias e a zombaria que o incessante vento troiano nos trazia. Fiquei profundamente contente pelo fato de Agamêmnon não ter levado o exército.

Doía-me o pescoço de tanto olhar para o alto; porém, quando chegamos à cortina ocidental, examinei-a com todo o cuidado, já que, durante minha visita a Tróia, não tivera oportunidade de vê-la por fora. Só ali seria possível tentar o assalto. Ainda que o próprio Agamêmnon já tivesse desistido de tal idéia, logo que deixamos para trás a cortina ocidental. Era um trecho bastante curto quanto ao comprimento. Quarenta mil troianos estariam no alto das muralhas à nossa espera, lançando azeite fervente em nossas cabeças, pedras recém-tiradas das fogueiras, carvão em brasa e até excrementos.

Quando ordenou o regresso ao acampamento, Agamêmnon tinha o desânimo estampado no rosto.

Não convocou o conselho, e os dias foram passando, sem ações nem decisões. E eu o deixei sozinho com suas angústias, pois tinha mais a fazer do que discutir com ele. Comecei a reunir os homens que iriam formar minha colônia de espiões.

Os comandantes não se opuseram minimamente a minhas pretensões. Pelo contrário: era com grande alegria que se viam livres de seus mais intrincados problemas. Pedreiros e carpinteiros já trabalhavam arduamente no vale, erigindo trinta sólidas casas de pedra e um edifício mais amplo, que seria usado para as refeições, os divertimentos e a instrução. Meus recrutas começavam também a trabalhar à medida que iam chegando; a partir do instante em que eram escolhidos, eram mantidos no mais absoluto isolamento por uma guarda constituída por soldados de Ítaca, distribuídos ao longo dos limites do vale. Quanto aos comandantes, pensavam que eu estivesse construindo uma prisão onde pretendia encarcerar todos os infratores.

Quando começou o outono, tudo estava pronto. Reuni meus recrutas no maior salão do edifício principal. Trezentos pares de olhos seguiam-me atentamente enquanto me encaminhava para o estrado: circunspectos ou curiosos, desconfiados ou apreensivos. Já estavam confinados há bastante tempo para saber que haviam sido privados de vítimas, pois todos eles eram feitos da mesma matéria.

Sentei-me num trono real, com garras esculpidas, tendo à direita Diomedes. Quando o silêncio se abateu sobre a sala, pus minhas mãos nos braços do trono e estendi uma perna, pois era essa a pose de um rei.

— Têm-se perguntado certamente por que eu os trouxe para cá e o que lhes irá acontecer, limitando-se, porém, a conjecturas. Agora, entretanto, vou satisfazer sua curiosidade. Em primeiro lugar, cada um de vocês tem certos traços de caráter que o tornam odiosos aos olhos de qualquer comandante. Nenhum de vocês é um bom soldado, ou porque põe em perigo a vida dos demais, ou porque causa problemas a todos os homens com sua maldade ou rebeldia. Não quero que haja dúvidas em suas mentes quanto às razões por que foram escolhidos. Estão aqui porque são odiados por todos.

Parei e esperei, ignorando os rostos estupefatos, a raiva, a indignação. Alguns daqueles rostos, porém, permaneciam impassíveis; procurei não me esquecer deles: aqueles eram os homens dotados de capacidade e inteligência superiores.

Tudo havia sido convenientemente preparado. Meus guardas encontravam-se postados à volta do edifício; seu chefe, Háquios, era um homem em quem eu podia depositar total confiança. As ordens eram claras: matariam todos que saíssem antes de mim. Os que decidissem que minhas condições eram inaceitáveis não poderiam voltar para o exército. Teriam de morrer.

— Deram-se conta da magnitude do insulto? — perguntei-lhes. — Pensem um pouco; minhas palavras não poderiam ter sido mais insultuosas! Os defeitos que os homens decentes abominam, eu transformarei em qualidades. Haverá compensações para os homens que me servirem: viverão em aposentos dignos de príncipes, não farão trabalho manual, e as primeiras mulheres que o rei supremo distribuir pelos homens, depois de Tróia ter caído, serão para vocês. Entre as missões que cumprirem, terão períodos de descanso adequados. De fato, vocês formarão um corpo de elite sob meu comando exclusivo. Deixarão de servir a seus reis ou ao rei supremo. A um rei apenas servirão: Ulisses de Ítaca.

Disse-lhes depois que o trabalho que lhes estava destinado era muito perigoso e invulgar e concluí essa parte do discurso enfatizando:

— Um dia, os profissionais de seu ofício serão pessoas famosas. A vitória ou a derrota numa guerra dependerá de seu trabalho. A meus olhos, cada um de vocês vale mil soldados de infantaria. Deverão por isso entender que o fato de terem sido escolhidos é algo de grandioso. Agora, antes de prosseguir, gostaria que discutissem o assunto entre vocês.

O silêncio persistiu por um breve momento; estavam tão surpresos, que tinham dificuldade em trocar opiniões. Quando a conversa finalmente começou, tratei de examinar atentamente seus rostos; alguns, cerca de uma dúzia, já tinham decidido rejeitar minha proposta. Um desses homens levantou-se e saiu, mais alguns o imitaram. Háquios observava além da porta aberta. À sala não chegou qualquer ruído, nenhum sinal de tumulto. Saíram mais oito. E Háquios continuou obedecendo às minhas instruções. Como aqueles homens nunca regressariam a suas companhias, seus antigos comandantes pensariam que estavam comigo. Por outro lado, seus colegas pensariam que eles haviam regressado a suas antigas companhias. Só Háquios e seus homens conheciam a verdade, mas eles eram de Ítaca; conheciam também seu rei.

Dois homens interessavam-me mais do que todos os outros. Um deles era primo de Diomedes e um tormento constante para qualquer comandante. Chamava-se Tersites. Além de suas habilidades naturais, havia em sua história pessoal um dado que muito me atraía: com efeito, dizia-se que Tersites era filho da tia de Diomedes e de Sísifo. O mesmo se dizia a meu respeito: que Sísifo era meu pai e não Laerte. Essa eventual mancha em meu nascimento nunca me causou a menor angústia; o sangue de um trapaceiro emérito era provavelmente mais útil do que o de um rei como Laerte.

Quanto ao homem, conhecia-o muito bem; entre meus trezentos soldados, aliás, era o único que sabia por que razão estava ali. Era meu primo Sínon, que viera em minha comitiva. Um homem extremamente útil, ansioso por dar os primeiros passos em sua nova profissão.

Tersites e Sínon estavam quietos e impassíveis, os sombrios olhos fixos em meu rosto, embora, de quando em quando, virassem a cabeça para avaliar o calibre dos homens com que haviam sido misturados.

De súbito, Tersites pigarreou.

— Continue, rei Ulisses, diga-nos o resto — pediu.

Disse-lhes o resto.

— Agora, creio eu, já entendem por que eu os considero os homens mais valiosos do exército — acentuei, já quase no final de meu discurso. — Suas missões serão sempre de extrema importância, quer visem à transmissão de informações, quer tenham por objetivo lançar a perturbação entre aqueles que governam Tróia. Será criado um sistema seguro de comunicações. Por outro lado, serão claramente definidos os contatos e os locais de encontro daqueles que passarem a residir de modo mais ou menos permanente no interior de Tróia com os que se limitarem a breves visitas à cidade. Ainda que suas missões sejam de fato muito perigosas, a verdade é que, quando começarem a trabalhar, disporão de tudo que é preciso para lidar com esses perigos. — Levantei-me. — Pensem um pouco no que acabei de lhes dizer. Voltarei em alguns momentos.

Retirei-me com Diomedes para uma antecâmara, onde conversamos e bebemos enquanto, do outro lado da cortina, o som de vozes se erguia e esbatia para logo se erguer de novo.

— Presumo — observou Diomedes — que você e eu também entraremos em Tróia de vez em quando...

— Claro! Se queremos controlar homens desse porte, temos de mostrar-lhes que estamos dispostos a correr riscos ainda maiores do que aqueles a que os sujeitamos. Nós somos reis, nossos rostos podem ser reconhecidos...

— Helena — disse ele.

— Precisamente.

— Quando começaremos nossas visitas?

— Esta noite — declarei calmamente. — Há um bom duto na parte noroeste das muralhas: grande o suficiente para deixar entrar um homem de cada vez. A saída no interior das muralhas não tem guardas e é relativamente recôndita. Iremos vestidos de pobres, exploraremos as ruas, conversaremos com as pessoas e escaparemos amanhã à noite pelo mesmo duto. Não se preocupe, será uma missão bastante segura.

Diomedes riu.

— Não duvido, Ulisses, não duvido.

— Bem, acho que é tempo de ouvirmos nossos homens — sugeri.

Tersites fora eleito porta-voz e já estava de pé à nossa espera.

— Fale, primo do rei Diomedes — ordenei-lhe.

— Rei Ulisses, nós estamos de acordo. Dos que ficaram quando você deixou a sala, só dois votaram contra sua proposta.

— Dois votos que não contam — observei.

Havia no olhar de Tersites um brilho sarcástico: ele sabia o que acontecera aos que haviam rejeitado minha proposta.

— A vida que nos propõe — prosseguiu Tersites — é muito melhor do que a que temos num acampamento montado para um cerco, pois não conhecemos a virtude da paciência. Enfim, rei Ulisses, somos seus soldados!

— Antes de essa sessão terminar, é necessário, porém, que cada um de vocês faça um juramento adequado.

— Todos juraremos — declarou ele, impassível, sabendo que o juramento seria tão terrível, que nem mesmo ele teria coragem de infringi-lo.

Depois de o último homem ter jurado, informei-os de que formariam unidades de dez homens; em cada um desses grupos, haveria um oficial, a ser escolhido por mim depois de conhecê-los melhor. Contudo, havia dois homens que eu já conhecia muito bem; por isso, nomeei Tersites e Sínon chefes da colônia de espiões.

Nessa noite, entramos em Tróia com relativa facilidade. Fui eu o primeiro a rastejar pelo duto, seguido por Diomedes, cujos ombros, tão largos quanto o duto, lhe impuseram certa dificuldade. Uma vez dentro da cidade, encaminhamo-nos furtivamente para um agradável beco, onde dormimos até amanhecer, e depois nos misturamos à multidão. Na imensa praça do mercado perto da Porta Ceia, compramos bolos de mel, pão de cevada, dois copos de leite de ovelha e tratamos de escutar. O povo não estava preocupado com os gregos que ocupavam a praia do Helesponto; de modo geral, o estado de espírito da população era animado, jovial. Contemplava com admiração seus imponentes bastiões e ria da idéia de o gigante grego estar parado e impotente a poucas léguas dali. Todos pareciam acreditar que Agamêmnon acabaria por desistir e regressar à Grécia. Comida e dinheiro não faltavam, as portas Dardaniana e Ida continuavam abertas, e o tráfego processava-se normalmente. Só o complexo sistema de guardas e sentinelas no alto das muralhas revelava que a cidade estava preparada para fechar as portas Dardaniana e Ida mal surgisse uma ameaça.

Ficamos sabendo que a cidade possuía muitos poços de água boa para beber e grande número de celeiros e armazéns onde eram guardados os alimentos não deterioráveis.

Ninguém pensava na possibilidade de uma batalha campal à saída da cidade; os poucos soldados que vimos cochilavam ou andavam na companhia de prostitutas, além do que haviam deixado em casa armas e armaduras. Todos riam de Agamêmnon e seu grandioso exército.

Diomedes e eu começamos a trabalhar na colônia de espiões logo que regressamos ao acampamento. E o quanto trabalhamos! Havia homens com grandes aptidões e entusiasmo; outros, porém, desanimaram ao fim de pouco tempo e nunca mais se interessaram pela nova profissão que eu lhes propunha. Discuti serenamente o assunto com Tersites e Sínon, que concordaram comigo: os inaptos deveriam desaparecer. Dos trezentos recrutas iniciais, acabei ficando com duzentos e cinqüenta e quatro, e dei-me por feliz.

CAPÍTULO DÉCIMO QUINTO

NARRADO POR

DIOMEDES

Ulisses era um homem verdadeiramente notável. Aprendia-se sempre com ele: até o modo como lidava com um escravo era uma fonte de ensinamentos. Ao fim de uma única lua, havia já moldado a seu bel-prazer aqueles duzentos e cinqüenta e quatro homens, apesar de não considerá-los ainda prontos para a ação. Passava quase tanto tempo com ele quanto com meus homens de Argos; porém, aquilo que com ele aprendia permitia-me controlar e dirigir melhor minhas tropas — e em metade do tempo de que normalmente precisava. Deixara de haver sinais de descontentamento em meu contingente sempre que eu me ausentava, deixara de haver discussões entre os oficiais; recorria aos métodos de Ulisses e os resultados eram evidentes. Naturalmente, de quando em quando, ouvia algumas piadas murmuradas; percebia olhares maliciosos de meus nobres sempre que me viam com Ulisses; mesmo os outros reis começavam a interrogar-se a respeito da natureza de nossa amizade. O que não me preocupava rigorosamente nada. Não me teria afetado a possibilidade de ser verdade aquilo que pensavam. Por outro lado — façamos-lhes justiça — não havia em sua malícia a menor sombra de reprovação. Todos os homens eram livres de satisfazer seus apetites sexuais com o sexo que muito bem entendessem. Normalmente com o sexo feminino; porém, uma longa campanha num país estrangeiro significava que havia muito menos mulheres disponíveis. As mulheres estrangeiras nunca estariam em condições de substituir condignamente esposas e amantes, as mulheres de nossa própria terra. Nessas circunstâncias, era preferível procurar o lado mais doce do amor com um amigo que combatia a nosso lado na batalha e que, com sua espada, repelia o inimigo, enquanto nós tentávamos recuperar a espada que o inimigo deixara cair.

A meio do outono, Ulisses disse-me que fosse prestar minhas homenagens a Agamêmnon. Assim fiz, curioso quanto ao que estaria acontecendo; nos últimos tempos, houvera uma série de encontros secretos de Nestor e Ulisses, mas Ulisses nada me dissera quanto aos temas abordados nesses encontros.

Durante cinco luas, não víramos nem sinal de soldados troianos, e o estado de espírito em nosso acampamento era francamente sombrio. Os alimentos, afinal, não se tinham revelado um problema difícil, pois a costa a norte da Tróada e o lado oposto do Helesponto abundavam em legumes, frutas e animais. As tribos que os habitavam, mal viam nossos contingentes, escondiam-se. Porém, nada disso poderia alterar o fato de que, estando tão longe da pátria, não poderíamos sequer pensar na possibilidade de regressar para um breve período de licença. Do rei supremo não vinha ordem alguma: nem para desmobilizar, nem para atacar, nem para o que quer que fosse.

Quando entrei na residência de Agamêmnon, Ulisses já estava lá e totalmente descontraído.

— Quando Ulisses apareceu, eu deveria ter concluído que você estaria forçosamente por perto — comentou Agamêmnon.

Sorri, mas nada disse.

— O que você pretende afinal, Ulisses?

— Um conselho, Agamêmnon. Há muitas coisas que deveriam ter sido discutidas há muito tempo.

— Concordo inteiramente! Por exemplo: o que está ocorrendo num certo vale e por que eu nunca consigo encontrá-los, você e Diomedes, durante a noite? A noite passada, aliás, pensei em convocar um conselho.

Ulisses livrou-se do desagrado imperial com sua habitual elegância. Começou com um sorriso, o sorriso que era capaz de vencer inimigos implacáveis, o sorriso que era capaz de encantar criaturas muito mais frias do que Agamêmnon.

— Rei Agamêmnon, eu lhe direi tudo, mas só num conselho.

— Muito bem. Fiquem aqui até que os outros venham. Se os deixo sair, podem não voltar.

Menelau foi o primeiro a chegar, tão abjeto como sempre. Saudou-nos timidamente e correu para o canto mais escuro da sala. Pobre Menelau, oprimido e humilhado Menelau. Talvez começasse agora a dar-se conta de que Helena não era mais do que um elemento muito secundário nos planos de seu poderoso irmão; ou, talvez, começasse a achar que Helena nunca mais voltaria a ser sua. Esses pensamentos agitaram memórias de quase nove anos atrás: a criatura cuja mão fora disputada por tantos pretendentes revelara-se, afinal, tão dissoluta quanto uma mulher da rua. Única e exclusivamente preocupada com a satisfação de seus desejos, indiferente àquilo que um homem queria. Tão bela! E tão egoísta! O quanto Menelau não teria sofrido por causa dela! Nunca consegui odiá-lo; era um homem insignificante demais e suscitava mais a piedade do que o desprezo. E ele a amava como eu nunca poderia ter amado uma mulher.

Aquiles chegou em companhia de Pátroclo; Fênix vinha atrás deles e fez-me lembrar o cão de Ulisses, Argos, que, em Ítaca, nunca largava o dono. Tão fiel quanto vigilante, assim era Fênix. Saudaram o rei supremo, Aquiles com óbvia relutância. Uma estranha criatura. Já reparara que Ulisses não gostava dele. Quanto a mim, sentia por ele pouco mais do que indiferença; por isso já decidira adverti-lo de que deveria mostrar-se mais cortês com Agamêmnon. É certo que ele comandava os mirmídones, mas isso não era razão para manifestar, de forma tão óbvia, sua aversão ao rei supremo. Ver-se abandonado numa ala, durante uma batalha, era coisa vulgar e fácil de acontecer, e, normalmente, as culpas recaíam no comandante que se via abandonado. Quando vi a expressão dos olhos de Pátroclo; tive de sorrir; aquela, sim, era uma amizade amorosa! Pelo menos de um dos lados. Aquiles não dava o devido valor à afeição de Pátroclo: ansiava mais por uma boa batalha do que pelo prazer que os corpos encerram.

Macáon chegou sozinho e, sem dizer palavra, sentou-se. Ele e o irmão, Podalírio, eram os melhores médicos de toda a Grécia, mais importantes para nosso exército do que uma ala de cavalaria. Podalírio era um verdadeiro recluso: preferia sua cirurgia aos conselhos de guerra. Macáon, porém, era um homem extremamente ativo que tinha o dom de comando e era capaz de lutar tão bem quanto dez mirmídones. Idomeneu avançou em seu passo elegante, seguido por seu escudeiro, Meriones. Graças à coroa cretense e a sua posição como co-comandante, Idomeneu limitou-se a fazer uma vênia, em vez de ajoelhar-se diante do rei supremo. Agamêmnon ficou furioso com a desconsideração, mas a fúria não desceu dos olhos às cordas vocais; perguntei-me se Agamêmnon não julgaria que Creta estava ficando grande demais para suas botas, mas o rosto do rei supremo nada me disse a esse respeito. Idomeneu preocupava-se excessivamente com sua elegância, seus trajes e adereços, escravo da própria aparência. Contudo, possuía notável constituição física e era um excelente comandante. Meriones, seu primo e herdeiro, era possivelmente o melhor dos dois — adorava festejar ou combater a seu lado. Ambos tinham o mesmo ar, típico dos cretenses, generoso, aberto.

Nestor avançou rapidamente para seu assento especial, acenando apenas para Agamêmnon, que não se mostrou ofendido.

Nestor embalara todos nós em seus joelhos quando éramos bebês. Se tinha algum defeito, era, sem dúvida, o de se refugiar nas recordações dos "bons velhos tempos" e de considerar a atual geração de reis não mais do que um bando de efeminados. Contudo, não havia ninguém que conseguisse resistir a seus encantos. Ulisses, eu supunha, adorava-o. Nestor trouxera seu filho mais velho.

Ajax chegou com seus companheiros, seu meio-irmão Teucro e seu primo da Lócrida, o pequeno Ajax, filho de Oileu. Sentaram-se ao fundo, muito calados, parecendo julgar desconfortável a situação. Eu ansiava pelo dia em que pudesse ver Ajax num campo de batalha (estivera longe de mim durante a batalha de Sigeu), em que pudesse ver com meus próprios olhos aqueles braços portentosamente musculosos empunhando seu famoso machado.

Menesteu surgiu pouco depois. Era um bom homem, o rei supremo da Ática, mas sensato o suficiente para não imaginar que poderia igualar-se a Teseu. Menesteu não era sequer um décimo do homem que Teseu fora, mas, sejamos honestos, quem poderia rivalizar com Teseu? Palamedes foi o último. Sentou-se entre mim e Ulisses. Seria imprudente de minha parte atrever-me a gostar dele, dado que Ulisses o odiava. Por quê, eu não sabia, embora desconfiasse de que Palamedes o ofendera quando ele e Agamêmnon se haviam deslocado a Ítaca. Ulisses tinha paciência bastante para esperar o tempo que fosse preciso, mas acabaria por vingar-se; disso eu estava certo. Não seria uma vingança violenta, sangrenta; com Ulisses, a vingança era servida fria. O sacerdote Calcas não estava presente. Uma ausência intrigante.

Agamêmnon, bastante tenso, deu início aos trabalhos.

— Este é o primeiro conselho digno desse nome que resolvi convocar desde que desembarcamos em Tróia. Como todos estão a par da situação, creio que não fará sentido descrevê-la. Ulisses falará, eu não. Embora eu seja seu suserano, vocês me deram suas tropas por vontade própria. Do mesmo modo, respeitarei seu direito de retirar esse apoio, não obstante o Juramento do Cavalo Esquartejado. Pátroclo, tome o bastão e entregue-o a Ulisses.

Ulisses avançou até o centro da sala (Agamêmnon cedera ao frio e mandara construir uma casa de pedra, ainda que isso sugerisse permanência), a cabeleira ruiva flutuando numa massa de ondas em torno de seu belo rosto, seus grandes olhos cinzentos despindo-nos completamente, colocando-nos em nossa verdadeira dimensão: reis, mas ainda assim homens. Nós, os gregos, sempre respeitamos a prudência, e a Ulisses não faltava esse poder.

— Pátroclo, sirva o vinho — foi assim que meu amigo começou seu discurso. Esperou que todos os presentes fossem servidos. — Há cinco luas desembarcamos, e, fora dos limites de um vale que fica perto de meus navios, nada aconteceu.

A essa afirmação seguiu-se uma rápida explicação: segundo Ulisses, o vale em questão servia para encarcerar os piores soldados do exército, pois era absolutamente necessário que esses elementos não contaminassem o resto das tropas. Eu sabia por que razão Ulisses não queria divulgar a verdadeira função do vale: não confiava em Calcas nem em algumas línguas, ainda que presas a um juramento.

— Embora não tenhamos realizado nenhum conselho oficial — prosseguiu ele com sua voz suave e agradável —, não tem sido difícil adivinhar os sentimentos dominantes dos chefes aqui presentes. Por exemplo, ninguém deseja montar o cerco a Tróia. Respeito seus pontos de vista, pelas mesmas razões que Macáon poderá apresentar: poderá trazer a peste e outras doenças; uma eventual conquista de Tróia após esse cerco poderá significar pesadas baixas também para as tropas gregas. Por isso, não é minha intenção discutir essa questão.

Fez uma pausa, sondando-nos.

— Diomedes e eu já fizemos várias visitas noturnas à cidade de Tróia e concluímos que, se continuarmos aqui na próxima primavera, a situação sofrerá uma alteração radical. Príamo mandou enviados a todos os aliados ao longo da costa da Ásia Menor, e todos prometeram apoio militar. Logo que comece o degelo nas montanhas, Príamo terá duzentos mil soldados à sua disposição. E nós seremos simplesmente corridos aqui.

Aquiles interrompeu-o.

— Você está pintando um quadro muito sombrio, Ulisses. Foi para isso que deixamos nossas pátrias? Para cair, de forma absolutamente ignominiosa, nas mãos de um inimigo com quem só travamos uma batalha? O que você está nos dizendo, suponho, é que nos lançamos numa cruzada absolutamente infrutífera, extremamente onerosa e sem a menor perspectiva de recompensa, ou seja, de despojos. Onde está o saque que nos prometeu, Agamêmnon? O que aconteceu à sua guerra que só duraria dez dias? O que houve com sua fácil vitória? Para onde quer que nos viremos, é a derrota que vemos à nossa frente! Foi para isso que alguns dos homens aqui presentes se mostraram coniventes com um sacrifício humano? Há derrotas piores do que ser batido numa batalha. Ser obrigado a evacuar esta praia e regressar à Grécia é a pior derrota!

Ulisses não conteve um sorriso.

— Estão todos tão desanimados quanto Aquiles? Se estão, lamento muito. No entanto, não posso negar que o filho de Peleu diz a verdade. Além disso, se permanecermos aqui durante o inverno, os problemas de abastecimento vão aumentar. Por enquanto, podemos ir à Bitínia buscar aquilo de que precisamos; contudo, segundo dizem, os invernos aqui são frios e nevosos.

Aquiles levantou-se num salto, virando-se, furioso, para Agamêmnon.

— Foi isso que eu lhe disse em Áulis, muito antes de partirmos! Você não prestou a devida atenção à questão do abastecimento de um exército enorme! Será que temos escolha? Poderemos escolher entre ficar aqui e voltar para a Grécia? Não me parece. Nossa única saída é aproveitar os ventos do início do inverno e voltar à Grécia para nunca mais regressarmos! Você é um imbecil, rei Agamêmnon! Um imbecil que se imagina inteligente!

Agamêmnon manteve-se muito quieto e calado, mas era visível que fazia um grande esforço para se controlar.

— Aquiles tem razão — atacou Idomeneu. — Foi tudo muito mal planejado. — Respirou fundo, enquanto fitava ferozmente seu comandante. — Diga-me, Ulisses, nosso exército pode ou não tomar de assalto as muralhas troianas?

— As muralhas troianas são inexpugnáveis, Idomeneu.

A fogueira da agitação crescia, ateada por Aquiles e alimentada pelo fato de Agamêmnon optar pelo silêncio. Todos estavam desejosos de atacá-lo, e ele sabia disso. Mordia os lábios, o corpo tenso curvado pelo esforço tremendo que o domínio de sua própria raiva lhe exigia.

— Por que nunca admitiu não ser capaz de planejar uma expedição tão grandiosa quanto esta? — perguntou Aquiles. — Fosse seu estatuto inferior e não fosse o que é pela graça dos deuses, eu o liquidaria neste momento! Trouxe-nos para Tróia com um único pensamento na cabeça: sua glória! Usou o juramento para reunir um gigantesco exército e desprezou os desejos e as necessidades de seu irmão; até que ponto pensou realmente em Menelau? Será capaz de afirmar que lançou esta empresa por causa de seu irmão? Nunca! Nem sequer se deu ao trabalho de fingir! Desde o princípio só tem um objetivo: enriquecer com o saque de Tróia e erigir um império na Ásia Menor! É verdade que todos nós enriqueceremos com o saque de Tróia, mas o mais rico de todos será você!

As lágrimas que começaram a cair pelas faces de Menelau falavam de uma terrível desilusão. Vendo-o soluçar como uma criança, Aquiles afagou-lhe o ombro, procurando animá-lo. A atmosfera não poderia ser mais explosiva; uma palavra mais e todas aquelas mãos apertariam a garganta de Agamêmnon. Sentindo um inequívoco formigueiro em meu braço direito, olhei para Ulisses, imóvel no centro da sala, com o bastão na mão, enquanto Agamêmnon entrelaçava as mãos sobre o colo e as contemplava.

Nestor finalmente acudiu em socorro. Virou-se furioso para Aquiles:

— Rapaz, sua falta de respeito mereceria castigo! Que direito você tem de criticar nosso rei supremo quando homens como eu não o fazem? Ulisses não lhe fez nenhuma acusação; como se atreve você a fazê-la? Modere sua língua, rapaz!

Aquiles aceitou a repreensão sem um murmúrio. Apresentou desculpas a Agamêmnon, ajoelhando-se diante dele, e sentou-se. Por natureza, Aquiles não era homem que se inflamasse por pouca coisa. Porém, desde a morte de Ifigênia, havia entre ele e Agamêmnon enorme animosidade. Compreensível: seu nome fora usado para que Clitemnestra deixasse a filha partir, mas o rei supremo não pedira seu consentimento. Aquiles, pelo visto, nunca nos perdoaria; e muito menos perdoaria Agamêmnon.

— Ulisses — Nestor continuou —, é evidente que você não tem idade nem experiência suficientes para dirigir convenientemente esta reunião de nobres autocratas: por isso, passe-me o bastão e deixe-me falar! — Fitou-nos com animação. — Esta reunião, até agora, foi uma verdadeira miséria! No meu tempo, ninguém se atreveria a dizer as coisas que aqui foram ditas! Quando *eu* era jovem e Heracles vivia entre nós, tudo era completamente diferente!

Recostamo-nos nas cadeiras e nos resignamos diante da perspectiva de ouvir mais uma das famosas homilias de Nestor. Contudo, quando mais tarde refleti sobre tudo aquilo, cheguei à conclusão de que o velho começara a divagar deliberadamente; com efeito, o fato de sermos obrigados a escutá-lo produziu uma calmaria geral na sala.

— Pensem no exemplo de Heracles — ele prosseguiu. — Injustamente submetido a um rei que não merecia usar a sagrada cor púrpura de seu cargo, obrigado a realizar uma série de trabalhos friamente escolhidos para o conduzirem à morte ou à humilhação.

Pois Heracles nem sequer protestou! Sua palavra era, para ele, sagrada. Nele, a nobreza de alma rivalizava com o poder físico! Ainda que em suas veias corresse sangue divino, Heracles era um homem! Você, jovem Aquiles, não poderá sequer nutrir a esperança de igualar-se a Heracles! Nem você, jovem Ajax. O rei é o rei. Heracles nunca se esqueceu disso, nem mesmo quando se viu atolado até os joelhos em esterco de cavalo, nem mesmo quando esteve a um passo do desespero e da loucura! Era *isso* precisamente o que todos os outros homens admiravam e veneravam nele. Ele sabia quais eram seus deveres para com os Deuses e quais eram seus deveres para com o rei. Em todas as circunstâncias, cumpriu escrupulosamente esses deveres. Embora me sentisse bem tratando-o como a um irmão, Heracles nunca se aproveitou de minha amizade, e eu era o herdeiro de Neleu, ao passo que ele não passava de um escravo. Foi a consciência que tinha de seu estatuto de escravo, bem como sua deferência e paciência, que o levou a suscitar um amor eterno e a ganhar o estatuto de herói. Pobres de nós! Não voltará a haver no mundo um homem como Heracles!

Ótimo! Nestor terminara; devolveria o bastão a Ulisses, e o conselho poderia prosseguir. Nestor, contudo, não terminara e lançou-se em nova homilia.

— Teseu! — exclamou. — Pensem também no exemplo de Teseu! Foi a loucura que acabou por vencê-lo e não a ausência de nobreza ou o esquecimento daquilo que a um rei é devido. Teseu era um rei supremo; pois o Teseu que eu conheci não passava de um *homem*! Ou pensem no exemplo do pai de Diomedes. Tideu era o maior guerreiro de seu tempo e morreu diante das muralhas que o filho arrasou uma geração mais tarde. E morreu sem uma única mancha em sua honra! Se eu tivesse sabido que gênero de homens se arroga o título de rei e herdeiro de rei aqui nesta praia de Tróia, nunca teria deixado as areias de Pilos, nunca teria navegado em mar tão escuro como vinho! Pátroclo, encha meu copo! Pretendo continuar meu discurso, mas tenho a garganta seca.

Pátroclo levantou-se lentamente. Era ele o mais abatido de todos. Estava visivelmente magoado com a repreensão de que Aquiles fora alvo. O velho rei de Pilos bebeu de uma vez só quase todo o conteúdo do copo, lambeu os lábios e foi sentar-se numa cadeira vaga perto da de Agamêmnon.

— Ulisses, pretendo prosseguir o que você começou. Não se ofenda com essa minha decisão, mas, pelo visto, precisamos de um velho para pôr os jovens insolentes em seu lugar!

Ulisses sorriu, mostrando todos os dentes.

— À vontade, rei Nestor! Com certeza exporá o caso tão bem quanto eu, senão mesmo melhor.

Foi nesse instante que minhas desconfianças ganharam alento. Há vários dias Ulisses e Nestor mantinham encontros secretos — teriam eles combinado tudo aquilo com antecedência?

— Duvido — Nestor protestou, com um brilho muito especial em seus olhos azuis. — É raro um homem tão novo como você possuir uma cabeça tão notável. Vamos adiante. Vou esquecer personalidades e restringir-me apenas aos fatos. *Temos* de abordar esse problema sem paixões e compreendê-lo sem confusões nem enganos. Em primeiro lugar, o que está feito está feito. Não desenterremos o passado. Não devemos permitir que o passado continue a alimentar ressentimentos.

Inclinou-se um pouco para a frente e prosseguiu:

— Reflitam. Temos um exército constituído por mais de cem mil homens, combatentes e não-combatentes, acampado a cerca de três léguas das muralhas de Tróia. Entre os não-combatentes, dispomos de cozinheiros, escravos, marinheiros, armeiros, cavalariços, carpinteiros, pedreiros e engenheiros. Se a expedição tivesse sido tão mal planejada como o príncipe Aquiles quer fazer crer, não disporíamos de tantos e tão diversos profissionais experientes Muito bem. Esse ponto não precisa sequer ser discutido. Temos também de considerar o fator tempo. Calcas, nosso sacerdote, mencionou dez anos: sinto-me inclinado a acreditar em sua profecia. Na verdade, não estamos aqui para derrotar apenas uma cidade! Nós estamos aqui para derrotar muitas nações, que se estendem de Tróia à Cilícia. Uma empresa dessa magnitude não pode ser feita de um dia para o outro! Mesmo que conseguíssemos derrubar as muralhas de Tróia, a missão não estaria terminada! Seremos piratas? Bandidos? Ladrões de estrada? Se somos, então assaltamos uma cidade e voltamos para casa com os despojos. Mas creio que nós não somos piratas. Eu creio que não nos devemos limitar a Tróia! Temos de ir mais longe, temos de derrotar a Dardânia, a Mísia, a Lídia, a Cária, a Lícia e a Cilícia!

Aquiles rendera-se: observava Nestor com uma atenção que eu nunca lhe vira. Agamêmnon também, aliás.

— O que aconteceria — propôs Nestor, com ar pensativo — se dividíssemos nosso exército em dois? Metade ficaria aqui diante de Tróia, e a outra metade agiria, digamos, livremente. A força acampada serviria para conter Tróia: teria de ser pelo menos tão ampla quanto qualquer exército que Príamo eventualmente enviasse para combatê-la. A segunda força percorreria a costa da Ásia Menor, atacando, pilhando e incendiando todas as povoações entre Andramítios e a longínqua Cilícia. Essa segunda força dizimaria e devastaria, obteria escravos, saquearia cidades, assolaria os campos, surpreenderia o inimigo desprevenido. Desse modo, alcançaríamos dois objetivos: manteríamos as duas metades de nosso exército convenientemente abastecidas de alimentos e outros produtos necessários, talvez mesmo produtos luxuosos, e levaríamos os aliados de Tróia a sentir um tão grande e constante medo, que nunca se arriscariam a enviar a Príamo ajuda de qualquer tipo. Em nenhum ponto da costa há concentrações populacionais capazes de resistir a um exército vasto e bem conduzido. Mas duvido muito de que os reis da Ásia Menor se lembrem de abandonar suas terras para se juntar em Tróia. Não creio que esses reis possuam uma visão das coisas suficientemente profunda. Por isso, não creio que abandonem suas terras.

Claro que Ulisses e Nestor tinham planejado tudo aquilo! As palavras de Nestor deslizavam como mel sobre um bolo. Ulisses sorria de satisfação e aprovação, e Nestor estava em seu elemento.

— A metade do exército que ficar diante de Tróia impedirá os troianos de atacar nosso acampamento ou nossos navios — prosseguiu Nestor. — Por outro lado, contribuirá de forma decisiva para que o moral dos soldados e cidadãos de Tróia sofra um rude golpe. O que temos de fazer é transformar uma proteção em prisão: no espírito dos habitantes de Tróia, as protetoras muralhas passarão a ser um cárcere! Não entrarei agora em detalhes, mas garanto-lhes que há muitas maneiras de influenciar o espírito dos troianos, desde a cidadela à mais humilde choupana. Acreditem, há de fato muitas maneiras de conseguir isso! A astúcia é absolutamente essencial, mas, com Ulisses, possuímos essa arma em abundância.

Nestor suspirou e pediu mais vinho, e Pátroclo serviu então com extremo respeito e diligência o idoso rei de Pilos.

— Se decidirmos levar esta guerra avante — continuou Nestor —, haverá uma multidão de recompensas prontas a colher. Tróia é muito mais rica do que poderíamos ter sonhado. Os despojos enriquecerão todas as nossas nações, como nos enriquecerão. Aquiles tem razão nesse ponto. Gostaria de lembrar que Agamêmnon sempre advogou o esmagamento dos aliados da Ásia Menor. Se os esmagarmos, poderemos colonizar todas essas terras, poderemos trazer para cá muitos de nossos cidadãos e dar-lhes condições de vida muito superiores àquelas de que gozam na Grécia, onde vivem literalmente apinhados. E — prosseguiu ele, a voz baixando de tom, mas crescendo em poder —, mais importante do que todo o resto, o Helesponto e o mar Euxino serão nossos. Poderemos colonizar também as margens do Euxino. Teremos todo o estanho e cobre de que precisamos para produzir o bronze. Teremos o ouro da Cítia. Esmeraldas. Safiras. Rubis. Prata. Lã. Trigo. Cevada. Eletro. Outros metais. Outros alimentos.

Outras mercadorias. Uma perspectiva verdadeiramente estimulante, não acham?

Mexemo-nos em nossos lugares, começamos a sorrir uns para os outros, enquanto Agamêmnon parecia ganhar nova vida.

— As muralhas de Tróia, devemos deixá-las absolutamente em paz — prosseguiu o velho Nestor, firme como um jovem. — A metade do exército que ficar diante de Tróia terá uma função meramente irritante: fomentará a perturbação entre os troianos e deverá limitar-se a escaramuças sem grande importância. O local onde agora estamos é excelente para acampamentos. Não vejo a menor necessidade de nos mudarmos para outro lugar. Ulisses, como se chamam os dois rios?

A resposta foi rápida.

— O rio maior, o que tem as águas amarelas, é o Escamandro. São os esgotos de Tróia que o poluem, e foi por isso que proibimos nossos homens de se banharem nessas águas ou de molharem sequer os lábios nelas. O rio menor, o das águas límpidas, é o Simoente.

— Obrigado. Nossa primeira tarefa consistirá em construir uma muralha defensiva que vá do Escamandro ao Simoente, distante cerca de meia légua da lagoa. Terá de ter a altura de pelo menos quinze cúbitos. No exterior, colocaremos uma paliçada de estacas pontiagudas e cavaremos uma trincheira com a profundidade de quinze cúbitos, com mais estacas pontiagudas no fundo. Esses trabalhos manterão ocupados os soldados que aqui ficarem durante o inverno; ocupados e aquecidos, pois não há melhor remédio para o frio do que o trabalho.

De súbito, Nestor calou-se e acenou para Ulisses.

— Estou cansado. Continue, Ulisses.

Claro que haviam maquinado aquilo tudo! Ulisses prosseguiu como se tivesse estado falando desde o princípio.

— Não permitiremos que os exércitos permaneçam inativos. Por isso, as duas metades de nosso exército se revezarão; seis luas diante de Tróia, seis luas atacando ao longo da costa. Desse modo, jamais haverá cansaço em meio a nossas hostes. Nunca será demais acentuar que temos de criar e alimentar a impressão de que, se preciso for, pretendemos permanecer neste lado do Egeu por toda a eternidade! Quero que os povos da Ásia Menor, à medida que os anos forem passando, se sintam cada vez mais desesperados, debilitados, impotentes. A metade móvel de nosso exército sangrará Príamo até a morte, bem como seus aliados. O ouro deles acabará em *nossos* cofres. Calculo que teremos de esperar dois anos para que a mensagem penetre em suas consciências, mas penetrará, e para sempre! Tem de penetrar!

— Posso concluir, portanto — observou Aquiles, agora muito polido —, que a metade móvel de nosso exército não acampará aqui.

— Não, essa metade terá seu próprio quartel-general — respondeu Ulisses, satisfeito com a polidez de Aquiles. — Mais para o sul, talvez na fronteira da Dardânia com a Mísia. Há nessa região um porto chamado Assos. Nunca estive lá, mas Télefo garante que é adequado para essas funções. Os despojos da costa serão trazidos para cá, bem como todos os alimentos e outros artigos. Entre Assos e esta praia operará constantemente uma frota de abastecimento, que navegará sempre junto à costa, sejam quais forem as condições meteorológicas, por questão de segurança. Fênix é, de nossa alta nobreza, o único marinheiro capaz e experiente. Sugiro, por isso, que fique encarregado dessa frota de abastecimento. Sei que ele jurou a Peleu nunca abandonar Aquiles, mas, cumprindo essas funções, creio que não o estará abandonando.

Calou-se por um momento e deixou que seus olhos cinzentos fitassem cada um dos pares de olhos que o observavam.

— Terminarei lembrando a todos a profecia de Calcas de que a guerra durará dez anos. Acredito de fato que não durará menos. E é nisso que todos têm de pensar. Dez anos longe de casa. Dez anos durante os quais nossos filhos crescerão longe de nós.

Dez anos durante os quais nossas esposas terão de governar. A pátria fica muito longe, e nossa missão aqui é exigente demais para que possamos dar-nos ao luxo de visitar a Grécia. Dez anos é muito, muito tempo. — Virou-se para Agamêmnon e fez-lhe a vênia. — Rei supremo, o plano que eu e Nestor delineamos só será válido com sua aprovação. Se o reprovar, Nestor e eu nada mais diremos. Somos, como sempre, seus servos.

Dez anos longe de casa. Dez anos de exílio. A conquista da Ásia Menor valeria tal preço? Eu, pelo menos, não tinha certeza. Creio, aliás, que, não fosse Ulisses, ter-me-ia feito ao mar no dia seguinte. Era óbvio, porém, que ele já tomara a decisão de ficar: por isso, nunca dei voz ao desejo que me roía o coração.

Agamêmnon suspirou profundamente.

— Assim seja, então. Dez anos. Creio que a recompensa vale bem esses dez anos. Teremos muito a ganhar, contudo, submeterei a decisão à votação. Os demais reis deverão apoiar a missão tanto quanto eu.

Levantou-se e postou-se diante de nós.

— Gostaria de lembrar que a maior parte dos aqui presentes é formada por reis ou herdeiros de reis. Nós, os gregos, fizemos depender nosso conceito de realeza dos favores dos Deuses do céu. Derrubamos o jugo do matriarcado quando substituímos a Velha Religião pela Nova. Porém, enquanto reinam, os homens têm de pedir o apoio dos Deuses do céu, pois não poderão nunca ser férteis, não poderão nunca conhecer os mistérios da concepção das crianças ou das coisas da Mãe Terra. Respondemos perante nosso povo de maneira diferente da que usávamos nos tempos da Velha Religião. Éramos as vítimas sacrificais, as indefesas criaturas que a rainha oferecia para apaziguar a Mãe quando a colheita era escassa, quando se perdia a guerra ou quando descia sobre nós alguma praga terrível. A Nova Religião libertou os homens desse destino, elevou-os à condição de verdadeiros soberanos. Respondemos perante nosso povo diretamente. Portanto, sou favorável a essa portentosa empresa. Ela será a salvação de nosso povo e espalhará por todo o mundo nossos costumes e tradições. Se voltasse agora à minha pátria, ficaria humilhado diante de meu povo e teria de admitir a derrota. Como poderia eu resistir, se o povo, partilhando minha humilhação, decidisse voltar à Velha Religião, decidisse sacrificar-me e devolver a minha esposa o soberano estatuto?

Sentou-se em sua cadeira e pôs as mãos brancas e elegantes sobre os joelhos cobertos de púrpura.

— Procedamos então à votação. Se algum homem deseja voltar para a Grécia, que erga sua mão.

Ninguém o fez.

— Muito bem. Ficamos. Ulisses, Nestor, têm mais sugestões a apresentar?

— Não, rei Agamêmnon — declarou Ulisses.

— Não, rei Agamêmnon — repetiu Nestor.

— Idomeneu?

— Estou satisfeito, Agamêmnon.

— Nesse caso, seria melhor começarmos a analisar os detalhes. Pátroclo, já que foi nomeado nosso copeiro, diga aos criados que nos tragam comida.

— Como dividirá o exército, rei Agamêmnon? — perguntou Meriones.

— Como sugeri, pela rotação de contingentes; contudo, gostaria de acrescentar uma cláusula a essas disposições. Creio que o segundo exército deveria ter um núcleo de homens permanentes; homens que farão parte dele ao longo de toda a guerra. Alguns dos presentes são jovens extremamente promissores. Ficariam extremamente aborrecidos se tivessem de permanecer um tempo infinito diante de Tróia. Eu terei de ficar aqui todo o ano, como Idomeneu, Ulisses, Nestor, Diomedes, Menesteu e Palamedes. Aquiles, os dois Ajax, Teucro e Meriones, vocês são jovens. É a vocês que confio o segundo exército. O alto comando irá para Aquiles, que será responsável tanto perante mim como perante

Ulisses. Todas as decisões relativas às atividades do segundo exército ou à vida no interior de Assos serão suas, ainda que possa haver nesse exército homens com *status* superior ao seu. Entendido? Aceita o alto comando?

Aquiles levantou-se, trêmulo; custava-me a suportar o brilho que havia em seus olhos, tão dourado e intenso como o de Hélio.

— Juro por todos os deuses que nunca encontrará motivos para lamentar a confiança que deposita em minha chefia, rei Agamêmnon.

— Sendo assim, eu o nomeio comandante supremo do segundo exército, filho de Peleu. Escolha seus lugares-tenentes — concluiu Agamêmnon.

Olhei para Ulisses e balancei a cabeça; respondeu-me erguendo uma ruiva sobrancelha e piscando o olho cinzento. Ele haveria de se ver comigo quando estivéssemos sozinhos! Francamente... Maquinações secretas!

CAPÍTULO DÉCIMO SEXTO

NARRADO POR
HELENA

À sombra de Tróia, Agamêmnon erigiu, pedra a pedra, uma nova cidade; todos os dias, de minha varanda, mais alta do que as muralhas, eu observava os gregos acampados nas areias do Helesponto. Ao longe, pareciam formigas, e como formigas trabalhavam, arrastando pedras e empilhando troncos de árvores descomunais, a fim de construir uma muralha que ia do cintilante Simoente ao imundo Escamandro. As casas proliferavam além da praia, casernas imponentes destinadas a abrigar os soldados durante o inverno, depósitos de cereais onde o trigo e a cevada eram convenientemente guardados, imunes às investidas dos ratos e do tempo.

Sofrera minha vida um rude golpe desde que a frota grega chegara a Tróia, embora minha vida nunca tivesse sido aquilo que eu imaginara antes de partir para Tróia. Por que será que, quando olhamos para o tear do tempo, nunca conseguimos ver claramente o futuro, mesmo quando ele nos deixa ver tudo claro e definido? Eu tinha olhos para ver e deveria ter visto. Páris, porém, era tudo para mim. O que viam meus olhos? Páris, Páris, Páris.

Em Amiclas, eu fora rainha. Era *meu* sangue que legitimava Menelau no trono. O povo da Lacedemônia contava com a filha de Tíndaro para velar por seu bem-estar e para que, por seu intermédio, pudesse entrar em contato com os Deuses. Eu era importante. Quando, em meu régio carro, percorria as ruas de Amiclas, a população abaixava a cabeça e se ajoelhava. Eu era venerada, adorada; a rainha Helena, o único dos gêmeos da divina Leda que ao povo restava. E, sempre que o passado desfilava diante de meus olhos, percebia quão intensa e plena fora minha vida em Amiclas — as caçadas, os torneios desportivos, as festas, a corte, as diversões. Nesse tempo, em Amiclas, eu costumava pensar que o tempo era para mim um pesado fardo; agora, porém, eu sabia que, nesse tempo passado, desconhecera o significado da palavra tédio.

A respeito de tédio, aliás, aprendi tudo o que havia a aprender desde que cheguei a Tróia. Aqui, não sou rainha; não passo de um elemento *insignificante* seja no nível que for. Sou a esposa de um filho imperial sem grande importância. Sou uma estrangeira detestada. Sou limitada por normas e regulamentos que não posso ignorar, pois não possuo nem o poder nem a autoridade para tal. E não há nada para fazer, nenhum lugar aonde ir! Não posso acenar para um criado e pedir um carro, não posso ir aos campos próximos e ver os homens disputando jogos ou preparando-se para a guerra. Sou prisioneira da Cidadela. Quando tentei descer à cidade, todos, de Hécuba a Antenor, protestaram: eu era leviana, imoral, caprichosa o suficiente para confraternizar com o povo! Não compreenderia eu, disseram, que, se passasse por uma taberna mal freqüentada e os homens vissem meus seios expostos, acabaria por ser violada ali mesmo na rua, por todos eles? Argumentei que, se era esse o problema, não me custava nada cobrir os seios. Mesmo assim, a resposta de Príamo foi negativa.

De súbito, meus aposentos (nesse aspecto, Príamo fora generoso: eram belos e amplos os aposentos de Páris e Helena) e as câmaras onde se reuniam as nobres da Cidadela passaram a ser os limites de meu mundo. Ao mesmo tempo, descobria que Páris, meu maravilhoso Páris, era um homem igual aos outros: consegue sempre o que pretende, o que não inclui fazer companhia à esposa. Eu não passo de um objeto para o amor — e o amor é coisa breve quando os amantes já não têm nada de novo a aprender um sobre o outro.

Depois de os gregos terem chegado, minha vida, que eu já considerava entediante, piorou ainda mais. As pessoas passaram a verme como a causa da catástrofe e a culpar-me pelo aparecimento de Agamêmnon. Idiotas! De início, tentei convencer a nobreza troiana de que, se Agamêmnon queria a guerra, não era por causa de nenhuma mulher, mesmo que essa mulher fosse duas vezes sua cunhada: com efeito, acrescentei, Agamêmnon mencionava a guerra desde a noite em que os sacerdotes haviam esquartejado o cavalo branco e minha mão fora dada a Menelau. Ninguém me deu ouvidos. Ninguém *quis* dar-me ouvidos. *Eu*, insistiam eles, era a razão pela qual os gregos estavam ali, nas areias do Helesponto. *Eu* era a razão pela qual a cidade grega crescia além das poderosas muralhas que haviam erigido do cintilante Simoente ao imundo Escamandro. Tudo era culpa *minha*!

Príamo estava muito afetado, pobre velho. Empoleirava-se na ponta de sua cadeira de ouro e marfim, em vez de nela se afundar, como costumava fazer, e punha-se a arrancar pêlos das longas barbas e mandava homens atrás de homens à torre de vigia ocidental, pois queria manter-se a par de todos os progressos dos gregos. Desde o dia em que, pela primeira vez, entrara em sua Sala do Trono, o velho Príamo experimentara toda a gama de emoções, do júbilo (porque, graças a mim, zombara de Agamêmnon) à mais absoluta perplexidade. Riu muito enquanto os gregos não deram nenhuma indicação de que pretendiam permanecer; tinha a felicidade estampada no rosto quando seus aliados lhe prometeram ajuda. Porém, quando a muralha defensiva grega começou a ser construída, a consternação tomou conta de seu rosto e um peso imenso fez vergarem seus ombros.

Eu gostava muito de Príamo, ainda que lhe faltassem a força e a dedicação comuns aos reis gregos. Na Grécia, um rei tinha de ser muito forte se quisesse manter seu poder ou tinha de ter um irmão cuja força bastasse aos dois. O caso de Tróia era muito diverso: os antepassados de Príamo ali reinavam desde tempos imemoriais. O povo troiano dedicava-lhe um amor que os povos gregos nunca poderiam experimentar por seus reis; apesar disso, Príamo era menos firme no cumprimento de seus deveres, pois estava certo de que nunca perderia seu trono. A palavra dos Deuses não era tão preciosa para ele quanto para os reis gregos.

O velho Antenor, cunhado do rei, não perdia uma única oportunidade para me censurar; odiava-o mais do que ao próprio Príamo! Sempre que os olhos remelosos de Antenor se fixavam em mim, tudo o que encontrava neles era o fogo da inimizade. Depois, sua boca abria-se, e as censuras borbulhavam, um longo rosário de críticas. Por que eu me recusava a cobrir os seios? Por que batera em minha criada? Por que eu não tinha jeito para as tarefas que às mulheres competiam, como tecer e bordar? Por que eu não calava minhas opiniões, quando era norma entre as mulheres não haver opinião? Havia sempre em mim algo que merecia censura, e Antenor lá estava para apontar.

Quando os gregos concluíram a muralha que rodeava a praia do Helesponto, Príamo perdeu finalmente a paciência com que sempre suportara os ataques de Antenor.

— Cale-se, velho idiota! — gritou-lhe. — Agamêmnon não veio a Tróia por causa de Helena. Acredita que ele e seus reis vassalos gastaram tanto e tão precioso dinheiro unicamente para levar uma mulher que deixou a Grécia por sua própria vontade? O que Agamêmnon quer é Tróia e a Ásia Menor, e não Helena! Ele quer colônias gregas em nossas terras; quer encher seus cofres com nossas riquezas; quer que seus navios entrem livremente no Helesponto e livremente naveguem no Euxino! A esposa de meu filho é apenas um pretexto, não mais do que um pretexto! Se devolvêssemos Helena aos gregos, estaríamos simplesmente participando do jogo que Agamêmnon montou! Por isso, eu o proíbo de voltar a se referir a Helena! Entendeu bem o que eu disse, Antenor?

Antenor baixou os olhos e, com vênia exagerada, acatou as palavras do rei.

Os Estados da Ásia Menor começaram a enviar seus embaixadores a Tróia; a assembléia seguinte a que assisti estava cheia de representantes dessas nações. Não consegui decorar todos aqueles estranhos nomes, como Paflagônia, Cilícia, Frígia. Príamo atribuía mais importância a alguns embaixadores do que a outros, mas a todos reservou um digno tratamento. No entanto, suas mais fervorosas saudações foram, sem dúvida, para o embaixador da Lícia. Chamava-se Glauco e dividia com um primo, Sarpedon, o governo da Lícia. Páris, a quem o pai ordenara que assistisse à reunião, segredou-me que Glauco e Sarpedon eram tão inseparáveis quanto gêmeos, além de amantes. Uma tolice, entre reis. Como não tinham esposas, nunca teriam herdeiros.

— Asseguro-lhe, rei Glauco, que, quando tivermos expulsado os gregos de nossa costa, a Lícia receberá parte generosa dos despojos — prometeu Príamo, com lágrimas nos olhos.

Glauco, um homem relativamente jovem (e muito belo), sorriu.

— A Lícia não está aqui por causa dos despojos, tio Príamo. O rei Sarpedon e eu só queremos esmagar os gregos e mandá-los de volta para o outro lado do Egeu. Nosso comércio é vital para a Lícia, pois ocupamos a ponta sul desta costa. Todo o comércio desta região passa pela Lícia: tanto o que se dirige para nossos vizinhos do norte, como o que se dirige para o sul, buscando Rodes, Chipre, Síria, Egito. A Lícia é a porta giratória de todo o comércio da região. Cremos que devemos juntar nossas forças não por cobiça, mas, sim, por necessidade pura e simples. Asseguro-lhe que, na primavera, poderá contar com nossas tropas e com ajudas de outro tipo. Vinte mil homens, todos eles convenientemente equipados e abastecidos.

As lágrimas deslizavam pelas faces de Príamo, pois um coração que é velho facilmente se comove.

— Meus muito sentidos agradecimentos, meu querido sobrinho — respondeu-lhe o rei de Tróia.

Aproximaram-se depois os outros, alguns tão generosos quanto os da Lícia, outros regateando dinheiro ou privilégios. Príamo prometia a todos o que queriam que ele prometesse; não admira que o número de soldados não parasse de crescer e que a ajuda prevista ganhasse uma dimensão gigantesca. No final da assembléia, comecei a duvidar de que Agamêmnon conseguisse resistir a tão portentosa força. Príamo disporia de duzentos mil homens na planície logo que, na primavera do ano seguinte, o açafrão apontasse sob a neve que então se derreteria. Meu ex-cunhado seria derrotado; a menos que pudesse contar com reforços ou que tivesse algum truque escondido na manga púrpura. Se assim era, por que estava eu tão inquieta? Porque conhecia meu povo. Ai daquele que, perante os gregos, atenuasse sua vigilância: em pouco tempo, teria sua sepultura cavada. Eu conhecia bem os conselheiros de Agamêmnon e estava em Tróia há tempo suficiente para saber que o rei Príamo não possuía conselheiros do porte de Nestor, Palamedes ou Ulisses.

Ah, que entediantes eram aquelas assembléias! Só as freqüentava porque o resto de minha vida era ainda mais entediante. À exceção do rei, ninguém tinha permissão para sentar-se; muito menos uma mulher. Doíam-me os pés. Por isso, enquanto o embaixador da Paflagônia, envergando algo que parecia ser um conjunto de macias peles bordadas, discursava num dialeto que eu não entendia, deixei que meus olhos passeassem, ociosos, pela multidão. Até que se detiveram num homem que, aparentemente, acabara de chegar. Ah, que belo homem! *Belíssimo*!

Avançou com facilidade em meio à multidão. Era mais alto do que todos os presentes, exceto Heitor, que se encontrava, como de costume, ao lado do pai. O recém-chegado tinha a altivez de um rei além de possivelmente imaginar-se um dos grandes deste mundo. Fez-me lembrar Diomedes: o mesmo jeito gracioso de andar e o mesmo ar duro de guerreiro. Cabelos escuros, olhos escuros, ricamente vestido; o manto que lhe caía descuidadamente sobre os ombros possuía o forro mais belo que eu já vira, uma pele de aspecto muito suave e macio, com manchas fulvas. Aos pés do estrado do trono, curvou-se ligeiramente, como um rei faz perante outro rei cuja primazia tem dificuldade em reconhecer.

— Enéias! — exclamou Príamo, em tom muito peculiar. — Há tanto tempo eu o esperava...

— Sabe a razão de minha demora, rei Príamo — declarou o homem chamado Enéias.

— Já viu por acaso os gregos?

— Ainda não, rei Príamo. Entrei pela Porta *Dardaniana*.

A ênfase com que pronunciara o nome da porta era significativa. Lembrei-me, então, de que já tinha ouvido aquele nome: Enéias era o herdeiro da Dardânia. Seu pai, o rei Anquises, governava a metade sul daquelas terras; vivia numa cidade chamada Lirnesso. Príamo sempre se referia com desprezo à Dardânia, de Anquises ou Enéias; imaginara eu que, em Tróia, consideravam Anquises e Enéias homens inferiores em *status* e riqueza, mas Páris dissera-me que o rei Anquises era primo-irmão de Príamo e que Dárdano fundara tanto a casa real de Tróia como a casa real de Lirnesso.

— Sugiro, então, que vá à varanda e olhe na direção do Helesponto — comentou Príamo, transbordando de sarcasmo.

— Como quiser.

Enéias não demorou muito.

— Parece que pretendem ficar. É isso?

— Uma conclusão perspicaz.

Enéias ignorou a ironia.

— Por que razão me chamou? — perguntou.

— Não será óbvia essa razão? Agamêmnon, depois de ter abocanhado Tróia, engolirá a Dardânia e Lirnesso. Quero que suas tropas me ajudem a esmagar os gregos na próxima primavera.

— A Grécia não tem conflitos com a Dardânia.

— A Grécia, atualmente, não precisa de pretextos para lançar guerras; simplesmente quer terras, bronze e ouro.

— Muito bem, rei Príamo, a julgar pela formidável assembléia hoje aqui reunida, creio poder concluir que não precisará dos homens da Dardânia para esmagar os gregos. Quando realmente precisar de nós, creia, trarei um exército. Mas não na primavera.

— Mas eu preciso de seus soldados na primavera do próximo ano!

— Duvido de que precise.

Príamo bateu no chão com seu cetro de marfim; a esmeralda do punho emitia centelhas.

— Eu quero seus soldados!

— Não posso comprometer-me com nada sem a permissão explícita de meu pai, o que, por enquanto, não tenho.

Príamo, sem saber o que mais dizer, virou-lhe o rosto.

Mal ficamos sozinhos, curiosa, interroguei Páris a respeito daquela estranha discussão.

— O que há entre seu pai e o príncipe Enéias?

Páris afagou-me preguiçosamente o cabelo.

— Rivalidade.

— Rivalidade? Mas um governa a Dardânia e o outro, Tróia!

— Sim, mas um oráculo informa que Enéias reinará um dia em Tróia e meu pai teme que a palavra do Deus se cumpra. Enéias também conhece esse oráculo e espera, por isso, ser tratado como herdeiro. Porém, se pensarmos que meu pai tem cinqüenta filhos, a atitude de Enéias é ridícula. Acredito que o oráculo se refira a outro Enéias, que talvez ainda não tenha nascido.

— Parece-me — murmurei, pensativa — um homem muito atraente.

Páris fitou-me. Havia em seus olhos um estranho brilho.

— Espero que nunca se esqueça de que é minha esposa, Helena. Afaste-se de Enéias.

Definhava o amor que nos unira. Como era possível que isso tivesse acontecido, se eu me apaixonara logo que o vira? Contudo, o fogo transformara-se agora em cinzas. Talvez porque descobrira, ao fim de pouco tempo, que, apesar da paixão que nutria por mim, Páris não conseguia resistir ao desejo de conhecer outras mulheres. Nem ao desejo de, chegado o verão, ir divertir-se nas florestas do monte Ida. No verão, entre minha chegada a Tróia e o desembarque dos gregos, Páris desaparecera durante seis luas. Quando por fim regressou, nem sequer me pediu desculpas! Não se dera conta tampouco do que eu sofrera durante sua ausência.

Algumas mulheres da corte não economizavam esforços para transformar minha existência em constante tormento. A rainha Hécuba abominava-me; considerava-me a ruína de seu querido Páris. A mulher de Heitor, Andrômaca, odiava-me porque eu lhe usurpara o título da mais bela mulher de Tróia e, também, porque temia que Heitor sucumbisse a meus encantos, como se isso algum dia me tivesse passado pela cabeça! Heitor era um moralista, um pedante, tão formal e rígido que, ao fim de pouco tempo, já o considerava o homem mais enfadonho de uma corte repleta de homens enfadonhos!

No entanto, era Cassandra, a jovem princesa, quem mais me aterrorizava. Vagava por salas e corredores com a cabeleira negra flutuando livre e imensa, os olhos prenhes de loucura, o rosto muito branco devastado pelo que lhe ia na alma. Sempre que me via, rompia em estridente diatribe — dizia-me coisas que me ofendiam, mas que não faziam sentido, pois suas palavras e idéias surgiam tão emaranhadas, que ninguém conseguia desvendar-lhes a lógica. Eu era um demônio, ela afirmava. Eu era um cavalo. Eu trazia a desordem; estava aliada com a Dardânia e com Agamêmnon. Eu era a ruína de Tróia. E por aí adiante. Cassandra perturbava-me, o que Hécuba e Andrômaca logo perceberam. Daí que tivessem encorajado Cassandra a procurar-me; esperavam, evidentemente, que eu nunca mais saísse de meu quarto. Mas Helena era mais forte do que elas pensavam. Em vez de me retirar para meu quarto, juntava-me a Hécuba, Andrômaca e às outras nobres que se reuniam na câmara de recreio e deixava-as profundamente irritadas, pois afagava os seios (verdadeiramente magníficos) diante de seus escandalizados olhos (nenhuma delas se teria atrevido a mostrar os seios flácidos e mirrados). Quando me cansava dessa brincadeira, arranjava outras: esbofeteava uma criada, derramava leite em cima daqueles horrorosos tecidos e tapeçarias de que elas tanto gostavam, rompia em monólogos sobre violações, fogo e saque. Numa memorável manhã, deixei Andrômaca tão furiosa, que a mulher de Heitor acabou por me declarar guerra — para logo descobrir que, quando solteira, Helena praticara luta e tinha a maior facilidade em vencer uma dama mimada. Derrubei-a e dei-lhe tamanho murro no olho, que, durante quase uma lua, a pobre Andrômaca andou de olho inchado, fechado e negro. Depois, espalhei que fora Heitor o autor de tão triste obra.

Perseguiam Páris, advertindo-o de que precisava disciplinarme; sua mãe, em particular, não o largava. Porém, sempre que ele se propunha a zangar-se comigo ou pedir-me que fosse mais simpática, eu ria dele e oferecia-lhe uma litania de todos os insultos de que fora alvo por parte das mulheres da corte. O que, tudo junto, significava que Páris era, para mim, uma presença cada vez mais fugaz.

O inverno chegou, e a corte de Tróia sentiu-se pela primeira vez inquieta. Dizia-se que os gregos tinham deixado a praia e percorriam agora a costa da Ásia Menor, atacando uma série de cidades muito afastadas entre si. Príamo enviou à praia um destacamento fortemente armado, a fim de investigar o que de fato acontecia. Afinal, os gregos continuavam lá — e até abandonaram o acampamento para travar breve combate com o destacamento troiano. Mesmo assim, com o avançar do inverno, continuaram a chegar a Tróia notícias de ataques a outras cidades; um a um, os aliados de Príamo anunciaram que não poderiam honrar suas promessas. Agora, eram suas próprias terras que se encontravam ameaçadas. Tarso, na Cilícia, foi incendiada, e a sua população, morta ou submetida à escravatura; os campos e os pastos situados cinqüenta léguas em torno da cidade foram queimados, depois de os cereais terem sido levados por navios gregos; o gado foi massacrado, e as carnes defumadas para depois abastecer os gregos; os templos foram despojados de seus tesouros, e o palácio do rei Eecião, saqueado. Mísia foi a vítima seguinte. Lesbos resolveu auxiliar a Mísia, mas logo se arrependeu, pois os gregos a atacaram. Termos foi arrasada; os lesbianos trataram suas feridas e concluíram que talvez fosse mais oportuno juntarem-se a Agamêmnon, tanto mais que parte de seus antepassados era grega. Pouco tempo depois, na Cária, as cidades de Priena e Mileto sucumbiram às tropas gregas. Foi então que se instalou na corte troiana um verdadeiro pânico. Até mesmo Sarpedon e Glauco, os reis que governavam a Lícia, se viram obrigados a ficar em seus domínios.

As notícias de cada novo ataque eram-nos comunicadas de um modo absolutamente inusitado. A mensagem era trazida por um arauto grego que se postava diante da Porta Ceia e gritava suas informações para o comandante da torre de vigia ocidental. Dizia-nos qual fora a cidade saqueada, quantos cidadãos haviam sido mortos, o número de mulheres e crianças vendidas como escravas, o valor dos despojos, o total de canecas de cereais. E concluía a mensagem sempre com as mesmas palavras:

— Diga a Príamo, rei de Tróia, que foi Aquiles, o filho de Peleu, quem me enviou!

Os troianos começavam a ficar apavorados com aquele nome. Na primavera, Príamo teve de suportar em silêncio a presença do acampamento grego, já que as forças aliadas não apareceram para ajudá-lo e também porque não tinha dinheiro para comprar mercenários aos hititas, aos assírios ou aos babilônios. O dinheiro troiano tinha de ser cuidadosamente conservado; agora eram os gregos que cobravam os tributos do Helesponto.

Uma iniludível desolação começou a penetrar tanto os corações como os palácios troianos. E, como eu era a única criatura grega na Cidadela, todos, de Príamo a Hécuba, me perguntavam quem era aquele homem chamado Aquiles. Contei-lhes o que sabia, mas quando lhes expliquei que o filho de Peleu pouco mais era do que um rapaz, embora de excelente linhagem, todos duvidaram de mim.

O tempo foi passando, e o medo de Aquiles, aumentando; a simples menção de seu nome bastava para que Príamo ficasse atônito. Apenas Heitor não mostrava medo. Aparentemente, daria tudo para poder combater contra Aquiles. Seus olhos iluminavam-se, e sua mão afagava o punhal sempre que o arauto grego se postava diante da Porta Ceia com notícias frescas. De fato, na mente de Heitor, um eventual combate contra Aquiles transformou-se em verdadeira obsessão. Chegou a ponto de fazer oferendas em todos os altares da cidade, rogando aos Deuses que lhe dessem a oportunidade por que seu coração ansiava. Tudo o que queria era travar um duelo com Aquiles e matá-lo. Também ele me interrogou a respeito de Aquiles e recusou-se a acreditar em minhas respostas.

Chegado o outono do segundo ano, Heitor perdeu a paciência e pediu ao pai que o deixasse sair das muralhas com todo o exército troiano.

Príamo ficou paralisado, possivelmente pensando que seu herdeiro enlouquecera.

— Não, Heitor — respondeu-lhe.

— Pai, nossas investigações revelaram que os homens que se encontram no acampamento são menos de metade do total dos soldados gregos! Seria fácil derrotá-los! Derrotado o exército que está acampado na praia, o exército de Aquiles teria de voltar para Tróia! Então... então nós o derrotaríamos!

— Ou seríamos derrotados.

— Pai, nós somos mais do que eles! — exclamou Heitor.

— Não acredito nisso.

Desesperado, Heitor continuou a apresentar argumentos que convencessem o aterrorizado pai de que era ele quem tinha razão.

— Nesse caso, deixe-me ir procurar Enéias em Lirnesso; com o apoio dos dardanianos, ficaríamos com mais soldados do que Agamêmnon!

— Enéias não quer envolver-se em nossos dilemas.

— Enéias me escutará, pai.

Príamo ergueu-se, ofendido.

— Autorizar meu filho, autorizar meu herdeiro a suplicar ajuda aos dardanianos? Você enlouqueceu, Heitor? Preferiria morrer a curvar-me perante Enéias!

Nesse preciso instante, por mero acaso, vi Enéias. Acabava de entrar na Sala do Trono, mas já ouvira o suficiente; sua boca cerrada exprimia claro desagrado; seus olhos ora atentavam em Príamo, ora examinavam Heitor, mas seria impossível saber que pensamentos lhe percorriam a mente. Antes que alguém importante reparasse nele — eu não era importante —, deu meia-volta e abandonou a sala.

— Pai — ponderou Heitor, cada vez mais desesperado —, nós não vamos ficar eternamente no interior destas muralhas! Os gregos estão decididos a reduzir a cinzas nossos aliados! Nossa riqueza começa a minguar, porque nossas reservas estão acabando e porque o abastecimento da cidade está se tornando cada vez mais oneroso! Se não me permite sair da cidade à frente do exército troiano, então me deixe ao menos chefiar destacamentos que possam surpreender os gregos, que possam assolar seus destacamentos e obrigá-los a acabar com essas insolentes expedições a nossas muralhas, com as quais só pretendem insultar-nos!

Príamo sentiu-se vacilar. Pousou o queixo na mão e refletiu durante longos momentos. Depois suspirou e disse:

— Muito bem. Comece a preparar os homens. Se conseguir convencer-me de que não se trata de uma empresa temerária, poderá fazer o que sugere.

O rosto de Heitor iluminou-se.

— Não o desapontarei, meu pai!

— Espero que não — respondeu Príamo, manifestamente cansado.

Alguém na Sala do Trono começou a rir. Olhei à minha volta, surpresa; pensava que Páris se havia ausentado uma vez mais. Mas não, ali estava ele, rindo. Sombras turvaram de súbito a expressão feliz de Heitor, que desceu do estrado e avançou em meio à multidão.

— Qual a razão de suas gargalhadas, Páris?

Meu marido aquietou-se um pouco, pôs um braço sobre os ombros do irmão.

— Você, Heitor, você! Tanta coisa por causa de uma simples escaramuça, quando tem uma mulher tão atraente em casa! Como é possível que prefira a guerra às mulheres?

— Porque eu sou um homem e não um rapazinho bonito!

Fiquei paralisada. Meu marido não era apenas um idiota; era também um covarde! Ah, que terrível humilhação! Dando-me conta do desprezo com que todos me olhavam, abandonei a sala.

Idiotas e belos, assim éramos nós. Eu desistira de meu trono, de minha liberdade e de meus filhos — por que sentia tão poucas saudades de meus filhos? — para viver numa prisão com um homem que era belo, idiota e também covarde. Por que sentia tão poucas saudades de meus filhos? A resposta era fácil: meus filhos pertenciam a Menelau; e, agora, em alguma região de minha mente, via-me obrigada a juntar Menelau, meus filhos e Páris num mesmo e odioso lote. Haveria destino mais terrível para uma mulher do que saber que, ao longo de toda a sua vida, não havia um único ser que dela fosse digno?

Precisava de ar fresco. Fui para o pátio que dava acesso a meus aposentos e aí caminhei de um lado para o outro até conseguir aplacar a dor que sentia. A certa altura, ao virar-me, quase colidi com um homem que vinha em sentido contrário. Instintivamente, erguemos nossas mãos para nos proteger; por um momento, ele se manteve a uma exígua distância de mim, contemplando, curioso, meu rosto enquanto, em seus olhos escuros, se esbatiam os últimos vestígios de sua própria ira.

— Deve ser Helena — ele murmurou.

— E você é Enéias.

— Sou.

— Não vem muitas vezes a Tróia — observei, entregando-me ao prazer de apreciá-lo.

— Será capaz de me apontar uma razão para que eu venha?

Não valia a pena dissimular. Sorri.

— Não — respondi.

— Gosto de seu sorriso, mas é óbvio que está furiosa. Por quê?

— Isso é um assunto só meu.

— Discutiu com Páris?

— De modo nenhum— repliquei, balançando a cabeça. — Discutir com Páris é tão difícil como segurar mercúrio.

— Sem dúvida. — Nesse instante, acariciou-me o seio esquerdo. — Uma moda muito agradável deixá-los assim... descobertos... Mas há um problema, Helena: excitam muito um homem...

Minhas pálpebras fecharam-se, minha boca abriu-se, expectante de desejo.

— É agradável saber que meus seios o excitam... — murmurei. Esperando seus lábios, meu rosto procurou o dele, os olhos ainda cerrados. Porém, quando os abri — porque já não sentia diante de mim rosto nenhum, tampouco os lábios ou o beijo —, Enéias partira.

Agora que o tédio era uma coisa do passado, compareci à assembléia seguinte decidida a seduzir Enéias, que, entretanto, não se dignou de aparecer. Quando perguntei a Heitor, o mais descontraidamente possível, o que acontecera a seu primo da Dardânia, meu cunhado respondeu-me que Enéias atrelara os cavalos no meio da noite e regressara a casa.

CAPÍTULO DÉCIMO SÉTIMO

NARRADO POR

PÁTROCLO

Os Estados da Ásia Menor tratavam agora de curar suas feridas, depois de os sobreviventes se terem refugiado nas vastas montanhas que pertenciam aos hititas. Temiam avançar para Tróia e agrupar-se fosse onde fosse, porque não imaginavam o local que os gregos atacariam a seguir. Na realidade, já os tínhamos derrotado antes de nos termos lançado ao mar para nossa primeira campanha; todas as vantagens estavam conosco; percorríamos a costa longe demais para que pudessem espiar-nos de terra; nossa mobilidade era muito maior do que a deles, pois as vias de comunicação entre os vários focos populacionais daquela região de vales profundos e serras escarpadas não facilitavam os movimentos. As nações da Ásia Menor, de fato, se comunicavam por mar, e, agora, éramos nós quem dominava o mar.

Ao longo do primeiro ano, interceptamos muitos navios que traziam armas e comida para Tróia, procedimento, porém, interrompido logo que os reis da Ásia Menor perceberam que éramos nós e não os troianos quem lucrava com ele. Éramos muitos para eles; nenhuma das cidades que se espalhavam por aquela longa costa poderia nutrir a esperança de reunir um exército forte o suficiente para nos derrotar. Por outro lado, as muralhas de suas cidades eram excessivamente fracas para nossas investidas. E foi assim que saqueamos dez cidades em dois anos, algumas tão distantes como Tarso, na Cilícia, outras tão próximas de Tróia como Mísia e Lesbos.

Sempre que navegávamos, Fênix deixava os navios de abastecimento entre Assos e Tróia sob o comando de seu lugar-tenente e seguia conosco, chefiando os duzentos navios vazios que guardariam os despojos. Sempre que deixávamos para trás mais uma cidade incendiada, esses navios ficavam tão carregados de despojos, que havia quem temesse seu afundamento; até mesmo os que transportavam os soldados rangiam sob o peso dos despojos que não tinham cabido nas duzentas embarcações de Fênix. Aquiles era implacável. Poucos eram os sobreviventes; seria praticamente impossível voltar a organizar a resistência antigrega. Aqueles que não podíamos reduzir à escravatura ou vender ao Egito e à Babilônia eram mortos — mulheres idosas, homens mirrados pela idade, todos aqueles que os negociantes de escravos achavam que já não teriam qualquer préstimo. Ao longo daquela costa, o nome de Aquiles era odiado, e, em meu íntimo, eu não poderia condenar aquele povo por odiar Aquiles.

No início do terceiro ano, Assos regressou lentamente à vida; a neve começava a derreter, as árvores prometiam flores. Não havia entre nós disputas nem divergências, pois há muito havíamos esquecido todas as lealdades, exceto aquela que devíamos a Aquiles e ao Segundo Exército.

Sessenta e cinco mil homens estavam aquartelados em Assos: um núcleo de vinte mil veteranos, parte permanente de nosso exército, mais trinta mil que ficavam conosco o tempo que durasse a campanha, mais quinze mil profissionais e artífices de todo tipo, alguns dos quais permaneciam em Assos todo o ano. Um dos chefes permanentes ficava sempre em Assos, para o caso de a Dardânia resolver atacar a cidade, enquanto a frota se fazia ao mar; até mesmo Ajax chegou a ficar em Assos, embora Aquiles navegasse sempre, tal como eu, pois nunca me separava de Aquiles. Meu amigo era um chefe feroz — eram impiedosos seus ataques, e um inimigo que se rendesse pouco ou nada ganhava com isso. Mal vestia sua armadura, Aquiles tornava-se tão frio quanto o vento norte, implacável. A razão de nossa existência — dizia-nos ele — era assegurar a supremacia grega e não deixar naquelas terras qualquer oposição, tendo em vista o dia em que as nações gregas começassem a enviar seus excedentes populacionais para as novas colônias da Ásia Menor.

Após uma campanha na Lícia, já no fim do inverno (Aquiles parecia ter um pacto com os Deuses do mar, pois nunca tínhamos problemas de navegação, fosse no verão, fosse no inverno), aproximavamo-nos finalmente do porto de Assos. Ajax estava na praia para nos receber, informando-nos, com eufóricos sinais, de seu enorme desejo de voltar para a guerra, e de que, durante nossa ausência, não se registrara qualquer ameaça à cidade. A primavera já inundara as terras de Assos: a relva já alcançava os tornozelos, flores temporãs salpicavam os prados, os cavalos do acampamento saltavam e brincavam em seus pastos, o ar era suave e tão estonteante quanto o vinho a que não misturamos água. Enchendo o peito com as fragrâncias daquele que era então nosso lar, corremos às amuradas dos navios, desejosos de saltar sobre os seixos que rolavam ao sabor das marés.

Separamo-nos depois, com a intenção de nos encontrar mais tarde. Ajax acompanhou o Pequeno Ajax e Teucro, seus braços portentosos cingindo os ombros de ambos, enquanto Meriones seguia à frente de todos, insuflado com a superioridade cretense. Quanto a mim, acompanhei Aquiles, deliciado por estar de novo em Assos. As mulheres tinham trabalhado arduamente durante nossa ausência; nos quintais e jardins, rebentos de um verde pálido prometiam ervas e legumes para as panelas ou grinaldas de flores para nossas cabeças. Uma bela região, a de Assos, completamente diferente daquela onde Agamêmnon montara seu desolado acampamento. Nossas habitações espalhavam-se a esmo em meio ao abundante arvoredo, e as ruas desenhavam-se como em qualquer cidade. Claro que, apesar disso, a segurança era total. Rodeava-nos uma muralha com vinte cúbitos de altura, uma paliçada e uma trincheira; e nem mesmo durante as mais frias luas de inverno faltava um único guarda em nossas fortificações. Não que o inimigo mais próximo, a Dardânia, parecesse interessado em nos atacar; constava que seu rei, Anquises, continuava aborrecido com Príamo.

Havia mulheres por todo o acampamento, algumas já com gravidez adiantada; durante o inverno, aliás, haviam nascido muitos bebês. Agradou-me vê-los com suas mães, pois tinham o dom de mitigar a angústia que a guerra sempre traz, o vazio que o ato de matar sempre provoca. Nenhum daqueles bebês era meu, tampouco de Aquiles. Considero as mulheres criaturas interessantes, ainda que não me despertem nenhuma atração física. Todas aquelas mulheres eram cativas de nossas espadas; contudo, depois do choque e da desorientação iniciais, pareciam ter conseguido esquecer o passado e os homens que haviam amado; como que se tinham convencido de que poderiam amar outro homem, formar nova família e adotar os costumes gregos. Bem, elas não eram guerreiras; eram o prêmio dos guerreiros. As realidades femininas lhes são ensinadas na infância, por suas mães. As mulheres são construtoras de ninhos; por isso, para elas, o ninho é algo de extrema importância. Claro que houve algumas que nunca conseguiram esquecer o passado, que choravam e lamentavam sua sorte; não ficaram muito tempo em Assos; vendidas como escravas, foram trabalhar nas terras lamacentas em que o Eufrates quase se junta ao Tigre; imagino que aí terão morrido, chorando ainda sua triste sorte.

O salão era o cômodo maior de nossa casa, servindo tanto de sala de estar como de sala de reuniões. Aquiles e eu entramos ao mesmo tempo, nossos ombros juntos roçando a estrutura da porta. Sentia sempre grande prazer quando entrávamos os dois juntos por aquela porta, como se, de algum modo, isso simbolizasse aquilo em que nos havíamos transformado: senhores do mundo.

Despi minha armadura sozinho, mas Aquiles deixou que as mulheres lhe tirassem a sua, erguendo-se como uma torre enquanto meia dúzia de escravas desapertava correias e desatava nós, em meio a nervosos murmúrios logo que viram o longo vergão negro de uma ferida quase cicatrizada em sua coxa. Nunca consegui aceitar que as escravas me desarmassem; eu bem vira seus rostos quando as havíamos escolhido como parte de nosso quinhão dos despojos. Mas Aquiles não se preocupava com isso. Deixou que elas lhe tirassem a espada e o punhal, aparentemente sem se dar conta de que uma delas poderia aproveitar a oportunidade para matá-lo. Desconfiado, sondei seus movimentos, mas tive de concluir que era mínimo o perigo de tal ocorrência, pois, da mais nova à mais velha, todas estavam apaixonadas por ele. Nossas banheiras já estavam cheias de água quente. Saiotes e blusas recém-lavados nos esperavam mal acabássemos de tomar banho.

Depois de comermos e bebermos, Aquiles mandou embora as mulheres e, com um suspiro, reclinou-se. Estávamos ambos cansados, mas não valeria a pena tentar dormir; a luz do dia escoava-se já pelas janelas e era muito provável que, em breve, nossos amigos invadissem a casa.

Aquiles tinha estado muito calado o dia todo; nada extraordinário, exceto pelo fato de que o silêncio daquele dia sugeria que sua mente pairava muito longe dali. Não gostava de vê-lo assim. Era como se ele se afastasse para um lugar onde eu não pudesse entrar, para um mundo que era só seu, deixando-me aos gritos a suas portas sem que ninguém me ouvisse. Aproximei-me dele e toquei-lhe o braço, ainda que com mais força do que desejava.

— Aquiles, você mal tocou o vinho.

— Não tenho vontade.

— Sente-se mal?

Minha pergunta surpreendeu-o.

— Não. É sinal de doença eu recusar o vinho?

— Não, mas é sinal de que sua disposição não está a melhor.

Suspirou profundamente, olhou lentamente à sua volta.

— Adoro esta sala mais do que qualquer outra. Porque esta sala me pertence. Porque nela não há uma única coisa que não tenha sido ganha com minha espada. Esta sala diz-me que eu sou *Aquiles* e não o filho de Peleu.

— Sim, é uma bela sala — murmurei.

Aquiles franziu as sobrancelhas.

— A beleza é uma indulgência dos sentidos; é algo que para mim está no mesmo nível da enfermidade. Adoro esta sala porque ela é meu troféu.

— Um esplêndido troféu — observei atrapalhado.

Ele ignorou minhas palavras banais e de novo se refugiou em seu mundo interior; tentei mais uma vez trazê-lo de volta ao mundo real.

— Apesar de vivermos juntos há tanto tempo, você continua dizendo coisas que não entendo. Estou convicto de que gosta de *certas* manifestações do belo. Viver considerando que o belo é uma enfermidade não é viver, Aquiles.

— Pouco me interessa como vivo ou quanto tempo vou viver — replicou. — A única coisa que me importa é que minha vida me assegure a fama eterna. É preciso que os homens não me esqueçam depois de meu corpo ter descido à sepultura. — Sua disposição alterou-se de repente. — Julga que, no desejo de alcançar a fama, tenho seguido pelo caminho errado?

— Isso é algo que só depende de você e dos Deuses — respondi. — Você não pecou contra os Deuses, não matou nenhuma mulher fértil nem crianças pequenas demais para empunhar armas. Não é pecado condená-las à servidão. Não eliminou pela fome nenhuma cidade. Se sua mão tem sido pesada, também é verdade que não tem sido criminosa. Eu, porém, sou uma criatura menos rígida do que você; essa é a única diferença.

Um sorriso esboçou-se em seus lábios.

— Você se subestima, Pátroclo. Com uma espada na mão, você é tão duro e valente quanto qualquer um de nós.

— A batalha é diferente. Sou capaz de matar sem piedade num campo de batalha. Às vezes, porém, meus sonhos são sombrios e tormentosos.

— Tal como os meus. Ifigênia amaldiçoou-me antes de morrer.

Incapaz de prosseguir a conversa, Aquiles refugiou-se de novo em seus pensamentos; calei-me também e contemplei-o, pois contemplá-lo era exatamente o que eu mais gostava de fazer. Muitas de suas qualidades escapavam à minha compreensão; contudo, se havia no mundo algum homem que o conhecesse, esse homem era eu. Aquiles possuía a rara capacidade de atrair o amor de todos, tanto dos mirmídones quanto de suas cativas ou o meu. O motivo dessa atração, porém, não estava em seus atributos físicos, mas sim numa faceta muito peculiar de seu espírito, num território espiritual que parecia faltar a todos os outros homens.

Desde que havíamos partido de Áulis, há três anos, Aquiles se tornara um indivíduo extremamente reservado; eu me perguntava, às vezes, se sua esposa o reconheceria quando voltassem a se ver. Claro que a razão de seus problemas era a morte de Ifigênia, algo que eu compreendia e partilhava. O que eu não compreendia era o mundo distante a que seus pensamentos o levavam, os lugares mais recônditos de sua mente.

Uma súbita e fria rajada de vento fez esvoaçarem as cortinas da janela. Estremeci, sobressaltado. Aquiles continuava deitado de lado, a cabeça pousada sobre uma das mãos, mas sua expressão havia mudado. Chamei-o e não me respondeu.

Assustado, pulei de meu assento e aproximei-me dele. Pus minha mão em seu ombro nu, mas ele pareceu não se dar conta disso. Com o coração descompassado, fitei a pele sob minha mão e abaixei a cabeça até que meus lábios a afagaram; lágrimas corriam-me sob as pálpebras, tão rapidamente, que uma delas deslizou por seu braço. Amedrontado, afastei os lábios de seu ombro mal ele se virou para me fitar; havia em seus olhos uma expressão não inteiramente clara, como se, naquele exato momento, houvesse visto o verdadeiro Pátroclo pela primeira vez.

Abriu aquela pobre fenda sem lábios para falar, mas não chegou a dizer o que gostaria de dizer-me. Os olhos procuraram a porta aberta, e a boca murmurou apenas:

— Minha mãe.

Horrorizado, reparei que babava, que sua mão esquerda se agitava em convulsão, que o lado esquerdo do rosto se repuxava. Então, de repente, caiu no chão; seu corpo retesou-se, a coluna arqueou-se, os olhos ficaram tão cegos e tão brancos, que pensei que ele fosse morrer. Sentei-me a seu lado no chão, encostei-o a mim, estreitei-o em meus braços, esperando que o negrume do rosto se transformasse num cinzento manchado, que as convulsões parassem, que ele revivesse. Quando tudo acabou, limpei a saliva que havia nos cantos de sua boca, embalei-o em meus braços, afaguei-lhe o cabelo encharcado de suor.

— O que aconteceu, Aquiles?

Seus olhos nublados fixaram os meus; lentamente, voltava a este mundo. Então, suspirou como uma criança exausta.

— Minha mãe voltou e trouxe com ela o sortilégio. Creio que, durante todo o dia, eu a senti por perto.

O *Sortilégio!* Então era *aquilo* o Sortilégio? Parecia-me simplesmente um acesso de epilepsia, embora os epilépticos que conhecera acabassem sempre por perder faculdades mentais até cair por completo na demência; por outro lado, a demência, ao fim de pouco tempo, conduzia-os inevitavelmente à morte. O mal de que Aquiles padecia — fosse lá o que fosse — não afetava sua mente. Havia ainda que considerar a reduzida freqüência dos acessos. De fato, fora em Ciros, muitos anos antes, que o Sortilégio se manifestara pela última vez.

— Por que ela veio, Aquiles?

— Para eu não me esquecer de que vou morrer.

— Não pode dizer uma coisa dessas! Como sabe? — Ajudei-o a erguer-se, a deitar-se no divã, e sentei-me a seu lado. — Desta vez, Aquiles, pude ver os efeitos desse tal Sortilégio; pareceu-me um ataque epiléptico.

— Talvez você tenha razão, talvez eu padeça de epilepsia. Mas é minha mãe quem provoca os acessos... para que eu não me esqueça de minha mortalidade. E tem razão. Eu morrerei antes que Tróia caia em nossas mãos. O Sortilégio é um prenúncio de morte, de minha futura vida no mundo das sombras, sem sentir nada, longe de tudo... — Sua boca cerrou-se por um momento. — Longa e ignominiosa ou curta e gloriosa. Não há escolha, e é isso que ela não entende. As aparições de minha mãe, sob a forma desse Sortilégio, não poderão alterar rigorosamente nada. Minha escolha está feita desde Ciros.

Virei-lhe as costas, ocultei os olhos com o braço.

— Não chore por mim, Pátroclo. Eu escolhi o destino que queria.

Afastei as lágrimas.

— Não choro por você, Aquiles, choro por mim mesmo.

Embora não o estivesse olhando, senti que algo nele mudara.

— Nós partilhamos o mesmo sangue, Pátroclo. Um momento antes de o Sortilégio me vencer, vi em você algo que nunca vira.

— Meu amor por você — murmurei com um nó na garganta.

— Sim. Desculpe. Devo tê-lo magoado muitas vezes por não compreender seu amor. Mas diga-me por que chora.

— Os homens choram quando seu amor não é retribuído.

Aquiles levantou-se do assento e estendeu-me as mãos.

— Eu retribuo seu amor, Pátroclo. Sempre retribuí.

— Mas você não é um homem capaz de amar outro homem, e é esse o amor que eu quero.

— Talvez isso fosse verdade se eu tivesse escolhido uma vida longa e ignominiosa. Mas não foi essa a minha escolha. E, embora eu não lhe possa dar todo o amor que você quer, a verdade é que não me repugna a idéia de fazer amor com você. Estamos juntos neste exílio e creio que seria maravilhoso se partilhássemos o exílio tanto em espírito como na carne.

Foi nesse dia que nos tornamos amantes, ainda que não encontrasse no homem que amava o êxtase com que havia sonhado. Mas alguma vez encontraremos esse êxtase? Aquiles vibrava por muitas coisas — o saciar do desejo físico nunca foi uma delas. Mas que importância tinha isso? Muito pouca... Ele me pertencia mais do que a qualquer mulher, e nisso pelo menos eu encontrava alguma satisfação. O amor não é verdadeiramente o corpo; é a liberdade de percorrer com liberdade o coração e a mente do amado.

Só ao fim de cinco anos regressamos a Tróia e a Agamêmnon. Como não poderia deixar de ser, acompanhei Aquiles, que decidira levar também Ajax e Meriones. Estava consciente de que essa visita já deveria ter sido feita há muito tempo, mas creio que, mesmo assim, Aquiles nunca teria ido se não tivesse de fato necessidade de se encontrar com Ulisses. Com o tempo, a ingenuidade dos Estados da Ásia Menor dera lugar à astúcia; na verdade, graças a elaborados estratagemas, já eram capazes de antecipar nossos ataques.

A longa e desolada praia entre os rios Simoente e Escamandro nem parecia a mesma que havíamos deixado quatro anos antes. A aparência improvisada e provisória do acampamento inicial desaparecera por completo; tudo naquela praia significava permanência e determinação. As fortificações eram eficientes e bem concebidas. Havia duas entradas para o acampamento, uma no Escamandro, outra no Simoente, onde pontes de pedra haviam sido erguidas acima da trincheira e portas enormes abertas na muralha.

Ajax e Meriones desembarcaram na extremidade da praia junto ao Simoente, eu e Aquiles aportamos junto ao Escamandro, logo descobrindo que haviam sido construídas habitações para abrigar os mirmídones mal eles regressassem. Avançamos pela estrada principal do acampamento, procurando a nova casa de Agamêmnon, que, tinham-nos dito, era verdadeiramente grandiosa.

Homens curavam feridas descansando ao sol, outros assobiavam alegres enquanto aplicavam sebo nas armaduras de couro ou poliam as de bronze, outros ainda retiravam plumas púrpuras de elmos troianos, certamente com a intenção de virem a usá-las numa próxima batalha. Um local onde a ocupação e a alegria eram evidentes. Não havia dúvida: as tropas que tinham ficado em Tróia não conheciam a doença da preguiça.

Ulisses saía da casa de Agamêmnon no momento em que chegamos. Quando nos viu, encostou a lança ao pórtico e, com um largo sorriso, abriu para nós seus braços. Havia duas ou três cicatrizes novas em seu robusto corpo; seriam vestígios de alguma batalha ou de suas excursões noturnas? Entre todos os homens errantes que pude conhecer, Ulisses foi o único que nunca receou arriscar sua vida num campo de batalha. Talvez porque nele tudo fosse da cor do fogo ou, talvez, porque estivesse convencido de que, graças a Palas Atenéia, um encantamento protegia sua vida.

— Já não era sem tempo! — exclamou, abraçando-nos. E, virando-se para Aquiles: — Finalmente! O herói conquistador!

— Já não conquisto tanto como conquistava. As cidades costeiras aprenderam a lição: já conseguem prever meus ataques.

— Podemos falar sobre isso mais tarde — comentou Ulisses, entrando conosco. — Tenho de lhe agradecer a consideração que demonstrou por nós, Aquiles. Mandou-nos generosos despojos e algumas mulheres muito interessantes.

— Nós, em Assos, não padecemos de cobiça. Mas, pelo que vejo, você também tem tido muito trabalho por estas bandas. Muitos combates?

— O bastante para manter todos em forma. Heitor tem feito alguns ataques particularmente irritantes.

Aquiles, de súbito, pôs-se alerta.

— Heitor?

— O herdeiro de Príamo e comandante dos troianos.

Agamêmnon deu-nos as boas-vindas, satisfeito, porém formal. Contudo, não nos propôs sequer que passássemos a manhã com ele. Aquiles também não teria gostado de tal proposta; desde que ouvira o nome de Heitor estava desejoso de saber mais e mais a respeito do príncipe troiano e tinha consciência de que Agamêmnon não era a pessoa mais indicada para informá-lo.

Nenhum deles tinha de fato mudado ou envelhecido, exceto por uma ou duas cicatrizes novas. Se alguém tinha mudado, era Nestor, que remoçara. Nestor estava em seu elemento, ocupado e constantemente estimulado. Idomeneu tornara-se menos indolente, o que era bom para sua figura. Apenas Menelau parecia não se ter beneficiado com a vida num acampamento de campanha; o coitado continuava roído de saudades de Helena.

Ficamos como convidados de Ulisses e Diomedes, que também se tinham tornado amantes. Em parte por necessidade, em parte porque gostavam francamente um do outro. As mulheres eram uma complicação para homens que levavam a vida que nós levávamos, e Ulisses, creio eu, nunca havia reparado em outra mulher além de Penélope, ainda que constasse que não se recusava a seduzir algumas mulheres troianas a fim de obter informações. Pela primeira vez, Ulisses falou-nos sobre a existência de sua colônia de espiões, do que ninguém tinha conhecimento — uma história verdadeiramente extraordinária.

— É espantoso que ninguém sequer desconfie! — exclamou Aquiles. — Por todos os Deuses, se eles soubessem! Eu não sabia, bem como nenhum de meus companheiros.

— Nem mesmo Agamêmnon sabe — declarou Ulisses.

— Por causa de Calcas? — perguntei.

— Um palpite perspicaz, Pátroclo... De fato, eu não confio em Calcas.

— Bem, não será por nosso intermédio que Agamêmnon e Calcas virão a saber — Aquiles observou.

Ficamos em Tróia uma lua. Durante todo esse tempo, Aquiles só pensou numa coisa: encontrar Heitor.

— Aconselho-o a esquecer Heitor, rapaz — advertiu Nestor no final de um jantar que Agamêmnon ofereceu em nossa honra. — Pode ficar aqui todo o verão e não vê-lo uma única vez. Os ataques de Heitor parecem não obedecer a qualquer plano. Não os podemos prever, apesar de todas as informações que Ulisses nos traz de Tróia. E, neste momento, nós também não temos nenhuma incursão projetada.

— Incursões? — perguntou Aquiles, alarmado. — Vão tomar a cidade na minha ausência?

— Não, não! — exclamou Nestor. — Não temos condições para tomar de assalto Tróia: nem mesmo que a cortina ocidental ruísse amanhã. Vocês têm a melhor parte do exército em Assos... e sabem muito bem que têm. Volte para Assos, Aquiles! Não vale a pena ficar aqui à espera de Heitor.

— Nada indica que Tróia venha a cair em sua ausência, príncipe Aquiles — declarou uma voz suave atrás de nós: o sacerdote Calcas.

— O que quer dizer com isso? — perguntou Aquiles, obviamente perturbado por aqueles olhos róseos e vesgos.

— Tróia não poderá cair na sua ausência. É o que dizem os oráculos. — E logo se afastou, o manto púrpura tremeluzindo de ouro e pedras preciosas. Ulisses fazia bem em manter secretas algumas de suas atividades. Nosso rei supremo nutria grande estima pelo velho; sua residência (vizinha à de Agamêmnon) era suntuosa e Calcas podia escolher à vontade as mulheres que enviávamos de Assos. Diomedes contou-me que, certa vez, Idomeneu ficou tão furioso por Calcas lhe ter roubado uma mulher de quem gostava, que levou o caso ao conselho e obrigou Agamêmnon a tirar a mulher do sacerdote e dá-la a seu co-comandante.

E foi assim que Aquiles deixou Tróia profundamente decepcionado; tanto quanto Ajax, como se veio a ver. Ambos tinham perambulado vezes sem conta pela planície troiana açoitada pelo vento, na esperança de convencer Heitor a abandonar as muralhas. Contudo, nem sequer a sombra de Heitor — ou de quaisquer tropas troianas — conseguiram ver.

Os anos foram avançando, inexoráveis, sem que nada de fundamental mudasse. As nações da Ásia Menor foram tombando lentamente, enquanto os mercados de escravos do mundo transbordavam de lícios, cários, cilicianos e de mais uma dúzia de nacionalidades. Nabucodonosor recebia de bom grado tudo que lhe mandávamos para a Babilônia, ao passo que Tiglate-Pileser, da Assíria, esquecia os laços que uniam os hititas aos troianos e comprava milhares de escravos. Descobri que não havia uma única nação que se desse por satisfeita com os escravos que tinha e que há muito não havia uma guerra — ou um Aquiles — que fornecesse tantos escravos a essas nações.

Nos intervalos entre nossos ataques, a vida nem sempre foi pacífica. Houve épocas em que a mãe de Aquiles o perseguiu, dia após dia, com seu maldito Sortilégio; depois, partia para algum lugar qualquer e deixava-o tranqüilo durante luas a fio. Porém, eu aprendera a tornar esses períodos mais fáceis para ele; Aquiles dependia agora de mim para *todas* as suas necessidades. E haverá algo ainda mais reconfortante do que saber que nosso amado depende de nós para tudo?

Certa vez chegou um navio de Iolcos, trazendo mensagens de Peleu, Licomedes e Deidâmia. Graças ao constante fluxo de bronze e de mercadorias que agora se verificava no Egeu, a prosperidade voltara à Grécia. Enquanto a Ásia Menor ficava à míngua, a Grécia engordava. Segundo Peleu, os primeiros colonizadores gregos da Ásia Menor tinham começado a reunir-se em Atenas e Corinto.

Para Aquiles, a notícia mais importante era a que dizia respeito a seu filho, Neoptolemo. Pouco faltava para que chegasse à idade adulta! Quanto tempo passara! Segundo Deidâmia, o menino estava quase tão alto quanto o pai e mostrava possuir a mesma aptidão para o combate e as armas, embora fosse mais turbulento do que o pai e tivesse já feito mil conquistas femininas. Isso para não mencionar seu mau gênio e a tendência a beber em demasia vinho sem água. Em poucos dias, faria dezesseis anos.

— Vou ordenar a Deidâmia e a Licomedes que o mandem para a corte de meu pai — Aquiles comentou depois de ter mandado embora o mensageiro. — Meu filho precisa da mão de um homem para controlá-lo. — Seu rosto franziu-se de tristeza. — Ah, Pátroclo, os filhos que eu e Ifigênia poderíamos ter tido!

Sim, a morte de Ifigênia continuava a atormentá-lo — ainda mais, supunha eu, do que Tétis e seu Sortilégio.

Precisamos de nove anos para reduzir a cinzas a Ásia Menor. No final do nono verão, já não havia mais nada a fazer. Os colonizadores gregos começavam a chegar a locais como Colofão e Apasas, todos eles desejosos de iniciar uma nova vida numa nova terra. Alguns se dedicariam à agricultura; outros, ao comércio; outros ainda, provavelmente, seguiriam para leste ou para norte. Nada disso tinha a mínima importância para nós, que formávamos o núcleo central do Segundo Exército. Nossa missão estava concluída, ou, melhor, faltava ainda o ataque, nesse outono, a Lirnesso, a capital do reino da Dardânia.

CAPÍTULO DÉCIMO OITAVO

NARRADO POR AQUILES

A Dardânia ficava mais perto de Assos do que qualquer outra nação da Ásia Menor. Contudo, deixara-a deliberadamente em paz durante os nove anos de nossa campanha, enquanto reduzíamos a ruínas as cidades costeiras da Ásia Menor. Uma das razões para essa decisão estava no fato de a Dardânia ser um território interior que partilhava uma fronteira com Tróia. A outra razão era mais sutil: eu queria dar aos dardanianos um falso sentimento de segurança, queria que eles acreditassem que o fato de estar longe do mar os tornava invioláveis. Além disso, a Dardânia não confiava em Tróia. Enquanto os deixasse em paz, o velho rei Anquises e seu filho Enéias não se associariam a Tróia.

Agora, tudo isso estava prestes a mudar. A invasão da Dardânia não demoraria. Em vez da longa viagem habitual, preparei minhas tropas para uma árdua jornada; se Enéias, por acaso, estivesse à espera de algum ataque, pensaria certamente que iríamos por mar, contornaríamos o canto da península e aportaríamos à costa diante de Lesbos. Daí até Lirnesso, seria uma marcha de apenas quinze léguas. Mas eu pretendia marchar a partir de Assos: quase cem léguas de terras desertas, das encostas do monte Ida até o fértil vale que abrigava Lirnesso.

Ulisses dera-me batedores experientes. Antecipadamente, mandei-os investigar as terras por onde passaríamos; informaram-me de que havia densas florestas, de que, em nosso caminho, poucas fazendas havia e de que os pastores já não se aventuravam a sair com o gado, pois o outono era severo. Mandei que trouxessem dos depósitos todas as peles e botas resistentes que houvesse, pois o Ida já estava coberto de neve até a metade de seus flancos, e era muito provável que pegássemos tempestades de neve. Calculava que marcharíamos cerca de quatro léguas por dia; ao fim de vinte dias, avistaríamos nosso objetivo final. No décimo quinto dia, Fênix, meu almirante, conduziria sua frota à praia deserta de Andramítio, o porto mais próximo. Não era de crer que Fênix deparasse com qualquer oposição. Eu incendiara Andramítio no início do ano — pela segunda vez.

Avançamos silenciosa e calmamente, e os dias de marcha foram-se sucedendo sem incidentes. Não havia pastores nas colinas nevadas — não havia ninguém que pudesse correr para Lirnesso a fim de denunciar nossa presença. A tranqüila paisagem só a nós pertencia, e nossa marcha, afinal, revelou-se mais fácil do que se pensara. Não admira, portanto, que tenhamos avistado a cidade de Lirnesso no décimo sexto dia. Ordenei a meus homens que parassem e proibi as fogueiras até poder determinar se havíamos ou não sido detectados.

Era meu hábito proceder sozinho à investigação final; parti por isso a pé e sem qualquer companhia, ignorando os protestos de Pátroclo, que, às vezes, me fazia lembrar uma galinha velha. Por que será que o amor sempre alimenta o sentimento de posse e reduz drasticamente a liberdade?

Ao fim de não mais de três léguas, subi uma colina e vi Lirnesso a meus pés, espraiando-se por uma vasta área e dispondo de boas muralhas e de uma cidadela elevada. Estudei por algum tempo a cidade, combinando o que via com o que os batedores de Ulisses me haviam dito. Não, o assalto não seria fácil; por outro lado, também era verdade que seria muito menos difícil do que o assalto às muralhas de Esmirna ou de Tebas Hipoplaquiana.

Cedendo à tentação, desci um pouco a encosta, tanto mais que o lugar era verdadeiramente aprazível; de fato, aquele era o lado do monte protegido do vento, além de não haver neve nem frio. Um erro grave, Aquiles!, disse para mim mesmo, e, nesse exato momento, quase tropecei numa criatura humana que estava deitada no chão. O desconhecido afastou-se, rolando agilmente sobre si mesmo, e, com extrema maleabilidade, pôs-se de pé; depois, correu até ficar fora do alcance de minha lança; por fim, parou para me examinar. Fazia-me lembrar, e muito, Diomedes; tinha mesmo o ar feroz e felino de Diomedes e, considerando o vestuário e o porte, só poderia ser um membro da mais alta nobreza. Tendo memorizado o catálogo de todos os dirigentes troianos e aliados que Ulisses fizera para nós, decidi que aquele só poderia ser Enéias.

— Eu sou Enéias e não estou armado! — gritou ele.

— Tanto pior, dardaniano! Eu sou Aquiles e estou armado!

Aparentemente muito pouco impressionado, Enéias ergueu as sobrancelhas e gritou-me:

— Não há dúvida: há momentos na vida de um homem precavido em que a prudência deve sobrepor-se à coragem! Encontramo-nos em Lirnesso!

Sabendo que era um bom corredor, mais veloz do que muitos outros, tratei de persegui-lo em ritmo ligeiro, não excessivamente rápido. Queria ver se conseguia cansá-lo. Mas Enéias era muito veloz, além de conhecer a disposição do terreno. Obrigou-me por isso a entrar por caminhos cheios de moitas (e onde há moitas sempre há espinhos), a avançar por terrenos crivados de crateras (as tocas de raposas e coelhos) e, por fim, a atravessar um curso de água tão largo quanto baixo; ele atravessou o rio com facilidade, pois conhecia bem as pedras que a água ocultava, enquanto eu tinha de parar em cada rocha e procurar a seguinte. E foi assim que o perdi de vista e amaldiçoei minha estupidez. Lirnesso saberia, com um dia de antecedência, que os gregos iam atacá-la.

Mal o sol clareou o céu, dei início à marcha; confesso que minha disposição deixava muito a desejar. Trinta mil homens espalharam-se pelo vale de Lirnesso, cingindo facilmente as muralhas da cidade. Os dardanianos acolheram-nos com uma rápida saraivada de dardos e lanças, mas meus homens ergueram os escudos para se proteger e não sofremos nenhuma baixa. Algo me intrigou, entretanto: parecia não haver muitos homens do outro lado das muralhas! Perguntei-me se os dardanianos não seriam por acaso uma raça de covardes. No entanto, Enéias parecia tudo menos o chefe de um povo degenerado.

Lançamos as escadas de corda. Conduzindo os mirmídones, alcancei a pequena passagem no alto das muralhas sem ter visto uma única pedra ou as temíveis ânforas de azeite fervente. Quando um pequeno grupo de defensores apareceu, ceifei-os num átimo com meu machado, sem precisar sequer pedir reforços. Ao longo de toda a muralha, minhas tropas dizimavam o inimigo com uma facilidade francamente ridícula... Depressa entendi por quê: nossos oponentes eram todos velhos e meninos.

Ao fim de pouco tempo, descobri que Enéias, no dia anterior, regressara à cidade e ordenara imediatamente a seus soldados que pegassem em armas. Mas não com a intenção de me enfrentar. Na verdade, o filho de Anquises partira sem demora para Tróia com seu exército.

— Parece que os dardanianos também têm um Ulisses — comentei com Pátroclo e Ajax. — Uma verdadeira raposa! Príamo ficará com mais vinte mil homens chefiados pelo Ulisses da Dardânia. Esperemos que os preconceitos do velho não o deixem ver quão extraordinário é Enéias.

CAPÍTULO DÉCIMO NONO

NARRADO POR BRISEÍS

Lirnesso morreu fechando as asas e espalhando sua plumagem sobre a desolação, com um grito que era todos os gritos de todas as mulheres postos numa só boca. Deixáramos Enéias entregue aos cuidados de sua mãe imortal, Afrodite, felizes porque lhe fora concedida a oportunidade de salvar nosso exército. Todos os cidadãos tinham concordado que não havia alternativa: só assim a Dardânia, ou parte dela, poderia continuar viva para enfrentar e abater os gregos.

Velhas armaduras haviam sido retiradas de baús por mãos deformadas que mal agüentavam o esforço; meninos pálidos de medo haviam envergado suas armaduras de brinquedo, fáceis presas para as lâminas de bronze. Claro que morreram. Todos morreram. Veneráveis barbas encharcadas de sangue dardaniano, os gritos de guerra de pequenos soldados convertidos em soluços aterrorizados de meninos. Meu pai levara até meu punhal; com lágrimas nos olhos, explicou-me que não poderia deixar em minhas mãos a arma que me libertaria da servidão; meu punhal, bem como os punhais de todas as outras mulheres, estaria melhor nas mãos dos soldados, ainda que estes mais não fossem do que velhos ou meninos.

Impotente, assisti de minha janela à morte de Lirnesso, suplicando a Ártemis, a misericordiosa filha de Latona, que trespassasse meu coração com um de seus dardos, que aplacasse para sempre o clamor que me varria o sangue antes que algum grego me capturasse e enviasse para os mercados de escravos de Hatusas ou Nínive. Nossas fracas defesas depressa foram arrasadas; ao fim de um instante, só as muralhas da cidadela me separavam de uma massa fervilhante de guerreiros, todos eles com armaduras de bronze, mais altos e mais brancos do que os dardanianos; nesse momento, fiquei sabendo que as filhas de Kore só poderiam ser altas e brancas. Minha única consolação era saber que Enéias e o exército estavam em segurança, tanto quanto nosso querido rei, o velho Anquises, que, por ser, em sua juventude, o mais belo dos homens, atraíra o amor de Afrodite, que lhe dera Enéias. E Enéias era o melhor dos filhos; por isso, recusara-se a deixar o velho pai na cidade condenada. Não deixara também Creusa, sua esposa, nem Ascânio, seu filho ainda pequeno.

Embora não conseguisse arredar-me da janela, como que paralisada por um sortilégio, podia ouvir os ruídos dos preparativos para a batalha nos aposentos próximos dos meus — velhos passos trôpegos, vozes esganiçadas murmurando aflitas. Meu pai era um desses homens. Só os sacerdotes não combateriam, pois estavam nos altares suplicando a ajuda dos Deuses; meu tio Crises, porém, apesar de sumo sacerdote de Apolo, despira o sagrado manto e envergara uma armadura. Combateria, dizia ele, para proteger o Apolo asiático, que era Deus diferente do Apolo grego.

Os gregos trouxeram os aríetes para abater as portas da cidadela. As entranhas do palácio estremeceram e, apesar da tumultuosa pulsação que devorava meus ouvidos, julguei ouvir o tremendo grito do senhor dos terremotos, esse ruído que sempre vestia de luto os homens. É que o coração de Poseidon estava com os gregos e não conosco. Seríamos oferecidos como vítimas, por causa do orgulho e da rebeldia de Tróia. Poseidon poderia até sentir por nós compaixão, mas a verdade é que fora aos aríetes gregos que emprestara sua força. A madeira desfez-se em pedaços, as dobradiças cederam e as portas ruíram com um rugido horrendo. Com lanças e espadas prontas para matar, os gregos inundaram o pátio, sem qualquer sentimento de piedade diante daquela patética oposição, pois tudo o que sentiam era raiva por Enéias tê-los superado em astúcia.

O homem que os chefiava era um gigante. Envergava uma armadura de bronze com adornos de ouro. Empunhando um portentoso machado, abatia os velhos como se fossem moscas, fendendo-lhes a carne com desprezo. Depois, correu para a Sala do Trono, seguido por seus homens; fechei os olhos para não ver o resto do massacre, enquanto rogava à casta Ártemis que instilasse no coração de nossos inimigos o desejo de me matarem. A morte seria uma bênção, comparada com a violação e a escravatura. Névoas vermelhas flutuavam diante de minhas pálpebras, a luz do dia, implacável, penetrava-as, meus ouvidos não conseguiam deixar de ouvir os gritos sufocados e as súplicas de misericórdia. A vida é preciosa para os velhos, pois eles sabem quanto lhes custa ganhar cada dia que passa. Mas eu não ouvira a voz de meu pai e pressentia que ele morrera tão orgulhosamente quanto sempre vivera.

Quando ouvi passos fortes, determinados, aproximando-se de meu quarto, abri os olhos e virei-me para ver quem entrava. Era um homem enorme, muito maior do que a porta, o machado suspenso em uma das mãos, o rosto imundo sob o elmo de bronze com plumas douradas. Era cruel, muito cruel sua boca: os Deuses que o tinham feito haviam-se esquecido de lhe dar lábios; um homem sem lábios não conheceria nunca, em seu coração, piedade ou bondade. Por um momento, olhou-me como se eu tivesse saído das entranhas da terra; depois, fez menção de avançar para mim, a cabeça empinada, como um cão farejando o ar. Preparei-me para enfrentá-lo: poderia violar-me, ferir-me, matar-me, que não ouviria nunca um grito ou lamento. Não seria eu quem o levaria a concluir que aos dardanianos faltava coragem.

Tive a sensação de que dera apenas um passo, e já estava diante de mim; com a mão que tinha livre, segurou-me um pulso, depois o outro e ergueu-me, depois, até que fiquei suspensa no ar, os pés muito longe do chão.

— Assassino! Assassino de velhos e crianças! Animal! — exclamei ofegante, chutando-o.

De repente, esmagou-me com tanta força os pulsos que senti os ossos rangerem. Queria gritar, pois a dor era insuportável, mas não gritaria; *não gritaria*! Seus olhos amarelos, como os de um leão, eram o espelho de uma fúria animalesca; eu o ferira no ponto certo, no único ponto, provavelmente, em que sua auto-estima era ainda sensível. Ele não gostara de ser chamado de assassino de crianças e velhos.

— Dobre essa língua, menina! Nos mercados de escravos, há um chicote para rebeldes como você!

— Seria uma bênção dos Deuses se me desfigurassem com o chicote!

— Não, menina. No seu caso, seria uma pena — ele declarou, abaixando-me e libertando-me os pulsos; mas logo sua mão me agarrou pelos cabelos e assim me arrastou até a porta, enquanto eu esmurrava e chutava sua armadura metálica, e tantos foram os murros e pontapés que, de repente, pensei ter quebrado os ossos dos punhos e dos pés.

— Deixe-me caminhar! — gritei. — Permita-me a dignidade de caminhar! Se vão condenar-me à violação e à servidão, deixe-me caminhar! Não quero ir para essa morte debatendo-me e choramingando como uma vulgar criada!

Ele parou de súbito e fitou-me, perplexo.

— Você tem a coragem dela — murmurou lentamente. — Não se parece com ela, mas tem algo igual a ela... Acredita que será esse o seu destino, a violação e a escravatura?

— Que outro destino poderá ter uma cativa?

Sorrindo — o que o tornava mais parecido com os outros homens, pois o sorriso faz com que os lábios fiquem mais finos —, largou-me os cabelos. Levei a mão à cabeça, perguntando-me se ele não me teria rasgado o couro cabeludo. Depois, caminhei à sua frente. Seus dedos, porém, logo se apoderaram de meu pulso ferido. Era descomunal sua força: impossível libertar-me.

— Respeito sua dignidade, minha querida menina, mas não sou idiota. Esteja certa de que não será devido a meu descuido que conseguirá escapar.

— Como seu chefe deixou Enéias escapar? — provoquei-o.

Sua expressão não se alterou.

— Precisamente — respondeu, impassível.

Conduziu-me ao longo de aposentos que eu não conseguia reconhecer, pois as paredes estavam salpicadas de sangue, e os móveis já empilhados, a fim de seguir nas carroças do saque. Mal entramos na Sala do Trono, afastou a pontapé uma pilha de cadáveres, atirados uns sobre os outros sem o menor respeito por idade ou hierarquia. Parei, procurando, naquele anônimo amontoado de corpos, algo que me permitisse identificar meu pai. Meu captor tentou puxar-me, mas resisti.

— Meu pai pode estar aqui! Deixe-me ver! — roguei.

— Qual deles é seu pai? — perguntou-me, indiferente.

— Se eu soubesse, não teria pedido para me deixar ver!

Embora sem me ajudar, deu-me rédea suficiente para que eu sondasse os trajes ou os sapatos dos mortos. Por fim, vi os pés de meu pai, inconfundíveis, pois era o único que usava sandálias ornamentadas com granadas — como a maior parte dos velhos, vestira a armadura, mas não as botas de combate —, porém, não conseguia puxar seu corpo daquela pilha imensa de cadáveres.

— Ajax! — chamou meu captor. — Ajude aqui!

Debilitada pelo terror, esperei que o outro homem se aproximasse de nós. Era também um gigante, maior ainda do que meu captor.

— Não é capaz de ajudá-la sozinho? — perguntou o tal Ajax.

— E deixá-la fugir? Ajax, Ajax! Essa menina é esperta, não posso confiar nela!

— Já percebi, primo! Gostou dela, não é? Também já não era sem tempo! Há uma eternidade você só tem olhos para Pátroclo...

Ajax afastou-me como se eu fosse uma pena. Depois, sem largar o machado, empurrou os cadáveres que cobriam meu pai. Finalmente, pude ver aqueles olhos mortos fixos nos meus, a barba enterrada num golpe que lhe dilacerara o peito. Um golpe de machado.

— Este é o velho que me enfrentou! — exclamou Ajax, com admiração. — Sim senhor, um velho valente!

— Tal pai, tal filha — comentou o outro, puxando-me pelo braço. — Vamos, menina, temos de ir. Não há tempo para chorar os mortos.

Levantei-me trôpega, curvando a cabeça para saudar meu pai. Preferia partir sabendo que ele estava morto. Era melhor não ter dúvidas. Assim, não alimentaria uma esperança infundada. Ajax afastou-se, dizendo que ia reunir todos os sobreviventes, embora duvidasse de que houvesse.

Paramos à porta que dava para o pátio. Meu captor tirou o cinto de um cadáver que jazia nos degraus. Prendeu uma das pontas em meu pulso e a outra em seu braço, obrigando-me, assim, a caminhar quase encostada a ele. Dois degraus mais alta do que ele, fitei sua cabeça curvada enquanto concluía a tarefa com uma eficiência que me pareceu ser marca sua.

— Não foi você quem matou meu pai — murmurei.

— Fui eu, sim — respondeu. — Eu sou o chefe que foi vencido pela astúcia de Enéias, o que significa que sou responsável por todas as mortes.

— Como se chama? — perguntei.

— Aquiles — declarou, puxando-me para o pátio. Tinha de correr para não cair. Aquiles. Claro; só poderia ser ele. Enéias falara a seu respeito na véspera, mas há muitos anos eu ouvia histórias sobre aquele homem.

Deixamos Lirnesso pela porta principal, enquanto os gregos saqueavam e violavam mulheres, alguns com archotes nas mãos, outros com odres de vinho. Aquiles nem sequer os repreendia. Ignorava-os.

No alto do caminho, virei-me para contemplar pela última vez o vale de Lirnesso.

— Incendiaram minha casa. Foi ali que vivi durante vinte anos, era ali que esperava viver até que me arranjassem casamento. Nunca imaginei que fosse esta a minha sorte.

Ele deu de ombros.

— São os acasos da guerra.

Apontei para as minúsculas figuras dos soldados que reuniam os despojos.

— Não pode impedir que eles se comportem como animais? Será mesmo necessária tanta brutalidade? Eu ouvi as mulheres gritarem; *eu vi*!

As pálpebras de Aquiles desceram cinicamente.

— O que você sabe sobre esses gregos exilados ou sobre seus sentimentos? O que você sente por nós é ódio, o que é perfeitamente compreensível. Mas o seu não supera o ódio que esses homens dedicam a Tróia e aos aliados de Tróia! Príamo já lhes custou dez anos de exílio; por isso, sentem tanto prazer em vingar-se de Príamo! De qualquer modo, mesmo que eu tentasse detê-los, não conseguiria. E, sinceramente, menina, não me agrada essa idéia.

— Há muitos anos ouço histórias sobre a guerra, mas não sabia que era assim — murmurei.

— Agora já sabe.

Seu acampamento ficava a três léguas de distância; mal chegamos, Aquiles chamou um oficial encarregado das bagagens.

— Polides, essa menina é minha cativa. Prenda-a pelo cinto numa bigorna até forjar melhores correntes. Não a deixe solta um momento que seja. Nem mesmo quando ela quiser fazer suas necessidades fisiológicas. Logo que esteja devidamente acorrentada, leve-a para um local em que tenha tudo de que precise, incluindo uma boa cama, boa comida e urinol. Amanhã, você partirá para Andramítio e a entregará aos cuidados de Fênix. — Pegou-me o queixo e beliscou-o suavemente. — Adeus, menina.

Polides prendeu-me os tornozelos com correntes que eram bastante leves, pôs uns trapos entre meus pulsos e as algemas, para que eu não me machucasse mais, e conduziu-me até a costa montada num burro. Aí, entregou-me a Fênix, um velho nobre de olhos azuis e enrugados que andava gingando, como um marinheiro. Quando viu as minhas correntes, mostrou-se pesaroso, mas nada fez para me aliviar daquela prisão. Subi com ele a bordo da nau capitânia. Com cortesia, fez-me sinal para que me sentasse, mas eu estava decidida a ficar de pé.

— Lamento muito as correntes — murmurou, e seus olhos exprimiam evidente pesar. Mas logo percebi que não era de mim que ele estava com pena. — Pobre Aquiles! — exclamou.

Irritava-me o fato de que aquele velho me tivesse em tão pouca conta.

— Aquiles tem mais consideração por meu brio do que você! Dê-me um punhal e verá se eu não me livro desta morte em vida nem que tenha de morrer!

A consternação do velho desapareceu imediatamente e, sorrindo, ele me respondeu:

— Que valente guerreira! Mas fique certa, mocinha, de que não vale a pena nutrir falsas esperanças... Aqueles que Aquiles prende, Fênix não liberta.

— A palavra dele é uma lei sagrada?

— De fato, é. Aquiles é o príncipe dos mirmídones.

— Príncipe das formigas? Um título muito adequado...

Respondeu-me com outro sorriso. Depois, foi buscar uma cadeira para mim. Olhei-a com todo o meu ódio, mas a verdade é que me doíam horrivelmente as costas, por causa da viagem de burro, e minhas pernas tremiam, pois recusara-me a comer e a beber desde o instante em que me haviam feito cativa. Sem qualquer delicadeza, Fênix pegou-me e obrigou-me a sentar-me; depois desarrolhou uma garrafa de vinho.

— Beba, garota. Se quer manter sua rebeldia, precisa de sustento. Não seja tola.

Um conselho sensato. Segui-o e bebi, e logo concluí que meu sangue era fraco, pois o vinho subiu-me num instante à cabeça. Já não conseguia lutar. Pousei a cabeça na mão e logo adormeci. Acordei algum tempo depois. Tinham-me levado para a cama, as correntes presas a uma viga.

No dia seguinte, conduziram-me até a coberta, sem se esquecer de prender as correntes à amurada, a fim de que eu pudesse manter-me de pé, sob aquele cálido sol de inverno, e observar o vaivém da praia. A certa altura, porém, quatro navios surgiram no horizonte e, com tal aparição, os homens — sobretudo os chefes — entraram numa correria e num alvoroço indescritíveis. De repente, Fênix correu para mim, libertou-me da amurada e conduziu-me não à minha prisão anterior, mas a um abrigo que havia no convés de ré e que cheirava a cavalos, onde me deixou presa a um barrote:

— O que está acontecendo? — perguntei, curiosa.

— Agamêmnon, o Rei dos Reis se aproxima — explicou Fênix.

— Por que me trouxe para cá? Não sou nobre o suficiente para ser apresentada ao Rei dos Reis?

O velho marinheiro suspirou.

— Mocinha — murmurou —, você nunca se olhou num espelho? Se Agamêmnon a visse, tenha certeza de que não lhe escaparia! Apesar de pertencer a Aquiles, fique certa de que Agamêmnon não a deixaria virgem!

— Pode ser que eu comece a gritar e que ele me ouça — desafiei.

Fênix fitou-me como se eu tivesse enlouquecido.

— Você se arrependeria. Pense um pouco: que vantagem teria em mudar de amo? Acredite no que lhe digo: você acabaria por preferir Aquiles.

Algo no tom com que me disse aquilo me convenceu. Por isso, quando ouvi vozes à porta do estábulo, enfiei-me sob uma manjedoura e escutei as belas e fluidas cadências do mais puro grego e percebi o poder e a autoridade que uma das vozes possuía.

— Aquiles ainda não voltou? — perguntou essa voz, em tom imperioso.

— Não, rei Agamêmnon, mas deve estar de volta antes da noite. Aquiles teve de organizar o saque. São abundantes os despojos de Lirnesso. As carroças têm chegado carregadas dos mais preciosos objetos.

— Excelente! Vou esperá-lo em sua cabine.

— Será melhor esperar na tenda da praia, rei Agamêmnon. Conhece Aquiles: para ele, o conforto não é importante.

— Talvez tenha razão, Fênix.

As vozes sumiram; rastejando, libertei-me de meu esconderijo. O som daquela voz fria e orgulhosa assustara-me. Aquiles também era um monstro, mas melhor é o monstro que se conhece do que aquele que se ignora, como dizia minha ama quando eu era pequena.

Durante a tarde, ninguém me procurou. Sentada na cama que julgava pertencer a Aquiles, observei com olhos curiosos o escasso conteúdo daquela simplésima cabine: algumas lanças encostadas a um pilar; ninguém se lembrara de pintar as paredes de madeira; as dimensões da cabine eram minúsculas. Na realidade, só havia ali dois objetos dignos de alguma atenção: uma bela pele branca na cama e uma taça de ouro com quatro alças.

O bojo da taça fora pintado com uma representação do Pai Céu sentado em seu trono, e cada alça era encimada por um cavalo galopando.

De repente, o abismo horrendo de meu sofrimento abriu-se e engoliu-me, talvez porque, desde o momento de minha captura, aquela era a primeira vez em que o perigo e a fúria não me obrigavam a calar a dor. Enquanto ali estava sentada naquela cama, meu pai jazia na vala de Lirnesso, onde era jogado o lixo, seu corpo devorado pelos cães perpetuamente esfomeados da cidade; esse era o tradicional destino dos nobres que morriam no campo de batalha. As lágrimas inundavam-me o rosto; joguei-me sobre aquela pele branca e chorei sem conseguir parar. A pele branca ficou limpa e brilhante sob minha face, sob o rio de minha dor.

Não ouvi a porta abrir-se. Por isso, quando a mão pousou em meu ombro, meu coração disparou dentro do peito como um animal que acaba de cair numa cilada. Minha rebeldia evaporou-se imediatamente; naquele instante, só pude pensar que o rei supremo Agamêmnon me descobrira; encolhi-me sobre a cama, apavorada.

— Eu pertenço a Aquiles, eu pertenço a Aquiles! — gemi.

— Eu sei. Quem você pensou que fosse?

Antes de erguer o rosto para vê-lo, disfarcei o alívio que sentira e limpei rapidamente as lágrimas com a palma da mão.

— O rei supremo da Grécia.

— Agamêmnon.

Aquiesci.

— Onde está ele?

— Na tenda da praia.

Aquiles aproximou-se de um baú, abriu-o, remexeu-o e, por fim, jogou-me um lenço de um belo tecido.

— Assoe esse nariz e limpe seu rosto. Se continuar assim, vai adoecer!

Fiz o que ele mandara. Aquiles voltou para perto de mim e observou a pele sobre a cama com um ar preocupado.

— Espero que não manche quando secar. É um presente de minha mãe. — Olhou-me com ar crítico. — Será possível que Fênix não a tenha mandado tomar banho e vestir roupa limpa?

— Mandar, mandou, mas eu recusei.

— Comigo não haverá recusa. As criadas vão trazer roupa limpa e uma banheira para você tomar banho. Terá de vestir o que trouxerem. Caso contrário, será lavada e vestida à força — e não por mulheres. Entendido?

— Sim.

— Ótimo. — Já pusera a mão na tranca da porta quando parou e se voltou para mim.

— Como é seu nome?

— Briseís.

Sorriu para mim; detectei em sua expressão alguma admiração por mim.

— Briseís: "Aquela que triunfa." Tem certeza de que não o inventou?

— Meu pai chamava-se Brises. Era primo-irmão do rei Anquises e chanceler da Dardânia. O irmão de meu pai, Crises, era sumo sacerdote de Apolo. Nós pertencemos à família real.

Ao entardecer, um oficial mirmídone aproximou-se de mim, soltou da viga as correntes e conduziu-me à amurada, onde estava presa uma escada de corda; silenciosamente, indicou-me que deveria descer; contudo, fez-me a cortesia de descer primeiro e de esperar por mim na praia: desse modo, não teria qualquer oportunidade de olhar o que as minhas saias tapavam. O navio assentava-se sobre os seixos da praia, e sobre eles caminhei; mas tão redondos eram que rolavam sob meus pés, magoando o que magoado já estava.

Uma enorme tenda de couro erguia-se na praia. Não me lembrava de tê-la visto quando chegara de burro. O oficial mirmídone fez-me entrar na tenda por uma abertura que havia nos fundos e me conduziu a um cômodo apinhado de mulheres: uma centena de mulheres de Lirnesso, nenhuma das quais reconheci. Só eu fora distinguida com correntes. Muitos eram os olhos que, com curiosidade canina, se fixaram em mim, enquanto eu procurava um rosto conhecido naquela multidão. Ah, ali, num canto! Uma gloriosa cabeleira dourada: inconfundível! Meu guarda continuava a segurar-me pelas correntes; porém, quando fiz menção de caminhar para o canto da sala, deixou-me partir sem protesto.

Minha prima Criseís ocultava o rosto com as mãos; quando a toquei, deu um salto, tomada de pânico. Olhou-me, espantada, e logo se refugiou em meus braços, lavada em lágrimas.

— O que faz aqui? — perguntei, confusa. — Você é a filha do sumo sacerdote de Apolo, é uma criatura inviolável. — Sua resposta foi um gemido de puro horror. Sacudi-a. — Por favor, Criseís, pare de chorar! — ordenei-lhe.

Desde menina, Criseís tinha medo de mim; não admira que me tenha obedecido imediatamente.

— Apesar disso, fizeram-me cativa, Briseís.

— Mas isso é um sacrilégio!

— Eles dizem que não é. Meu pai combateu. Os sacerdotes não combatem. Por isso, consideraram-no um guerreiro e fizeram de mim o que quiseram.

— *O que quiseram*? Está me dizendo que a violaram? — perguntei, horrorizada.

— Não, não! As mulheres que me vestiram disseram-me que só as mulheres do povo ficam à mercê da violência dos soldados. As que se encontram nesta sala foram poupadas a essa violência porque vão ter um destino especial. Qual, não sei. — Olhou para baixo e viu as grilhetas. — Oh, Briseís! Acorrentaram-na!

— Pelo menos trago uma prova evidente de meu *status* real. Graças às grilhetas, ninguém poderá confundir-me com uma prostituta.

— Briseís! — exclamou, escandalizada; eu conseguia sempre chocar minha recatada prima. Depois, perguntou-me:

— E tio Brises?

— Morreu, como todos os demais.

— Morreu? E você não chora sua morte?

— Claro que choro sua morte! — protestei. — A verdade, porém, é que já estive nas mãos dos gregos tempo suficiente para perceber que uma cativa tem de secar as lágrimas e aguçar seu engenho.

Criseís parecia perplexa com minha resposta.

— Por que nos trouxeram para cá, prima?

Virei-me para o oficial mirmídone.

— Eh, soldado! Por que nos trouxeram para cá?

O homem riu do tom com que eu lhe falara, mas respondeu amavelmente.

— O segundo exército ofereceu um banquete em honra do rei supremo de Micenas. Estão dividindo os despojos. As mulheres aqui presentes vão ser distribuídas aos reis.

Esperamos o que nos pareceu uma eternidade. Muito cansadas para falar, Criseís e eu sentamos no chão. De quando em quando, um guarda entrava e levava um pequeno grupo de cativas, seguindo algum código sinalizado pelas fitas coloridas que traziam nos pulsos; eram, todas elas, mulheres muito bonitas. Não havia entre nós nenhuma velha, tampouco prostitutas, feias ou esqueléticas. Contudo, nem eu nem Criseís tínhamos fitas nos pulsos. Cada vez havia menos mulheres na sala e continuávamos a ser ignoradas. Por fim, só nós duas restávamos.

Um guarda entrou e cobriu com véus nossos rostos antes de nos conduzir à sala contígua. Através da malha muito fina, consegui ver um imenso clarão, produzido, aparentemente, por um milhar de lamparinas e archotes, um dossel de tecido acima de nossas cabeças e, por todo o lado, um mar de homens. Estavam sentados em bancos à volta de mesas e bebiam vinho; os criados corriam de um lado para outro. Fizeram-nos caminhar até um comprido estrado em que se encontrava a mesa de honra.

Haveria talvez vinte homens sentados àquela mesa, todos de frente para os outros comensais. No centro, numa cadeira de encosto alto, estava sentado um homem que muito se assemelhava ao Pai Zeus das minhas fantasias de menina. Tinha uma cabeça nobre, altiva, carrancuda; a cabeleira negra com vestígios de cinza, requintadamente encaracolada, derramava-se como uma cascata sobre a cintilante indumentária; uma imponente barba, entrelaçada com fios de ouro, caía-lhe sobre o peito, e pedras preciosas cintilavam em alfinetes ocultos. Um par de olhos escuros examinava-nos com ar pensativo, enquanto uma aristocrática mão branca mexia, absorta, o bigode. Era o imperial Agamêmnon, rei supremo de Micenas e da Grécia, rei dos reis. Anquises, comparado a ele, seria um servo e não um rei.

Afastei dele os olhos, a fim de perscrutar os outros homens, preguiçosamente recostados em suas cadeiras. Aquiles estava sentado à esquerda de Agamêmnon, embora não fosse fácil reconhecê-lo. Eu o vira de armadura, imundo e violento. Agora, estava na companhia de reis. O peito nu, glabro, brilhava sob um maciço colar de ouro e pedras preciosas que lhe caía dos ombros; os braços reluziam de braceletes, os dedos, de anéis. Fizera a barba, e seu cabelo, brilhante como ouro, fora penteado para trás sem grandes requintes; requintados eram os brincos de ouro que lhe pendiam das orelhas. Seus olhos amarelos revelavam agora uma limpidez e uma tranqüilidade novas; aquela cor de olhos, absolutamente incomum, ressaltava poderosamente sob as sobrancelhas e as pestanas fortemente marcadas e também porque ele pintara os olhos ao estilo cretense. Pestanejei, desviei dele meu olhar, confusa. Inquieta.

Ao seu lado estava um homem de aspecto verdadeiramente nobre, muito reto em sua cadeira, os cachos cor de fogo coroando uma testa muito alta e larga; era branca e delicada sua pele. Sob sobrancelhas surpreendentemente escuras, seus belos olhos cinzentos irradiavam um brilho penetrante. Nunca antes vira olhos tão fascinantes como aqueles! Quando meu olhar percorreu seu peito nu, apiedei-me dele: quantas cicatrizes! O rosto parecia ser a única parte de seu corpo que escapara aos golpes inimigos.

À direita de Agamêmnon, havia outro homem ruivo; um indivíduo de aparência desleixada e consternada, que não tirava os olhos da mesa. Quando ergueu a taça para beber, reparei que sua mão tremia. Seu vizinho era um velho de porte régio, alto e ereto, com uma barba tão branca quanto a prata e olhos azuis muito grandes. Embora estivesse vestido de forma muito simples (não mais do que uma túnica de linho branco), tinha os dedos cravejados de anéis. O gigante Ajax vinha logo a seguir; uma vez mais tive de pestanejar, pois o príncipe que agora eu via em nada lembrava o homem que libertara o corpo de meu pai da pilha de cadáveres.

Meus olhos, porém, depressa se cansaram de seus rostos, todos eles tão enganosamente nobres. O guarda fez com que Criseís se aproximasse deles e lhe tirou o véu. Senti meu estômago revolver-se. Minha prima ficava tão bonita com aquela indumentária estrangeira, roupas gregas tiradas de um baú qualquer que em nada se assemelhavam aos vestidos compridos e decentes que cobriam as mulheres de Lirnesso, do pescoço aos tornozelos. Em Lirnesso, escondíamo-nos de todos os homens, exceto dos maridos; as mulheres gregas — isso era mais do que evidente — vestiam-se como prostitutas. Escarlate de vergonha, Criseís escondeu os seios nus com as mãos, mas por pouco tempo; o guarda encarregou-se de destapá-los. Agora, todos aqueles homens poderiam ver quão fina era sua cintura e quão perfeitos seus seios. Agamêmnon já não parecia o Pai Zeus; agora, era Pã. Virou-se para Aquiles.

— Pela Mãe, que preciosidade...!

Aquiles sorriu.

— Ainda bem que gostou dela, Agamêmnon. A mocinha é sua, uma prova evidente da estima que o segundo exército lhe tem. Chama-se Criseís.

— Venha aqui, Criseís. — A elegante mão branca fez um gesto imperativo; minha prima não se atreveu a desobedecer.

— Venha, olhe para mim! Não tenha medo, menina, não lhe farei mal. — Com os dentes brancos cintilando, sorriu para ela e afagou-lhe depois o braço, aparentemente sem reparar que Criseís se encolhia. — Levem-na imediatamente para meu navio.

Os guardas levaram Criseís. Era a minha vez. O guarda retirou-me o véu para que eu me exibisse naquele figurino indecente. Mostrei-me tão altiva quanto possível, as mãos colocadas ao corpo, o rosto inexpressivo. A vergonha era deles, não minha. Dando-me conta da luxúria que inundava os olhos do rei supremo, obriguei-o a desviar o olhar. Aquiles nada disse. Movi um pouco as pernas para que as correntes retinissem. Agamêmnon ergueu as sobrancelhas.

— Correntes? Quem ordenou isso?

— Fui eu — replicou Aquiles. — Não confio nela.

— Oh! — A exclamação, embora curta, era repleta de sentido. — E de quem é ela?

— É minha. Fui eu que a capturei — justificou Aquiles.

— Você deveria ter-me oferecido a possibilidade de escolher entre as duas — retrucou Agamêmnon, agastado.

— Fui eu que a capturou, rei Agamêmnon; portanto, ela é minha. Além disso, não confio nela. Nosso mundo grego sobreviverá sem mim, mas não sem você. Tenho provas suficientes de que essa menina é perigosa.

— Hum... perigosa...! — murmurou o rei supremo, nada convencido. Depois, suspirou. — Nunca vi cabelo igual! Uma mistura de fogo e ouro! Nem olhos assim, tão azuis! — E suspirou de novo. — Mais bela do que Helena!

O indivíduo nervoso que estava à direita do rei supremo deu um murro na mesa com tal violência, que as taças de vinho saltaram.

— Helena não tem igual! — exclamou.

— Sim, meu irmão, nós sabemos — Agamêmnon murmurou, paciente. — Acalme-se.

Aquiles acenou para o oficial mirmídone.

— Leve-a.

* * *

Esperei sentada numa cadeira de sua cabina, as pálpebras pesadas, embora não me atrevesse a permitir-me um momento que fosse de sono. Haverá mulher mais indefesa do que aquela que tranqüilamente se entrega ao doce chamamento do sono?

Muito tempo depois, Aquiles apareceu. Quando ergueu a tranca, eu cochilava, apesar de toda minha determinação; assustada, dei um salto e entrelacei minhas mãos com força. Chegara o momento do ajuste de contas. Aquiles, contudo, não parecia consumido de desejo; ignorou-me, encaminhou-se para o baú e abriu-o. Depois, tirou o colar, os anéis, os braceletes, o cinto cravejado de jóias. Mas não o saiote.

— É um alívio ver-me livre desse lixo todo! — exclamou, olhando agora para mim.

Olhei também para ele, confusa, perdida. Como começava uma violação?

A porta abriu-se e outro homem entrou, muito parecido com Aquiles nos traços e na tez, mas de menor estatura e rosto mais terno. Eram encantadores seus lábios. Seus olhos azuis examinaram-me com um brilho apreensivo.

— Pátroclo, apresento-lhe Briseís.

— Agamêmnon tinha razão. É mais bela do que Helena. — O olhar que lançou a Aquiles estava carregado de significado e repleto de dor. — Vou deixá-los. Só vim ver se você precisava de alguma coisa.

— Espere lá fora, eu não demoro — Aquiles recomendou com ar ausente.

Já a caminho da porta, Pátroclo parou e lançou a Aquiles um olhar que não enganaria ninguém: um olhar de absoluta alegria e de posse absoluta.

— É meu amante — explicou Aquiles, mal Pátroclo saiu.

— Percebi.

Com um suspiro de fadiga, Aquiles sentou-se na beira da estreita cama e apontou para minha cadeira.

— Sente-se.

Sentei-me e, por um momento, fitei-o, enquanto ele me olhava com algo que parecia ser um absoluto desapego; começava a suspeitar de que ele não sentia por mim nada que se assemelhasse ao puro desejo físico. Nesse caso... nesse caso, por que razão me quisera para ele?

— Pensei que vocês, mulheres de Lirnesso, eram muito recatadas — disse por fim —, mas você parece conhecer muito bem as coisas mundanas.

— Algumas coisas, que são universais. O que nós não entendemos é esta moda! — Toquei meus seios nus. — Imagino que na Grécia as mulheres devem ser vítimas constantes de violações.

— Nesse aspecto, a Grécia é igual a todas as outras nações. Uma coisa tende a perder encanto quando se torna universal.

— O que pretende fazer comigo, príncipe Aquiles?

— Não sei.

— Minha natureza não é branda nem fácil.

— Isso eu sei. — Era irônico seu sorriso. — Na verdade, sua pergunta é pertinente. Para ser franco, não sei mesmo o que fazer com você. — Olhou-me com aqueles seus olhos amarelos. — Sabe tocar lira? Sabe cantar?

— Sei. Toco e canto até muito bem.

Ele se levantou.

— Então, você tocará e cantará para mim — decidiu, berrando em seguida: — Sente-se no chão!

Sentei-me no chão. Ele puxou minha pesada saia acima dos joelhos e saiu. Quando voltou, trazia um martelo e um escopro. Um instante depois, eu estava livre das correntes.

— Você acabou com a madeira do chão — observei, apontando para as estrias profundas que o escopro abrira.

— Isto é apenas um abrigo numa coberta de proa — murmurou, levantando-se. Depois, ergueu-me com mãos firmes e secas. — Vá dormir — ordenou e logo me deixou.

Porém, antes de ir para a cama, agradeci a Ártemis. A deusa virgem ouvira minhas súplicas; o homem de quem eu era cativa não tinha pelas mulheres qualquer apetite carnal. Estava salva. Se assim era, por que tanta tristeza? Não saberia responder, mas de uma coisa eu tinha certeza: a saudade de meu pai não era a única causa de minhas lágrimas.

De manhã, a nau capitânia fez-se ao mar. Marinheiros e guerreiros iam e vinham na coberta, e os bancos dos remadores depressa foram ocupados. Gargalhadas e obscenidades da pior espécie encheram os ares. Era evidente que se sentiam felizes por deixar a desolada Andramítio, por duas vezes reduzida a cinzas. Quem sabe, talvez aquele fosse um local assombrado; talvez os marinheiros e guerreiros, ao partirem, deixassem de ouvir os gemidos de aflição de milhares de sombras inocentes.

Pátroclo, o terno companheiro de Aquiles, caminhou sem dificuldade em meio à multidão que enchia a meia-nau e subiu os poucos degraus que conduziam à coberta de proa, onde eu estava contemplando o mar e as humanas criaturas.

— Como se sente, Briseís? Bem?

— Sim, estou muito bem, obrigada.

Virei-lhe as costas, mas ele permaneceu a meu lado, visivelmente satisfeito com minha gelada companhia.

— Acabará se habituando.

— Seria difícil imaginar uma observação mais estúpida... Você se habituaria a viver na casa de um homem que tivesse sido responsável pela morte de seu pai e pela destruição de sua pátria?

— Talvez não — respondeu ele, subitamente ruborizado. — Mas estamos em guerra, e você é uma mulher.

— A guerra — repliquei, cheia de amargura — é uma atividade masculina. As mulheres são suas vítimas, tanto quanto são vítimas dos homens.

— A guerra — contrapôs, divertido — também existiu enquanto as mulheres governaram o mundo sob o domínio da Mãe. As rainhas supremas eram tão gananciosas e ambiciosas quanto qualquer rei supremo. A guerra nada tem a ver com o sexo. Creio mesmo que ela é um fator intrínseco à raça humana.

Como isso era incontestável, resolvi mudar de assunto.

— Pátroclo, como você, que é um homem tão sensível e perspicaz, pode amar um homem tão duro e cruel como Aquiles? — perguntei-lhe.

Seus olhos azuis fitaram-me, espantados.

— Mas Aquiles não é duro nem cruel!

— Lamento, mas não posso acreditar nisso.

— Aquiles não é o que parece — asseverou-me seu fiel cão-de-guarda.

— Nesse caso, o que é Aquiles afinal?

Pátroclo balançou a cabeça.

— Isso, minha cara Briseís, você terá de descobrir por conta própria.

— É casado? — Por que as mulheres têm de fazer sempre essa pergunta?

— É. Casou com a filha única do rei Licomedes, de Ciro. Tem um filho, Neoptolemo, um rapaz de dezesseis anos. E, sendo o único filho de Peleu, é herdeiro do reino supremo da Tessália.

— Nada disso altera minha opinião a seu respeito.

Para minha grande surpresa, Pátroclo pegou minha mão e beijou-a. Depois, foi-se embora.

Permaneci na proa enquanto meus olhos puderam enxergar uma sombra que fosse de terra no horizonte. O mar estava sob meus pés: nunca mais voltaria à minha querida terra. Agora, agora já não poderia fugir a meu triste destino. Eu, que estava destinada a casar com um rei, acabaria meus dias tocando e cantando para um rei que de mim fizera serva. Se, aliás, os gregos não tivessem decidido atacar Tróia, eu já estaria casada. Os homens que, em circunstâncias normais, teriam aparecido na corte da Dardânia para pedir minha mão ficaram de súbito ocupados demais para pensar em alianças matrimoniais.

As águas assobiavam sob o casco e transformavam-se em branca espuma sob o impacto dos remos, um som brando e constante que penetrava sutilmente meu espírito; tão sutilmente, que só ao fim de muito tempo me dei conta de que minha decisão estava já tomada. Não era difícil subir à amurada; foi o que fiz, e já me preparava para pular quando um braço forte me segurou e me puxou violentamente para baixo. O braço de Pátroclo.

— Deixe-me morrer! Esqueça que me viu! — roguei.

— Nunca mais! — ele murmurou, atônito.

— Pátroclo, eu não sou importante, eu não represento nada para ninguém! Deixe-me morrer! Deixe-me morrer!

— Não, nunca mais. Seu destino é muito importante para ele. Nunca mais.

Que estranhos mistérios! *Nunca mais quem*? O quê?

Sete dias depois avistamos Assos. Mal contornamos a península diante da ilha de Lesbos, os remos revelaram-se inúteis; os ventos sopravam intermitentes, ora empurrando-nos para a praia, ora afastando-nos dela. A maior parte do tempo ficara sozinha na coberta de proa, numa alcova rodeada de cortinas, e, sempre que dali eu emergia, Pátroclo largava o que estivesse fazendo e corria para junto de mim. De Aquiles, nem sinal. Por fim, fui informada de que seguia no navio de Automedonte.

Conseguimos aportar na manhã do oitavo dia. Aconcheguei-me em meu manto porque o vento era cortante como gelo e observei, fascinada, as operações de aportagem e desembarque, já que, em toda minha vida, nunca vira nada assim. O nosso foi o segundo navio a descansar nas cunhas; o de Agamêmnon fora o primeiro. Logo que puseram a escada de corda, deixaram-me descer. Quando Aquiles passou, a pouca distância de mim, assumi um ar altivo e preparei-me para a guerra, mas ele nem percebeu minha presença.

Nesse momento, surgiu a governanta de sua casa, uma mulher corpulenta e bem-disposta que se chamava Laodice. Foi ela quem me conduziu à casa de Aquiles.

— Deixe-me dizer-lhe uma coisa, mocinha — murmurou ela. — Você é uma privilegiada. Vai morar na casa de seu amo e, mais importante ainda, vai ter aposentos próprios. Nem eu, que sou sua governanta, tenho esses direitos, quanto mais as outras...

— Mas ele não tem centenas de mulheres?

— Tem, mas não vivem com ele.

— Claro, ele vive com Pátroclo.

— Com Pátroclo? — Laodice repetiu com um sorriso largo. — Isso foi em outros tempos... Alguns meses depois de se terem tornado amantes, Aquiles ordenou-lhe que construísse sua própria casa.

— Por quê? Isso não faz sentido...

— Oh, faria sentido, se você conhecesse seu amo! Ele gosta de ser livre como o vento!

Hmmm. Bem, era muito possível que eu não conhecesse Aquiles, mas também era verdade que estava aprendendo depressa. Com que então gostava de ser livre como o vento! As peças do quebra-cabeças estavam todas lá, à espera de que eu as pegasse, como quando era criança e me entretinha com esses passatempos. O verdadeiro problema era pôr todas as peças no lugar certo.

Durante esse longo inverno, prisioneira do frio que eu era, muito tempo gastei encaixando as peças do quebra-cabeças que se chamava Aquiles. Meu amo raramente ficava em casa, muitas vezes jantava fora e, às vezes, também dormia fora, supunha eu, com Pátroclo, que, pobre-coitado, parecia agora mais angustiado do que feliz com o amor que Aquiles lhe dedicava. As demais mulheres estavam predispostas a detestar-me, porque eu morava na casa do amo e elas, não. No entanto, porque sei lidar muito bem com todo tipo de mulheres, depressa consegui conquistar seus afetos;

vencidos os corações, desataram as línguas — e o interminável fio da bisbilhotice.

Pelo visto, Aquiles padecia de uma febre que culminava numa espécie de sortilégio (elas o tinham ouvido falar a respeito de um sortilégio); havia momentos em que parecia estar longe deste mundo, estranhamente concentrado em insondáveis paragens; sua mãe era uma deusa, uma criatura do mar chamada Tétis, que era capaz de alterar sua configuração física tão depressa quanto o sol se desvenda ou oculta atrás das nuvens — ouriço-do-mar, choco, baleia, vairão, caranguejo, estrela-do-mar, tubarão, tudo isso ela podia ser; o avô de seu pai era o próprio Zeus; seu professor fora um centauro, um ser fabuloso que tinha cabeça, braços e torso de homem, ainda que o resto do corpo fosse de cavalo; o gigante Ajax era seu primo-irmão e grande amigo; vivia para a guerra, não para o amor. Não, elas não acreditavam que Aquiles gostasse de homens, apesar do amor que dedicava a seu primo Pátroclo. Mas também não lhes parecia que gostasse de mulheres.

De vez em quando, chamava-me à sua presença e ordenava-me que tocasse e cantasse, e eu lhe obedecia com gratidão; minha vida, sem esses momentos, era absolutamente desolada. Pensativo, Aquiles escutava minha música, sim, mas só com metade de sua mente; a outra metade permanecia em outro mundo, que excluía tanto a música quanto quem a executava. Nem sinal de desejo, nunca. Nenhuma sugestão quanto aos motivos por que decidira fazer de mim sua cativa. Também não entendia ainda o que poderia estar por trás do que Pátroclo me dissera quando eu tentara pular ao mar. Nunca mais! *Nunca mais o quê*? Nunca mais quem? Que estranho evento matara o desejo naquele homem?

Descobri com grande tristeza que, pouco a pouco, Lirnesso e meu pai iam perdendo a primazia em meus pensamentos. O que acontecia em Assos começava a relegar a plano secundário o que acontecera à Dardânia. Três vezes Aquiles jantou sozinho em casa e três vezes ordenou que eu o servisse e que nenhuma outra mulher estivesse presente. Laodice, tola como era, embonecava-me e perfumava-me, convencida de que, finalmente, eu lhe pertenceria, mas Aquiles nada me disse e nada fez.

Chegava a termo o inverno quando nos mudamos de Assos para Tróia. Fênix fez um sem-número de viagens, e gradativamente os celeiros, os depósitos e as tendas foram ficando vazios. Por fim, todo o exército seguiu, por mar, para o norte.

Tróia. Mesmo em Lirnesso era Tróia quem governava, pois era o centro de nosso mundo. O rei Anquises e Enéias não gostavam dessa verdade, mas era indiscutível. Agora, pela primeira vez, meus olhos podiam ver Tróia. O vento incessante varria a planície, levando a neve; torres e pináculos, engrinaldados de gelo, cintilavam ao sol. Parecia um palácio no Olimpo — longínquo, frio e belo. Era ali que Enéias vivia, com o pai, a esposa e o filho.

A mudança para Tróia operou em mim outra mudança, estranha, fora do alcance de minha compreensão; de súbito, tornei-me presa fácil de acessos de melancolia; chorava e irritava-me por tudo e por nada.

Aquele era o décimo ano da guerra, e todos os oráculos diziam que seria o último. Seria essa a razão de meu desalento? Seria por saber que, quando a guerra acabasse, Aquiles me levaria para Iolcos? Ou por recear que ele me vendesse a outro rei que apreciasse meus talentos musicais? Na verdade, aparentemente, só meus talentos musicais lhe agradavam.

Mal a primavera acordou, começaram os ataques dos destacamentos troianos; com todos os gregos instalados num acampamento imenso, os troianos tinham de procurar mantimentos que suprissem suas faltas. Heitor procurava aproveitar todas as oportunidades para fazer incursões destinadas à coleta de alimentos, enquanto os gregos, sobretudo Aquiles e Ajax, vigiavam todos os passos dos troianos, na esperança de pegar Heitor, contra quem Aquiles desejava desesperadamente combater; as mulheres comentavam, aliás, que o desejo de matar o herdeiro troiano consumia todas as suas energias. Durante o dia inteiro e metade da noite, a casa enchia-se de vozes masculinas. Acabei conhecendo os nomes de todos os demais chefes gregos.

Por fim, a primavera encheu o ar de fragrâncias poderosas, os campos de minúsculas flores brancas e as águas do Helesponto de um azul mais intenso. Pequenos combates ocorriam quase todos os dias. Em Aquiles, crescia a ânsia de um duelo decisivo com Heitor. Contudo, não queria a sorte que ele acalmasse de vez essa ânsia. Não conseguia encontrar no campo de batalha o esquivo herdeiro do trono de Tróia. Nem ele, nem Ajax.

Embora Laodice considerasse que o trabalho pesado não era para mim, que nascera em berço de ouro, o certo é que, mal ela se ausentava, eu me entregava às tarefas normalmente executadas por mulheres da mais baixa condição; tarefas que eu acreditava mais úteis do que bordar qualquer coisa com uma agulha enfadonha e pouco inspirada.

Uma das histórias mais intrigantes acerca de Aquiles dizia respeito ao modo como ele aceitara o amor de Pátroclo, depois de tantos anos de uma amizade de todo isenta dos prazeres do corpo. Segundo Laodice, a transformação ocorrera durante um dos sortilégios com que Tétis castigava o filho. Nesses momentos, ela acrescentava, nosso amo tornava-se particularmente suscetível aos desejos alheios, e Pátroclo não desperdiçara a oportunidade. Parecia-me uma explicação equivocada; afinal, eu nunca encontrara em Pátroclo nada que sugerisse tamanha falta de escrúpulos. Porém, os caminhos da Deusa do Amor são, todos eles, feitos de estranheza: quem poderia ter previsto que eu também viria a cair na cilada do Sortilégio? Talvez a verdade fosse outra: talvez o coração de Aquiles se defendesse com uma armadura invulnerável, uma armadura que só cedia aos golpes do amor por obra e graça do Sortilégio, ou seja, em circunstâncias de extrema fragilidade.

Tudo aconteceu certo dia em que, escapando à vigilância de

Laodice, decidi entregar-me ao trabalho de que mais gostava: polir sua armadura, no quarto especial onde era guardada. Aquiles entrou. Seus passos eram mais lentos do que de costume, e seus olhos não me viam, apesar de eu estar diante dele, com um trapo na mão e um pedido de desculpas na ponta da língua. Tinha o rosto abatido, desfigurado, e havia respingos de sangue em seu braço direito. Não, aquele sangue não era dele!, concluí, já mais calma. Tirou o elmo e largou-o no chão; levou ambas as mãos à cabeça, como se sentisse dor forte. Assustada, comecei a tremer enquanto ele desapertava, desajeitadamente, as correias da couraça. Onde estava Pátroclo?

Despida a armadura, envergando agora apenas a túnica acolchoada que usava debaixo de todo aquele metal, procurou uma cadeira, com os olhos ausentes virados em minha direção. Porém, em vez de se afundar na cadeira, foi no chão que caiu e logo começou a tremer e a contorcer-se, babando copiosamente e murmurando sons indistintos. Depois, revirou muito os olhos e ficou hirto, muito hirto, braços e pernas rígidos como os de um cadáver; de súbito, porém, seu corpo inteiro entrou numa convulsão que parecia não ter fim. A baba converteu-se em espuma, o rosto ficou negro.

Eu nada pudera fazer enquanto duraram as convulsões; porém, logo que cessaram, ajoelhei a seu lado.

— Aquiles! Aquiles!

Ele não me ouviu; jazia no chão, o rosto cinza, os braços movendo-se a esmo. Depois de terem encontrado meu corpo, suas mãos procuraram minha cabeça e a embalaram docemente.

— Mãe, deixe-me em paz!

Sua voz estava tão alterada, que quase não a reconheci; comecei a chorar, aterrorizada por vê-lo assim.

— Aquiles, eu sou Briseís! Briseís!

— Por que me atormenta? — perguntou, mas não era a mim que perguntava. — Eu não preciso que me lembre que minha morte está próxima! Não me atormente mais; já tenho penas suficientes. Não ficou satisfeita com Ifigênia? Deixe-me em paz, deixe-me em paz!

Calou-se depois, porque uma profunda letargia o venceu. Corri à procura de Laodice.

— O banho de nosso amo já está pronto? — perguntei, ofegante.

Laodice interpretou equivocadamente minha pressa: viu desejo onde havia aflição e implicou comigo.

— Também já não era sem tempo, tolinha! Sim, o banho já está pronto. Dê você o banho, porque tenho muito o que fazer.

Dei-lhe banho, embora ele não me distinguisse de Laodice. Assim, pude observá-lo à vontade e entender o que desde o início me recusara a entender: quão belo ele era e quão intensamente eu o desejava. O vapor inundava o quarto, e minha túnica dardaniana colava-se a meu corpo, porque eu transpirava abundantemente. Zombei de mim mesma. Briseís, afinal, era igual às demais — como todas suas outras mulheres, Briseís apaixonara-se por ele. Apaixonara-se por um homem que não vibrava nem por homens, nem por mulheres, pois só vivia para o combate mortal.

Mergulhei um pano em água fria, torci-o e molhei-lhe o rosto. Em seus olhos, brilhou algo que se aproximava da consciência. Ergueu a mão e pousou-a em meu ombro.

— Laodice? — perguntou.

— Sim, meu amo. Venha, sua cama está pronta. Dê-me sua mão.

Seus dedos apertaram minha mão; sem ter precisado olhar para ele, sabia que Aquiles reconhecera minha voz. Libertando-me de sua mão, peguei um vidro de óleo perfumado que estava sobre a mesa. Quando olhei de relance para seu rosto, verifiquei que ele sorria: o sorriso que quase fazia daquela fenda uma boca, um sorriso inesperadamente gentil.

— Obrigado — murmurou.

— De nada — respondi, quase incapaz de ouvir minha voz, tamanha a violência com que meu coração batia.

— Há quanto tempo está aqui?

Não lhe podia mentir.

— Desde o princípio.

— Então, viu-me.

— Vi.

— Então, não temos segredos.

Não. *Partilhamos* o segredo.

De repente, estava em seus braços; como, não sei. Ele, contudo, não me beijava; confessaria mais tarde que, não tendo lábios, os beijos pouco prazer lhe davam. Mas o corpo, ah, o corpo dava-lhe todo o prazer do mundo. Um prazer que meu corpo também sentia. Não havia uma única fibra de meu corpo que suas mãos não fizessem cantar como uma lira; eu era um corpo sem forças, inarticulado, sentindo apenas a ofuscante intensidade que Aquiles era. E eu, eu que, durante tantas luas, tanto ansiara por aquele momento sem o admitir, conheci finalmente o poder da Deusa. Não nos dividiu, nem nos destruiu; por um breve momento, senti a presença da Deusa tanto dentro dele quanto dentro de mim.

Amava-me, disse-me ele mais tarde. Amava-me desde o princípio. Embora eu não fosse igual a ela, vira Ifigênia em mim. Depois, contou-me a horrível história; imaginei que, desde a morte de Ifigênia, Aquiles se sentia verdadeiramente feliz pela primeira vez. E perguntei-me com que coragem eu enfrentaria Pátroclo, que, com a pureza do amor, tentara a cura do amado, mas falhara. Agora, todas as peças estavam encaixadas.

CAPÍTULO VIGÉSIMO

NARRADO POR ENÉIAS

Levei para Tróia mil carros e quinze mil soldados de infantaria. Príamo engoliu sua aversão à Dardânia e acolheu-me com grande júbilo; abraçou meu velho e demente pai e deu a Creusa, minha esposa (que era filha dele e de Hécuba), calorosas boas-vindas; quando viu nosso filho, Ascânio, seu rosto iluminou-se. Comparou-o a Heitor, o que muito me agradou, pois Ascânio, pelo menos fisicamente, era muito parecido com Páris.

Minhas tropas foram distribuídas pela cidade, e eu e minha família ficamos num pequeno palácio dentro da Cidadela. Quando me vi sozinho, encarei tudo aquilo com um sorriso amargo; não, de fato não fora um erro protelar por tanto tempo meu apoio. Príamo estava tão desesperado por se ver livre da sanguessuga grega — e sanguessuga era, pois o sangue que era a vida de Tróia rareava já —, que talvez fosse capaz de fingir que o apoio da Dardânia fora uma oferta dos Deuses.

A cidade mudara. Suas ruas estavam mais tristes e sujas do que em outros tempos; desaparecera a atmosfera de riqueza e poder ilimitados, bem como, aliás, alguns pregos de ouro das portas da Cidadela. Deliciado por ver-me a seu lado, Antenor contou-me que muito do ouro de Tróia fora gasto na compra de mercenários dos hititas e da Assíria, mercenários que, afinal, não tinham vindo. E o ouro não fora devolvido.

Ao longo de todo o inverno entre o nono e o décimo anos do conflito, recebemos mensagens de nossos aliados da costa, prometendo o auxílio possível. Desta vez, sentíamo-nos inclinados a acreditar que os governantes da Cária, da Lídia, da Lícia e das outras nações acabariam por vir. A costa fora arrasada de uma ponta à outra, colonizadores gregos já começavam a instalar-se nas ruínas das cidades; os reis nossos aliados já não tinham nem terras, nem riquezas para defender. A derradeira esperança da Ásia Menor seria unir-se a Tróia e lá combater os gregos. A vitória permitiria a esses reis o regresso a seus domínios, quando poderiam expulsar os intrusos.

De todos chegaram mensagens, mesmo de alguns de quem já não esperávamos sequer notícias. O rei Glauco deslocou-se até Tróia com uma carta de Sarpedon, com quem partilhava o trono; estavam organizando as forças que haviam restado; apenas vinte mil homens conseguiriam trazer daquelas nações, outrora tão populosas, que se estendiam da Mísia à longínqua Cilícia. Príamo chorou quando Glauco lhe contou como tudo acontecera.

Pentesiléia, a rainha das Amazonas, prometeu dez mil combatentes de cavalaria; Mêmnon, um parente de Príamo que era rei dos hititas, viria com cinco mil soldados de infantaria e quinhentos carros. Quarenta mil soldados troianos já eram nossos; se se juntassem em Tróia todos os reis que nos prometiam apoio, no verão seguinte disporíamos de muito mais soldados do que os gregos.

Os primeiros a chegar foram Sarpedon e Glauco. Era um exército bem equipado; porém, quando examinei mais atentamente seus soldados, entendi quão profundos haviam sido os golpes que Aquiles desferira nas nações da costa. Sarpedon fora obrigado a incluir em seu exército jovens sem experiência e homens vergados ao peso da idade, camponeses que só sabiam manejar o arado e pastores das montanhas que pouco mais eram do que meninos; enfim, soldados que desconheciam por completo a arte da guerra. Entusiasmo, porém, não lhes faltava, e Sarpedon não era idiota: sem grande dificuldade os transformaria em bons soldados.

Heitor e eu sentamo-nos certa noite numa sala de seu palácio e, enquanto nos deliciávamos com seu vinho, discutimos a situação.

— Seus quinze mil soldados de infantaria, vinte mil soldados das nações costeiras, cinco mil hititas, dez mil amazonas e quarenta mil soldados de infantaria troianos... mais um total de dez mil carros... Enéias, a vitória só pode ser nossa! — murmurou Heitor.

— Cem mil soldados... Segundo suas estimativas, quantos gregos restam no acampamento? — perguntei.

— Não é fácil estimar, Enéias. Nossa única fonte de informações tem sido um escravo ou outro que, ao longo dos anos, tem fugido do acampamento grego — comentou Heitor. — Há um em particular de quem me tornei amigo; um homem chamado Demétrios, de origem egípcia. Por seu intermédio e de outros, fiquei sabendo que Agamêmnon só dispõe agora de cinqüenta mil homens. E, quanto a carros de guerra, possui apenas mil.

— Cinqüenta mil? É estranho! Difícil até de acreditar.

— Não é assim tão estranho, Enéias. Quando chegaram, os soldados gregos eram oitenta mil. Demétrios disse-me que dez mil gregos foram dispensados devido à idade e que Agamêmnon nunca mandou vir mais soldados da Grécia. Os únicos gregos que têm chegado à Ásia Menor são os colonos. Por outro lado, cinco mil soldados morreram de uma epidemia há cerca de dois anos. Dez mil membros do segundo exército morreram ou ficaram incapacitados e cinco mil regressaram à Grécia, pois as saudades da pátria eram tantas, que não agüentavam ficar mais tempo em Tróia. Daí minha estimativa: não mais do que cinqüenta mil homens, Enéias.

— Nesse caso, será fácil aniquilarmos os gregos.

— Concordo inteiramente — Heitor parecia francamente

animado. — Você me apoiará quando eu pedir a meu pai que autorize a saída do exército?

— Mas nós ainda não temos os hititas nem as amazonas, Heitor!

— Não precisamos deles.

— Não se esqueça de que o exército grego possui longa experiência, ao contrário do que acontece com o nosso. Os gregos são um povo habituado à guerra. E seus soldados sabem que possuem ótimos chefes.

— Admito nossa inexperiência, mas não estou de acordo quanto à excelência dos chefes gregos. Nós também possuímos guerreiros famosos. Você, por exemplo. E Sarpedon, que é filho de Zeus! Os soldados o adoram. — Heitor tossiu, embaraçado. — E eu, agora.

— Não é a mesma coisa — insisti. — Que pensam os dardanianos de Heitor ou os troianos de Enéias? E quem conhece o nome de Sarpedon, filho de Zeus ou não, fora dos limites da Lícia? Pense nos nomes gregos! Agamêmnon, Idomeneu, Nestor, Aquiles, Ajax, Teucro, Diomedes, Ulisses, Meriones, e mais, muitos mais! Até Macáon, o cirurgião-chefe grego, é um guerreiro notável! E todos os soldados gregos conhecem todos esses nomes. Se perguntar a um soldado grego qual é o prato preferido de um determinado chefe ou sua cor favorita, aposto que ele saberá responder. Não, Heitor, os gregos são uma única nação combatendo sob o comando de um rei supremo, Agamêmnon. Nós, em contrapartida, não passamos de facções divididas por rivalidades mesquinhas, por censuráveis invejas.

Heitor fitou-me por um longo momento e, com um suspiro, replicou:

— Tem razão, Enéias, claro que tem razão. Creio, porém, que, quando for dada ordem de batalha, nosso exército poliglota não pensará em outra coisa senão em expulsar os gregos da Ásia Menor. Nossos soldados anseiam pela vitória. Nós lutamos pela sobrevivência.

— Heitor, você é um idealista incurável! — exclamei, rindo. — Se alguém encostar a ponta de uma lança em sua garganta, você vai parar para pensar se esse alguém anseia pela vitória? Os gregos lutam pela sobrevivência tanto quanto nós.

Sem se dar ao trabalho de comentar minhas palavras, Heitor encheu de novo nossas taças.

— Então, pretende pedir a seu pai que o autorize a sair com o exército?

— Sim — respondeu Heitor. — Hoje. Estou farto dessas muralhas, Enéias! A cidade de Tróia converteu-se numa grande prisão!

— Acontece algumas vezes de o que mais amamos vir a ser exatamente o que nos destrói.

Heitor sorriu, embora não estivesse propriamente divertido.

— Você é um homem estranho, Enéias...! Será possível que não acredite em nada? Será possível que não tenha amor a nada?

— Acredito em mim mesmo e tenho amor a mim mesmo — repliquei eu, dono e senhor de mim mesmo.

Príamo vacilou: em sua mente, o bom senso travava uma luta sem tréguas com a ânsia de expulsar os gregos; acabou, contudo, dando ouvidos a Antenor e não a Heitor.

— Não faça isso, rei Príamo! — suplicou Antenor. — Um confronto prematuro com os gregos seria a morte de todas as nossas esperanças! Aguarde Mêmnon, dos hititas, e a rainha das Amazonas! Se Agamêmnon não tivesse Aquiles e os mirmídones, tudo seria diferente, mas a verdade é que eles fazem parte do exército grego e justificam plenamente meus receios! Desde que nascem, os mirmídones só vivem para a guerra. Seu corpo é como bronze, o coração é como pedra, o espírito é tão pertinaz quanto o de uma formiga. Não é à toa que são chamados de formigas! Sem as guerreiras amazonas, que serão capazes de opor resistência decisiva aos mirmídones, a linha de frente de suas tropas logo sucumbirá! Espere, rei Príamo, espere!

Príamo decidiu esperar. Superficialmente, Heitor pareceu aceitar o veredicto do pai. Mas eu conhecia Heitor... O herdeiro de Tróia não pensava senão em combater contra Aquiles; o receio que seu pai tinha de Aquiles fora precisamente a razão de sua derrota naquela assembléia.

Aquiles... Recordei meu encontro com ele nos arredores de Lirnesso e perguntei-me se Aquiles seria superior a Heitor... Tinham mais ou menos a mesma corpulência e estatura, possuíam o mesmo espírito marcial. No entanto, havia qualquer coisa que me dizia que Heitor estava condenado a sair derrotado do confronto... Em minha opinião, nossas sociedades tendiam a superestimar a virtude — e Heitor era muito virtuoso... A virtude não era meu domínio — eu ansiava por outras coisas...

Foi com inquietação que abandonei a Sala do Trono. Por causa daquela antiqüíssima profecia que me anunciava como rei de Tróia algum dia, Príamo afastara-se de mim e de meu povo. Apesar de toda a civilidade exibida desde o dia em que eu chegara, o escárnio velado continuava latente. Só meus soldados me tornavam desejado. Porém... como eu poderia sobreviver aos cinqüenta filhos de Príamo? Como? A menos que Tróia perdesse a guerra. Nesse caso, seria possível que Agamêmnon decidisse *dar-me* o trono de Tróia... Um belo dilema para alguém que tinha nas veias o mesmo sangue de Príamo...

Encaminhei-me para o grande pátio da Cidadela e ali caminhei, consumido pelo ódio que votava a Príamo, desejando que Tróia fosse minha. Até que me dei conta de que havia alguém, oculto nas sombras, observando meus movimentos. Senti minha nuca gelar-se. Príamo odiava-me. Seria capaz de cometer tão horrendo pecado? Seria capaz de matar um parente próximo?

Concluí que sim — Príamo seria capaz disso e de muito mais.

Empunhei o punhal e, oculto pelo altar repleto de flores consagrado a Zeus do Pátio, avancei pé ante pé. Quando já estava à distância de pouco mais de um braço de meu espião, saltei sobre ele, tapei-lhe a boca e encostei-lhe a lâmina à garganta; mas os suaves lábios sob a palma de minha mão não eram lábios de homem, como não eram de um homem os seios que meu punhal roçava. Libertei-a imediatamente.

— Pensou que eu fosse um assassino? — perguntou ela, ofegante.

— É uma estupidez andar por aí oculta pelas sombras, Helena.

Encontrei uma lanterna no degrau do altar e a acendi com o fogo eterno; ergui-a depois e examinei demoradamente a mulher de Páris. Oito anos haviam passado desde a última vez que a vira. Inacreditável! Devia ter trinta e dois anos. A luz das lanternas, porém, é generosa; mais tarde, sob luz mais intensa, pude ver os danos que a idade desenhara em torno de seus olhos, pude sentir a flacidez que se anunciava em seus seios...

No entanto, por todos os Deuses... continuava tão bela! Helena, Helena de Tróia e de Amiclas. Helena, a sanguessuga. Todo o encanto de Ártemis, a caçadora, se insinuava em sua pose, toda a delicadeza de traços e toda a sedução lasciva de Afrodite brilhavam em seu rosto. Helena, Helena, Helena... Só agora, enquanto a observava, dava-me conta das muitas noites em que sua imagem irrompera em meus sonhos, dos muitos sonhos em que ela tirara seu cinto cravejado de pedras preciosas deixando cair as saias em torno de pés tão brancos quanto marfim. Helena era Afrodite encarnada, era Afrodite em forma mortal. Em Helena, eu reconhecia as formas e os traços da Deusa que era minha mãe, a mãe que eu nunca vira, a mãe que conhecia apenas graças aos delírios de meu pai, que enlouquecera devido a seu encontro amoroso com a Deusa do Amor.

Helena era todos os sentidos encarnados, uma Pandora que sorria e que guardava seus segredos, escrava e senhora; era terra e amor, umidade e ar, fogo misturado com um gelo capaz de abrir as veias de um homem. Exibia todo o fascínio da morte e do mistério, e tornava tudo o mais risível.

Pôs sua mão em meu braço, as unhas polidas brilhando como o interior de uma concha.

— Está em Tróia há quatro luas, mas esta é a primeira vez que o vejo, Enéias.

Revoltado e enfurecido, afastei sua mão.

— Por que haveria eu de procurá-la? Que terei eu a ganhar, nesta corte de Príamo, se me virem cortejando a Grande Meretriz?

Ela ouviu impassível minhas palavras, os olhos baixos. As pestanas negras ergueram-se, então, e seus olhos verdes fitaram-me gravemente.

— Concordo com tudo isso — murmurou, sentando-se e compondo os folhos da saia que emitiam uma música abafada. — Aos olhos de um homem — prosseguiu —, uma mulher é um objeto. Um objeto que é propriedade sua. Pode abusar dela à vontade sem medo de represálias. As mulheres são criaturas passivas. A autoridade nos é vedada, pois os homens acreditam que não temos acesso ao pensamento lógico. Mas somos nós que damos à luz os homens, ainda que os homens se esqueçam disso.

Bocejei.

— A autopiedade é algo que não combina com você.

— Gosto de você — confessou ela, sorrindo — porque você vive para suas próprias ambições. E porque é como eu.

— Como você?

— Sim, como eu... Sou um brinquedo nas mãos de Afrodite. Você é seu filho.

Sôfrega, procurou meus braços e cobriu-me de carícias estonteantes; ergui-a nos braços e caminhei com ela pelos silenciosos corredores que conduziam a meus aposentos privados. Ninguém nos viu. Suponho que minha mãe — astuta raposa! — nos protegia.

Mesmo quando a intensidade de sua paixão abalava o que de mais fundo havia em mim mesmo, uma parte dela nem sequer sabia da possessão que a consumia — um longínquo recanto de seu ser, reservado e secreto. Partilhamos o mesmo paroxismo de prazer, mas, enquanto me obrigava a desnudar todo o meu espírito, Helena mantinha o seu guardado a sete chaves em algum esconderijo e eu não tinha a menor esperança de encontrar uma só chave que fosse.

CAPÍTULO VIGÉSIMO PRIMEIRO

NARRADO POR AGAMÊMNON

Há muito o exército recebera ordem de batalha, mas Príamo permanecia no interior das muralhas. Até as investidas dos destacamentos troianos haviam cessado; minhas tropas andavam irritadas devido à incerteza e à inação. Não tendo nada a discutir, eu não convocava o conselho. Até que Ulisses apareceu.

— Agamêmnon, estaria de acordo com a convocação de um conselho para hoje ao meio-dia? — perguntou-me.

— Por quê? Não há o que discutir.

— Não quer saber como vamos convencer Príamo a sair?

— O que você está maquinando, Ulisses?

Fitou-me com uma expressão divertida, radiante.

— Rei Agamêmnon! Não pode pedir-me que revele meus segredos neste momento! Seria o mesmo que pedir a imortalidade aos Deuses!

— Muito bem. Convocarei o conselho.

— Posso pedir outro favor?

— Que favor? — perguntei, desconfiado. Ulisses olhava-me com aquele sorriso irresistível a que costumava recorrer sempre que queria algo de mim. Fraquejei: o que poderia eu fazer quando Ulisses sorria? Só poderia dizer sim a tudo, porque ficava encantado com o maldito sorriso.

— Não quero um conselho geral. Só alguns homens.

— O conselho é seu. Convocarei os homens que você desejar. Diga-me os nomes.

— Nestor, Idomeneu, Menelau, Diomedes e Aquiles.

— E Calcas?

— Nem pensar!

— Daria tudo para saber por que você o detesta tanto, Ulisses. Se ele fosse um traidor, já o saberíamos. Contudo, você insiste em excluí-lo de todos os conselhos importantes. Os Deuses são testemunhas, Ulisses: Calcas já teve inúmeras oportunidades de revelar nossos segredos aos troianos, mas a verdade é que nunca o fez.

— Calcas ignora alguns de nossos segredos tanto quanto você, Agamêmnon. Creio que ele só está à espera do segredo decisivo; o segredo capaz de justificar uma traição.

Mordi os lábios, bufei, irritado, e, por fim, respondi:

— Muito bem. Calcas não virá.

— Mas, atenção: também não lhe pode dizer que vai haver um conselho. E mais: logo que estejamos reunidos, quero as portas e as janelas seladas com tábuas e um cordão de guardas em torno de todo o edifício.

— Ulisses! Não acha que está exagerando?

Havia malícia evidente em seu sorriso.

— Não quero que Calcas fique malvisto... É por isso que vou fazer tudo que estiver a meu alcance para que esta guerra não dure mais de dez anos.

Os homens convocados esperavam um conselho geral. Quando compreenderam que seríamos apenas sete, não conseguiram esconder sua curiosidade.

— Por que não convocou Meriones? — perguntou-me Idomeneu, irritado.

— E Ajax? — perguntou-me Aquiles, truculento como sempre.

Aclarei a voz para minha breve intervenção.

— Ulisses pediu-me que os convocasse e que fosse um conselho de apenas sete homens. Querem saber a que se deve este barulho? São os guardas que estão pregando tábuas nas portas e janelas desta sala. Podem, assim, imaginar até que ponto os assuntos que vamos tratar são secretos... Exijo, portanto, que todos jurem o seguinte: tudo o que aqui for dito não poderá ser repetido fora destas paredes. Nem mesmo durante o sono.

Um a um, todos ajoelharam e juraram.

Quando Ulisses começou, era branda sua voz; um de seus muitos truques. Começava a falar sempre com voz tão suave e tão baixa, que tínhamos de fazer esforço para ouvi-lo; porém, à medida que ia delineando suas idéias, o volume de sua voz ia aumentando — até que, no fim, ressoava por toda a sala como se fosse um tambor.

— Antes de abordar a razão que me levou a pedir a convocação de um conselho tão restrito — murmurou — contarei a alguns dos presentes o que outros já sabem. Mais exatamente, revelarei a verdadeira função de minha prisão no pequeno vale.

Cada vez mais irado e surpreso, escutei da boca de Ulisses o que Nestor e Diomedes sempre haviam sabido. Por que estranho motivo nunca nos tínhamos lembrado de investigar o que se passava no pequeno vale? Talvez porque — admiti eu, apesar de me sentir muito ofendido — nenhum de nós estava verdadeiramente interessado em investigar; Ulisses, ao levar os piores soldados, resolvera alguns de nossos mais graves problemas — livrara-nos daquelas malditas criaturas. E, pelo visto, não os encarcerara... Não, nada disso: as malditas criaturas eram, agora, seus espiões!

— Muito bem — suspirei, incapaz de ocultar minha irritação, quando Ulisses concluiu suas revelações. — Pelo menos agora sabemos como você consegue prever os sucessivos passos do exército troiano. Mas por que tanto segredo? Eu sou o rei dos reis, Ulisses! Deveria ter-me informado a respeito de tudo desde o início!

— Não o poderia fazer enquanto você favorecesse Calcas.

— Eu continuo a favorecer Calcas.

— Mas já não tanto quanto antes...

— Talvez. Talvez. Prossiga, Ulisses. O que seus espiões têm a ver com esta reunião?

— Meus espiões não têm vagabundeado tanto quanto nosso exército. Todos conhecemos os boatos que correm quanto às razões por que Príamo ainda não abandonou suas muralhas. Segundo o rumor mais corrente, Príamo não teria ainda os reforços de que está à espera, ou seja, teria ainda menos homens do que nós. Isso não é verdade. Neste momento, Príamo dispõe de setenta e cinco mil homens, além de cerca de dez mil carros. Quando Pentesiléia, a rainha das Amazonas, e Mêmnon, o rei dos hititas, chegarem, o exército aliado nos superará drasticamente. Além disso, Príamo está equivocadamente convencido de que, com alguma sorte, nós conseguiremos reunir apenas quarenta mil homens. Podem ter certeza de que tudo isso é verdade. Consegui introduzir na corte troiana alguns de meus espiões, e Príamo e Heitor confiam neles.

Deu uma volta pela sala, escassamente ocupada e, portanto, livre de obstáculos.

— Antes de continuar, gostaria de falar um pouco a respeito do rei de Tróia. Príamo é um homem muito velho e afeito às dúvidas, vacilações, aos receios e preconceitos dos velhos. Em resumo, Príamo não é um Nestor. Que não haja nenhum equívoco quanto a esse ponto. Príamo governa Tróia com mão muito mais autocrática do que qualquer rei grego. Príamo é, literalmente, o rei de tudo aquilo que seus olhos vêem. Nem mesmo Heitor, seu filho e herdeiro, se atreveria a *dizer-lhe* o que deveria ou não fazer. Agamêmnon convoca conselhos. Príamo convoca assembléias. Agamêmnon escuta atentamente o que nós temos a dizer.

Príamo escuta apenas sua própria voz e as vozes que ecoam seus pensamentos.

Parou e virou-se para nós.

— É nesse homem que temos de nos concentrar. Nossa astúcia terá de ser superior à dele. Teremos de saber manipulá-lo sem que ele suspeite sequer de que está sendo vítima de nossa manipulação. Heitor chora enquanto caminha pelas ameias, contando seus soldados e vendo-nos acampados nesta praia do Helesponto como fruta madura pronta a ser colhida. Enéias impacienta-se e anseia pelo combate. Antenor, sozinho, nada faz, porque Príamo só faz o que Antenor deseja; e Príamo também nada faz.

Mais uma volta diante das cadeiras; todos os olhos o seguiam.

— Resta-nos saber, portanto, por que razão Príamo não quer a guerra, exatamente quando teria boas probabilidades de nos expulsar da Tróada. Estará mesmo à espera de Mêmnon e Pentesiléia?

Nestor acenou que sim.

— Sem dúvida — admitiu. — Um homem tão velho como ele esperaria sempre mais e mais reforços.

Ulisses respirou fundo; sua voz começava a crescer.

— Mas nós não podemos permitir que espere mais tempo! É preciso que algo o convença a sair da cidade, antes que se possa dar ao luxo de perder milhares e milhares de soldados. Minhas fontes de informação são muito melhores do que as de Príamo e posso garantir-lhes que tanto Pentesiléia como Mêmnon chegarão a Tróia antes que as neves do inverno fechem as estradas do interior. As amazonas são cavaleiras; portanto, com elas, Tróia disporá de mais de vinte mil soldados de cavalaria. Em menos de dois meses, Pentesiléia estará em Tróia. Mêmnon virá logo a seguir.

Engoli em seco.

— Ulisses, eu não tinha percebido essa possibilidade... Por que não me falou sobre isso mais cedo?

— Porque só agora pude confirmar minhas informações.

— Sim. Prossiga, por favor.

— Príamo estará na defensiva só por uma questão de prudência ou haverá mais alguma razão para o fato de protelar a guerra? — perguntou Ulisses, para ninguém em particular. — Não, a prudência não explica tudo. Se não fossem Aquiles e os mirmídones, Príamo já teria autorizado Heitor a sair da cidade com seu exército. Príamo receia mais Aquiles e os mirmídones do que todas as outras nossas tropas juntas. Em parte, seus receios são motivados por certos oráculos envolvendo Aquiles, segundo os quais a presença de Aquiles implica necessariamente a destruição da elite troiana. Mas também são motivados por um sentimento que se generalizou em meio às hostes troianas: o sentimento de que os mirmídones são imbatíveis, de que Zeus os criou a partir de um exército de formigas, a fim de dotar Peleu dos melhores soldados do mundo. Bem, todos nós sabemos como são os homens normais — supersticiosos e crédulos. Porém, tudo isso junto significa que Príamo precisa de um bode expiatório, alguém que possa se opor a Aquiles e aos mirmídones.

— Pentesiléia ou Mêmnon? — perguntou Aquiles, com expressão severa.

— Pentesiléia. São muitos os mistérios que rodeiam a rainha das amazonas e suas guerreiras. Além disso, as amazonas trazem a magia que só as mulheres possuem. É que Príamo não pode permitir que Heitor combata contra Aquiles. Mesmo que Apolo garantisse uma vitória troiana, Príamo não permitiria que Heitor enfrentasse um homem que, segundo os oráculos, implicará a destruição da elite troiana.

Não havia sinal de alegria no rosto de Aquiles. Apesar disso, não interrompeu Ulisses.

— Aquiles possui dons que são raros — comentou Ulisses. — É um chefe tão capaz quanto o próprio Ares. E é ele quem comanda os mirmídones.

— Se fôssemos todos como ele — suspirou Nestor.

— Ainda é cedo para desespero, Nestor! — replicou Ulisses, bem-disposto. — Eu ainda não perdi todas as *minhas* faculdades.

Diomedes — claro que Diomedes já sabia o que iria acontecer, fosse lá o que fosse — sorria. Aquiles observava-me e eu a ele; Ulisses, por sua vez, observava tanto Aquiles quanto eu. Então, sem mais nem menos, bateu o bastão no chão com tal violência, que todos nós estremecemos nas cadeiras, e, quando falou, sua voz ressoou como o trovão.

— *Terá de haver uma disputa entre nós!*

Todos nós o fixamos, boquiabertos.

— Os troianos não desconhecem a espionagem — prosseguiu Ulisses em tom mais normal. — Para dizer a verdade, os espiões troianos em nosso acampamento têm-me servido quase tão bem quanto os que mandei para Tróia. Conheço todos eles e passo-lhes determinadas informações que, como bons espiões que são, transmitem a Polidamas, que os recrutou — um homem interessante, embora não seja tão apreciado quanto deveria ser: mais uma razão para agradecermos aos Deuses! Claro que os espiões de Polidamas levam apenas o que eu os deixo levar — nomeadamente, a falsa informação de que temos um total insignificante de soldados. Porém, nestas últimas luas, tenho-os encorajado a transmitir a Polidamas uma informação muito particular... Tão particular que me sinto tentado a incluí-la no campo do mero mexerico...

— Mexerico? — perguntou Aquiles, com as sobrancelhas muito franzidas.

— Sim, mexerico. As pessoas adoram acreditar em mexericos...

— Que mexericos? — perguntei.

— Mexericos que são verdade: que não existe nem sombra de amizade entre Agamêmnon e Aquiles.

Creio que parei de respirar mais tempo do que deveria, pois tive de inspirar de súbito e muito audivelmente.

— Nem sombra de amizade entre mim e Aquiles... — repeti, lentamente.

— Exato — confirmou Ulisses, satisfeito consigo mesmo. — Sabe, Agamêmnon, os soldados adoram falar a respeito de seus superiores. E todos eles sabem que tem havido sérias divergências entre vocês. Ultimamente, tenho espalhado o boato de que seu relacionamento se tem deteriorado bastante!

Aquiles levantou-se de um salto, espantado.

— Não gosto desses mexericos, Ulisses de Ítaca! — exclamou, furioso.

— Não esperava que gostasse, Aquiles. Mas sente-se, por favor! — Ulisses calou-se por um momento, pensativo. — Tudo aconteceu nos últimos dias do outono, quando os despojos de Lirnesso foram divididos em Andramítio. — Suspirou. — É um espetáculo muito triste, dois grandes homens se engalfinharem por causa de uma mulher!

Agarrei-me aos braços da cadeira para não me levantar e olhei para Aquiles, meu companheiro de mortificação; havia em seus olhos um negrume que não deixava margem para dúvidas.

— Claro que é inevitável que uma tão pronunciada inimizade tenha um desfecho pouco agradável — prosseguiu Ulisses, como se falasse sobre amenidades. — Ninguém ficará surpreso se houver entre vocês uma dura disputa...

— Por quê? — perguntei. — *Por quê?*

— Um pouco de paciência, Agamêmnon! Primeiro, terei de expor detalhadamente os acontecimentos de Andramítio. O segundo exército, em sinal de respeito, ofereceu-lhe um prêmio muito especial: uma virgem chamada Criseís, cujo pai era sumo sacerdote de Apolo Esminteu em Lirnesso. Crises envergou armadura, empunhou uma espada e foi morto em combate. Agora, porém, Calcas anda dizendo que os augúrios são muito adversos e que só melhorarão, caso a jovem fique sob a custódia dos sacerdotes de Apolo em Tróia. Aparentemente, incorremos na ira do Deus, se Criseís não for devolvida.

— Isso é verdade, Ulisses — murmurei, dando de ombros. —

Contudo, como disse a Calcas, não vejo de que modo Apolo poderá castigar-nos mais — ele está completamente do lado de Tróia. Criseís me agrada. Não tenho a menor intenção de desistir dela.

Ulisses fez um irônico "Tch!" e prosseguiu:

— Reparei, contudo, que sua oposição irrita sobremaneira Calcas. Estou, por isso, certo de que nosso sacerdote continuará a exortar-nos a devolvermos Criseís a Tróia. E, para ajudá-lo, creio que seria boa idéia se houvesse um surto de peste em nosso acampamento. Tenho uma erva que deixa um homem muito doente durante cerca de oito dias, após o que se recupera completamente. Verdadeiramente impressionante! Aos primeiros sinais de peste, Calcas lhe pedirá, mais ou menos diariamente, que devolva Criseís a Tróia. E, diante da violência da ira de Apolo, consubstanciada na temível doença, você, Agamêmnon, acabará cedendo!

— Mas onde dará tudo isso? — perguntou Menelau, exasperado.

— Prometo-lhe que logo saberá. — Ulisses concentrou-se em mim. — Contudo, Agamêmnon, você não é propriamente um príncipe insignificante e, portanto, não se conformará com o fato de lhe ser retirado, de forma tão arbitrária, um prêmio absolutamente legal. Você é o rei dos reis. Logo, terá de ser compensado. Poderá argumentar que, se foi o segundo exército quem lhe ofereceu Criseís, terá de ser o segundo exército a substituí-la. Ora, havia entre os despojos de Lirnesso outra virgem, destinada — de forma particularmente arbitrária — a Aquiles. Chama-se Briseís essa jovem. Todos os reis e duzentos oficiais de alta patente perceberam que nosso rei dos reis teria preferido Briseís a Criseís. E, você sabe, os boatos espalham-se depressa, Agamêmnon. Atualmente, todo o exército sabe que você teria preferido Briseís. No entanto, todos sabem também que Aquiles desenvolveu extrema afeição por Briseís e que não gostaria que o separassem dela. Aos soldados, bastou observarem Pátroclo para perceber o que ocorria: Pátroclo é hoje a encarnação da tristeza.

— Ulisses, você está entrando em terrenos perigosos — observei, antes que Aquiles conseguisse falar. Ulisses, contudo, ignorou-me.

— Você e Aquiles — continuou — vão brigar por causa de uma mulher. Sempre achei que as brigas por causa de mulheres são facilmente aceitas por todos — não nos esqueçamos de que disputas desse tipo são extremamente comuns e já causaram mesmo a morte de muitos homens. Se me permite a liberdade, meu caro Menelau, creio que poderíamos incluir Helena nessa lista.

— Não lhe permito! — esbravejou meu irmão.

Ulisses pestanejou. Ah, mas que patife! Quando lhe davam corda, não havia o que o detivesse.

— Eu próprio — declarou, visivelmente divertido — inventarei alguns presságios nas barbas de nosso augusto sacerdote. Eu próprio fabricarei a falsa peste. Uma coisa prometo desde já: a doença enganará até Podalírio e Macáon! Ao fim de um dia, o terror se espalhará por nosso acampamento. Agamêmnon, logo que o informem da gravidade da doença, você chamará Calcas e perguntará por que motivo está o Deus irado. Ele vai adorar. E adorará ainda mais quando você solicitar um augúrio público. Diante de todos os oficiais superiores de nosso exército, Calcas exigirá que você envie Criseís para Tróia. Sua posição será absolutamente insustentável; terá de concordar com a exigência de Calcas. Contudo, estou certo de que ninguém o censurará se ficar ofendido com as gargalhadas de Aquiles. Gargalhadas em meio a um augúrio público? Intolerável.

Já estávamos então sem fala, embora eu duvide de que Ulisses tivesse parado mesmo que Zeus houvesse lançado um raio a seus pés.

— Como é evidente, o rei dos reis ficará furioso. E exigirá que Aquiles lhe dê Briseís. Depois, apelará para os oficiais superiores: a oferta do segundo exército foi-lhe retirada; logo, Aquiles terá de compensá-lo, oferecendo-lhe Briseís. Aquiles dirá que não, mas sua posição será tão insustentável quanto a do rei dos reis quando Calcas lhe pediu Criseís. Aquiles terá de desistir de Briseís e o fará ali mesmo, sem mais demoras. Porém, depois de ter entregue a jovem a Agamêmnon, lembrar-lhe-á que nem ele, nem seu pai fizeram o Juramento do Cavalo Esquartejado. Diante de toda a assembléia, Aquiles anunciará sua retirada da guerra, levando também os mirmídones. — Só ao fim de algum tempo, Ulisses conseguiu controlar suas gargalhadas. — Tenho um esconderijo especial reservado para um espião troiano que conheço. No dia seguinte, toda a cidade de Tróia saberá da briga.

Estávamos como homens transformados em pedra pelo olhar de Medusa. Quanto às tempestades de emoções que Ulisses provocara nos outros, eu poderia apenas conjeturar; as minhas, entretanto, eram medonhas. Pelo canto do olho, vi Aquiles mexer-se e concentrei nele minha atenção, impaciente por saber como reagiria. Nunca conhecera um homem como Ulisses, capaz de ir buscar nos mais secretos túmulos tantos e tantos esqueletos também secretos e de exibi-los publicamente. Pela Mãe, Ulisses era uma criatura verdadeiramente brilhante!

Aquiles surpreendeu-me: não estava furioso! Em seus olhos, havia apenas admiração.

— Que espécie de homem é você, Ulisses, para conseguir imaginar tão profunda desordem? É um plano hediondo e assombroso! Contudo, tem de admitir que nem eu nem Agamêmnon sairemos beneficiados. Nossas carcaças serão cobertas de ridículo e desprezo, se fizermos o que pretende. E, se quer saber, devo dizer-lhe que não renunciarei a Briseís nem que, por isso, tenha de morrer.

Nestor pigarreou.

— Você não vai renunciar a nada, Aquiles. As duas jovens ficarão sob minha custódia e comigo permanecerão enquanto o plano de Ulisses não atingir o desfecho pretendido. Eu as levarei para um local secreto. Ninguém saberá onde estão, inclusive Calcas.

Aquiles ainda não estava convencido.

— Uma oferta justa, Nestor, e na qual confio. Mas com certeza você compreende por que razão eu não gosto desse plano. O que acontecerá se conseguirmos enganar Príamo? Sem os mirmídones na linha de frente, sofreremos perdas fatais. Não posso gostar de um plano que põe em perigo tantas vidas. — Fez uma breve pausa, cismando. — E Heitor? Jurei aos Deuses que o mataria... E se ele morrer enquanto eu não estiver no campo de batalha? E quanto tempo vou ficar longe do campo de batalha?

Ulisses respondeu.

— Sim, perderemos soldados que não perderíamos se os mirmídones estivessem conosco. Mas os gregos não são guerreiros inferiores. Não tenho a mínima dúvida de que nos sairemos bastante bem. Por ora, não responderei a mais importante de suas questões — quanto tempo terá de se ausentar do campo de batalha. Prefiro discutir primeiro a eventualidade de Príamo abandonar suas muralhas. Respondam-me, se puderem: o que acontecerá se esta guerra se arrastar por muito mais tempo? O que acontecerá se nossos homens envelhecerem sem a esperança de voltar a ver seus lares? O que acontecerá se Príamo sair apenas quando Pentesiléia e Mêmnon chegarem? Com ou sem mirmídones, seremos arrasados. — Sorriu e continuou. — Quanto a Heitor, há de viver tempo suficiente para combater com você, Aquiles. Estou certo disso.

Nestor levantou-se para falar.

— A primeira saída de todo o exército troiano será, para Tróia, um passo fundamental — observou. — Depois dele, estarão comprometidos e não poderão se impedir de voltar a sair de suas muralhas. Se sofrerem pesadas baixas, Príamo receberá a informação de que nossas baixas foram ainda mais graves. Quando conseguirmos atraí-los ao campo de batalha, o dique arrebentará. Não descansarão enquanto não nos expulsarem de Tróia ou enquanto o último troiano não estiver morto.

Aquiles estirou os braços, os músculos enormes movendo-se sob a pele.

— Ulisses, duvido de que eu tenha a força de caráter suficiente para me abster de combater enquanto todo o exército corre para o campo de batalha. Há dez anos espero a guerra. E há outros fatores a considerar. O que dirão os soldados de um homem que os abandona num momento tão difícil, unicamente por causa de uma mulher, e o que pensarão a meu respeito os mirmídones?

— Não lhe farão elogios, Aquiles; quanto a isso não tenho a menor dúvida — respondeu Ulisses, em tom sério. — Para fazer o que lhe peço, terá de ter um tipo de coragem muito especial. Muito mais coragem do que a necessária para atacar a cortina ocidental amanhã. Que não haja equívocos! Aquiles não exagerou: a realidade será tão dura quanto ele descreveu! Muitos serão aqueles que o insultarão, Aquiles. Muitos serão aqueles que o insultarão, Agamêmnon. Alguns os amaldiçoarão. Alguns cuspirão quando vocês passarem.

Com um sorriso irônico, Aquiles fitou-me, mas havia em seu olhar alguma compaixão. Ulisses conseguira aproximar-nos mais do que eu julgaria possível depois do que acontecera em Áulis. Minha filha! Minha pobre filha! Quieto e frio, antevi o odioso papel que teria de representar. Se Aquiles faria o papel do fantoche arrebatado, que espécie de fantoche eu representaria? Seria fantoche a palavra certa? Talvez idiota fosse a mais adequada.

Nesse preciso momento, como que anunciando que acabara de tomar uma decisão, Aquiles deu uma forte palmada na coxa.

— A tarefa que nos propõe é extremamente pesada, Ulisses. Porém, se Agamêmnon tiver a humildade de aceitar carregar sobre seus ombros a parte que lhe cabe desse fardo, como poderei eu recusar?

— Qual é sua decisão, Agamêmnon? — perguntou-me Idomeneu, em tom que sugeria jamais vir a estar de acordo com uma resposta positiva de minha parte.

Sacudi a cabeça, pousei o queixo sobre a mão e pensei, pensei, pensei, enquanto todos me observavam. Aquiles interrompeu minhas cogitações, dirigindo-se de novo a Ulisses.

— Responda agora à mais importante de minhas perguntas, Ulisses. Quanto tempo?

— Precisaremos de dois ou três dias para atrair os troianos ao campo de batalha.

— Isso não é resposta. Quanto tempo eu terei de ficar à margem dos acontecimentos?

— Proponho que ouçamos primeiro a decisão do rei supremo. Agamêmnon, o que decidiu?

Deixei cair a mão que amparava o queixo.

— Concordarei desde que seja observada uma condição. Cada um dos homens presentes nesta sala terá de jurar solenemente que cumprirá tudo o que aqui for acordado, até o dia do desfecho final, seja qual for esse desfecho. Ulisses é o único que poderá guiar-nos nesse labirinto; esses planos, essas intrigas, essas tergiversações não se coadunam com a posição dos reis supremos de Micenas; digamos que são um domínio mais próprio dos reis insulares. Estão todos de acordo quanto ao juramento?

Estavam todos de acordo.

Como não havia nenhum sacerdote presente, juramos pelas cabeças de nossos filhos varões, por sua capacidade de procriar e pela perpetuação de nossas linhagens. Um juramento ainda mais grave do que o do Cavalo Esquartejado.

— Ulisses, peço-lhe agora que conclua — Aquiles insistiu.

— Eu me encarregarei de Calcas. Farei com que ele faça aquilo de que estamos à espera e que nunca saiba de que isso é o que estávamos querendo. Calcas acreditará em si mesmo tão completamente quanto o jovem e pobre pastor escolhido para desempenhar o papel de Dioniso durante as festas das Ménades. Aquiles, depois de ter entregue Briseís a Agamêmnon e pronunciado seu discurso, reunirá seus oficiais mirmídones e com eles regressará sem demora à sua base. Ainda bem que insistiu em construir uma paliçada em volta de seu acampamento! Seu isolamento será ainda mais evidente. Proibirá os mirmídones de abandonarem o acampamento. Você mesmo não poderá abandoná-lo. A partir desse momento, receberá visitas, mas não visitará ninguém. Todos pensarão que as visitas tentarão demovê-lo. Em todas as circunstâncias e diante de todos os seus amigos mais próximos, deverá mostrar-se verdadeiramente furioso, como quem se sente profundamente magoado e desiludido, vítima de uma tremenda injustiça; todos deverão perceber que você preferiria morrer a retomar seu relacionamento com Agamêmnon. Até mesmo Pátroclo terá de vê-lo furioso, magoado, desiludido. Entendido?

Aquiles aquiesceu gravemente; agora que tudo estava decidido e que o juramento fora feito, parecia resignado.

— Continuo à espera de sua resposta, Ulisses. Quanto tempo?

— Você só intervirá no último, no derradeiro momento — respondeu Ulisses. — Heitor deve ficar absolutamente convencido de que sua vitória é certa; e o pai dele também! Estique a corda tanto quanto lhe for possível, Aquiles! Quanto mais conseguir, maior será o efeito de surpresa e maior será o pânico! Os mirmídones retomarão a ação antes de você. — Respirou fundo, prosseguiu. — Ninguém pode prever o que acontecerá no campo de batalha. Nem mesmo eu. Porém, há coisas que são praticamente certas. Por exemplo: sem o apoio dos mirmídones, seremos empurrados para dentro de nosso próprio acampamento. Heitor irromperá por nossa muralha defensiva e alcançará nossos navios. Posso contribuir para que isso aconteça recorrendo a alguns de meus espiões espalhados em nossas tropas. Eles podem, por exemplo, semear o pânico. Isso contribuirá decisivamente para uma retirada. Cabe-lhe decidir, então, o momento preciso em que deverá intervir. No entanto, deixe que, de início, Pátroclo conduza os mirmídones. Desse modo, os troianos pensarão que sua decisão é absolutamente irreversível. Eles conhecem os oráculos, Aquiles; sabem que nós não conseguiremos derrotá-los se você não estiver conosco. Por isso, meu amigo, adie o retorno o quanto puder! Corra para o campo de batalha no último, no derradeiro momento!

Depois disso, pouco mais haveria para dizer. Idomeneu levantou-se, encarando-me com uma expressão hostil; ninguém entendia tão bem quanto ele quão duro seria para Micenas suportar tão extrema humilhação. Nestor concedeu-nos seu amável sorriso — claro que ele estava a par de tudo antes de a reunião ter começado, como Diomedes, que exibia seu melhor sorriso, divertindo-se com a perspectiva de ver os outros desempenhando o papel de bufão.

Só Menelau falou.

— Posso dar-lhes um conselho?

— Claro que pode, Menelau! — exclamou Ulisses, em tom francamente caloroso. — Somos todos ouvidos.

— Calcas. Contem-lhe o segredo. Se ele souber, nossas dificuldades diminuirão drasticamente.

Ulisses deu um murro na palma de sua mão.

— Não, não e não! Calcas é troiano! Não podemos confiar num homem que nasceu de uma mulher inimiga, e num país inimigo, quando estamos combatendo em sua própria terra e temos todas as probabilidades de vencer!

— Está coberto de razão, Ulisses — concordou Aquiles.

Não fiz qualquer comentário. Guardei meus pensamentos só para mim. Durante anos, defendera Calcas. Contudo, algo mudara em mim naquela manhã — não sabia exatamente o quê. Calcas estivera no centro de uma série de acontecimentos muito graves... Fora ele quem me forçara a sacrificar minha própria filha e, por isso mesmo, a atrair a hostilidade de Aquiles. Se Calcas era realmente um homem indigno de minha confiança, veríamos no dia de meu teatral desentendimento com Aquiles: apesar de toda sua cautelosa inexpressividade, seu rosto acabaria necessariamente traindo o prazer que lhe ia na alma, isto é, se de fato ele sentisse algum prazer. Ao fim de tantos anos, eu já o *conhecia*.

— Agamêmnon — queixou-se meu irmão, despertando-me de meus pensamentos —, estamos emparedados! Por favor, ordene aos soldados que nos deixem sair!

CAPÍTULO VIGÉSIMO SEGUNDO

NARRADO POR AQUILES

Temendo enfrentar aqueles que amava e não ser capaz de guardar segredo, regressei vagarosamente ao acampamento mirmídone. Pátroclo e Fênix estavam sentados a uma mesa, gozando o sol de Tróia e divertindo-se a valer com o jogo das pedrinhas.

— Como foi? Algo importante? — perguntou Pátroclo, levantando-se para passar seu braço sobre meus ombros. Algo que ele sentia cada vez mais a tentação de fazer, desde que Briseís surgira em minha vida — o que era lamentável. Nada ganhava proclamando publicamente que eu lhe pertencia, além de que me irritava solenemente. Era como se estivesse tentando culpar-me — eu sou seu primo-irmão e também seu amante; portanto, não pode abandonar-me assim, sem mais nem menos, só porque agora tem um brinquedo novo.

Dei de ombros para afastar seu abraço.

— Nada. Agamêmnon queria saber se estamos tendo dificuldades em controlar os soldados.

Fênix mostrou-se surpreso.

— Para isso não precisava convocar um conselho. Bastaria dar uma volta pelo acampamento.

— Vocês conhecem nosso imperial suserano... Há mais de uma lua não convocava nenhum conselho; ele receia o enfraquecimento de seu controle sobre os chefes.

— Mas por que só convocou você, Aquiles? Creio que sou um elemento útil em todos os conselhos, pois sou eu quem serve o vinho e zela pelo conforto geral — argumentou Pátroclo, magoado.

— Foi um grupo muito restrito.

— Calcas estava presente? — perguntou Fênix.

— Calcas não está muito bem-visto neste momento.

— Por causa de Criseís? Seria melhor se se calasse quanto a esse assunto — sugeriu Pátroclo.

— Talvez pense que, de tanto insistir, acabará conseguindo o que pretende — falei eu, casualmente.

Pátroclo estranhou.

— Acredita que sim? Não me parece...

— Vocês não terão nada de mais importante para fazer do que jogar pedrinhas? — perguntei, para mudar de assunto.

— Haverá coisa mais agradável do que jogar pedrinhas, num dia tão bonito como este? Um dia em que os troianos continuarão encarcerados em suas muralhas? — perguntou Fênix. Olhou-me fixamente e sorriu. — Você esteve fora toda a manhã, Aquiles. É muito tempo para uma reunião tão banal.

— Ulisses estava em boa forma.

— Sente-se aqui conosco — pediu Pátroclo, afagando-me o braço.

— Agora não. Briseís está em casa?

Nunca vira Pátroclo furioso; de súbito, porém, uma raiva imensa ardia-lhe nos olhos; tremiam-lhe os lábios, mordeu-os.

— Onde estaria senão em casa? — respondeu, virando-me as costas, e sentou-se à mesa. — Continuamos? — propôs a Fênix, que, contente, aquiesceu.

Chamei-a quando mal entrei. Briseís abriu imediatamente uma porta interna e correu para meus braços.

— Sentiu saudades? — perguntei, vaidosamente.

— Pareceram-me dias e não uma manhã!

— Quer-me parecer que foi meio ano... — Suspirei, pensando no que se passara naquela sala emparedada.

— Com certeza bebeu mais do que costuma durante o conselho, mas... quer que lhe traga o vinho?

Olhei-a surpreso.

— Para dizer a verdade, não bebemos.

O riso transbordava em seus olhos de um azul muito intenso.

— Foi uma reunião absorvente!

— Aborrecida.

— Coitado! Agamêmnon não lhe deu de comer?

— Não. Por que não me traz algo?

Briseís correu para me servir, chilreando como um pardal, enquanto eu a observava, dizendo-me que ela possuía o mais encantador dos sorrisos, um andar dos mais graciosos, um colo cuja suavidade só encontrava rival nas formas do cisne. A guerra contém uma perpétua ameaça de morte; contudo, Briseís parecia ignorar por completo que sobre as cabeças de muitos homens pairava naquele momento a sentença final; a verdade é que eu nunca lhe falava a respeito de guerra.

— Viu Pátroclo lá fora, ao sol?

— Vi.

— Mas preferiu vir ficar comigo — ela concluiu, satisfeita, provando que a rivalidade não era unilateral. Passou-me pão quente e um prato de azeite para eu molhar o pão.

— Acabou de sair do forno.

— Foi você que fez? — perguntei.

— Você sabe muito bem que não sei fazer pão, Aquiles.

— Sim, você não domina as artes femininas.

— Diga-me isso esta noite, quando descermos as cortinas de nossa porta e eu estiver na sua cama — respondeu-me, serenamente.

— Muito bem. Admito que você domina pelo menos uma das artes femininas.

Mal acabei de dizer isso, sentou-se em meu colo, segurou minha mão livre e enfiou-a sob a blusa larga que usava, oferecendo-me o seu seio esquerdo.

— Amo-o tanto, Aquiles!

— Eu também a amo muito, Briseís. — Afaguei seu cabelo e ergui-lhe o rosto para que ela olhasse para mim. — Briseís, gostaria que me fizesse uma promessa.

Em seus olhos não havia indício de ansiedade.

— Tudo o que quiser.

— O que faria, se eu a mandasse embora e lhe ordenasse que pertencesse a outro homem?

Sua boca tremeu.

— Se fossem essas as suas ordens, obedeceria.

— E o que pensaria de mim?

— O mesmo que penso agora. Haveria certamente uma razão para me dar essas ordens. Ou, então, seria por estar farto de mim.

— Eu nunca ficarei farto de você. No tempo que me restar de vida, nunca sentirei isso por você. Há coisas que nunca podem mudar.

A cor regressou a suas faces.

— É o que eu penso. — Riu. — Peça-me para fazer uma coisa fácil, como morrer por você.

— Antes de irmos para a cama?

— Bem, então... pode ser amanhã?

— Ainda não lhe disse qual era a promessa que quero que faça.

— E qual é?

Por um instante, meus dedos brincaram com uma madeixa de seu magnífico cabelo. Por fim, disse-lhe:

— Quero que me prometa que, se alguma vez eu lhe parecer a mais estúpida das criaturas ou a mais desumana, mesmo assim, continuará a acreditar em mim.

— Acreditarei sempre em você. — Pressionou um pouco mais

minha mão contra seu seio. — Eu não sou idiota, Aquiles. Já percebi que algo o perturba.

— Se há, não lhe poderei dizer.

Ao ouvir isso, Briseís mudou de assunto e nunca sequer tentou arrancar-me fosse o que fosse.

Nenhum de nós se dava conta de como Ulisses estava cumprindo as tarefas que se havia proposto; sabíamos que sua mão estava manipulando os cordéis; contudo, não víamos nem sombra dessa mão. Fosse como fosse, o certo é que todo o exército já comentava que a hostilidade entre mim e Agamêmnon atingira um ponto crítico, que Calcas se mostrava cada vez mais obstinado quanto à necessidade de devolver Criseís a Tróia e que Agamêmnon estava a ponto de perder a paciência.

Três dias após o conselho, contudo, esses assuntos foram imediatamente esquecidos. A catástrofe abatera-se sobre nosso acampamento. De início, os oficiais tentaram silenciar o caso; porém, ao fim de pouco tempo, já havia tantos homens doentes, que seria impossível escondê-los. A medonha palavra passou de boca em boca: peste, peste, peste! Num só dia, quatro mil homens adoeceram; no dia seguinte, mais quatro mil doentes — uma multidão clamando pelos cuidados dos médicos. Fui ver alguns de meus homens afetados pela falsa peste e supliquei a Latona e a Ártemis que guiassem Ulisses. Saberia ele realmente o que estava fazendo? Meus soldados estavam febris, deliravam; sua pele cobrira-se de uma estranha irritação que gotejava um estranho fluido; e eram tão violentas as dores de cabeça, que eles não conseguiam conter as lágrimas. Falei com Macáon e Podalírio, que se mostraram peremptórios: aquilo era peste.

Pouco depois, encontrei por acaso o próprio Ulisses. Exibia um sorriso radiante.

— Uma coisa você tem de admitir, Aquiles — vangloriou-se. — Enganei os filhos de Asclépio!

— Espero que não se tenha excedido — repliquei, irritado.

— Sossegue, não haverá nenhuma baixa. Estarão todos em perfeitas condições de saúde quando deixarem o leito.

Balancei a cabeça, exasperado com o fato de, em meio a tão grande aflição, Ulisses conseguir alegrar-se com seu desempenho!

— E vão deixar os cuidados de Macáon e Podalírio no momento em que Agamêmnon obedecer a Calcas e desistir de Criseís. É isso, não é? Uma recuperação miraculosa, operada por Deus! Só que, desta vez, será um falso deus!

— Não diga isso alto — pediu-me e logo se afastou para tratar dos doentes com as próprias mãos, desse modo ganhando a imerecida reputação de homem corajoso: tão corajoso, que nem temia a peste

Quando Agamêmnon pediu a Calcas um augúrio público, o exército suspirou de alívio. Ninguém duvidava de que o sacerdote insistiria na devolução de Criseís; os corações dos homens começaram a sentir algum consolo perante a possibilidade de a epidemia chegar ao seu termo.

Um augúrio público implicava a presença de todos os oficiais do exército com cargo superior ao de mero chefe de esquadrão. Concentraram-se no espaço destinado às assembléias; seriam cerca de um milhar, formados atrás dos reis, todos de frente para o altar; a maior parte deles, evidentemente, era composta por familiares dos reis, alguns até mesmo muito próximos.

Só Agamêmnon estava sentado. Quando passei diante de seu trono, fitei-o com ar de poucos amigos e não ajoelhei. Os espectadores repararam meu comportamento; não havia rosto em que não se lesse uma preocupação sincera. Pátroclo chegou mesmo a levar a sua mão a meu braço, advertindo-me contra o desrespeito demonstrado, mas a afastei com um gesto furioso. Depois, ocupei meu lugar, ouvi Calcas dizer que a peste só cederia se déssemos a

Apolo aquilo que ele queria — Criseís. Agamêmnon teria de mandá-la para Tróia.

Nem eu nem Agamêmnon precisávamos nos exceder no desempenho de nossos papéis; bastava que não saíssemos da teia tecida por Ulisses; bastava que obedecêssemos a suas odiosas instruções. Gargalhei da situação de Agamêmnon, e ele se vingou de meu escárnio, ordenando-me que lhe desse Briseís. Afastando brutalmente Pátroclo (o coitado estava frenético de ansiedade), abandonei o local, encaminhando-me imediatamente para o acampamento mirmídone. Briseís olhou para meu rosto e nada disse, ainda que seus olhos estivessem marejados de lágrimas. Regressamos em silêncio ao local da assembléia. Então, diante de todos os reis e oficiais superiores, entreguei-a a Agamêmnon. Nestor ofereceu-se imediatamente para tomar conta das duas jovens e conduzi-las a seus respectivos destinos. Ao afastar-se, Briseís virou-se para me ver uma última vez.

Quando anunciei a Agamêmnon que me retiraria e que minhas tropas não mais participariam da guerra, fiz como se acreditasse piamente em tudo o que estava dizendo. Nem Pátroclo nem Fênix duvidaram, por um instante que fosse, de minha sinceridade. Representado meu papel, dirigi-me sem mais delongas para o acampamento mirmídone; eles que me seguissem, se quisessem.

A casa estava cheia de ecos, vazia sem Briseís. Evitando Pátroclo, caminhei furtivamente todo o dia pelas várias divisões, sozinho com minha vergonha e tristeza. À hora da ceia, Pátroclo veio procurar-me. Comemos juntos, mas, de início, não trocamos uma única palavra. Pátroclo recusava-se a falar comigo.

Acabei quebrando o terrível silêncio.

— Primo, não consegue compreender, não é?

Com os olhos nublados pelas lágrimas, Pátroclo fitou-me.

— Não, Aquiles, não consigo. Desde que aquela mulher apareceu, você se transformou em outra pessoa. Hoje, tomou uma decisão em nome de todos nós, quando não tinha o direito de decidir sem nos consultar. Só nosso rei supremo poderia fazer isso, e Peleu nunca o fez, nem faria. Você não é digno do pai que tem, Aquiles.

Ah, magoavam-me tanto aquelas palavras!

— Poderá perdoar-me, já que não consegue compreender-me?

— Só o perdoarei se procurar Agamêmnon e retirar o que disse.

— *Retirar* o que disse? Enlouqueceu? Agamêmnon insultou-me de uma forma intolerável!

— Um insulto inteiramente merecido! Se você não tivesse zombado dele, Agamêmnon nunca se teria lembrado de você e de Briseís! Seja justo! Você se comporta como se lhe tivessem arrancado o coração ao lhe tirar Briseís — nunca lhe ocorreu que Agamêmnon poderia sentir exatamente o mesmo por lhe tirarem Criseís?

— Quem? Agamêmnon? Aquele tirano não tem sentimentos!

— Aquiles, *por que* se mostra tão obstinado?

— Obstinado, eu?

Pátroclo juntou as mãos, pasmo.

— Ah, isto é inacreditável!... É a influência dela, só pode ser!... O que ela não lhe terá feito para deixá-lo neste estado!...

— Compreendo perfeitamente que pense assim, Pátroclo, mas sua visão não corresponde à verdade. Perdoe-me, Pátroclo, é tudo o que lhe peço.

— Não posso perdoá-lo — declarou, indo embora. O ídolo Aquiles desabara finalmente de seu pedestal. Ulisses estava coberto de razão: os homens acreditavam que as mulheres eram mesmo capazes de provocar os mais terríveis conflitos.

Ulisses visitou-me na noite seguinte, fazendo o possível para ser discreto. Fiquei tão contente por ver um rosto amigo, que o saudei de modo quase febril.

— Deixado no ostracismo por seus próprios homens? — perguntou-me.

— Sim. Nem mesmo Pátroclo quer ver-me.

— Bem, a reação de Pátroclo não é propriamente surpreendente... Mas anime-se, Aquiles, anime-se! Dentro de poucos dias, regressará ao campo de batalha e será absolvido de todas as acusações.

— Absolvido... Uma palavra interessante... No entanto, há pouco me ocorreu algo que deveria ter acontecido durante o conselho. Se me lembrasse disso naquele momento, não teria concordado com seu plano.

— Como assim? — Ulisses parecia já saber o que eu ia dizer.

— O que acontecerá a todos nós, Ulisses? Muito naturalmente todos presumimos que, se o plano funcionasse — e resta saber se vai funcionar —, poderíamos, no fim de tudo, revelá-lo a todos. Percebo agora que nunca poderemos contar a nossos homens a maquinação que arquitetamos. Tanto os oficiais quanto os soldados censurariam esse expediente. Concluiriam que recorremos a meios muito baixos para atingir nossos fins. Veriam apenas os rostos dos homens que hão de morrer para que esses fins sejam alcançados. Tenho razão, não tenho?

Ulisses esfregou o nariz, pesaroso.

— Perguntei-me quem seria o primeiro a descobrir isso: você ou Agamêmnon. Apostei em você e ganhei mais uma vez.

— Você nunca perde, Ulisses!... Mas, diga-me, minha conclusão é correta ou você tem em mente uma solução capaz de fazer todos felizes?

— Essa solução não existe, Aquiles. Você conseguiu ver o que deveria ter enxergado durante o conselho. Se por acaso seu peito abrigasse um pouco menos de paixão, você a teria visto naquele momento. Não, Aquiles, nosso plano nunca poderá ser revelado. Teremos de levar o segredo conosco para o túmulo, tanto mais que estamos presos ao juramento que Agamêmnon sugeriu, poupando-me assim o trabalho de eu mesmo sugerir e livrando-me de perguntas que eu teria dificuldade em responder — disse-me ele com ar grave.

Fechei os olhos.

— Ou seja, enquanto for vivo e depois de descer ao túmulo, Aquiles será visto pela humanidade como um fanfarrão egoísta, tão vaidoso, tão estupidamente obcecado por sua própria importância, que permitiu a morte de inúmeros soldados para satisfazer seu orgulho ferido!

— Sim.

— Eu deveria degolar quem é capaz de tão tortuosas maquinações! Graças a você terei de carregar sobre meus ombros um fardo de vergonha e desonra que maculará meu nome para todo o sempre. Quando, em épocas futuras, os homens falarem a respeito de Aquiles, dirão que ele sacrificou tudo por causa de seu orgulho ferido. Espero que você acabe no Tártaro, Ulisses!

— Não tenho dúvida de que será esse o meu fim depois do fim — retrucou ele, muito pouco preocupado e ainda menos impressionado. — Você não é o primeiro homem que me amaldiçoa nem será o último. Mas todos nós sofreremos as repercussões daquele conselho, Aquiles. Os homens nunca saberão ao certo o que aconteceu; suspeitarão, porém, de que a mão de Ulisses esteve por trás disso tudo. E Agamêmnon? Você será considerado vítima de um orgulho desmedido; e ele? Você, pelo menos, foi injuriado. Mas quem injuriou foi ele.

De repente, dei-me conta de quão absurda era aquela conversa, pois os homens, mesmo quando são tão brilhantes quanto Ulisses, não passam de meros títeres no imenso teatro dos Deuses.

— Pois bem — concluí —, sempre é uma forma de justiça. Nós merecemos perder nossas reputações imaculadas. A fim de nos lançarmos nesta desastrada empresa, consentimos num sacrifício humano. É por isso que vamos pagar. E é por causa do que aconteceu em Áulis que estou disposto a manter até o fim essa barbaridade. Minha maior ambição me será assim negada.

— Que ambição?

— Viver nos corações dos homens como o guerreiro perfeito. Heitor, esse sim, será considerado o guerreiro perfeito.

— Não pode ter certeza quanto a isso, Aquiles, mas é possível que seus bisnetos as tenham. A posteridade julga-nos de um modo diverso do nosso.

Fitei-o curioso.

— Diga-me uma coisa, Ulisses, nunca sentiu o desejo de ser lembrado por muitas gerações de homens?

Ulisses riu.

— Não! Eu não me preocupo com o que a posteridade dirá ou não dirá a meu respeito! Não me preocupo sequer com a eventualidade de a posteridade conhecer ou não meu nome. Depois de morto, serei condenado a empurrar eternamente uma rocha para o cume de algum monte do Tártaro ou a nunca alcançar o jarro que contém a água que me saciaria a mais terrível das sedes.

— E eu estarei a seu lado. Por muito que façamos, já é tarde.

— Quanto a isso, tem toda a razão, Aquiles.

Caímos em silêncio profundo, a cortina corrida contra intrusos que nunca viriam apiedar-se de seu orgulhoso chefe. O jarro de vinho estava sobre a mesa. Enchi nossos copos e bebemos lentamente, embrenhados em nossos pensamentos, pois nenhum de nós estava interessado em revelá-los. Sem dúvida, os de Ulisses seriam muito mais agradáveis, visto que ele não esperava que a posteridade o premiasse. Embora Ulisses parecesse não acreditar em mais nada além das penas eternas, eu achava maravilhoso que fosse capaz de encarar seu destino com confiança tão absoluta.

— Por que veio visitar-me? — perguntei-lhe.

— Porque queria informá-lo de uma estranha ocorrência antes que outra pessoa o fizesse — respondeu.

— Uma estranha ocorrência?

— Hoje de manhã, alguns soldados foram pescar às margens do Simoente. Quando o sol nasceu, viram algo sendo levado pela corrente. O corpo de um homem. Chamaram o oficial que estava de vigia, o que foi buscar o cadáver e o trouxe para terra. Era Calcas. Morreu, crêem eles, ao cair da noite.

Estremeci.

— Como morreu ele?

— Tinha uma ferida horrível na cabeça. Ao entardecer, um oficial de Ajax tinha-o visto no alto do penhasco do lado de lá do Simoente. O oficial jura que era Calcas — Calcas era o único homem em nosso acampamento que usava túnicas compridas. Deve ter tropeçado e caído de cabeça.

Fitei-o atentamente. Ulisses exibia uma expressão pesarosa, comovida mesmo; em seus belos olhos cinzentos, parecia cintilar a mais pura devoção. Seria possível? Seria mesmo possível? Estremecendo de puro terror, pensei se ele não teria acrescentado mais um pecado à longa lista que, ao que constava, havia já cometido. Se juntássemos o assassinato de um sumo sacerdote ao sacrilégio, à profanação, à blasfêmia, ao ateísmo e ao assassinato ritual, teríamos uma lista que superaria as de Sísifo e Dédalo juntas. Ímpio Ulisses, que, no entanto, era amado pelos Deuses! Paradoxo mortal, um pulha e um rei combinados numa só pessoa!

Ulisses leu meus pensamentos e sorriu, lentamente.

— Aquiles, Aquiles! Como é possível que você pense uma coisa dessas, mesmo de uma criatura como eu? — Riu mais ainda. — Se quer minha opinião, acho que o autor do crime foi Agamêmnon.

CAPÍTULO VIGÉSIMO TERCEIRO

NARRADO POR HEITOR

Não tínhamos notícias de Pentesiléia; a rainha das amazonas tardava em seus longínquos e selvagens domínios, enquanto Tróia desesperava. O destino de uma cidade dependia dos caprichos de uma mulher! Amaldiçoei-a e amaldiçoei os Deuses por permitirem que uma mulher continuasse sentada num trono depois da morte da Velha Religião. O domínio absoluto da Mãe Kubaba acabara. No entanto, Pentesiléia continuava a reinar sem que ninguém a contestasse. Demétrios, o escravo grego que fugira do acampamento inimigo, informou-me de que a rainha nem sequer convocara ainda as mulheres de suas inúmeras tribos; não viria antes que o inverno enchesse de neve os caminhos das montanhas.

Todos os augúrios informavam que a guerra acabaria naquele décimo ano; apesar disso, meu pai continuava a recear abandonar as muralhas, humilhando-se e também a Tróia; afinal era humilhação terrível, sem dúvida, permitir que nossa sorte dependesse daquela mulher. Rangiam meus dentes perante a injustiça de suas decisões, e eu o criticava abertamente nas assembléias, mas meu pai tomara uma decisão e não se desviava do caminho escolhido. Vezes sem conta garanti-lhe que Aquiles não representava para mim nenhum perigo, que nossas melhores tropas conseguiriam repelir os mirmídones, que chegaríamos à vitória sem Mêmnon ou Pentesiléia. Mesmo depois de lhe ter transmitido as informações de Demétrios sobre a demora de Pentesiléia, meu pai permaneceu intransigente, declarando que, se a rainha das amazonas só viesse depois do inverno, então esperaria de bom grado pelo início do décimo primeiro ano.

Agora que todo o exército grego se encontrava outra vez na praia, tínhamos voltado a nossas ameias, a fim de apreciar as diversas bandeiras que flutuavam no alto das casas gregas. Junto ao Escamandro, no local em que uma muralha interna separava alguns dos alojamentos, flutuava uma bandeira que não havia visto antes: sobre fundo negro, uma formiga branca segurava na boca um raio vermelho. Aquela era a bandeira dos mirmídones, a bandeira de Aquiles de Éaco. O rosto de Medusa não teria instilado medo tão profundo nos corações troianos.

Obrigado a ouvir discussões sem qualquer importância quando todo o meu ser ansiava pela guerra, assistia a todas as assembléias. Alguém tinha de protestar que o exército estava cansado de esperar e de treinar, alguém tinha de ver o rei fazer ouvidos de mercador a todos os meus protestos, para ver Antenor, o inimigo de toda e qualquer ação positiva, sorrindo displicentemente.

De nada especial me dei conta naquele dia que iria mudar nossas vidas. Contrariado como sempre, dirigi-me à assembléia. A corte tagarelava em grande confusão, ignorando o estrado do trono, aos pés do qual um queixoso apresentava seu caso — uma questão de extraordinária importância, relacionada aos esgotos que levavam as águas da chuva e os excrementos de Tróia para o poluído Escamandro. Tinham recusado o acesso aos esgotos ao novo bloco de apartamentos do queixoso, e ele, proprietário e senhorio, muito naturalmente, estava furioso.

— Tenho coisas mais importantes a fazer do que vir aqui contestar o direito de um bando de burocratas insensatos a frustrar as aspirações dos cidadãos honestos que pagam seus impostos! — gritou ele para Antenor, que, na qualidade de chanceler, defendia os responsáveis pelos esgotos da cidade.

— Você não apresentou o pedido a quem deveria! — declarou Antenor.

— Mas quem somos nós? Egípcios? — perguntou o senhorio, erguendo os braços. — Falei com o funcionário responsável, que me autorizou! Só que, antes de eu ter feito o contato, apareceu-me um esquadrão de guardas que me impediu de fazer o que quer que fosse! Teria muito menos problemas se vivesse em Nínive ou Karkemish! Ou em qualquer outro lugar do mundo que os burocratas não tivessem conseguido paralisar com seus estúpidos regulamentos! Porque a verdade é esta: Tróia está quase tão paralisada quanto o inerte Egito! Vou emigrar! Vou emigrar!

Antenor dera já início ao discurso de defesa de seus muito queridos burocratas quando um homem adentrou a sala, arquejante, encaminhando-se imediatamente ao estrado do trono.

Não o reconheci, mas Polidamas sabia quem era.

— O que há? — perguntou-lhe Polidamas.

O homem, por um momento, nada conseguiu dizer, tão ofegante estava. Umedeceu os lábios, tentou falar mais uma vez, mas acabou apontando desvairadamente para meu pai, que, esquecido o problema dos esgotos, não tirava os olhos dele. Polidamas ajudou-o a sentar-se no degrau superior do estrado e pediu que lhe trouxessem uma caneca de água. Até o irado senhorio percebeu que aquele caso era mais importante do que o seu e afastou-se um pouco, embora se mantivesse perto o suficiente para ouvir o que o homem tinha a dizer.

A água e breves momentos de descanso eram os remédios de que o homem precisava. Logo falou:

— Meu rei e senhor, trago grandes notícias!

Meu pai mostrou-se cético.

— Que notícias? — perguntou.

— Rei Príamo, hoje, ao nascer do dia, assisti, no acampamento grego, a um augúrio pedido por Agamêmnon, que queria saber a causa da peste que matou dez mil homens!

Dez mil mortos devido à peste no acampamento grego?! Aproximei-me do trono, quase correndo. *Dez mil homens*! Se meu pai não entendesse o significado de tão pesadas baixas, só poderia estar louco; e, se ele estivesse louco, Tróia pereceria! Menos dez mil gregos, mais dez mil troianos! Ah, pai, deixe-me sair com o exército! Estava prestes a dizer-lhe isso quando me dei conta de que o homem não acabara ainda. Havia mais notícias. Esperei.

— Houve uma terrível altercação entre Agamêmnon e Aquiles. O exército está dividido. Aquiles retirou do exército grego seus mirmídones e o resto dos homens da Tessália. Aquiles não combaterá por Agamêmnon! A guerra ainda não começou e já obtivemos uma vitória!

Apoiei-me no encosto do trono, o senhorio começou a dar vivas, meu pai ficou paralisado e atônito, Polidamas fitava incrédulo o seu espião, Antenor encostou-se a uma coluna, como se de repente tivesse perdido as forças, os demais participantes da assembléia mais pareciam estátuas.

Em meio ao silêncio, ressoou um riso estridente.

— Assim caem os poderosos! — gritou meu irmão Deífobo. — Assim caem os poderosos!

— Silêncio! — repreendeu-o meu pai. Depois, virando-se para o informante, perguntou: — Qual foi a causa da altercação entre Agamêmnon e Aquiles?

— Meu rei, foi tudo por causa de uma mulher — balbuciou o homem, já mais calmo. — Calcas exigiu que Criseís, uma cativa de Lirnesso oferecida ao rei supremo, fosse enviada a Tróia. Apolo ficou tão furioso com a captura de Criseís, que espalhou a peste pelo acampamento grego. E anunciou que seu castigo só terminaria quando Agamêmnon desistisse da cativa. Agamêmnon tinha de obedecer. Aquiles riu do rei supremo. Zombou dele. Por isso,

Agamêmnon ordenou a Aquiles que o compensasse, entregando-lhe a mulher que capturara em Lirnesso, Briseís. Aquiles entregou Briseís ao rei supremo, mas retirou todos os seus homens do exército grego!

Deífobo divertiu-se ainda mais.

— Uma mulher! Um exército dividido ao meio por causa de uma mulher!

— Ao meio, não! — replicou Antenor. — Os soldados que foram retirados não são mais de quinze mil. Quanto ao fato de uma mulher dividir um exército, não nos esqueçamos de que foi uma mulher que trouxe esse mesmo exército para as portas de Tróia!

Meu pai bateu o cetro no chão.

— Antenor, cale-se! Deífobo, você está bêbado! Cale-se também! — Depois, voltando a se concentrar no mensageiro, perguntou-lhe: — Ouça-me com atenção: essas notícias são seguras?

— Não poderiam ser mais seguras, rei Príamo. Eu ouvi e vi tudo.

Ouviu-se na sala um longo suspiro e, de repente, a pesada atmosfera desanuviou. Onde antes reinavam a apatia e o desânimo, viam-se agora sorrisos radiantes. Mãos apertaram mãos, um murmúrio deliciado elevou-se no ar. Só eu estava triste. Aparentemente, Aquiles e eu estávamos condenados a nunca nos enfrentar no campo de batalha.

Páris dirigiu-se ao trono.

— Meu querido pai, quando estive na Grécia, contaram-me que a mãe de Aquiles — uma deusa — mergulhara todos os seus filhos nas águas do rio Estige, a fim de que eles se tornassem imortais. Quando Aquiles nasceu, ela quis dar-lhe a mesma sorte. Porém, enquanto o segurava pelo calcanhar direito, algo a interrompeu sem que ela tivesse tempo de mergulhar também o calcanhar esquerdo; por isso Aquiles é mortal. Nunca pensei, contudo, que seu calcanhar direito pudesse ser uma mulher! Briseís... Lembro-me bem dela: é um colosso de mulher.

O rei explodiu.

— Ordenei que se calassem. Quando repreendo um filho, a repreensão dirige-se a todos os meus filhos! Não estamos aqui para perder tempo com brincadeiras! O caso em discussão é importante demais para isso!

Páris pareceu abatido com a reação de nosso pai. Senti pena dele. Nos últimos dois anos, envelhecera; agora que estava na casa dos quarenta, a idade começava a deixar marcas inexoráveis em sua pele; o vigor e a beleza da juventude começavam a definhar. Aquele que outrora fascinara Helena, agora a aborrecia. Toda a corte estava ciente disso, bem como da ligação que ela mantinha com Enéias. Bem, não creio que a troca compensasse Helena: o grande amor de Enéias chamava-se Enéias.

Mas nunca era possível saber o que se passava na bela cabeça de Helena. Depois de meu pai ter repreendido Páris, ela se limitou a puxar o marido pela mão e a se afastar um pouco com ele. Nenhum indício de emoção em seus olhos ou em seu rosto! Depois, dei-me conta de que, afinal, seu rosto não era *propriamente* um enigma. De fato, havia em seus lábios a sombra de um sorriso — um sorriso de superioridade, um sorriso irônico... Por quê? Ela conhecia bem os reis gregos. Sendo assim... *por que* aquele sorriso?

Ajoelhei diante do trono.

— Pai — disse eu, numa voz forte e controlada —, se os Deuses realmente querem que expulsemos os gregos de nossa terra, o tempo de fazê-lo só poderá ser este. Se eram Aquiles e os mirmídones que o impediam de tomar uma decisão, então, agora, a razão para sua relutância desapareceu. Além disso, eles têm menos dez mil homens devido à peste. Nem mesmo com a ajuda de Pentesiléia e Mêmnon disporíamos de oportunidade tão extraordinária como esta. Por isso, peço-lhe, meu pai: dê ordem de batalha a seu filho e a seu exército!

Antenor aproximou-se. Antenor...! Sempre Antenor...!

— Antes que tome uma decisão, rei Príamo, rogo-lhe que me conceda um favor. Permita-me que eu envie um de meus homens ao acampamento grego, a fim de confirmar a veracidade do que diz o homem de Polidamas.

Polidamas concordou de bom grado.

— Concordo inteiramente, rei Príamo — observou ele. — Deveríamos confirmar essas informações.

— Nesse caso, Heitor — concluiu meu pai —, você terá de esperar um pouco mais a minha resposta. Antenor, envie imediatamente seu homem ao acampamento grego. Convocarei uma nova assembléia para esta noite.

Enquanto esperávamos, levei Andrômaca às ameias da grande torre virada para noroeste, de onde se avistava a praia ocupada pelos gregos. A minúscula bandeira flutuava ainda no acampamento mirmidão. Porém, era tão escasso o movimento na base de Aquiles, que poderíamos facilmente concluir não haver qualquer contato entre ela e as vizinhas. Incapazes de pensar em comer, vigiamos os gregos toda a tarde; aquela prova evidente de desunião em seu acampamento era todo o sustento de que precisávamos.

Ao cair da noite, regressamos à Cidadela, mais esperançosos agora na confirmação das notícias. O enviado de Antenor chegou antes de termos tempo para nos inquietar e, com meia dúzia de breves frases, repetiu o que o homem de Polidamas nos dissera. A discussão fora terrível, Aquiles e Agamêmnon nunca se reconciliariam.

Helena encontrava-se no fundo da sala, muito longe de Páris, acenando abertamente para Enéias, sua máscara sorridente tranqüila, consciente de que, por ora, todos os boatos sobre sua ligação com o dardaniano seriam eclipsados pelas escaldantes notícias da dissensão grega. Quando Enéias dela se aproximou, Helena segurou-lhe o braço, e seus olhos enormes fitaram-no em claro convite. Mas eu estava certo a respeito dele. Enéias ignorou-a.

Pobre Helena. Se Enéias tivesse de escolher entre seus encantos e os de Tróia, eu sabia qual seria sua decisão. Um homem admirável, sem dúvida, embora dourasse em demasia a auto-imagem.

Helena, contudo, não pareceu desconcertada com a iminente partida de Enéias. Uma vez mais, surpreendi-me meditando sobre o que ela pensaria a respeito de seus concidadãos. Ela conhecia tão bem Agamêmnon... Por um momento, perguntei-me se não seria melhor interrogá-la, mas Andrômaca estava comigo e ela odiava Helena. As poucas informações que Helena poderia me fornecer — decidi — não justificariam a irada reclamação de Andrômaca se viesse a saber que eu me encontrara com a esposa de Páris.

— Heitor!

Encaminhei-me para o trono e ajoelhei diante de meu pai.

— Meu filho, confio-lhe o comando de nossos exércitos. Envie arautos tendo em vista a mobilização para a batalha dentro de dois dias, ao alvorecer. Diga aos guardas da Porta Ceia que joguem óleo na pedra e preparem os bois. Há dez anos estamos encarcerados, mas agora sairemos de nossa prisão para expulsar os gregos de Tróia!

Enquanto lhe beijava a mão, a sala explodiu em ensurdecedores vivas. Eu era o único que não sorria. Aquiles não estaria no campo de batalha. Uma vitória sem Aquiles poderia ser considerada uma vitória?

Os dois dias se passaram com a rapidez da sombra de uma nuvem na encosta de uma montanha. Todo o meu tempo foi preenchido com encontros com oficiais e com as ordens que tinha de dar a armeiros, engenheiros, condutores de carros e oficiais de infantaria. Enquanto não estivesse tudo em andamento, não conseguiria pensar em descansar. Por isso, só pude ver Andrômaca na noite anterior à batalha.

— Chegou o momento que eu tanto temia — ela murmurou logo que entrei em nosso quarto.

— Andrômaca, por favor, não fale nesse tom.

Ela limpou as lágrimas, impacientemente.

— É mesmo amanhã?

— Ao alvorecer.

— Não teve um momento que fosse para mim?

— Tenho-o agora.

— Depois de dormir, partirá. — Seus dedos agarravam minha roupa. — Não consigo encarar com ânimo o que vai acontecer, Heitor. Há algo de muito errado nisso tudo.

— Errado! — exclamei, obrigando-a a erguer o queixo. — Que há de errado em combater os gregos? Por todos os Deuses, já não era sem tempo!

— O que há de errado? Tudo. Tenho a sensação de que as peças estão todas bem encaixadas demais... — Ergueu a mão direita fechada, deixando o dedo mínimo e o indicador esticados: o sinal que fazíamos para esconjurar de nossas vidas todo o mal. Depois, muito nervosa, trêmula, disse-me: — Cassandra não consegue sossegar um só momento, desde que o homem de Polidamas chegou com a notícia da disputa entre os reis gregos.

— Oh, Cassandra! Pelo amor de Apolo, mulher, será possível que não entenda? Minha irmã é louca! Ninguém dá ouvidos a seus funestos presságios!

— Ela pode ser louca — insistiu Andrômaca, decidida a que eu a ouvisse —, mas suas predições nunca falharam! A coitada não pára de gritar que os gregos nos armaram uma cilada; ela insiste em afirmar que Ulisses planejou tudo e assegura que os gregos urdiram tudo isso para sairmos das muralhas!

— Começa a aborrecer-me com suas superstições! — exclamei, segurando-a, e a sacudi, algo que nunca fizera em tantos anos de casados. — Não estou aqui para discutir a guerra com Cassandra. Estou aqui para passar esta noite com você.

Magoada, olhou para o chão e encolheu os ombros. Depois, tirou as cobertas da cama, despiu a túnica e apagou as lamparinas, seu alto corpo tão firme e encantador como na noite de nosso casamento. As gravidezes não haviam deixado nele um único vestígio; sua pele quente brilhava à luz da única lamparina que deixara acesa. Deitei-me e abracei-a, esqueci-me do que a manhã traria. Depois, decidi entregar-me ao sono, o corpo saciado, a mente sossegada. Porém, antes de o véu da inconsciência ter caído inteiramente sobre mim, ouvi Andrômaca chorar.

— O que está acontecendo agora? — perguntei, erguendo-me sobre um ombro. — Continua a pensar em Cassandra?

— Não, estou pensando em nosso filho e pedindo aos Deuses que, depois de amanhã, ele continue a conhecer a alegria de ter o pai vivo.

Como é possível que as mulheres se comportem sempre assim? Como é possível que acabem sempre dizendo o que os homens não querem nem precisam ouvir?

— Pare de se lamentar e durma! — gritei-lhe.

Ela me afagou a testa, percebendo que tinha exagerado.

— Bem, talvez seja excesso de pessimismo de minha parte.... Aquiles não combaterá; portanto, você não tem nada a temer...

De repente, irado, afastei-me dela e soquei o travesseiro.

— Cale-se, mulher! — Não preciso que me lembre que o homem com quem eu anseio combater não estará no campo de batalha!

Ela fitou-me assombrada.

— Heitor, Heitor, você enlouqueceu? Será possível que Aquiles seja mais importante para você do que Tróia? Do que eu? Do que nosso filho?

— Há certas coisas no mundo que só os corações dos homens podem entender. Astiânax me compreenderia melhor do que você.

— Astiânax não passa de um menino... Desde que nasceu, seus olhos não têm visto senão guerra, seus ouvidos não têm ouvido senão guerra! Vê os soldados treinando, segue ao lado do pai num magnífico carro de guerra à frente do cortejo militar, vive num mundo de ilusões! Mas nunca viu o campo de batalha depois de terminado o combate!

— Nosso filho não tem medo de nenhum aspecto da guerra!

— Nosso filho só tem nove anos! Não permitirei que ele se transforme num desses guerreiros insensíveis e cruéis em que os de sua geração se transformaram, Heitor!

— E eu não permitirei seus excessos — murmurei em tom tão cortante quanto o gelo. — Não permitirei que interfira na educação futura de Astiânax. Logo que eu regresse do campo de batalha, entregarei meu filho a meus homens, que cuidarão de sua instrução e educação.

— Faça isso e eu o mato, Heitor!— rosnou ela, fora de si.

— Experimente e verá quem morre primeiro!

Sua resposta se fez de lágrimas e soluços.

Sentia-me furioso demais para afagá-la ou tentar qualquer tipo de reconciliação. Passei por isso o resto da noite, escutando seu choro convulsivo, incapaz de amolecer meu coração. A mãe de meu filho tinha-me dito que preferia fazer dele um efeminado a transformá-lo num guerreiro.

Levantei-me da cama quando a luz do dia não tingira ainda a penumbra. Olhei-a; estava deitada com o rosto virado para a parede e recusava-se a olhar para mim. Minha armadura estava pronta. Tomado de excitação ímpar, num instante esqueci Andrômaca. Bati palmas, e os escravos vieram imediatamente. Vestiram-me a túnica acolchoada, apertaram as correias das botas, encaixaram as grevas e afivelaram-nas. Reprimi a extrema ansiedade que sempre se apoderava de mim antes de qualquer combate, enquanto os escravos me vestiam o saiote de couro reforçado, a couraça, as proteções dos braços, as cintas dos antebraços e as tiras de couro para os pulsos e a testa. Colocaram-me nas mãos o elmo, o boldrié sobre o ombro esquerdo para suportar a espada que me roçava o quadril direito; por fim, penduraram em meu ombro direito o escudo enorme, com a cintura muito fina, e o ajustaram a meu lado esquerdo. Um criado deu-me a clava, outro me ajudou a enfiar o elmo sob o antebraço direito. Estava pronto para a batalha.

— Andrômaca, adeus — disse-lhe eu, em tom que não sugeria qualquer perdão, mas ela permaneceu imóvel, o rosto virado para a parede.

Os corredores estremeciam, no chão de mármore ecoavam os sons do bronze e das botas ferradas; sentia o ruído de meus passos espalhando-se diante de mim como se fosse onda. Os que não iam combater saíram para saudar-me. De cada porta, saíam também os guerreiros que logo encontravam seu lugar atrás de mim. Nossas botas alcançaram as lajes: sob o impacto dos calcanhares revestidos em bronze, faíscas elevavam-se do chão. Ao longe, ouvíamos já tambores e trombetas. À nossa frente, o grande pátio e, além dele, as portas da Cidadela.

Helena esperava-nos no pórtico. Parei, acenando para que os outros avançassem sem mim.

— Boa sorte, cunhado — desejou-me.

— Como pode desejar-me boa sorte se vou combater contra seus concidadãos?

— Eu não tenho país, Heitor.

— Nossa pátria é sempre nossa pátria.

— Heitor, nunca subestime um grego! — Recuou um pouco, parecendo surpresa com as próprias palavras. — Dei-lhe um bom conselho, Heitor; você não merecia tanto.

— Os gregos são iguais a todos os outros homens.

— Serão mesmo? — Seus olhos verdes assemelhavam-se a jóias. — Não concordo. Eu preferiria ter por inimigo um troiano a um grego.

— Será uma batalha aberta, frontal. Vamos vencer.

— Talvez. Mas você não parou para pensar por que razão Agamêmnon se incomodou tanto por causa de uma mulher, quando ele tem centenas delas?

— O que importa é que Agamêmnon se incomodou; a razão é irrelevante.

— Pois eu creio que a razão é tudo. Nunca subestime a astúcia grega. E, acima de tudo, nunca subestime Ulisses.

— Oh! Ulisses não passa de ficção!

— É exatamente isso que ele quer que você pense a seu respeito. Eu o conheço melhor do que você, Heitor.

Virou-me as costas e foi para casa. De Páris, nem sinal. Bem, de qualquer modo, meu irmão não combateria; limitar-se-ia a observar.

Setenta e cinco mil soldados de infantaria e dez mil carros me esperavam, devidamente formados ao longo das ruas secundárias e das pequenas praças que conduziam à Porta Ceia, onde me aguardava o primeiro destacamento de cavalaria, os homens que conduziriam meus carros. Seus gritos ressoaram como trovões mal apareci na praça, erguendo bem alto minha clava para saudá-los. Subi para meu carro e enfiei cuidadosamente os pés nos estribos de vime que permitiriam que me equilibrasse sempre que o carro guinasse, especialmente quando os cavalos fossem a galope. Depois, meus olhos atentaram naqueles muitos milhares de elmos encimados por plumas cor de púrpura; a cintilação do bronze era sangue e rosa sob o imenso ouro do sol; a porta erguia-se diante de mim.

Os chicotes estalaram. Os bois atrelados à enorme pedra que suportava a Porta Ceia bramiram, aflitos, logo que começaram a puxar. A vala recebera óleo; os focinhos dos animais quase chegavam ao chão. Muito lentamente, a porta foi-se abrindo, chiando e atroando enquanto a pedra deslizava ao longo do fundo da vala; parecia ficar menor à medida que se abria; ao mesmo tempo, a vastidão de céu e planície parecia tornar-se ainda mais imensa. Depois, os ruídos que marcavam a abertura da Porta Ceia pela primeira vez em dez anos foram sufocados pelos gritos de alegria que romperam das gargantas de milhares e milhares de soldados troianos.

Logo que as tropas começaram a descer na direção da praça, as rodas de meu carro começaram também a mexer-se; eu já avançara e estava na planície com meus cocheiros atrás de mim. O vento penetrou-me o rosto, pássaros voavam na pálida abóbada do céu, meus cavalos empinaram as orelhas e deram a suas pernas elegantes o ritmo do galope, enquanto meu cocheiro, Quebríones, enrolava as rédeas em torno de sua cintura e executava os movimentos com que costumava controlá-los. Finalmente a batalha! Aquela, sim, era a verdadeira liberdade!

Meia légua depois de passar a Porta Ceia, parei e virei-me para organizar minhas tropas, fazendo da frente uma linha reta com carros na posição mais avançada; a guarda real — dez mil soldados de infantaria troianos e mil carros de guerra — formava o centro de minha vanguarda, montado rápida e primorosamente, sem pânico nem confusão.

Quando tudo estava em ordem, atentei na muralha inimiga, erigida sobre a planície entre os dois rios, isolando, assim, a extensa praia ocupada pelos gregos. As passagens em cada extremidade das muralhas brilhavam já de um milhão de reflexos: os invasores gregos abandonavam as muralhas e avançavam na direção da planície. Entreguei minha lança a Quebríones e pus o elmo na cabeça, ajustando depois a pluma escarlate de crina de cavalo. Meus olhos encontraram os de Deífobo, a meu lado na linha de frente; um a um, tanto quanto meus olhos conseguiam enxergar, atentei nos rostos daqueles que faziam parte da linha de frente. Meu primo Enéias comandava o flanco esquerdo; o rei Sarpedon, o direito. Eu comandava a linha de frente.

Os gregos aproximavam-se cada vez mais, o sol refulgindo em suas armaduras de forma mais e mais intensa; tentei ver quem ficaria de frente para mim, perguntando-me se seria o próprio Agamêmnon, Ajax ou outro dos grandes chefes gregos. Meu coração batia menos depressa porque não seria Aquiles. Depois, voltei a olhar para a linha de frente e fiquei pasmo. Páris estava lá, com seu precioso arco e a aljava, à frente do destacamento de guardas reais que lhe havia sido atribuído há uma eternidade. Perguntei-me que artimanhas Helena não teria usado para convencê-lo a abandonar a segurança de seus aposentos.

CAPÍTULO VIGÉSIMO QUARTO

NARRADO POR

NESTOR

Rezei uma breve oração ao Deus que amontoa as nuvens no céu; embora tivesse combatido em mais campanhas do que qualquer outro homem vivo, nunca enfrentara um exército como o de Tróia. Verdade, porém, que a Grécia nunca havia organizado um exército como o de Agamêmnon. Meus olhos ergueram-se para os diáfanos e majestosos picos do distante Ida e perguntei-me se os Deuses não teriam abandonado o Olimpo para ali se sentar, a fim de assistir à batalha. Aquela era uma guerra digna de seu interesse: nunca os meros mortais haviam sonhado com uma guerra capaz de envolver tantos meios — tampouco os Deuses, aliás, que só travavam pequenas guerras entre si e com hostes muito limitadas. Se se reunissem no Ida para assistir à batalha, não haveria entre eles unanimidade: todos sabiam que Apolo, Afrodite, Ártemis e outros eram adeptos fervorosos de Tróia, enquanto Zeus, Poseidon, Hera e Palas Atenéia eram a favor da Grécia. Ninguém sabia ao certo de que lado estava Ares, o Senhor da Guerra. Embora os gregos fossem o povo que mais havia espalhado seu culto, a verdade é que Afrodite, a secreta amante de Ares, apoiava Tróia. Hefesto, o marido de Afrodite, era, muito naturalmente, favorável à Grécia, o que era bom para nós, pois ele presidia a fundição dos metais e outros ofícios afins; nossos artífices teriam, desse modo, algum apoio divino.

Se havia algum homem feliz naquele dia, esse homem era eu. Uma única coisa tolhia meu prazer: o rapaz que me acompanhava no carro; um rapaz muito nervoso e impaciente, desejando um carro exclusivo, pois queria ser guerreiro e não condutor. Olhei-o de relance. Meu filho Antíloco... Pouco mais do que um menino desmamado, meu filho mais novo e também o mais querido, fruto do crepúsculo de minha vida. Quando deixei Pilos, tinha ele apenas doze anos. Muitos foram os que me pediram que o deixasse partir comigo para Tróia: a todos respondi que não. E o resultado foi este: Antíloco embarcou clandestinamente! Escondeu-se num dos navios e, quando me dei conta, ele estava em Tróia! Então, pediu ajuda a Aquiles e, depois de muito argumentarem, conseguiram convencer-me a deixá-lo ficar. Aquela era sua primeira batalha, mas eu daria tudo para que ele não estivesse ali a meu lado, para que tivesse ficado na arenosa Pilos, compilando listas de mantimentos!

Colocamo-nos em ordem de batalha diante dos troianos. A linha tinha uma légua de comprimento; constatei, sem surpresa, que Ulisses tinha razão. Os troianos eram muito mais numerosos do que os gregos. Mesmo que toda a Tessália tivesse vindo conosco, eles ainda seriam mais do que nós. Perscrutei as hostes inimigas, procurando os homens que as conduziam, e vi imediatamente Heitor no centro da linha de frente. A nossa era integrada pelas tropas de Pilos, juntamente com as forças dos dois Ajax e de dezoito reis menores. Agamêmnon, chefe de nossa vanguarda, estava de frente para Heitor. Nosso flanco esquerdo era comandado por Idomeneu e Menelau, e o direito, por Ulisses e Diomedes, esse tão estranho par de amantes, um tão quente, o outro tão frio! Quem sabe, talvez os dois juntos fossem a perfeição.

Heitor conduzia uma equipe soberba de cavalos, tão negros como azeviche, e erguia-se em seu carro como o próprio Ares

Eniálios,* tão grande e tão ereto quanto Aquiles. Não vi, contudo, uma única barba branca entre os troianos; Príamo e outros de sua idade tinham ficado no palácio. Eu era o homem mais velho naquele campo de batalha.

Os tambores rufaram, as trombetas e os címbalos soaram, estridentes, anunciando o combate, que, de fato, não tardou. A batalha começou quando nos encontrávamos ainda a cem passos uns dos outros. Lanças voaram como folhas ao sabor do medonho sopro do inverno, setas caíram rapidamente sobre suas presas como se águias fossem, soldados de infantaria investiram e foram rechaçados. Agamêmnon dirigia nossa linha de frente com um vigor e uma vigilância que nunca suspeitara que tivesse. Na realidade, muitos de nós nunca haviam combatido juntos. Podíamos agora, pela primeira vez, avaliar as capacidades bélicas uns dos outros. E foi reconfortante verificar que Agamêmnon se revelou competente o bastante para enfrentar Heitor com eficiência naquela primeira manhã. Heitor, aliás, não fez qualquer tentativa para travar um duelo com nosso rei supremo.

Berrou, sim, e vituperou, lançou vezes sem conta seus carros contra nossa linha de frente, mas a verdade é que não conseguiu rompê-la uma só vez. Conduzi algumas investidas durante a manhã; Antíloco soltava o grito de guerra de Pilos, mas eu poupava meus pulmões, um instrumento precioso para a batalha. Vários foram os troianos que morreram sob as rodas de meu carro, pois Antíloco era um bom condutor, evitando-me problemas e sabendo sempre qual era o momento certo para recuar. Ninguém poderia dizer que o filho de Nestor punha em perigo a integridade de seu velho pai só porque queria combater em vez de conduzir um carro.

Minha garganta começou a ficar seca, e a armadura estava branca de poeira; acenei para meu filho e recuamos para a reta-

* Cavaleiro, condutor de carro de guerra. (N. T.)

guarda, a fim de beber água e recuperar algum alento. Quando olhei para o céu, verifiquei, surpreso, que o sol já se aproximava de seu apogeu. Regressamos imediatamente à linha de frente e, com forças renovadas, guiei meus homens na direção das hostes troianas. Fizemos um trabalho rápido, aproveitando o fato de Heitor estar ocupado com outras divisões de seu exército. Depois, ordenei a retirada e recuamos em segurança para nossa própria linha sem perder um único homem. Heitor perdera mais de uma dúzia naquela breve contenda. Suspirando de satisfação, sorri silenciosamente para Antíloco. O que ambos queríamos era a armadura de um chefe, mas não tínhamos encontrado nenhum.

Ao meio-dia, Agamêmnon ordenou a um arauto que soasse a trombeta de trégua. Contrariados, os dois exércitos baixaram as armas; pela primeira vez, a fome e a sede, o medo e o cansaço tornavam-se realidades desde que a batalha começara. Quando vi que todos os chefes se encaminhavam para Agamêmnon, pedi que Antíloco me conduzisse também ao rei supremo. Ulisses e Diomedes chegaram ao mesmo tempo que eu. Todos os outros já lá estavam. Os escravos corriam à nossa volta, trazendo vinho misturado com água, pão e bolos.

— O que há, Agamêmnon? — perguntei.

— Os homens precisam descansar. Este é o primeiro dia de combates intensos ao fim de muitas luas; por isso enviei um mensageiro a Heitor, propondo-lhe um encontro para negociações.

— Excelente! — exclamou Ulisses. — Com sorte, poderemos prolongar esse encontro por tempo suficiente para que os homens recuperem forças e comam.

Agamêmnon fitou-o com um largo sorriso.

— Como o estratagema serve para os dois lados, Heitor não recusará minha oferta.

Os não-combatentes retiraram mortos e feridos da faixa que separava os dois exércitos; mesas e bancos não tardaram a surgir, e os chefes dos dois lados avançaram para a faixa de separação, a fim de conferenciar. Comigo, seguiram Ajax, Ulisses, Diomedes, Menelau, Idomeneu e Agamêmnon; com grande interesse e maior curiosidade, preparamo-nos para assistir ao primeiro encontro entre o rei supremo e o herdeiro de Tróia. Heitor era um homem de tez muito escura. Cabelos negros escapavam sob o elmo e caíam-lhe pelas costas, em trança. Os olhos que nos miravam — tão astutamente quanto nós o mirávamos — eram também negros.

Apresentou-nos os outros chefes: Enéias, da Dardânia; Sarpedon, da Lícia; Acamas, filho de Antenor; Polidamas, filho de Agenor; Pândaro, o capitão da guarda real; e seus irmãos Páris e Deífobo.

Menelau emitiu um inaudível rosnar e lançou um olhar furioso a Páris; no entanto, tanto ele quanto Páris temiam seus régios irmãos o suficiente para não se permitir criar-lhes problemas. Os troianos pareceram-me um excelente grupo de homens, todos guerreiros consumados, à exceção de Páris, que se mostrava completamente deslocado: belo, entediado, fútil. Enquanto Agamêmnon fazia suas apresentações, observei atentamente Heitor, procurando detectar sua reação aos nomes que ouvia. Quando chegou a vez de Ulisses, examinou o mais inteligente de nossos chefes com atenção muito especial; um brilho de perplexidade em seu olhar. Não me diverti, contudo, ao constatar o dilema que perpassava a mente de Heitor; na verdade, tive até pena dele. Os homens que não conheciam Ulisses, a raposa de Ítaca, tendiam a subestimá-lo devido às estranhas proporções de seu corpo e ao aspecto imundo, quase ignóbil, que ele cultivava sempre que julgava adequado. Surpreendi-me estimulando-o silenciosamente: Olhe para os olhos dele, Heitor, olhe para os olhos dele! A natureza de Heitor, porém, preferia Ajax, que, nomeado, imediatamente depois de Ulisses, lhe despertava muito mais interesse e atração. Pior para ele: não entendera a importância da raposa.

Heitor observou, pasmo, os músculos poderosos de nosso segundo maior guerreiro; pela primeira vez em sua vida, pensamos, Heitor teve de erguer a cabeça, a fim de olhar para o rosto de outro homem.

— Não houve entre nós nenhuma conferência nestes últimos dez anos, filho de Príamo — disse Agamêmnon. — Julgo que chegou a hora de discutirmos.

— O que quer discutir?

— Helena.

— Esse assunto está encerrado.

— De modo algum! Nega que Páris, filho de Príamo e seu irmão genuíno, raptou a esposa de meu irmão Menelau, rei da Lacedemônia, e a trouxe para Tróia, insultando assim toda a nação grega?

— Nego.

— Helena pediu-me que a trouxesse — acrescentou Páris.

— Não esperava que admitisse ter usado de força.

— Isso é evidente; não foi necessário usar força nenhuma. — Heitor bufava como um touro. — Que propostas pretende fazer, nessa sua linguagem tão formal, rei supremo?

— Que devolva Helena e todos os seus bens a seu único e verdadeiro marido, que nos indenize pelo tempo que perdemos e pelos problemas que tivemos, reabrindo o Helesponto aos mercadores gregos, e que não se oponha ao estabelecimento de colônias gregas na Ásia Menor.

— Os termos de sua proposta são inaceitáveis.

— Por quê? Tudo o que pedimos é o direito à coexistência pacífica. Eu não combateria se pudesse alcançar pacificamente meus objetivos, Heitor.

— A satisfação de suas exigências seria a ruína de Tróia, Agamêmnon.

— A guerra será muito pior para Tróia. Você se defende, Heitor, e essa nunca é uma posição vantajosa. Nós, no entanto, desfrutamos dos lucros de Tróia há dez anos, além daqueles da Ásia Menor.

A conferência prosseguiu: palavras a esmo sem qualquer peso efetivo, enquanto os soldados descansavam na erva pisada e fechavam os olhos devido à intensidade do sol.

— Muito bem. Nesse caso, faço-lhe uma última proposta, príncipe Heitor — retomou Agamêmnon algum tempo depois. — Encontram-se entre nós os dois homens diretamente envolvidos no episódio que deu origem a tudo isso. Menelau e Páris. Proponho-lhe que Menelau e Páris travem um duelo nesta mesma faixa onde nos encontramos agora, entre os dois exércitos. O vencedor ditará os termos de um acordo de paz.

Se Páris não parecia um duelista brilhante, o que dizer de Menelau? Heitor não precisou de muito tempo para compreender que Páris sairia facilmente vencedor.

— De acordo; meu irmão Páris duelará com seu irmão Menelau. O vencedor ditará os termos de um tratado.

Olhei de relance para Ulisses, que estava a meu lado.

— Esperemos que seja um troiano a interromper o duelo — segredou-me ele. — Caso contrário, a reputação de Agamêmnon sofrerá horrores nos próximos anos.

Recuamos para nossas linhas e deixamos os cem passos de terreno vago aos dois homens. Menelau testou o escudo e a lança, enquanto Páris ajeitava, displicente, a armadura. Por fim, foi dada a ordem para que o duelo principiasse. Os dois homens lançaram-se em círculos lentos à volta um do outro, Menelau investindo com a lança, Páris desviando-se para evitar o golpe. Alguém do exército grego gritou um comentário jocoso a propósito do modo como Páris se desviava da lança, e milhares de gargantas troianas rosnaram, furiosas, mas Páris ignorou o insulto e continuou a esquivar-se com delicados movimentos. Eu nunca considerara Menelau capaz fosse do que fosse, mas era óbvio que Agamêmnon sabia o que estava fazendo ao propor o duelo. Se pensei que Páris se sairia vencedor com relativa facilidade, enganara-me redondamente. Embora não possuísse nem o instinto nem o arrojo que fazem de um homem um chefe, Menelau aprendera a arte do duelo tão escrupulosamente quanto qualquer outra. Faltava-lhe o ardor, mas não a coragem, o que era enorme vantagem num combate singular. A certa altura, arremessou sua lança com tal violência, que conseguiu arrancar o escudo de Páris; vendo-se perante a espada de Menelau, o belo príncipe preferiu fugir a empunhar sua própria espada. Menelau foi em seu encalço.

Todos já sabiam quem venceria; os troianos caíram em profundo silêncio, enquanto nossos homens deram início a um alarido ensurdecedor. Meus olhos não se afastavam de Heitor, que, embora tivesse avaliado mal as possibilidades do irmão, era um homem de princípios. Se Menelau matasse Páris, Heitor teria de aceitar o tratado. Ah! Sem que Heitor lhe tivesse feito qualquer sinal, Pândaro, o capitão da guarda real, pôs uma flecha em seu arco. Com um grito, avisei Menelau, que parou e se desviou, mas tarde demais. Enquanto nossas hostes berravam de indignação, a flecha alojou-se no flanco de Menelau. Um uivo de pesar no exército inimigo sinalizou o fato de ter sido um troiano a quebrar a trégua. Por causa de Pândaro, Heitor via sua honra manchada.

Os exércitos embrenharam-se, então, na luta, com uma fúria que estivera ausente durante a manhã; um dos lados defendia a honra maculada, o outro vingava uma ofensa, ambos ceifando e golpeando em histérico frenesi. Muitos homens pereceram num breve espaço de tempo; os cem passos que haviam separado as linhas depressa minguaram, ocupados por uma sólida massa de corpos e pelas nuvens de pó que nos cegavam e sufocavam. O culpado, Heitor, estava em todos os lados ao mesmo tempo, percorrendo o centro da batalha em seu carro, desferindo fatais golpes de lança. Nenhum de nós conseguia aproximar-se dele o suficiente para tentar abatê-lo; em contrapartida, muitos eram os homens que, com gritos de puro terror, morriam sob os cascos de seus três cavalos negros. Não consegui entender, naquele primeiro dia, como conseguia conduzir seus cavalos em meio àquela medonha confusão humana; mais tarde, porém, seus processos, de tão estudados e imitados, converteram-se em verdadeiro lugar-comum, de tal modo que eu próprio os acompanhei, percebendo que nada tinham de especial. Vi Enéias aproximando-se do centro com um bando de dardanianos em sua esteira e perguntei-me como ele conseguira deslocar-se de sua ala naquele caos. Abandonei a lança em favor da espada, juntei meus homens e os conduzi para o grosso da batalha, derrubando, do alto de meu carro, tudo que me aparecesse pela frente, golpeando a esmo rostos imundos de suor, não perdendo de vista Enéias enquanto pedia reforços.

Agamêmnon mandou mais homens, comandados por Ajax. Enéias viu-o e chamou seus cães de guarda, mas não antes de eu ter o privilégio de ver aquela verdadeira torre desferindo golpes impressionantes, o braço convertido em foice incansável, que cortava o joio inimigo. Ajax não usava o machado; naquele primeiro dia de batalha, preferira a espada, dois cúbitos e meio de morte em forma de lâmina dupla. Usava-a, contudo, como um machado, erguendo-a bem alto e cravando-a no inimigo com um grito de júbilo capaz de aterrorizar o mais destemido dos homens. Empunhava seu enorme escudo melhor do que qualquer outro homem vivo; aquela massa de bronze e estanho nunca vacilava enquanto ele a erguia a pouca distância do chão, cobrindo-o da cabeça aos pés. Atrás dele vinham seis corpulentos chefes de Salamina e, sob a proteção do próprio escudo de Ajax, ocultava-se Teucro com seu arco, disparando setas atrás de setas, numa série de movimentos tão fluidos, que pareciam contínuos, impecavelmente rítmicos. Vi soldados gregos, que estavam muito afastados do gigante para poder ver seus movimentos, sorrindo uns para os outros e recobrando ânimo só de ouvir o famoso grito com que Ajax saudava Ares e a Casa de Éaco.

Rodeado por meus homens, saudei-o mal o vi avançar em minha direção; Antíloco afrouxara as rédeas de nosso carro e, boquiaberto, fitava aquele colosso humano.

— Desapareceram, velho! — rosnou Ajax.

— Nem mesmo Enéias quis enfrentá-lo — consolei-o.

— Zeus transformou-os em sombras! Por que eles não combatem como verdadeiros guerreiros? Mas fique tranqüilo; hei de pegar Enéias!

— Onde está Heitor?

— Estou à procura dele faz tempo. Ou ele é uma miragem, ou então sou eu que fico sempre para trás. Mas não vou desistir. Mais tarde ou mais cedo nos encontraremos.

Ouviram-se gritos estridentes de aviso; retomamos a formação imediatamente, pois Enéias regressara, trazendo Heitor e uma parte da guarda real. Olhei para Ajax.

— Eis sua grande oportunidade, filho de Telamon!

— Graças a Ares! — Sacudiu os ombros para melhor distribuir o peso da armadura e, com a ponta da enorme bota, afastou afetuosamente Teucros. — Vá embora, irmão. Esse é só para mim. Proteja Nestor e mantenha Enéias distante.

Teucro abandonou a proteção do escudo e correu para junto de mim. Em seus olhos brilhantes, devotados, não havia qualquer sinal de preocupação. Nunca ninguém pusera em causa sua lealdade, apesar de sua mãe ser Hesíone, a irmã de Príamo.

— Vamos, rapaz — ordenou ele para meu filho —, conduza-nos em meio a essas carcaças e tente alcançar Enéias. Temos de mantê-lo ocupado. Rei Nestor, pode proteger-me enquanto uso o arco?

— De bom grado, filho de Telamon — respondi.

— Por que Enéias está na linha de frente, pai? — perguntou-me Antíloco enquanto avançávamos. — Pensei que ele comandasse uma ala.

— Também eu — respondeu Teucro por mim.

Meus homens e alguns dos salaminianos de Ajax foram conosco e conseguimos manter Enéias afastado o suficiente de Heitor, a fim de que Ajax conseguisse obrigar o herdeiro ao duelo. Quando afinal conseguiu, a batalha serenou drasticamente; os homens seguiam com tanta atenção os movimentos de Heitor e Ajax, que nem reparavam para onde arremessavam setas ou lanças.

Ajax nunca usava carros de guerra, provavelmente porque não havia carro de guerra que suportasse seu peso, mais o de Teucro e o do condutor. Na realidade, Ajax simulava ser ele próprio seu carro de guerra.

O bronze retiniu contra o bronze. Uma proteção de braço saltou sob a súbita expansão dos músculos e caiu para logo ser esmagada pelos pés dos contendores. Ajax e Heitor eram adversários à altura um do outro. Enquanto à sua volta a batalha se desvanecia, as duas torres continuavam a investir e a aparar golpes. Enéias chamou minha atenção com um assobio estridente.

— Um duelo destes não se pode perder, velho guerreiro! Prefiro ver a combater! E você? Enéias da Dardânia pede trégua!

— Concordo com a trégua até o final do duelo. Se for Ajax o vencido, defenderei seu corpo e sua armadura com a minha vida! Mas, se for Heitor o vencido, ajudarei Ajax a roubar seu corpo e sua armadura! Nestor de Pilos está de acordo com a trégua!

— Assim seja, então!

No círculo que então se formou, todos os soldados baixaram as armas. À volta de nosso limitado território, contudo, a batalha prosseguia, violenta, implacável. Nós, em contrapartida, nem nos mexíamos, nem falávamos. Meu coração inflamava-se só de ver Ajax combatendo. Não havia falha em sua guarda, não havia a mínima exposição de seu corpo atrás daquele escudo colossal. Heitor dançava como uma chama viva em torno daquela massa, desferindo golpes, cortando grossas fatias da superfície do escudo. Nenhum deles parecia dar-se conta da passagem do tempo, nenhum deles dava mostras de fadiga; sem parar, seus braços erguiam-se e arremetiam com uma energia que não diminuía. Por duas vezes, Heitor quase perdeu seu escudo; contudo, aparou os golpes de Ajax com a espada e continuou a combater, mantendo em seu poder o escudo e a espada apesar de tudo que o rival pudesse fazer.

Aquela seria uma batalha longa e ferocíssima. Quando um deles via uma brecha, logo investia; e quando investia, logo se lhe deparava a espada inimiga; nenhum deles, porém, perdia o ânimo, e o duelo prosseguia tão furioso como de início.

Senti tocarem meu braço: era um mensageiro de Agamêmnon.

— O rei supremo quer saber por que a batalha está parada neste local, rei Nestor.

— Concordei com trégua temporária. Veja com seus próprios olhos, mensageiro! Você combateria se houvesse um duelo destes em sua seção?

O homem atentou nos contendores.

— Reconheço o príncipe Ajax, mas... quem é o outro?

— Diga ao rei supremo que Ajax e Heitor estão travando um combate de morte!

O mensageiro desapareceu imediatamente, deixando-me à vontade para continuar a assistir ao duelo. Ajax e Heitor golpeavam e competiam furiosamente; há quanto tempo durava aquilo? Não precisei proteger os olhos quando olhei para a bola amarelo-pálida do sol, além das nuvens de poeira. Sim, o sol se aproximava do horizonte! Por Ares, quanta energia, quanta resistência!

Agamêmnon parou seu carro ao lado do meu.

— Pôde prescindir de seu comando, Agamêmnon?

— Ulisses substituiu-me. Por todos os Deuses! Há quanto tempo dura o duelo, Nestor?

— Já passou quase a oitava parte da tarde.

— Em breve terão de parar. O sol já está se pondo!

— Inacreditável!

— Ordenou trégua?

— Os homens não queriam combater. Nem eu. Como vão as coisas no resto do campo?

— Estamos fazendo melhor do que resistir, apesar de sermos muito menos do que eles. Diomedes tem sido um verdadeiro titã. Matou Pândaro, o chefe troiano que quebrou a trégua, e foi embora com a armadura do inimigo diante das barbas de Heitor. Ah! Ali está Enéias! Não admira que ele quisesse trégua...! Diomedes atingiu-o no ombro com uma lança e ele acredita que Enéias esteja bastante ferido.

— Então foi por isso que ele deixou a ala e veio para cá...

— O dardaniano é, entre todos os homens de Príamo, o mais astuto. Mas, segundo se diz, é também o mais egoísta.

— Como está Menelau? A flecha atingiu algum ponto vital?

— Não. Macáon fez-lhe uma ligadura e mandou-o de novo para o campo de batalha.

— Seu irmão se comportou muito bem!

— Uma surpresa para você, não foi?

Sobre a poeira e o clamor do campo de batalha, ouviu-se o longo e desalentado toque da trombeta que anunciava a noite. Os homens baixaram as armas e, arquejantes, procuraram um lugar para descansar. Escudos eram arrastados pelo chão, espadas desajeitadamente embainhadas, mas Heitor e Ajax continuavam a combater. No fim de tudo, foi a noite a vencedora; os dois colossos mal viam as armas diante deles quando desci de meu carro para separá-los.

— Nem leões como vocês conseguem ver à noite — disse-lhes. — Nenhum de vocês venceu, nenhum foi derrotado. Portanto, agora que chegou a noite, dêem trégua a suas espadas.

Heitor tirou o elmo com mão trêmula.

— Confesso, não lamento que o duelo tenha chegado ao fim. Não agüentaria muito mais.

Ajax deu seu escudo a Teucro, que mal se mantinha de pé sob tão pesada carga.

— Nem eu, nem eu... — bufou a torre humana.

— É um grande homem, Ajax — cumprimentou Heitor, estendendo-lhe o braço direito.

Ajax entrelaçou os dedos à volta do pulso do príncipe troiano. Com um sorriso, comentou:

— O mesmo posso dizer de você, Heitor.

— Custa-me a crer que Aquiles seja melhor do que você... Tome, ofereço-lhe minha espada!

Ajax fitou a lâmina com evidente prazer, após o que a ergueu bem alto.

— A partir de agora, eu a usarei sempre, seja em que batalha for! Em troca, ofereço-lhe meu boldrié. Segundo meu pai, meu avô contava que o recebera das mãos de seu pai, que era o próprio Zeus Imortal. — Baixou a cabeça e retirou a preciosa relíquia; era um objeto raro, de couro púrpura brilhante decorado com ouro.

— Eu o usarei no lugar do meu — agradeceu Heitor, deliciado.

Encantado, dei-me conta da intensa satisfação que ambos sentiam, da afeição mútua e do respeito que haviam ganho um pelo outro em tão terríveis circunstâncias. Até que as asas geladas de uma premonição deixaram minha mente dominada pelo medo: aquela era uma troca aziaga!

Naquela noite, acampamos onde estávamos, sob as muralhas de Tróia, com o exército de Heitor entre nós e a imensa Porta Ceia, aberta de par em par. As fogueiras foram acesas, os caldeirões suspensos sobre elas; escravos corriam com enormes bandejas de pão de cevada e carne; o vinho, misturado com água, não faltava. Por um momento, reparei no vaivém dos archotes perto da Porta Ceia; os escravos troianos cumpriam suas tarefas, como os nossos, assistindo o exército de Heitor. Depois, fui comer com Agamêmnon e os outros, em torno de uma fogueira. Mal me aproximei, seus rostos se viraram para me saudar, e eu vi o tremendo vazio que sempre se apodera dos homens depois de uma batalha duramente travada.

— Não avançamos sequer um dedo — notifiquei Ulisses.

— Eles também não — ele retrucou tranqüilamente, mastigando um naco de carne de porco.

— Quantos homens perdemos? — perguntou Idomeneu.

— Mais ou menos a mesma quantidade que Heitor, talvez menos — informou Ulisses. — As baixas não alteram a correlação de forças.

— Nesse caso, creio que amanhã será um dia decisivo — comentou Meriones, bocejando.

— Sim, amanhã será um dia decisivo — concordou Agamêmnon, bocejando também.

Pouco mais conversas houve. Os corpos queixavam-se das dores e das feridas, as pálpebras caíam pesadas, as barrigas estavam cheias. Era tempo de nos enrolarmos em peles à volta do fogo. Contemplei as muitas centenas de pequenas luzes de fogo semeadas por toda a planície, cada uma delas uma fonte de conforto e segurança na imensidão da noite. Plumas de fumaça erguiam-se na direção das estrelas, a fumaça de dez mil fogueiras sob as muralhas de Tróia. Deitei-me e, por um momento, observei as muitas estrelas cuja cintilação ora se avivava, ora se esbatia, ao sabor daquele nevoeiro de fumaça que os homens haviam erguido, até que todas elas se dissolveram no Sono, que é quem traz a Escuridão da Mente.

O segundo dia foi muito diferente do primeiro. Não houve tréguas que aplacassem a carnificina, não houve duelos que nos prendessem a atenção, não houve magníficos atos de heroísmo que elevassem a contenda acima do nível do comum dos homens. A luta era penosa e amargamente obstinada. Meus ossos ansiavam por um merecido descanso, meus olhos estavam cegos pelas lágrimas que todos os homens choram quando vêem um filho morrer. Antíloco chorou também por seu irmão; depois, pediu-me que o deixasse tomar o lugar do irmão na linha de frente. Não pude recusar. Tive de chamar um de meus homens para conduzir meu carro.

Imune a todos os cercos e tão mortífero como o próprio Ares, Heitor estava em seu elemento, atravessando constantemente o campo de batalha, estimulando suas tropas com voz portentosa que não dava trégua aos soldados nem a si mesmo. Ajax não teve tempo para persegui-lo; Heitor fez avançar toda a guarda real sobre os homens de Ajax e Diomedes; dispondo de muito mais soldados do que seus dois mais perigosos inimigos, impediu que estes avançassem. Sempre que Heitor usava sua lança, era certo e sabido que um homem morreria: com a lança, Heitor era tão bom quanto Aquiles. Se se abria uma brecha em nossa linha, Heitor empurrava seus homens para dentro dela; logo que a brecha se tornava um fato consumado, enviava mais e mais homens para dentro dela, como uma serra cravando seus dentes cada vez mais fundo na imensidão da floresta.

Ah, o sofrimento, a crueldade, a dor! De novo as lágrimas me cegaram quando outro de meus filhos tombou, as entranhas dilaceradas por uma lança que Enéias arremessara. Escassos momentos depois, Antíloco por pouco não era decapitado por uma espada! Ah, não! Não o mais amado de meus filhos! Por favor, misericordiosa Hera, onipotente Zeus, não levem meu querido Antíloco!

De vez em quando, mensageiros vinham informar-me da situação em outras partes do campo; dei graças aos Deuses pelo fato de pelo menos nossos chefes estarem sãos e salvos. Talvez porque nossos homens estivessem cansados ou porque não tínhamos conosco os quinze mil homens de Aquiles, ou por qualquer outra mais obscura razão, começamos a perder terreno. Lenta e imperceptivelmente, fomo-nos afastando cada vez mais das muralhas de Tróia e aproximando-nos cada vez mais das nossas. Vi-me em meio às hostes da primeira linha. Meu condutor soluçou de raiva quando se viu obrigado a fazer recuarem os cavalos.

Heitor abateu-se sobre nós; freneticamente pedi ajuda, pois o carro do príncipe troiano avançava para mim, erguendo-se já sobre o caos humano que me rodeava. A sorte estava comigo. Diomedes e Ulisses, não sei como, ocuparam o centro de nossa linha de frente, colocando seus homens ao lado dos meus. Diomedes não fez qualquer tentativa para travar um combate singular com Heitor; em vez disso, concentrou-se no condutor do príncipe, possivelmente não o habitual, pois revelava inesperada inexperiência. Diomedes arremessou sua lança e trespassou o homem que, caindo para trás agarrado às rédeas, obrigou os cavalos a pararem. Com a ajuda de Ulisses, conseguimos afastar-nos em segurança, enquanto Heitor cuspia imprecações e serrava as rédeas com uma faca.

Procurei voltar a reunir minha divisão da linha de frente, mas já não era possível. O medo apossara-se dos homens, e muitos eram os que falavam a respeito de sinais aziagos. Nenhum de nós poderia alimentar mais ilusões: nosso exército recuava. Dando-se conta disso, Heitor, com um grito de triunfo, mandou avançar o resto de suas linhas de reserva.

Ulisses, contudo, salvou o dia. Pulou num carro vago — onde estaria o dele? — e deteve os beócios quando eles começavam a debandar; obrigou-os a enfrentar o inimigo por algum tempo, até que, por fim, lhes ordenou que recuassem lentamente e em ordem. Agamêmnon seguiu imediatamente seu exemplo; o que ameaçara ser uma verdadeira derrocada — e uma derrota fragorosa — transformou-se em retirada com um mínimo de perdas. Diomedes e seus homens de Argos atacou os troianos que continuavam a avançar, e eu o segui com Idomeneu, Eurípilo, Ajax e todos os seus homens.

Nossos flancos tinham convergido para a linha de frente; o exército transformara-se numa cerrada formação com uma delgada frente suportando a investida de Heitor, e o grosso de nossos homens atrás de nós, recuando.

Teucro não abandonava seu esconderijo atrás do escudo do irmão, as flechas voando constantemente e acertando sempre seus alvos. Heitor aproximava-se; Teucro viu-o, sorriu e pôs uma nova flecha no arco. Mas Heitor era muito esperto para se deixar abater por uma flecha que certamente esperava. Uma após outra, Heitor aparou com o escudo as flechas. Teucro ficou furioso, e a raiva levou-o a cometer um erro fatal: saiu de seu esconderijo. Heitor o aguardava. Já não tinha mais lanças, mas encontrara uma pedra que, em suas mãos, valia tanto quanto a arma. Atingiu Teucro no ombro direito, e o irmão de Ajax caiu como um touro num sacrifício. Muito ocupado para reparar no que acontecera, Ajax continuou a combater. Ah, ali, ali! Meu grito de alívio ecoou numa dúzia de gargantas quando a cabeça de Teucro se ergueu em meio aos cadáveres. Vimo-lo, depois, rastejando entre mortos e feridos na direção de Ajax. Agora, porém, Teucro era apenas mais um peso que o irmão teria de arrastar; os troianos continuavam a atacar.

Olhei desesperadamente para a retaguarda, tentando descobrir a que distância estávamos de nossas muralhas e, pasmo, verifiquei que nossas últimas linhas já penetravam o acampamento.

Ulisses e Agamêmnon conseguiram que a retirada terminasse sem pesadas baixas. Finalmente, podíamos refugiar-nos em nossa cidade de pedra. Além disso, estava muito escuro para que Heitor se atrevesse a nos perseguir. Nós os deixamos do outro lado do fosso e da paliçada, zombando de nós e rosnando como cães furiosos colados a nossas pernas.

CAPÍTULO VIGÉSIMO QUINTO

NARRADO POR
ULISSES

Não foi uma reunião muito alegre a que tivemos nessa noite em casa de Agamêmnon; pouco mais fizemos do que nos entregar à entediante tarefa de recuperar as forças para o dia seguinte. Doía-me a cabeça, minha garganta estava ferida de tanto gritar, meus flancos estavam em carne viva devido ao atrito da couraça e apesar da proteção acolchoada que usava por baixo. Todos nós apresentávamos pequenas feridas — peles esfoladas, escoriações diversas, cortes dos tipos mais variados —, e o sono já se apoderava de nós.

— Um tremendo revés — murmurou Agamêmnon, em meio a um silêncio exausto. — Tremendo, Ulisses.

Diomedes apressou-se em defender-me.

— Como Ulisses previu! — exclamou.

Nestor concordou. Pobre Nestor. Pela primeira vez, aparentava a idade que realmente tinha, e não era de admirar. Perdera dois filhos naquele dia. Com uma voz que o esgotamento tornara aguda, apazigou:

— É cedo para desesperar, Agamêmnon. A hora da vitória chegará para nós e tornará doces todas as derrotas.

— Eu sei, eu sei! — exclamou Agamêmnon.

— Seria melhor que alguém fosse contar a Aquiles — sugeriu Nestor, num murmúrio só audível pelos que conheciam nosso plano. — Ele está cumprindo o prometido, mas, se não o mantivermos informado, pode muito bem avançar antes do tempo.

Agamêmnon trespassou-me com seu olhar.

— Ulisses, a idéia foi sua: vá você visitar Aquiles.

Arrastei-me, exausto, na direção do acampamento de Aquiles. Obrigar-me a atravessar todo o acampamento grego (uma vez que a base de Aquiles ficava numa das extremidades) fora a maneira que Agamêmnon encontrara para se desforrar. Contudo, enquanto caminhava, descansado e tranqüilo, a energia começou lentamente a voltar a meus músculos. Acabei por me sentir mais refeito depois desse pequeno esforço do que me sentiria se tivesse dormido a noite inteira. Quem me visse pensaria que Agamêmnon me mandara insistir com Aquiles para que mudasse de idéia. Os soldados não ficaram, portanto, surpresos quando me viram atravessar a porta do acampamento mirmídone. Os homens de Aquiles — tanto os mirmídones como todos os outros soldados da Tessália — olharam-me com tristeza. Estavam ávidos pela guerra e reduzidos à mais absoluta impotência.

Quando entrei na casa de Aquiles, ele aquecia as mãos junto à trípode de fogo, tão esgotado e nervoso quanto qualquer um dos chefes que haviam combatido durante aqueles dois dias. Pátroclo estava sentado diante dele, o rosto parecendo não ser feito nem de carne, nem de pele, mas de granito. Não estranhei a atitude de Pátroclo: a causa era evidente e tinha um nome de mulher, Briseís. Meu relacionamento com Diomedes era tão amistoso quanto sensual, uma ligação que fazia sentido naquelas circunstâncias e que nos proporcionava enorme prazer. Porém, se ele ou eu quisesse dormir com uma mulher, não haveria problema. Não seria uma catástrofe, e nenhum de nós se sentiria traído. Pátroclo, entretanto, amava e imaginara-se em segurança, permanentemente livre de rivais. Ao passo que Aquiles, como todos os homens que vibram com outras coisas que não a carne, não se entregara verdadeiramente ao amante. Sentindo-se atraído apenas por homens, Pátroclo considerava que fora cruelmente traído. Pobre Pátroclo... Pobre, sim, porque *amava.*

— O que o traz a meu acampamento? — perguntou Aquiles no tom mais azedo possível. — Pátroclo, peça aos escravos que tragam comida e vinho para o rei.

Suspirando grato, sentei-me numa cadeira enorme e esperei que Pátroclo saísse.

— Ouvi dizer que tudo vai mal — comentou Aquiles logo que o primo saiu.

— Como se esperava, Aquiles. Não se esqueça disso — respondi. — Heitor conseguiu que seus soldados lutassem duramente durante todo o dia, mas Agamêmnon não conseguiu o mesmo dos nossos. A retirada começou logo que soaram os murmúrios: todos os augúrios estavam contra nós, o céu estava cheio de águias voando do lado esquerdo, uma luz dourada banhava a Cidadela de Tróia e outras coisas do gênero. Quando os homens começam a mencionar sinais aziagos, não há nada a fazer. Recuamos, portanto, e Agamêmnon teve de nos conduzir para o interior das fortificações, a fim de passarmos a noite.

— Disseram-me que Ajax e Heitor travaram um duelo.

— Sim, um duelo que durou mais de um oitavo da tarde e que, mesmo assim, não chegou ao desfecho. Mas não se preocupe, Aquiles, Heitor será para você!

— Não se trata disso, Ulisses; o problema é que há homens morrendo sem qualquer necessidade! Deixe-me combater amanhã! Por favor!

— Não — retruquei em tom categórico. — Só combaterá quando nosso exército correr perigo de aniquilamento. Ou quando os navios começarem a ser incendiados, caso Heitor consiga entrar em nosso acampamento. Mesmo assim, você ordenará que Pátroclo comande suas tropas; você não deverá sair com elas. —

Fitei-o gravemente. — Não se esqueça do juramento que fez diante de Agamêmnon.

— Fique tranqüilo, Ulisses, eu sempre cumpro o que juro.

Aquiles baixou a cabeça e caiu num silêncio que parecia interminável. Quando Pátroclo voltou, foi assim que nos viu: Aquiles curvado, e eu olhando, com ar ausente, para sua cabeleira dourada. Pátroclo ordenou aos criados que pusessem a comida e o vinho na mesa. Depois, ficou tão parado e frio como uma coluna de gelo. Aquiles lançou-lhe um breve olhar e logo se virou para mim.

— Diga a Agamêmnon que minha palavra não volta atrás — declarou, formal. — Diga-lhe que arranje outro para salvá-lo dos apuros em que se meteu. Ou, então, que me devolva Briseís.

Bati na coxa, fingindo-me exasperado.

— Como queira, Aquiles.

— Fique e coma, Ulisses. Pátroclo, vá deitar-se.

Nunca naquela casa! Pátroclo deu meia-volta e saiu porta afora.

Podia ser que dormisse mais tarde; porém, quando deixei o acampamento mirmídone, senti-me tão cheio de vida, tão cheio de energia, que senti vontade de fazer alguma maldade. Foi por isso que me encaminhei para o pequeno vale onde minha colônia de espiões continuava alojada. Muitos de meus agentes que tinham ficado no acampamento (outros tantos moravam agora em Tróia) estavam acabando de jantar; Tersites e Sínon saudaram-me calorosamente.

— Novidades? — perguntei, enquanto me sentava.

— Uma novidade muito interessante — informou Tersites. — Ia até procurá-lo.

— Ah! Sou todo ouvidos, Tersites!

— Quando a batalha terminou, chegou a Tróia um novo aliado, um primo distante de Príamo, chamado Reso.

— Quantos soldados trouxe?

Sínon riu.

— Nenhum! Reso não passa de um fanfarrão. Se o picarmos, só sai vento! Intitula-se aliado de Tróia, mas, de fato, é um refugiado! Foi corrido por seu próprio povo...

— Sim senhor, sim senhor! — suspirei, esperando o resto.

— Reso possui um trio de magníficos cavalos brancos que são referidos num oráculo troiano — continuou Tersites. — Diz esse oráculo que os cavalos de Reso são os filhos imortais do alado Pégaso, tão velozes como Bóreas e tão selvagens como Perséfone antes de Hades a ter possuído. Se esses cavalos beberem água do Escamandro e comerem erva troiana, Tróia nunca cairá. Uma promessa, diz o oráculo, de Poseidon, que, no entanto, parece que está do nosso lado.

— Eu sei que Poseidon está do nosso lado, mas, diga-me, os cavalos já beberam água do Escamandro e já comeram erva troiana?

— A erva, já comeram, mas a água do Escamandro ainda não tocaram.

— Não sou eu quem os vai censurar! — repliquei, divertido. — Eu também não beberia daquela água!

— Príamo ordenou que lhe trouxessem um ou dois baldes de água do Escamandro, mas de um local mais próximo da nascente... completou Sínon, tão divertido quanto eu. — O rei de Tróia decidiu promover uma cerimônia pública. Os cavalos vão beber dos baldes amanhã ao alvorecer. Até lá, coitados, vão passar uma sede horrível!

— Muito interessante... — Levantei-me, esticando braços e pernas. — Tenho de ver essas fabulosas criaturas com meus próprios olhos. Creio que, se tivesse um trio de cavalos brancos, poderia dar a minha imagem um pouco mais de... como dizer?... elegância.

— Sim, de fato, um pouco mais de elegância não lhe ficaria nada mal — zombou Sínon.

— Um pouco? — instigou Tersites.

— Muito grato por suas apreciações, meus senhores! Digam-me: onde posso encontrar esse trio imortal?

— Isso não conseguimos saber — respondeu Tersites, franzindo as sobrancelhas. — Só sabemos que estão na planície, com o resto do exército troiano.

Diomedes, Agamêmnon e Menelau estavam à minha espera nas proximidades de minha casa; aproximei-me descontraidamente deles, como se estivesse voltando de um passeio. Sorri para Diomedes, um sorriso cujo significado ele conhecia bem e que o encheu de entusiasmo.

— Aquiles está calmo — informei Agamêmnon.

— Os Deuses sejam louvados! Assim já posso ir deitar-me.

Logo que Menelau e Agamêmnon partiram, entrei em minha casa com Diomedes e chamei um criado.

— Traga-me um traje de couro leve e dois punhais — ordenei.

— Suponho que o melhor que tenho a fazer é ir equipar-me também — suspirou Diomedes.

— Nos encontramos na ponte do Simoente.

— E quando dormiremos?

— Mais tarde, mais tarde!

Envergando um couro macio e escuro, e com dois punhais no cinto, Diomedes encontrou-me na ponte do Simoente que, protegidos pelas sombras, atravessamos silenciosamente; cruzamos em seguida os fossos e a paliçada.

— Qual é o nosso objetivo? — murmurou ele.

— Gostaria de ter um trio de cavalos brancos imortais...

— Um trio desses vai melhorar muito sua imagem...

Lancei-lhe um olhar desconfiado.

— Não me diga que esteve falando com Sínon e Tersites!

— Não, não estive — respondeu ele com o ar mais inocente deste mundo. — Onde estão os cavalos?

— Não tenho idéia. Em algum ponto desta escuridão.

— É como procurar uma pulga na pele de um urso.

Apertei-lhe o braço.

— Cale-se! Vem alguém.

Mentalmente, saudei minha protetora; minha querida Palas Atenéia, a Dama Coruja, trazia-me sempre sorte. Escondemo-nos no fosso junto à ponte e esperamos.

Saído da escuridão da noite, um homem avançou rapidamente em direção à ponte. Ouvia-se sua armadura tilintar: para andar de armadura naquelas circunstâncias, só poderia ser um espião amador. E nem sequer se lembrou de se furtar ao luar; extraordinário! Os raios da lua banharam-no por um longo momento, revelando um homem baixinho e gordo, envergando uma armadura que lhe devia ter custado bom dinheiro. Coroando o elmo, lá estava a pluma púrpura de Tróia. Deixamos aproximar-se de nós e só depois saltamos sobre ele. Tapei-lhe a boca, sufocando-lhe o grito; Diomedes prendeu-lhe os braços atrás das costas; depois, o jogamos violentamente ao chão. O homem fitou-nos com olhos que, de tão esbugalhados, quase lhe saíam das órbitas. Não, aquele ser trêmulo não era um dos espiões de Palamedes. Talvez trabalhasse por conta própria.

— Quem é você? — rosnei-lhe num murmúrio feroz.

— Dôlon — conseguiu responder.

— O que faz aqui, Dôlon?

— O príncipe Heitor pediu voluntários que fossem ao acampamento grego, porque queria saber se Agamêmnon pretende sair amanhã.

Estúpido Heitor! Por que não deixava a espionagem nas mãos de profissionais como Palamedes?

— Um homem chegou esta noite. Reso. Onde fica o acampamento dele? — perguntei, afagando a lâmina de meu punhal.

O homem engoliu em seco, e sua tremedeira aumentou.

— Não sei, não sei! — balbuciou o desgraçado.

Diomedes aproximou-se dele e, calmamente, cortou-lhe uma orelha. Depois, mostrou-lhe o apêndice que acabara de perder, enquanto eu lhe tapava a boca para ele não gritar. Só lhe tirei a mordaça de minha mão quando ele percebeu que tinha mesmo que falar.

— Fale, serpente! — ordenei.

O homem falou, e, quando acabou, partimos-lhe o pescoço.

— Veja essas jóias, Ulisses! — exclamou meu amigo.

— Um homem muito rico... Talvez fosse daqueles que se dedicam a roubar os mortos depois da batalha. Enfim, um homem que não era digno das atenções de Heitor. Tire todas as bugigangas e esconda-as. Quando voltarmos, leve-as para seu baú. Será a sua parte dos despojos desta noite, pois eu quero ficar com os cavalos.

Diomedes pôs-se a apreciar uma enorme esmeralda.

— Não posso me queixar, Ulisses... Só com essa esmeralda, poderei comprar cem cabeças de gado para povoar a planície de Argos.

Encontramos o acampamento de Reso exatamente onde Dôlon indicara. Numa elevação próxima, paramos para combinar a nossa estratégia.

— Que idiota! — murmurou Diomedes. — Por que está tão isolado?

— Deve sentir-se superior aos outros... Quantos você vê?

— Uma dúzia. Mas não sei dizer quem é Reso.

— Sim, também contei uma dúzia. Primeiro matamos os homens, depois levamos os cavalos. Sem barulho.

Com os punhais entre os dentes, deslizamos silenciosamente, Diomedes na direção da fogueira; eu, na direção oposta. Em operações desse tipo, a prática é muito útil; a escassa corte de Reso morreu enquanto dormia, e os cavalos, vagas formas brancas no negrume da noite, não chegaram a assustar-se.

Foi fácil descobrir quem era Reso. Também ele era um colecionador de jóias. Era o que estava mais perto da fogueira; as jóias cintilando ao sabor das chamas.

— Olhe esta pérola! — sussurrou Diomedes, erguendo-a à luz da lua.

— Mais mil cabeças de gado — sussurrei ainda mais baixo do que ele, pois havia sempre o perigo de alguém aparecer inesperadamente.

Os cavalos tinham sido amordaçados, em caso de romperem as cordas e correrem para o Simoente, a fim de matar a sede. Melhor para nós; assim não haveria relinchos. Enquanto eu procurava os cabrestos e saudava meu novo trio de cavalos, Diomedes procedeu à colheita de tudo que valesse a pena levar para o nosso acampamento; depois, colocou a carga no dorso de uma mula. E foi assim que regressamos à ponte do Simoente, onde meu amigo de Argos juntou a seus tesouros as jóias de Dôlon.

Agamêmnon não ficou nada satisfeito por eu o ter acordado. Mas gargalhou quando lhe contei a história de Reso e seus cavalos.

— Compreendo que queira ficar com os filhos do alado Pégaso, Ulisses, mas... e Diomedes? Com o que ele fica?

— Estou satisfeito com o que tenho — respondeu o astuto Diomedes, com muita nobreza.

Sim, aquela era a resposta certa. De fato, por que haveria Diomedes de dizer a Agamêmnon — que tinha um baú de guerra para encher — que acumulara uma fortuna formidável em apenas uma noite?

A história dos cavalos de Reso já era o tema de todas as conversas quando, ao alvorecer, nossos homens tomaram o desjejum; ficaram deliciados com a novidade e saudaram-me entusiasticamente quando passei com meu novo trio de cavalos em direção à ponte do Simoente, à frente mesmo de Agamêmnon, que queria que Tróia visse.

Tróia viu e não gostou.

A batalha foi sangrenta, crudelíssima. Agamêmnon aproveitou uma oportunidade única e cavou uma profunda brecha na linha troiana, obrigando-os à retirada. Nossos homens ficaram entusiasmados com a perspectiva de liquidá-los e forçaram-nos a recuar até perto das muralhas de Tróia. Aí, porém, os troianos, em muito maior número do que nós, voltaram a juntar-se e a organizar-se, e nossa sorte mudou por completo. De súbito, os reis começaram a ceder.

O primeiro foi Agamêmnon, que nesse dia estava cheio de energia e de ânimo. Quando seguia ao longo da linha, abateu com uma lança um homem que tentou detê-lo, mas não viu o que vinha atrás e que cravou a lança farpada na coxa do rei dos reis. A ferida sangrava copiosamente, e nosso rei supremo viu-se forçado a deixar o campo de batalha.

Depois, foi a vez de Diomedes. Conseguiu atingir o elmo de Heitor com um dardo, deixando-o atordoado por um momento. Radiante, Diomedes avançou para desferir o golpe fatal enquanto eu me concentrava nos cavalos e no condutor de Heitor, procurando imobilizar o carro. Nenhum de nós viu a figura que se ocultava por trás do carro até que ela se ergueu com o arco preparado para disparar, os dentes brancos cintilando num sorriso quando lançou a flecha, que quase se cravava no chão. Mas não era o chão seu alvo e, sim, o pé de meu amigo de Argos. Preso ao chão pela flecha, Diomedes amaldiçoou o arqueiro e prometeu vingar-se dele. Páris, pois não era outro o arqueiro, escapou imediatamente. Não havia dúvida: Tróia também tinha um Teucro.

— Abaixe-se e arranque-a! — gritei para Diomedes, correndo para protegê-lo com alguns de meus soldados de Ítaca.

Diomedes seguiu minha orientação, enquanto eu brandia um machado que tirara de um morto. Não era minha arma preferida, muito pesada e difícil de manejar; porém, para rechaçar uma roda de inimigos, não havia melhor. Decidido a permitir que Diomedes recuasse em segurança, empunhei ferozmente a medonha arma até que meu amigo conseguiu afastar-se, capengando e cheio de dores, incapacitado para o campo de batalha.

Nesse exato momento, também fui atingido. Alguém arremessou uma lança e com tal pontaria, que a maldita arma se cravou na barriga de minha perna, um pouco abaixo dos tendões do jarrete. Meus soldados rodearam-me até eu conseguir arrancá-la, mas a ponta da lança era farpada e trouxe junto um grande pedaço de carne. Sangrando abundantemente, tive de perder um tempo precioso para estancar a ferida com ligaduras que fiz com a roupa de um morto.

Menelau e seus espartanos chegaram, entretanto, para nos ajudar; a muito custo, consegui juntar-me a eles. Ajax apareceu também e, com Menelau, deu-me cobertura para que eu pudesse esconder-me atrás do carro de Menelau. Um guerreiro glorioso, Ajax! Com o sangue fervendo, ceifava tudo à sua volta, exibindo uma energia que eu nunca poderia ter. E foi assim que conseguiu que os troianos recuassem. Um de seus chefes, contudo, reagiu, fazendo avançar mais e mais homens e bloqueando assim o recuo. Por muitos inimigos que nossos valorosos soldados e o poderoso Ajax conseguissem derrubar, havia sempre soldados troianos prontos para substituir os companheiros mortos, saltando para a batalha tal como os soldados dos dentes do dragão.

Agradecendo aos Deuses que Heitor tivesse desaparecido, pedi que se procedesse a uma concentração de nossas forças naquela área. Eurípilo era o chefe que estava mais perto e não demorou, avançando por um dos lados, exatamente a tempo de ser flechado por Páris num dos ombros. Macáon veio em seguida e teve a mesma sorte. Páris. Ah, o verme! Não desperdiçava flechas com soldados; escondia-se num lugar seguro e confortável e esperava que aparecesse um príncipe. Nisso divergia de Teucro, que disparava contra qualquer alvo.

Por fim, não sei bem como, consegui chegar à retaguarda, onde encontrei Podalírio tratando de Agamêmnon e Diomedes, que aguardavam, desconsolados, a evolução da luta, tão próximos da batalha quanto sua ousadia permitia. Foi com horror que me viram chegar, logo seguido de Macáon e Eurípilo.

— Mas *por que você* combate, meu irmão? — perguntou Podalírio, furioso, enquanto deitava Macáon no chão.

— Cuide primeiro de Ulisses — ordenou o ofegante Macáon, cuja ferida sangrava lentamente.

E foi assim que minha ferida foi tratada e ligada em primeiro lugar; Podalírio cuidou depois de Eurípilo, preferindo cravar um pouco mais a flecha no ombro antes de tirá-la, pois temia que os danos fossem maiores se a arrancasse com força equivalente àquela com que a flecha penetrara.

— Onde está Teucro? — perguntei, afundando-me ao lado de Diomedes.

— Ordenei-lhe que abandonasse o campo de batalha — informou Macáon, ainda à espera de sua vez. — Por causa do golpe de Heitor, o ombro de Teucro inchou de tal maneira, que, agora, mais parece a rocha com que Heitor o atingiu. Tive de drenar uma parte do fluido que se concentrou no inchaço. Tinha o braço completamente paralisado, mas agora já consegue mexê-lo.

— Nossas hostes estão minguando — observei.

— Muito — suspirou Agamêmnon, pesaroso. — Os soldados também já se deram conta disso. Não percebeu a mudança?

— Sim, percebi — retruquei, levantando-me e testando a perna. — Sugiro que regressemos ao acampamento antes que o pânico tome conta dos homens. Os soldados não tardarão a recuar para a praia, mesmo que não haja ordens nesse sentido.

Apesar de ter sido eu o responsável pela retirada, nem por isso deixei de considerá-la um rude golpe. Eram muito poucos os reis que restavam para controlar as tropas; dos principais chefes, só Ajax, Menelau e Idomeneu permaneciam no campo de batalha. Uma parte de nossa linha rompeu-se; a brecha alargou com velocidade surpreendente. De repente, todo o exército virou as costas e fugiu para a segurança do acampamento. Eram tão estridentes os gritos de Heitor, que eu conseguia ouvi-los do alto de nossas muralhas; pouco tempo depois, os troianos mais pareciam cães esfomeados perseguindo uma presa. Nossos homens estavam ainda entrando no acampamento pela ponte do Simoente, com os troianos na retaguarda, quando Agamêmnon, pálido de terror, deu suas ordens. A porta foi fechada antes que o último — e o mais corajoso — dos homens conseguisse entrar. Tapei os ouvidos e fechei os olhos. A culpa é sua, Ulisses! Tudo por culpa sua!

Era cedo demais para que uma batalha terminasse. Heitor tentaria assaltar nossas muralhas. Perambulando pelo acampamento, nossas tropas demoraram algum tempo para juntar-se e entender que, agora, sua tarefa consistiria em defender as fortificações. Os escravos começaram a aquecer caldeirões de água para derramar sobre as cabeças daqueles que tentassem escalar as muralhas; não nos atrevíamos a usar azeite fervente, temendo que as muralhas acabassem ardendo. As pedras já se encontravam empilhadas ao longo das muralhas há vários anos, pois sabíamos prever as emergências.

Os troianos, frustrados, concentraram-se ao longo da trincheira, os chefes rodando, impacientes, em seus carros, exortando os homens a formar de novo. Heitor permanecia em seu carro dourado, com seu velho condutor, Quebríones, controlando agora as rédeas. Apesar do renhido conflito, parecia tão ereto e confiante como sempre. Pois que parecesse. Pousei o queixo sobre as mãos enquanto nossos homens começavam a preencher os espaços à minha volta no topo das muralhas e preparei-me para ver o que Heitor iria fazer para lançar seu assalto. Porque só havia uma alternativa: ou estava disposto a sacrificar muitos de seus soldados, ou tinha de definir um plano muito mais perspicaz do que o recurso à simples força bruta.

CAPÍTULO VISÉGIMO SEXTO

NARRADO POR HEITOR

Encurralei-os dentro de suas próprias muralhas como se fossem ovelhas; a vitória, apertava-a já na palma de minha mão e não me fugiria! Eu, que vivera toda a minha vida dentro de muralhas, sabia, muito melhor do que qualquer outro homem, como lançar um assalto efetivo a fortificações de qualquer tipo. Em todo o mundo conhecido, só as muralhas de Tróia eram realmente invulneráveis. Aquele era meu grande momento. Sentia já a glória de uma vitória sobre Agamêmnon e jurava que, acontecesse o que acontecesse, faria com que esse rei arrogante conhecesse o desespero que nós experimentávamos desde o dia em que seus mil navios haviam saído de Tênedo. Uma fileira de cabeças erguia-se já na patética muralha, enquanto eu inspecionava as tropas do alto de meu carro, com Polidamas a meu lado. Quebríones fora buscar água para os cavalos.

— O que acha? — perguntei a Polidamas.

— Bem, é claro que não estamos diante de nenhuma Tróia... No entanto, essas muralhas apresentam alguns perigos. As duas passagens, tão longe de uma outra, foram uma medida inteligente. A trincheira e a paliçada também foram obra de peritos. Já percebeu o erro deles?

— Sim. O espaço entre a muralha e a trincheira é muito amplo — respondi. — Usaremos as passagens, mas não para atacar as portas; só para atravessar a paliçada e a trincheira. Depois, nossos homens avançarão ao longo da trincheira, a fim de atacar a própria muralha. Esta é uma região em que a extração de pedra é muito difícil; por isso recorreram à madeira, exceto quanto às torres de vigia e aos contrafortes.

Palamedes concordou.

— Sim, eu faria exatamente o mesmo, Heitor. Mando homens a Tróia para trazerem combustíveis?

— Imediatamente; tudo o que possa queimar, mesmo a gordura comum usada para cozinhar. Enquanto você trata disso, convocarei uma reunião de meus chefes.

Quando Páris — o último a chegar, como sempre — apareceu, anunciei ao grupo o que pretendia fazer.

— Dois terços do exército penetrarão pela passagem do Simoente; um terço, pela passagem do Escamandro. Vou dividir as tropas em cinco segmentos. Eu comandarei o primeiro, com Polidamas. Páris ficará com o segundo. Heleno comandará o terceiro, com Deífobo. Nossos três segmentos se dirigirão para o Simoente. Enéias ficará com a quarta divisão e rumará para o Escamandro, para onde seguirão também Sarpedon e Glauco.

Heleno estava radiante porque eu lhe dera o comando de um dos segmentos, preterindo Deífobo, que não conseguia decidir se estava mais furioso com essa desconsideração ou com o fato de Páris comandar sua própria divisão. Enéias também não ficou muito feliz por eu o ter associado a Sarpedon e Glauco: para ele, era como se o estivesse considerando estrangeiro.

— Quando os homens chegarem às extremidades internas das passagens, mudarão de rumo, a fim de caminhar na direção uns dos outros; os que chegarem ao Simoente seguirão na direção do Escamandro e vice-versa, até que seja preenchido todo o espaço ao longo da muralha, entre ela e a trincheira. Enquanto isso, os não-combatentes desmantelarão a paliçada e usarão as estacas para fazer escadas e achas para o fogo, que será nosso melhor instrumento e fará com que a muralha grega se desmorone. Por isso, nossa primeira tarefa consistirá em atear fogo à muralha, de tal modo que os defensores não consigam apagá-lo.

Entre os chefes, encontrava-se meu primo Ásio, uma criatura insuportável, que invariavelmente questionava minhas ordens.

— Heitor — chamou-me bem alto para que todos ouvissem —, não vai usar a cavalaria?

— Claro que não — respondi, sem hesitação. — De que nos serviria a cavalaria? A última coisa de que precisamos é de cavalos e de carros enfiados num espaço fechado.

— E não atacaremos as portas?

— Ásio, os gregos defenderão as portas com facilidade.

— Muito bem... — Ásio bufou, com desdém. — Vou mostrar-lhe como é que se faz!

Antes que eu o pudesse impedir, Ásio lançou-se numa corrida incontrolável, gritando para que os homens de seu esquadrão o seguissem nos carros, em direção à passagem do Simoente. Embora fosse uma passagem ampla, a verdade é que um trio de cavalos também ocupa muito espaço; os cavalos das pontas entraram em pânico mal viram as estacas pontiagudas que se projetavam do fosso de cada lado da passagem; ao fim de pouco tempo, esse pânico contaminou também o cavalo do meio. Num abrir e fechar de olhos, os três empinaram-se e pararam, lançando o caos entre os cocheiros que vinham imediatamente atrás. Enquanto o condutor de Ásio fazia um esforço descomunal para controlar os cavalos, as portas no final da passagem abriram-se um pouco. Pela bandeira, concluí que eram lápitas; estremeci de medo. Ásio era um homem morto. Um dos dois chefes dos lápitas arremessou sua lança, que trespassou o peito do irresponsável fanfarrão. Sob o impacto da lança, Ásio deu um salto enorme em seu carro e foi esparramar-se sobre as estacas do fosso. O condutor do carro foi a vítima seguinte; os lápitas, escondidos atrás do carro, atacaram os que vinham atrás de Ásio. Não havia nada que eu pudesse fazer. Terminada a carnificina, os lápitas recuaram em boa ordem, e as portas do Simoente foram fechadas.

Agora, antes de fazer avançarem meus homens, teria de limpar a passagem do Simoente de todos aqueles cadáveres. Porém, Enéias, Sarpedon e Glauco demorariam ainda algum tempo para chegar à passagem do Escamandro que, concluí com satisfação, não disporia de defensores. De fato, Aquiles era o homem que estava mais próximo das portas do Escamandro e ele se recusara a cumprir seu dever perante Agamêmnon. Para ele, uma mulher tola era mais importante do que seus concidadãos!

Os homens avançaram em passo de corrida e viraram para dentro ao longo da base da muralha, saudados por uma tempestade de lanças, flechas e pedras. Com os escudos acima da cabeça, pouco sofreram, enquanto se encaminhavam firmemente à passagem do Escamandro, onde as tropas estrangeiras começavam também a entrar. Os não-combatentes já desmantelavam a paliçada de madeira, fazendo escadas com as estacas mais compridas e cortando as demais, que aproveitariam para alimentar a fogueira. Azeite, pez e gordura de cozinha começavam a chegar de Tróia quando tive a idéia de ordenar a meus homens que construíssem estruturas sobre as quais pudessem colocar seus escudos, servindo-lhes estes de telhado.

As fogueiras não tardaram a ser acesas; vi a fumaça começando a subir na direção dos rostos subitamente assustados ao longo do topo da muralha, de onde desciam cascatas de água; algumas coberturas, contudo, tinham sido adaptadas de forma a proteger as fogueiras, impedindo que se extinguissem; por outro lado, o azeite, misturado à água, provocava uma fumaceira horrenda, o que era, para nós, grande vantagem.

Tentamos escalar a muralha com as escadas, mas os gregos eram muito astutos para permitir que isso acontecesse. Ajax não parava ao longo da seção central, onde eu estava, bradando vigorosamente seu grito de guerra e derrubando escadas com o poderoso pé. Um desperdício, enfim. Ordenei a cessação do ataque.

— Só chegaremos lá com o fogo — orientei Sarpedon, cujas tropas já tinham encontrado as minhas.

As primeiras fogueiras — as de nossa divisão — depressa pegaram, com fúria! Arqueiros lícios mantinham as cabeças no parapeito baixo sob as coberturas, enquanto outros lícios e meus troianos alimentavam as labaredas.

— Deixe-me tentar o assalto às muralhas — pediu Sarpedon.

Escudadas pela fumaceira, as escadas foram encostadas à muralha e aí ficaram enquanto os arqueiros de Sarpedon disparavam uma chuva de flechas na direção dos defensores. Então, como que por magia, as plumas dos elmos lícios começaram a ondular no topo da muralha; logo se lhes deparou oposição. Ouvi um chefe grego pedir reforços, mas não esperava que viessem Ajax e seus salaminianos. Ao fim de breves momentos, a pequena vitória transformou-se em fragorosa derrota; corpos caíam a nossos pés, gritos de guerra lícios transformavam-se em urros de dor. E Teucro, atrás do escudo do irmão, disparava seus dardos não para a confusão de homens que se encontrava no alto das muralhas, mas para nós, que estávamos embaixo.

Depois de um gemido sufocado a meu lado, senti o peso de alguém que, ao cair, se agarrava desesperadamente a mim; ajudei Glauco a deitar-se na terra; tinha uma flecha espetada no ombro, apesar da armadura. A ferida era profunda. Olhei para Sarpedon e sacudi a cabeça; da boca de Glauco saía uma espuma rósea, sinal de morte iminente.

Sarpedon e Glauco eram como gêmeos: haviam governado juntos, e seu amor permanecia incólume há muitos, muitos anos. A morte de um deles significaria certamente a morte do outro.

Os gritos angustiados de Sarpedon só foram ouvidos por alguns momentos; depois, ele pegou uma manta que cobria um soldado ferido, envolveu com ela o rosto, os ombros e avançou sem medo sobre uma das fogueiras. Um pouco acima, havia uma corda presa num gancho, que os gregos não tinham notado, tal era sua ânsia de afastar os lícios do alto das muralhas. Sarpedon agarrou-se à corda e içou seu corpo com força que parecia sobre-humana, tamanha era a dor que lhe causava a morte de Glauco. A madeira chiou e rangeu, os toros enegrecidos começaram a abrir fendas e a rachar; de repente, uma enorme parte da muralha ruiu diante de nossos olhos. Os infelizes troianos que se encontravam abaixo dela morreram esmagados; os infelizes gregos que estavam em seu topo afundaram tão rapidamente quanto a muralha; num instante, toda a divisão central de minha linha ficou devassada. Pelo buraco assim aberto, pude ver os altos edifícios de pedra, os alojamentos de madeira dos soldados e, além das construções, as imensas filas de navios e o cinzento Helesponto. Então, Sarpedon tapou-me a vista; livrando-se da manta, pegou a espada, o escudo e penetrou o acampamento grego, anunciando, com uivos medonhos, a morte de seus inimigos.

Os gregos dispersaram antes de avançarmos; nossos homens eram como uma torrente incontrolável invadindo o território inimigo. Momentos depois, porém, os gregos voltaram a juntar-se e enfrentaram-nos. Ajax estava presente, e ele era uma peça decisiva na resistência; porém, naquele caos, nunca encontraríamos o espaço necessário para travar um duelo. Nenhuma das linhas de frente cedia um passo que fosse; Idomeneu e Meriones trouxeram seus soldados cretenses, e, nesse momento, meu irmão Alcátoo encontrou a morte. Afastei as lágrimas de meus olhos e amaldiçoei minha fraqueza, ainda que ela fosse feita mais de fúria do que de mágoa. Com tal fraqueza, combateria ainda melhor.

Rostos apareciam e desapareciam — Enéias, Idomeneu, Meriones, Menesteu, Ajax, Sarpedon. Havia agora muitos troianos entre os lícios e os dardanianos; olhei de relance para trás e verifiquei que a brecha na muralha aumentara muito. Só as plumas coı de púrpura impediam que matássemos nossos próprios homens, tão apinhado era o campo de batalha, tão violentamente disputado era o terreno. Homens morriam estúpida ou corajosamente; com freqüência escorregávamos em seixos que não eram seixos, mas sim cadáveres e, em algumas áreas, o amontoado de homens era tal, que os mortos mantinham-se de pé, as bocas escancaradas, o sangue jorrando fervilhante das feridas. Meus braços e peito estavam cobertos de sangue de outros homens, meu corpo inteiro escorria sangue.

Polidamas apareceu de repente a meu lado.

— Heitor, precisamos de você. Um grande número de nossos soldados já entrou no acampamento pela brecha, mas os gregos são fortes. Por favor, vá para o Simoente o mais depressa possível!

Precisei de algum tempo para sair sem semear o pânico entre os que ficavam; por fim, porém, consegui recuar até encontrar a muralha grega, junto à qual segui, animando constantemente os homens, lembrando-lhes que a vitória só seria nossa quando queimássemos os mil navios e impedíssemos o inimigo de regressar a sua pátria.

A meio de meu caminho, alguém me deu uma rasteira. Quase o decapitei e só não o fiz porque, antes de desferir o golpe fatal, verifiquei que o inimigo era afinal Páris, meu irmão, que rolava de rir!

— Por todos os Deuses! Não vê onde põe os pés? — perguntou-me.

Fitei-o, abismado.

— Páris, você não pára de me surpreender! Há homens morrendo por todo lado e você aqui escondido, seguro e confortável, com tempo até para se divertir, dando-me rasteiras!

Minha repreensão não lhe apagou o sorriso.

— Bem, se pensa que vou pedir perdão, está enganado! Se não fosse eu, você não estaria aqui agora. Quem mandou os chefes gregos para a enfermaria com suas flechas? Quem obrigou Diomedes a deixar o campo de batalha?

Icei-o por seus longos cachos negros, obrigando-o a ficar de pé.

— Então mande mais chefes para a enfermaria! — resmunguei. — Por que não tenta Ajax?

Lançando-me um olhar de puro ódio, Páris desapareceu num piscar de olhos, e logo descobri que a parte de nossa linha que estava com problemas era precisamente a que sofria o ataque de Ajax e de um grande contingente de salaminianos.

Toda a frente da batalha mudara de direção. Lutávamos agora por entre as casas, uma contenda difícil e perigosa; cada edifício abrigava gregos; cada edifício era uma emboscada. Porém, os que se encontravam no terreno estavam recuando em direção à praia e aos navios. Ajax ouviu meu grito de guerra e respondeu com o seu, já então, famoso. Abrimos caminho entre os corpos que se erguiam na constante luta e, por fim, ficamos um diante do outro. Minha lança estava pronta. Então, quando me preparava para lhe desferir o primeiro de meus golpes, Ajax abaixou-se subitamente e logo se ergueu com uma pedra enorme nas mãos, uma daquelas pedras que serviam de cunho para os navios reunidos na praia. Minha lança seria inútil. Desfiz-me dela e empunhei a espada, contando com minha velocidade, superior à dele, para atingi-lo primeiro. Ajax arremessou a rocha com toda sua descomunal força e à queima-roupa. Senti uma dor dilacerante, pois a pedra acertou-me em cheio o peito. Depois caí, inconsciente.

Das agitadas trevas da inconsciência, emergi para um mundo de terrível sofrimento; senti o gosto do sangue em minha boca e vomitei, abri os olhos e vi sangue enegrecido no chão à minha volta e perdi os sentidos outra vez. Quando de novo voltei a mim, a dor já não era tão forte; um de nossos cirurgiões estava ajoelhado a meu lado. Reuni todas as forças para me erguer, o que consegui com a ajuda do médico.

— Há uma forte contusão no nível das costelas e algumas veias rompidas, mas nada de mais sério, príncipe Heitor — disse-me ele.

— Hoje os Deuses estão conosco! — exclamei, arquejante, ainda apoiado nele.

Quanto mais me movia, menor era a dor; continuei, portanto, a mover-me. Alguns de meus homens tinham-me levado além da passagem do Simoente e onde me deitaram junto de meu carro. Quebríones fitava-me com um largo sorriso.

— Pensamos que estivesse morto, Heitor.

— Leve-me para o campo de batalha — ordenei, subindo para o carro.

Não ter de fazer a pé aquele caminho era uma bênção; porém, mal cheguei à retaguarda, tive de descer. Julgando que eu estivesse morto, meu exército começara a ceder; porém, logo que souberam que afinal eu estava vivo e que regressara à batalha, os homens ganharam novo ânimo e organizaram-se para resistir e avançar. Os gregos, ao verem meu rosto, devem ter sofrido um rude golpe. Dispersaram e fugiram pelos caminhos entre as casas até que um chefe que eu não conhecia conseguiu detê-los sob a proa de um navio que estava isolado dos demais, um navio que era certamente mais importante do que os outros, pois estava muito à frente da primeira fila de navios, uma fila aparentemente infinita. Dizimamos aqueles soldados gregos, que se recusavam a recuar mais; agora, apenas Ajax, Meriones e alguns cretenses permaneciam no campo de batalha para nos enfrentar.

A proa do navio isolado erguia-se acima de minha cabeça; concluí que o êxito já não me fugiria quando Ajax se postou diante de mim e ergueu sua espada — a espada que eu lhe oferecera. Investi, e ele aparou brilhantemente meu golpe; nosso duelo voltava a ser travado, mas, dessa vez não teríamos espectadores, pois, à nossa volta, todos combatiam com igual ferocidade.

— De quem é o navio? — perguntei, ofegante.

— Pertenceu a Protesilau! — respondeu ele, tão ofegante quanto eu.

— Vou incendiá-lo!

— Antes eu o incendeio, príncipe Heitor.

Mais gregos apareceram para defender o que, sem sombra de dúvida, era para eles um precioso talismã; essa onda de homens acabou por me separar de Ajax. Alguns de meus soldados da guarda real estavam agora comigo, e os gregos que combatiam contra nós não tinham a qualidade dos salaminianos. Continuamos a avançar, derrubando inimigos atrás de inimigos. Voltei a ver Ajax, mas, dessa vez, o grande guerreiro nada fez para que recuássemos. Com uma série de poderosos movimentos, conseguiu subir ao convés do navio de Protesilau, tão rápido e tão ágil quanto um acrobata. Pegou então uma vara comprida e a fez girar em círculos lentos, derrubando todos os meus homens mal eles chegavam à coberta.

Quando o último grego a enfrentar-me morreu sob meus golpes, empoleirei-me nos ombros de um soldado e escalei a proa do navio de Protesilau. Dali à coberta era um único salto. Diante de mim, Ajax continuava a desafiar-me, ainda invencível.

Examinamo-nos atentamente, cada um de nós sentindo nesse momento toda a exaustão que a tremenda batalha nos provocara. Abanando lentamente sua enorme cabeça, como que para se convencer de que eu não existia, Ajax fez rodopiar sua vara. Ergui a espada e enfrentei sua arma improvisada com tal êxito, que depressa a quebrei ao meio. A súbita perda de equilíbrio quase derrubou Ajax, que, contudo, logo se recompôs, imediatamente procurando a espada. Avancei rapidamente, certo de que ele estava liquidado, mas, uma vez mais, Ajax provou-me que era um grande guerreiro. Em vez de me enfrentar, correu para a popa e, com toda a força que tinha nos músculos das pernas, saltou do navio de Protesilau para aquele que estava imediatamente atrás, no meio da primeira fila de embarcações.

Abandonei o duelo. Havia uma parte de mim que amava aquele homem e estava certo de que ele também me amava. Amigos ou inimigos, haveria sempre entre nós uma profunda afeição. Eu sabia que os Deuses não queriam que nos matássemos um ao outro; tínhamos trocado presentes no final de um terrível duelo.

Encostei-me à amurada e olhei para baixo: um mar de plumas cor de púrpura, um mar de troianos.

— Dêem-me um archote!

Um homem jogou imediatamente um archote. Apanhei-o, avancei para o mastro em meio à enxárcia e deixei que o fogo lambesse, sôfrego, aquelas cordas gastas, aquela madeira seca e rachada. Ajax observava-me do outro navio, os braços pendendo-lhe flácidos e impotentes junto ao corpo, as lágrimas deslizando pelas faces. O braseiro não demorou; um lençol de fogo subiu o mastro até os vaus reais, e a coberta começou a chorar lágrimas de fumaça devido a outros archotes que os homens enfiavam pelas aberturas destinadas aos remos. Corri de novo para a proa, ergui-me sobre ela.

— A vitória é nossa! — gritei. — Os navios estão queimando!

Os homens repetiram meu grito, avançando de novo para enfrentar os gregos concentrados junto aos navios que descansavam na praia, atrás do solitário talismã de Protesilau.

CAPÍTULO VIGÉSIMO SÉTIMO

NARRADO POR AQUILES

Passei a maior parte do tempo no telhado da caserna mais alta dos mirmídones, observando das alturas a planície além de nossas muralhas. Quando o exército dispersou e fugiu, eu vi; quando Sarpedon abriu a brecha na muralha, eu vi; quando os homens de Heitor se espalharam pelos caminhos de nosso acampamento, eu vi. E não quis ver mais nada. Ouvir Ulisses esboçando seu plano era uma coisa. Ver seu plano tornar-se realidade era insuportável. Regressei profundamente triste a minha casa.

Pátroclo estava sentado num banco junto à porta, o rosto lavado em lágrimas. Mal me viu, virou-me as costas.

— Vá procurar Nestor — ordenei-lhe. — Vi-o há pouco. Estava com Macáon. Pergunte-lhe que notícias há de Agamêmnon.

Um pedido sem sentido. As notícias, eu já sabia. Pelo menos, porém, não teria de olhar para Pátroclo nem de ouvi-lo rogando-me uma vez mais que mudasse de idéia. O clamor do conflito que grassava além da paliçada que encerrava meus soldados estava ainda distante; a parte do acampamento junto ao Simoente era a mais assediada. Sentei-me no banco e aguardei a volta de Pátroclo.

— O que disse Nestor?

Em seu rosto só havia desprezo.

— Nossa causa está perdida. Ao fim de dez longos anos de trabalho e sofrimento, nossa causa está perdida! E a culpa é toda sua! Eurípilo estava com Nestor e Macáon. Tivemos um total de baixas impressionante, e Heitor investe furiosamente. Nem Ajax consegue deter seu avanço. Os navios acabarão em chamas.

Respirou fundo, mas logo prosseguiu.

— Se você não tivesse hostilizado Agamêmnon, nada disso teria acontecido! Você sacrificou a Grécia por causa de sua paixão por uma mulher insignificante!

— Por que não acredita em mim, Pátroclo? — perguntei-lhe. — Por que está contra mim? Por ciúme? Por causa de Briseís?

— Não, Aquiles. Apenas porque estou profundamente desiludido. Você não é o homem que eu pensava que fosse. Não é uma questão de amor. É uma questão de orgulho.

Não lhe disse o que pensava dizer-lhe porque, naquele momento, ouvi um grito intenso. Corremos para nossa paliçada e subimos os degraus para ver o que ocorria. Meu tormento acabara. Agora, eu já poderia combater! Mas como explicar a Pátroclo que ele e não eu deveria conduzir os homens da Tessália?

Mal descemos as escadas, Pátroclo ajoelhou na poeira do caminho.

— Aquiles, os navios vão queimar! Se está realmente decidido a não combater, deixe-me sair e conduzir nossas tropas! Você sabe que eles odeiam estar aqui parados enquanto a Grécia morre! É o trono de Micenas que você quer? É isso? Quer regressar a uma Grécia que, não dispondo de soldados, não estará em condições de resistir a suas tropas?

Meu rosto retesou-se de raiva perante tais suspeitas. No entanto, consegui responder-lhe normalmente.

— Não nutro qualquer ambição nesse sentido, Pátroclo. O trono de Agamêmnon não me interessa.

— Então, deixe-me chefiar nossos homens! Deixe-me levá-los para a praia, antes que Heitor incendeie todos os navios!

Aceitei com um ar formal.

— Muito bem. Eu o autorizo a comandar os homens. Compreendo seu ponto de vista, Pátroclo. O comando é seu.

Mal acabei de dizer isso, dei-me conta de que o plano poderia ainda ser melhorado. Ergui por isso Pátroclo e disse-lhe:

— Mas imponho uma condição. Envergará minha armadura, levando, assim, os troianos a pensarem que é Aquiles quem está combatendo.

— Envergue-a você e venha conosco!

— Não, Pátroclo, eu não posso fazer isso — retruquei.

Conduzi-o imediatamente à armaria e vesti-lhe a armadura de ouro que pertencera a Minos e que meu pai me dera. Era grande para ele, mas fiz tudo o que pude para que ela lhe assentasse bem, sobrepondo as chapas da frente e de trás da couraça, acolchoando o elmo. As grevas chegavam-lhe às coxas, o que não era mau; com efeito, desse modo, o protegeriam mais do que suas próprias grevas. Desde que não se aproximassem muito dele, confundiriam-no com Aquiles. Consideraria Ulisses que minha decisão equivalia a uma quebra do juramento? E Agamêmnon? Bem, tanto pior se fosse essa a opinião deles. Eu faria tudo o que estivesse a meu alcance para proteger de todo mal meu maior amigo e amante.

As trombetas soaram; os mirmídones e os outros soldados da Tessália formaram ao fim de pouco tempo; era óbvio que há muito estavam prontos para se envolver na tremenda batalha. Acompanhei Pátroclo à área em que as tropas se reuniriam, enquanto Automedonte atrelava meus cavalos; embora o carro pouco servisse naquele campo de batalha tão apinhado, era necessário que todos vissem Aquiles. Todos diriam que aquele era Aquiles e não Pátroclo.

Mas... como era possível? Os homens saudavam-me com gritos ensurdecedores, olhavam para mim com o mesmo amor que sempre me haviam dedicado. Como era isso possível, se até mesmo Pátroclo se virara contra mim? Protegi os olhos e observei o sol: pouco faltava para que se despedisse. Ótimo. O logro, assim, pouco tempo duraria. Pátroclo não correria perigo.

Automedonte estava pronto. Pátroclo subiu ao carro.

— Meu querido primo — orientei-o, a mão em seu braço —, limite-se a expulsar Heitor do acampamento. Faça o que fizer, não se atreva a persegui-lo na planície! Entendido?

— Perfeitamente — respondeu ele, sacudindo os ombros para me afastar.

Automedonte fez avançar meu carro na direção da porta entre nossa paliçada e o resto do acampamento, enquanto eu subia ao telhado da caserna para assistir.

A batalha grassava agora diante da primeira fila de navios. Heitor parecia invencível. Uma situação que se alterou no instante em que quinze mil novos soldados avançaram sobre os troianos, vindos do Escamandro, conduzidos por uma figura que envergava uma armadura de ouro e que vinha num carro revestido a ouro puxado por três cavalos brancos.

— Aquiles! Aquiles!

Ouvi ambos os lados gritando meu nome, experimentando uma sensação tão estranha quanto desconfortável. Mas foi o suficiente. No momento em que os soldados troianos viram a figura que vinha no carro e ouviram meu nome, converteram-se de vitoriosos em derrotados. Fugiram. Os mirmídones estavam sequiosos de sangue e lançavam-se com fúria sobre os soldados que se deixavam ficar para trás, abatendo-os sem piedade, enquanto "eu" gritava meu grito de guerra e incitava-os a prosseguir.

O exército de Heitor escapava, tanto quanto podia, pela passagem do Simoente. Nunca mais!, jurei, nunca mais um pé troiano pisaria nosso acampamento! Nem mesmo o mais astuto dos ardis fabricado pela mente de Ulisses conseguiria convencer-me do contrário. Dei-me conta de que chorava. E sabia por quem chorava — por mim, por Pátroclo, por todos os soldados gregos que tinham morrido. Ulisses conseguira levar Heitor a abandonar as muralhas de Tróia, mas o preço era medonho. A única coisa que podia fazer era rezar para que Heitor tivesse perdido pelo menos tantos homens quanto nós.

Ah, terrível visão! Pátroclo agora perseguia os troianos ao longo da planície! Meu coração quase sufocou no peito quando compreendi seu objetivo! No interior do acampamento, o caos era tamanho que ninguém poderia aproximar-se dele o suficiente e constatar que aquele não era afinal Aquiles! Na planície, porém... tudo era possível! Heitor voltaria a reunir suas forças e Enéias estava presente. Enéias conhecia-me; conhecia meu rosto e não minha armadura.

De súbito, pareceu-me preferível ignorar tudo o que se passava. Deixei o telhado e fui sentar-me no banco à porta de minha casa, esperando que viesse alguém. O sol estava prestes a se pôr, e as hostilidades logo cessariam. Sim, meu amigo nada sofreria! Sobreviveria. Tinha de sobreviver!

Ouvi passos; o filho mais novo de Nestor, Antíloco, aproximava-se chorando e contorcendo as mãos. Haveria sinal mais evidente? Tentei falar com ele, mas minha língua parecia colada ao céu da boca; foi grande o esforço de que precisei para lhe fazer a tão temida pergunta.

— Pátroclo? Pátroclo morreu?

Antíloco soluçava.

— Aquiles, seu pobre corpo nu jaz na planície, e as hostes troianas querem levá-lo — Heitor vestiu sua armadura e com ela se exibe para nós! Os mirmídones estão inconsoláveis, mas não deixam que Heitor se aproxime do corpo, embora ele tivesse jurado que Pátroclo serviria de pasto aos cães esfomeados de Tróia!

Ao levantar-me, meus joelhos cederam; caí, contorcendo-me na poeira em que Pátroclo se ajoelhara. Irreal, só poderia ser irreal!

E, no entanto, tudo era real; e bem real. Eu deveria ter esperado que aquilo acontecesse. Por um momento, senti o poder de minha mãe dentro de mim e ouvi bem nítido o marulho do mar. Gritei o nome de Tétis, liberando todo o ódio que lhe tinha.

Antíloco abraçou-me e deu-me seu colo para repousar minha cabeça. Suas lágrimas quentes caíam em meu braço, seus dedos afagavam-me a nuca.

— Ele não conseguiu compreender — murmurei. — Recusava-se a entender. Nunca me ocorreu isso... Como foi possível que ele, exatamente ele, pensasse que eu abandonaria meu povo? Obrigaram-me a jurar que não revelaria o segredo a ninguém. Ele morreu julgando-me mais orgulhoso do que Zeus. Ele morreu cheio de desprezo por mim. E agora... agora não lhe poderei explicar nada! Ulisses, Ulisses!

Antíloco já não chorava.

— O que Ulisses tem a ver com isso, Aquiles?

Lembrei-me então do juramento, sacudi a cabeça e levantei-me. Juntos, encaminhamo-nos para a porta da paliçada.

— Pensou que eu fosse me matar? — perguntei-lhe.

— Só por um breve momento.

— Quem matou Pátroclo? Heitor?

— Heitor ficou com a armadura de Pátroclo, mas há dúvidas quanto ao homem que realmente matou seu amigo. Quando os troianos se viraram para nos enfrentar, Pátroclo desceu de seu carro. E, então, tropeçou.

— Foi a armadura que o matou. Era muito grande para ele.

— Nunca saberemos, Aquiles. Pátroclo foi atacado por três homens. Foi Heitor quem lhe deu o último golpe, mas é possível que ele já estivesse morto. Mesmo assim, ainda conseguiu fazer algumas vítimas entre os aliados troianos. Matou Sarpedon. Quando apareceu para ajudar os troianos, Enéias reconheceu Pátroclo. Os troianos ficaram furiosos com o embuste e reuniram de novo seu exército. Então, Pátroclo matou Quebríones, o condutor de Heitor. Pouco depois, desceu do carro e tropeçou. Antes que conseguisse levantar-se, atiraram-se a ele como chacais — Pátroclo não tinha nenhuma possibilidade de se defender. Heitor despiu-lhe a armadura, mas os mirmídones impediram-no de levar o corpo. Ajax e Menelau continuam lutando para garantir que o corpo de Pátroclo venha para nosso acampamento.

— Tenho de ir ajudá-los!

— Não adianta, Aquiles! O sol já está se pondo; quando você chegar ao campo de batalha, tudo estará terminado.

— Mas eu tenho de ajudá-los!

— Deixe Ajax e Menelau cuidarem de tudo. — Antíloco pôs a mão em meu braço. — Tenho de lhe pedir perdão.

— Por quê?

— Porque duvidei de você. Deveria ter percebido que era Ulisses quem estava por trás disso tudo.

Amaldiçoei minha língua. O juramento tinha de ser cumprido: mesmo que eu estivesse afetado pelo sortilégio.

— Não conte isso a ninguém, Antíloco! Ouviu bem? A ninguém!

— Sim, Aquiles.

Subimos ao telhado e nossos olhares logo se concentraram na faixa da planície em que se travava a batalha. Distingui facilmente Ajax e verifiquei que era ele quem comandava agora minhas tropas — que, aliás, não cediam nem um palmo de terreno —, enquanto Menelau e outro que me pareceu ser Meriones levavam um corpo nu sobre um escudo para longe da contenda. Era Pátroclo que eles traziam! Os cães de Tróia não devorariam meu amigo!

— Pátroclo! — gritei. — Pátroclo!

Alguns dos homens ouviram, olharam para mim e apontaram. Gritei vezes sem conta seu nome. Todo o exército ficou em silêncio. Então, ao longo do campo, ouviu-se o longo e áspero toque da trombeta da escuridão. Heitor, com minha armadura de ouro cintilando fulva sob os últimos e tênues raios do sol, já conduzia seu exército de regresso a Tróia.

Deitaram Pátroclo num esquife improvisado, no centro do amplo espaço das assembléias diante da casa de Agamêmnon. Menelau e Meriones, cobertos de sangue e sujeira, estavam tão exaustos, que mal se agüentavam de pé. Depois, Ajax aproximou-se de nós, em passo trôpego. Quando o elmo lhe caiu dos dedos agora sem vigor, não encontrou força para se abaixar e apanhá-lo. Fui eu quem o pegou e entregou a Antíloco. Abracei meu primo, uma forma de ajudá-lo a suportar com honra a exaustão e o desgosto, pois Ajax estava esgotado, tanto seu corpo quanto seu espírito.

Os reis formaram um círculo para ver Pátroclo. Suas feridas tinham sido causadas por golpes vis: uma debaixo do braço, onde havia uma abertura na couraça, outra nas costas e outra na barriga, onde a lança mergulhara tão profundamente, que expusera as entranhas. Eu sabia que aquela última ferida fora causada por Heitor, mas estava certo de que era o segundo golpe que o matara.

Uma das mãos pendia, solta, para fora do esquife. Segurei-a entre as minhas e afundei-me no chão ao lado dele.

— Venha, Aquiles, venha — Automedonte chamou-me.

— Não. Meu lugar é aqui. Cuide de Ajax por mim e diga às mulheres que venham lavar e vestir Pátroclo. Meu amigo permanecerá aqui até eu matar Heitor. Ouçam meu juramento! Os corpos de Heitor e de doze jovens nobres troianos hão de jazer aos pés de Pátroclo! Seu sangue pagará ao guardador do rio, quando Pátroclo lhe pedir que o leve para a outra margem!

Algum tempo depois, chegaram as mulheres para lavar Pátroclo. Lavaram-lhe o cabelo que o suor e a poeira emaranharam, fecharam as feridas com bálsamos e fragrantes ungüentos, e com uma esponja apagaram as marcas avermelhadas que as lágrimas haviam deixado em torno de seus olhos cerrados. Isso me provocava infinita gratidão: quando o trouxeram de volta, seus olhos já estavam fechados.

Permaneci ao lado dele a noite toda, sua mão nas minhas, tendo como única emoção consciente o desespero de um homem cuja derradeira memória de um ente querido era uma torrente de ódio num rosto inflexível. Duas sombras estavam agora sequiosas de meu sangue: Ifigênia e Pátroclo.

Mal o sol nasceu, Ulisses veio, trazendo duas taças de vinho com água e uma bandeja de pão de cevada.

— Beba e coma, Aquiles.

— Não beberei nem comerei enquanto não tiver cumprido o juramento que fiz diante do corpo de Pátroclo.

— Ele agora já não sabe nem se importa com o que você possa fazer ou não. Se jurou matar Heitor, vai precisar de todas as suas forças.

— Minhas forças não soçobrarão. — Olhei em volta, piscando os olhos e só então percebendo que não havia sinais de atividade em lugar algum. — O que houve? Por que estão todos dormindo ainda?

— Heitor também teve um dia muito árduo ontem. Um arauto veio há pouco de Tróia, pedindo um dia de trégua para que possam chorar e enterrar os mortos. A batalha só recomeçará amanhã.

— Se recomeçar! — suspirei. — Caso Heitor volte a entrar na cidade; nunca mais sairá!

— Está enganado — rebateu Ulisses, os olhos cintilando. — Eu tenho razão, Aquiles. Heitor pensa que já nos subjugou, e Príamo não acredita que você pretenda voltar ao campo de batalha. O ardil com Pátroclo funcionou. Heitor e seu exército continuam na planície. Não chegaram a entrar na cidade.

— Então, amanhã, poderei matá-lo.

— Amanhã. — Fitou-me com um olhar cheio de curiosidade. — Agamêmnon convocou um conselho para o meio-dia. As tropas estão cansadas demais para ficar discutindo seu relacionamento com Agamêmnon. Espero, por isso, que esteja presente. Virá?

Estreitei a mão fria.

— Sim, irei.

Automedonte assumiu meu lugar junto de Pátroclo para que eu pudesse assistir ao conselho. Ainda vestia meu velho saiote de couro, todo eu era terra, poeira, sujeira. Sentei-me ao lado de Nestor, olhando-o de relance com uma questão muda, que o velho logo entendeu; Antíloco estava presente, bem como Meriones.

— Antíloco adivinhou, por alguma coisa que você lhe disse ontem — segredou-me o velho. — Meriones adivinhou porque ouviu as imprecações de Idomeneu durante a batalha. Decidimos que seria melhor confiar neles e prendê-los ao mesmo juramento que fizemos.

— E Ajax? Não adivinhou?

— Não.

Agamêmnon estava seriamente preocupado.

— Nossas baixas foram catastróficas — começou sua fala, pesaroso. — Tanto quanto pude avaliar, já temos quinze mil mortos e feridos desde que a batalha começou.

Nestor sacudiu sua cabeça branca, a barba sedosa e brilhante balançando-lhe sobre as mãos.

— Catastrófico é um adjetivo muito suave! Ah, se ao menos tivéssemos Heracles, Teseu, Peleu e Telamon, Tideu, Atreu e Cadmo! Já não há homens como antes. Com ou sem mirmídones, Heracles e Teseu teriam arrasado todo o exército inimigo. — Limpou as lágrimas com os dedos repletos de anéis. Pobre velho, perdera dois filhos no campo de batalha.

Pela primeira vez vi Ulisses irado. Levantou-se de um salto.

— Eu os avisei! — exclamou, feroz. — Avisei-os e muito claramente de que teríamos de suportar duros reveses, de que teríamos de passar por um longo túnel de trevas antes de ver a primeira luz da vitória! Nestor, Agamêmnon, qual é a razão de seus lamentos? Nós tivemos quinze mil mortos e feridos, Heitor teve vinte e um mil! Deixem de devaneios, por favor! Nenhum desses lendários heróis poderia ter feito o que Ajax fez, o que todos os homens aqui presentes fizeram! Sim, os troianos combateram bem! Esperavam, por acaso, outra coisa? Mas é Heitor quem os mantém unidos. Se Heitor morrer, o ânimo dos troianos perecerá com ele. E onde estão seus reforços? Onde está Pentesiléia? Onde está Mêmnon? Heitor não tem como renovar suas tropas amanhã no campo de batalha; nós, entretanto, temos quase quinze mil tessalianos, entre os quais sete mil mirmídones. Amanhã, vamos derrotar os troianos. Poderemos não entrar na cidade, mas deixaremos seu povo nas garras do mais profundo desespero. Heitor combaterá amanhã, e Aquiles terá sua grande oportunidade. — Olhou para mim, satisfeito. — Apostei tudo o que tinha em você, Aquiles.

— Não duvido! — exclamou Antíloco, a ironia fazendo as vezes de uma verdadeira farpa. — Talvez eu tenha entendido seu plano porque não o ouvi propondo. Soube dele em segunda mão, por intermédio de meu pai.

De repente, Ulisses ficou muito atento, as pálpebras entrecerradas.

— A pedra de toque de seu plano era a morte de Pátroclo. Por que insistiu tanto na necessidade de Aquiles permanecer longe de tudo, mesmo depois de os mirmídones terem retomado o combate? Seria de fato para que Príamo pensasse que Aquiles nunca se curvaria ao apelo da guerra? Ou seria para insultar Heitor, levando-o a enfrentar um homem inferior a Aquiles, ou seja, Pátroclo? Ao assumir o comando, Pátroclo já era um homem morto. Heitor o derrotaria; isso era mais do que certo. E Heitor o derrotou. Pátroclo morreu. Como você imaginou, Ulisses.

Levantei-me imediatamente; era como se as palavras de Antíloco tivessem aberto uma ferida imensa em meu crânio. Minhas mãos procuraram Ulisses, desejosas de lhe apertar o pescoço, mas, ato contínuo, caíram sem forças. Afundei-me na cadeira. Não fora Ulisses quem tivera a idéia de vestir Pátroclo com minha armadura. Essa idéia fora minha, só minha. E quem poderia saber o que teria acontecido se Pátroclo tivesse enfrentado a batalha sem qualquer disfarce? Não, eu não poderia acusar Ulisses; a culpa era exclusivamente minha.

— Você está certo e errado ao mesmo tempo, Antíloco — Ulisses respondeu-lhe, fingindo que eu nem sequer me mexera. — Como eu poderia saber que Pátroclo morreria? O destino de um homem na batalha não está em nossas mãos. Está nas mãos dos Deuses. Por que Pátroclo tropeçou? Não teria sido algum Deus que apóia Tróia que o fez tropeçar? Eu não passo de um mortal, Antíloco. Não posso prever o futuro.

Agamêmnon levantou-se.

— Gostaria de lembrar que todos nós juramos que cumpriríamos o plano de Ulisses. Aquiles sabia o que estava fazendo quando pronunciou o juramento. Eu também. Todos nós, aliás. Ninguém nos obrigou a jurar, ninguém nos enganou. Decidimos concordar com o plano de Ulisses porque não tínhamos alternativa melhor. Nenhum de nós conseguiria tampouco conceber outro plano. Já se esqueceram da raiva que sentíamos quando Heitor estava em segurança dentro das muralhas de Tróia? Já se esqueceram de que é Príamo quem reina em Tróia e não Heitor? Todo esse plano foi concebido pensando em Príamo, mais do que em Heitor. Nós sabíamos qual seria o preço. E decidimos pagá-lo. Não há mais nada a dizer.

Agamêmnon fitou-me gravemente.

— Preparem-se para a batalha amanhã ao alvorecer. Aquiles: eu vou convocar uma assembléia pública e, diante de nossos oficiais, lhe devolverei Briseís. Jurarei também que não tive com ela nenhum relacionamento carnal. Entendido?

O rei supremo parecia um velho, tamanha era sua exaustão. A cabeleira que, dez anos antes, exibia apenas alguns fios brancos era agora percorrida por largas faixas grisalhas; de ambos os lados da barba corriam veios brancos. Apoiado em Antíloco, cansado e agitado, levantei-me e voltei para junto de Pátroclo.

Sentei-me na poeira junto ao esquife e peguei a mão dura e fria de meu amigo. A tarde passou como água caindo, gota após gota, no poço do tempo. Se minha dor se atenuava, minha culpa jamais se atenuaria. A dor é natural, a culpa, um golpe que nos infligimos. O tempo cura a dor, mas só a morte pode curar a culpa. Esses, e só esses, eram meus tristes pensamentos naquela tarde.

O sol punha-se do outro lado do Helesponto, uma mancha suavemente líquida que tingia de rosa os céus. Só uma pessoa se atreveu a perturbar minha imensa solidão: Ulisses, o rosto obscurecido pelas sombras, os olhos muito fundos, as mãos como que sem vida junto ao corpo, com um suspiro profundo, agachou-se na poeira a meu lado, uniu as mãos sobre os joelhos e assim ficou, apoiado nos calcanhares. Por um longo tempo não trocamos palavra; seu cabelo ganhava o tom das chamas sob os derradeiros raios do sol, seu perfil delineava-se, numa pureza de âmbar, contra a penumbra que sobre a terra caía. Parecia haver nele, pensei, algo divino.

— Que armadura vai usar amanhã, Aquiles?

— A de bronze revestida em ouro.

— Uma boa armadura, sem dúvida, mas gostaria muito que você usasse outra. — Fitou-me com ar grave. — Diga-me, Aquiles, que sentimentos você nutre por mim? Quis estrangular-me quando o rapaz falou, não foi? Mas, depois, mudou de idéia.

— Sinto por você o mesmo que sempre senti, Ulisses. Só uma geração futura será capaz de julgá-lo. Você não pertence a nosso tempo.

Curvando a cabeça, começou a brincar com a poeira.

— Por minha causa, você perdeu uma armadura preciosa. Usando-a, Heitor se mostrará orgulhoso, esperando, como espera, eclipsá-lo, em todos os níveis. Mas eu tenho uma armadura de ouro que lhe servirá à perfeição. Pertenceu a Minos. Aceita usá-la?

Fitei-o com curiosidade.

— Como essa armadura chegou a suas mãos?

Ulisses estava traçando rabiscos na terra; desenhou então uma casa, um cavalo e um homem.

— Listas de mantimentos. Nestor usa símbolos em suas listas de mantimentos. — Franziu as sobrancelhas e apagou os desenhos com a palma da mão. — Não, os símbolos não bastam. Precisamos de algo que seja capaz de transmitir idéias, de pensamentos sem forma, de asas no interior da mente... Já ouviu certamente as histórias que se contam a meu respeito... Que eu não sou filho de Laerte? Que sou fruto dos amores entre Sísifo e minha mãe?

— Sim, já ouvi.

— Essas histórias são verdadeiras, Aquiles. E ainda bem que são! Fosse Laerte meu pai, a Grécia teria ficado mais pobre... Só não reconheço publicamente minha paternidade porque, se o fizesse, os nobres de Ítaca me tirariam o trono num abrir e fechar de olhos. Mas estou divagando... Só queria dizer que a armadura em questão foi obtida por meios desonestos. Sísifo roubou-a de Deucalião, de Creta, e deu-a à minha mãe como prova de seu amor. Você usaria uma armadura que foi roubada?

— Naturalmente.

— Nesse caso, eu a trarei ao alvorecer. Só mais uma coisa.

— O quê?

— Não diga a ninguém que fui eu que lhe dei. Diga que é um presente dos Deuses; que sua mãe pediu a Hefesto que a fizesse, durante a noite, em seus fogos eternos; para que você a usasse no campo de batalha, como convém ao filho de uma Deusa.

— Se é o que você deseja, é isso que direi.

Dormi um pouco, afundado no chão, encostado à base do esquife. Um sono inquieto, atormentado. Ulisses acordou-me pouco antes da primeira luz da manhã e levou-me a sua casa. Sobre uma mesa, via-se um grande volume coberto por um manto de linho. Abri a armadura sem qualquer entusiasmo, imaginando que seria, naturalmente, uma boa armadura, mas sem nada de extraordinário; de ouro, sem dúvida, mas muito inferior à que Heitor agora usava e que meu pai e eu sempre consideramos a melhor de todas as que Minos envergara.

Talvez fosse, mas a verdade é que a armadura que Ulisses me deu era, sem sombra de dúvida, a melhor das duas. Bati com as juntas dos dedos naquele ouro imaculado e ouvi um som surdo; pesado, completamente diferente do som que produziria uma armadura com várias camadas de metal. Curioso, virei o pesadíssimo escudo e descobri que não era igual aos outros escudos, habitualmente muito espessos e providos de várias camadas de metal. Não, naquele parecia haver apenas duas camadas, uma chapa externa de ouro que cobria uma única chapa de um metal cinzento-escuro que, à luz das lamparinas, não emitia qualquer brilho ou reflexo.

Já ouvira falar a respeito desse metal, mas só o vira na ponta de minha lança, a Velha Pélion: os homens o denominavam ferro temperado. Nunca sonhara que esse metal pudesse existir em quantidade suficiente para produzir uma armadura e um escudo com aquele tamanho. Todos os elementos tinham sido feitos com o mesmo metal; a camada inferior era de ferro temperado; a superior, de ouro.

— Foi Dédalo quem fez esta armadura, já lá vão trezentos anos — informou Ulisses. — Dédalo foi, em toda a história da humanidade, o único homem que soube temperar o ferro, que o soube transformar no cadinho, misturando-lhe areia; o ferro absorve alguma dessa areia e torna-se mais duro do que o bronze. Dédalo reuniu grandes quantidades de ferro bruto até dispor do suficiente para fazer a armadura; depois, com um martelo, aplicou o ouro sobre as chapas de ferro temperado. Quando uma lança atinge a superfície, o ouro pode ser alisado e polido, pois só o ferro sofre com o impacto.

— E pertenceu a Minos?

— Sim, Minos, que com o irmão, Radamanto, e seu avô Éaco se encontra no Hades para julgar os mortos à medida que se vão reunindo nas margens do Aqueronte.

— Não sei como lhe agradecer, Ulisses. Quando minha vida chegar ao fim e tiver de comparecer diante desses juízes, tire-me a armadura e dê a seu filho.

Ulisses riu.

— Telêmaco? Não, esta armadura não lhe serve... Deixe-a para seu filho.

— Vão querer enterrar-me com ela. Você terá de entregá-la a Neoptolemo. Quero ir para o túmulo vestido com uma simples túnica.

— Se é esse o seu desejo, ele será cumprido.

Automedonte ajudou-me a envergar o traje de guerra, enquanto as mulheres se espalhavam pelos cantos da casa murmurando rezas e palavras mágicas destinadas a esconjurar o mal e a impregnar de poder a armadura. Para onde quer que fosse, meu brilho era tão intenso quanto o de Hélio.

Agamêmnon falou perante os oficiais reunidos em assembléia. Pareciam feitos de pedra todos aqueles rostos voltados para ele. Depois, veio o momento de eu aceitar a imperial humilhação: imediatamente, Nestor apareceu com Briseís. Não vira ainda Criseís, mas não acreditava que tivesse sido enviada para Tróia. Depois da assembléia, dispersamo-nos para o desjejum, desperdiçando um tempo precioso.

Dc cabeça erguida, Briseís caminhou a meu lado, silenciosamente. Parecia doente e cansada, mais abalada do que no dia em que comigo abandonara as ruínas de Lirnesso. No interior da paliçada mirmídone, passamos por Pátroclo; o esquife fora levado para lá por causa da assembléia. Estremecendo de horror, Briseís recuou, mal viu o corpo de meu amigo.

— Venha — disse-lhe eu.

— Ele foi combater, apesar de você não querer acompanhá-lo?

— Sim. Heitor matou-o.

Procurando nela qualquer resto de doçura, fitei-a. Briseís sorriu, e era puro amor o que seu sorriso me dizia.

— Meu querido Aquiles, você está tão cansado! Eu sei o que Pátroclo significava para você, mas é tempo de secar as lágrimas.

— Morreu cheio de desprezo por mim. Renegou nossa amizade.

— Então, não o conhecia verdadeiramente.

— Não, os motivos foram outros... Algo que não posso lhe explicar, Briseís.

— Nada precisa explicar-me, Aquiles. Para mim, tudo que você fizer está certo.

Saímos em passo de marcha pelas passagens do acampamento e formamos na planície orvalhada ao alvorecer. Estava um tempo ameno, e a brisa era como uma carícia de lã cardada. Os troianos formaram diante de nós filas de homens a perder de vista; teriam por certo diante de seus olhos espetáculo idêntico ao que víamos. A excitação era como um punho enfiado em minha garganta; as juntas de meus dedos, quando por mero acaso olhei para elas, estavam brancas, tamanha era a força com que segurava a haste gasta e escura de minha Velha Pélion. Dera a Pátroclo minha armadura, mas não a Velha Pélion.

Heitor surgiu retumbante, vindo de sua ala direita, num carro puxado por três garanhões pretos, envergando soberbamente minha armadura. Reparei que havia juntado plumas escarlates às plumas douradas do elmo. Parou diante de mim; fitamo-nos sôfregos de sangue. O desafio era implícito. Ulisses ganhara sua aposta. Apenas um de nós deixaria vivo o campo de batalha. Tanto eu quanto Heitor estávamos conscientes disso.

Singular, o silêncio que por um momento se abateu sobre o campo de batalha. Nenhum dos exércitos emitia um único som, nenhum cavalo resfolegava, nenhum escudo retinia, enquanto aguardávamos que soassem os tambores e as trombetas. A nova armadura era muito pesada; precisava de tempo para me habituar a ela, para saber manobrar com ela. Heitor teria de esperar.

Os tambores rufaram, as trombetas atroaram e Átropos preparou a tesoura com que iria cortar os fios de muitas vidas. Mal ouviu meu grito de guerra, Automedonte fez avançar rapidamente meu carro, mas Heitor mudou de direção e internou-se em suas próprias linhas. Bloqueado por uma massa efervescente de soldados de infantaria, eu não tinha qualquer possibilidade de persegui-lo. Minha lança erguia-se e abaixava-se, encharcada em sangue troiano. Nada sentia, a não ser o fascínio de matar. Naquele momento, até mesmo o juramento que fizera diante de Pátroclo perdera sua importância.

Ouvi um grito de guerra conhecido e vi outro carro procurando abrir caminho em meio à turba. Era Enéias, que investia friamente, armando-se de paciência, pois era contra os mirmídones que combatia, e os mirmídones sabiam esquivar-se de seus golpes. Respondi-lhe com meu grito de guerra. Ele me ouviu, saudou-me e correu imediatamente para o duelo. Aparei com o escudo sua primeira lança; senti até a medula a vibração do impacto, mas aquele mágico metal reduziria a nada todas as lanças: a de Enéias caiu por terra, com a ponta desfeita. A Velha Pélion voou num belo arco acima das cabeças dos homens entre nós, imponente e precisa. Enéias viu-lhe a ponta aproximando-se de sua garganta, ergueu de repente o escudo e abaixou-se. Minha querida lança trespassou o couro e o metal imediatamente acima da cabeça de Enéias, derrubou o escudo, prendendo o dardaniano debaixo dele. Empunhando a espada, abri caminho entre meus homens, decidido a alcançá-lo antes que conseguisse libertar-se. Os dardanianos recuaram em vista de nossa carga, e o sorriso de triunfo já se desenhava em meu rosto quando me vi envolvido por repentina vaga de homens, esse frustrante e irritante fenômeno que às vezes se verifica no campo de batalha, quando a concentração de soldados é extrema. Foi como se, de súbito, uma onda enorme se tivesse levantado num mar calmo, precipitando-se sobre a linha de uma ponta à outra; homens chocavam-se uns contra os outros e caíam por terra como se fossem meros tijolos justapostos que tivessem sido empurrados por qualquer mão.

Quase erguido no ar, levado, como se fosse o destroço de um naufrágio, por aquela onda viva de homens, gritei desesperado, porque havia perdido Enéias. Quando consegui libertar-me, ele tinha desaparecido e eu me encontrava a cem passos da linha de frente. Ordenei aos mirmídones que formassem adequadamente e só depois voltei à frente da batalha, onde encontrei a Velha Pélion, prendendo ainda o escudo de Enéias ao chão. Arranquei minha lança e joguei o escudo para um dos não-combatentes que cuidavam de minha bagagem.

Pouco depois, despachei Automedonte e o carro para a retaguarda, deixando a Velha Pélion a seu cuidado. Aquele era trabalho para o machado. Ah, que magnífica arma num campo de batalha apinhado! Os mirmídones mantinham-se a meu lado. Éramos imbatíveis. Porém, por mais frenética que fosse a ação, não deixei de procurar Heitor — que, afinal, encontrei, pouco depois de ter matado um homem que usava as insígnias dos filhos de Príamo. Não muito longe, profundamente abalado com o que acontecera ao irmão, Heitor observava-me. Nossos olhos encontraram-se; o campo de batalha parecia ter deixado de existir. Encontrei claros vestígios de satisfação em sua expressão grave logo que nos fitamos pela primeira vez. Aproximamo-nos cada vez mais um do outro, abatendo os nossos inimigos com uma única idéia em mente: travar um duelo, aproximarmo-nos um do outro o suficiente para que pudéssemos combater. Então, em meio à turba, ergueu-se nova vaga de homens. Algo esmagou-me um dos flancos e quase perdi o equilíbrio ao ser levado pela vaga para trás, cada vez mais para trás. Homens caíam, eram pisados e esmagados, mas não era por isso que eu chorava. Chorava porque perdera Heitor. Das lágrimas passei à fúria e a um frenesi assassino.

Esse furor desvairado só se acalmou quando, à minha frente, não havia mais do que um punhado de plumas cor de púrpura, quando a erva pisada e dilacerada tornou-se visível sob os pés dos soldados que as usavam. Os troianos tinham desaparecido; os homens que eu abatia eram os que tinham ficado para trás. A retirada revelava uma clara organização; os chefes troianos conduziam-na de novo em seus carros. Agamêmnon deixou-os partir, limitando-se, por ora, a ordenar a suas linhas que voltassem a formar. Meu carro surgiu vindo de algum lugar e eu pulei para dentro dele, juntando-me a Automedonte.

— Procure Agamêmnon — ordenei eu, ofegante, deixando cair o escudo com um suspiro de alívio. Uma proteção maravilhosa, mas pesada demais.

Todos os chefes estavam presentes. Parei o carro entre Diomedes e Idomeneu. Sentindo o sabor da vitória, Agamêmnon voltara a ser o rei dos reis. Uma ligadura de linho cobria-lhe uma ferida no antebraço, da qual caíam lentas gotas vermelhas, que Agamêmnon, contudo, parecia nem perceber.

— Eles estão batendo em retirada — Ulisses anunciou. — Contudo, nada indica que pretendam refugiar-se dentro da cidade, pelo menos por enquanto. Heitor acredita que ainda possa vencer. Não precisamos nos apressar. — Olhou de relance para Agamêmnon com o ar de quem acabara de ter uma idéia brilhante. — Agamêmnon, e se fizéssemos o que fizemos durante nove anos? Por que não dividimos em dois nosso exército e tentamos abrir uma brecha irremediável nas hostes deles? A um terço de uma légua daqui, na direção das muralhas da cidade, o Escamandro faz uma longa curva; é para lá que Heitor se encaminha. Se conseguirmos levá-los a espalharem-se pelo pescoço da curva, poderemos usar o segundo exército para empurrar pelo menos metade dos troianos para a barriga da curva, enquanto o primeiro exército continuará a empurrar a outra metade na direção de Tróia. Não conseguiremos fazer grande coisa com aqueles que fugirem para Tróia, mas poderemos massacrar os que ficarem encerrados nos braços do Escamandro.

Era um plano excelente e Agamêmnon se deu conta disso imediatamente.

— Concordo inteiramente, Ulisses. Aquiles e Ajax, levem suas unidades do segundo exército e tratem da saúde dos troianos que conseguirem prender na curva do Escamandro.

— Sob a condição de você garantir que Heitor não conseguirá fugir para a cidade — repliquei, em tom ligeiramente insubordinado.

— De acordo — respondeu sem demora Agamêmnon.

Caíram na armadilha como peixes numa rede. Formamos diante dos troianos quando eles chegaram ao pescoço da curva do rio. Agamêmnon atacou com sua infantaria as hostes centrais, dispersando-as rapidamente. As divisões centrais do exército troiano não conseguiam fazer ordenadamente a retirada diante da compacta massa de homens que Agamêmnon comandava. À esquerda, Ajax e eu agüentamos nossas forças até que cerca de metade dos troianos fugitivos se deu conta de que havia fugido para um beco sem saída. Depois, bloqueamos o único lugar por onde poderiam fugir. Juntei minha infantaria e conduzi-a para a curva. Ajax fez o mesmo, pelo lado direito. Os troianos entraram em pânico. Desesperados, não paravam de rodopiar, recuando cada vez mais até que suas hostes de retaguarda se viram à beira do rio. O peso dos homens que continuavam a recuar diante de nossas tropas empurrou-os inexoravelmente para trás; como ovelhas à beira de um precipício, os homens que estavam na retaguarda começaram a cair nas poluídas águas do rio.

O velho Deus Escamandro fez metade do trabalho por nós; enquanto Ajax e eu arrancávamos deles estridentes súplicas de piedade, o rio afogava-os às centenas. De meu carro, pude ver as águas correndo mais claras e mais fortes do que o usual; o Escamandro não poderia estar mais cheio. Os que perdiam pé na margem não tinham qualquer esperança de recuperar o equilíbrio e combater contra a corrente, pois a armadura e o pânico impediam-nos de reagir como deveriam. Mas por que aquela enxurrada? Por que o Escamandro corria tão cheio e tão forte? Não tinha chovido... Por um momento, observei o monte Ida; o céu sobre o Ida estava repleto de nuvens negras e havia cortinas opacas de chuva caindo como cutelos sobre os contrafortes além de Tróia. Um dilúvio tão violento, que os montes pareciam ter desaparecido.

Entreguei a Velha Pélion a Automedonte e desci do carro empunhando o machado. Quanto ao escudo, não o poderia levar, pois era muito pesado. Teria de combater sem escudo e já não contava com Pátroclo para me acompanhar. Porém, antes de avançar para a contenda, lembrei-me de chamar um dos não-combatentes que tratavam das minhas bagagens; devia a Pátroclo os cadáveres de doze jovens nobres troianos. Em meio à derrocada troiana, não seria difícil encontrá-los. Aquele desejo horrendo, irracional, de derramar o sangue de outros homens voltou a invadir-me e não conseguia encontrar troianos que chegassem para saciar esse desejo. Quando alcancei a margem do rio, não parei; caí sobre os poucos troianos aterrorizados que havia encurralado. O peso da armadura de ferro ancorou-me na violenta corrente; continuei a desferir meus golpes mortíferos, tingindo mais e mais de vermelho as águas do Escamandro.

Um troiano tentou duelar comigo. Dizia chamar-se Asteropaio; pertenceria pelo menos à alta nobreza de Tróia, indicava sua armadura de bronze dourada. Partiu para o duelo em posição vantajosa, pois encontrava-se na margem, enquanto eu tinha água até a cintura e só dispunha de meu machado para enfrentar suas muitas lanças. Cometeu, contudo, o erro de pensar que a Aquiles faltava astúcia. Quando se preparava para arremessar a primeira lança, peguei meu machado pela ponta do cabo e o atirei nele, como se fosse um punhal. Asteropaio amedrontou-se tanto com tal visão, que falhou o alvo. O machado rodopiou, cintilando sob o sol intenso, e atingiu-o em cheio no peito, cravando-se violentamente em sua carne. O nobre troiano não viveu mais do que um instante, logo caindo na água, como se fosse uma pedra.

Querendo recuperar meu machado, avancei pelas águas em sua direção e virei-o para cima. Porém, a cabeça do machado estava enfiada até o cabo no peito do troiano, o metal fendido da armadura, emaranhado à sua volta. Tão concentrado estava naquela tarefa, que nem liguei ao rugido surdo que meus ouvidos haviam captado; tampouco senti a água se erguendo, bravia como um garanhão ainda pouco habituado às rédeas. Num abrir e fechar de olhos, fiquei com água pelas axilas, e Asteropaio boiava no rio, tão leve quanto cortiça. Segurei-o pelo braço e o estreitei contra mim, usando meu próprio corpo para equilibrá-lo enquanto tentava retirar o machado. O rugido, agora, mais parecia um ribombar; eu teria de lutar contra a violência da enxurrada se não quisesse perder o pé. Por fim, consegui arrancar o machado; imediatamente, enrolei a correia do cabo em meu pulso, a fim de não perdê-lo para o rio. O Deus Escamandro rugia bem alto sua fúria, parecendo preferir que seu próprio povo o destruísse com seus esgotos a que eu o poluísse com o sangue dos troianos.

Então, uma parede de água abateu-se sobre mim como uma avalanche de neve. Nem mesmo Ajax ou Heracles teriam resistido a uma tão violenta investida! Ah, ali, ali! Um galho de olmo debruçava-se sobre as águas! Pulei para agarrá-lo. De início, meus dedos só encontraram folhas, mas só pararam de lutar quando sentiram a solidez da madeira; o galho curvou-se sob meu peso, e minhas pernas voltaram a sentir a violência da torrente.

Por um instante, a parede de água pairou sobre mim como se fosse um braço líquido erguido pelo Deus, que logo depois o desceu sobre minha cabeça com toda a fúria que residia em seu coração. Sorvi, sôfrego, o ar antes de o mundo se converter numa imensa massa líquida, antes de eu ser empurrado e puxado num sem-número de direções por força muito superior à minha. Meu peito quase explodia, mas minhas mãos agarravam ainda com firmeza o galho do olmo; desesperado, pensei no sol e no céu; dando-me conta da amarga ironia daquela situação — eu estava prestes a ser derrotado não por um troiano, mas, sim, pelas águas de um rio —, todo o meu ser chorou de raiva. O luto por Pátroclo e a matança de troianos haviam consumido minhas forças, além de aquela armadura de ferro ser um perigo de morte.

Supliquei a ajuda da dríade que habitava o olmo, mas as águas continuavam a cair, implacáveis, sobre minha cabeça; então, a dríade do olmo, ou qualquer outra ninfa, ouviu-me e consegui minimamente emergir. Respirei, sôfrego, a própria vida, sacudi a cabeça para que as águas do Escamandro não me turvassem mais a vista e olhei em volta, desesperado. A margem que, momentos antes, estivera a poucos passos de mim havia desaparecido. Agarrei-me melhor ao galho do olmo, mas a dríade me abandonou. O que restava da margem cedeu, deixando a descoberto as poderosas raízes da velha árvore. Meu corpo e o ferro que o envolvia constituíam carga pesada demais; a massa de folhas e galhos curvou-se sob esse peso, e o olmo mergulhou nas águas, o clamor da enxurrada sufocando todos os seus gemidos de desespero.

Nem por isso larguei aquele galho, perguntando-me se o Escamandro seria suficientemente forte para arrastar tudo aquilo para o mar. Porém, o olmo permaneceu reto, a copa acima das águas, uma represa que detinha todos os destroços que corriam na direção de nosso acampamento e da paliçada mirmídone. Corpos empilhavam-se contra a massa imensa da árvore como se fossem flores castanhas com gargantas carmesins, plumas cor de púrpura engrinaldavam o verde dos ramos, mãos exangues flutuavam e sua inação causava repulsa.

Larguei o galho e tentei avançar para a margem do rio; tinha mais pé agora, visto que as terras e a árvore haviam cedido, mas não o suficiente. Vezes sem conta, a inexorável enxurrada arrancou de meus pés a precária superfície constituída pelo fundo lodoso do rio; vezes sem conta, mergulhei na feroz torrente. Continuei, porém, lutando e me aproximando cada vez mais da margem. Consegui mesmo segurar alguns ramos, que, entretanto, logo se separaram do solo encharcado. Uma vez mais cedi à violência das águas, desesperado. Com a terra da antiga margem do Escamandro escorrendo-me pelos dedos, ergui os braços aos céus e roguei ao senhor de tudo:

— Pai, Pai, deixe-me viver o suficiente para matar Heitor!

Ele me ouviu. E respondeu. De repente, sua medonha cabeça, que mora nas infinitas distâncias dos céus, curvou-se na direção da terra que os humanos habitam; por um breve instante, o Deus onipotente amou-me o suficiente para me perdoar o pecado e o orgulho, lembrando-se talvez de que eu era neto de seu filho, Éaco. Senti sua presença em todo o meu ser e julguei mesmo ter visto a sombra da sua mão monstruosa pairando, negra, sobre o rio. O Escamandro suspirou submisso perante o poder que governa tanto os Deuses quanto os homens. Um momento antes, estivera a um passo da morte; agora, as águas do rio mais não eram do que gotas em volta de meus tornozelos; com um salto, desviei-me do olmo, que se despencava impotente na lama.

A margem oposta, mais alta, ruíra estrondosamente; o Escamandro dissipava sua energia ao longo da estreita faixa líquida que trespassava a planície, uma bênção preciosa que o sequioso solo bebia de um só gole.

Com passo vacilante, abandonei finalmente o leito do rio e sentei-me exausto sobre a erva encharcada. No céu imenso, o carro de Febo já ultrapassara seu auge; tínhamos começado a combater no início de sua jornada, agora pela metade. Perguntando-me onde estaria o resto do exército, regressei à realidade, dando-me conta, envergonhado, de que minha ânsia de matar me levara a ignorar por completo meus homens. Conseguiria emendar-me? Não seria essa ânsia de matar uma parte da loucura que seguramente herdara de minha mãe?

Ouvi gritos. Os mirmídones marchavam em minha direção e, ao longe, Ajax voltava a formar suas forças. Havia gregos por todos os lados, mas não se via um único troiano. Subi para meu carro, sorrindo, radiante, para Automedonte.

— Leve-me a Ajax, meu velho amigo.

Ajax estava de pé diante de seus homens, com uma lança na mão maciça e uma expressão sonhadora nos olhos. Desci do carro. Meu corpo todo escorria água.

— O que aconteceu? — perguntou-me.

— Estive lutando com o Deus Escamandro.

— Bem, parece que você venceu. O Escamandro acalmou-se.

— Quantos troianos sobreviveram à nossa emboscada?

— Não muitos — respondeu, sereno. — Nós dois dizimamos cerca de quinze mil troianos. Outros tantos, talvez, conseguiram acompanhar Heitor. Você fez um bom trabalho, Aquiles. Nem eu conseguiria igualar sua sede de sangue.

— Preferiria seu amor a essa sede.

— É tempo de nos reunirmos com Agamêmnon — sugeriu, sem compreender minhas palavras. — Hoje eu trouxe meu carro.

Segui com ele em seu carro — na verdade, carroça seria a palavra mais apropriada, visto que tinha quatro rodas —, enquanto Teucro foi no meu com Automedonte.

— Algo me diz que Príamo ordenou a abertura da Porta Ceia — suspirei, apontando na direção das muralhas.

Ajax duvidou. Porém, quando delas nos aproximamos, verificamos que eu tinha razão. A Porta Ceia estava aberta, e o exército de Heitor entrava na cidade diante de Agamêmnon, que pouco podia fazer, dada a multidão que se concentrava perto da entrada.

— Que Hades os leve! Heitor refugiou-se no interior das muralhas! — rosnou Ajax.

— Heitor pertence a mim, Ajax. Você já teve sua oportunidade.

— Eu sei, primo.

Abrimos caminho em meio aos homens de Agamêmnon. Como de costume, o rei supremo estava com Ulisses e Nestor. E furioso.

— Estão fechando a porta — informei.

— Heitor aglutinou-os tão bem, que não nos foi possível obrigá-los a virarem-se na direção contrária nem tivemos possibilidade de tentar um assalto. Dois destacamentos decidiram permanecer do lado de fora. Diomedes os está combatendo até obter sua submissão — Agamêmnon explicou.

— E Heitor?

— Imagino que entrou. Ninguém o viu.

— Miserável! Ele sabia que eu o queria para mim!

Outros, entretanto, começaram a aparecer: Idomeneu, Menelau, Menesteu, Macáon. Juntos, vimos Diomedes pôr termo à resistência daqueles que, voluntariamente, haviam permanecido no exterior — homens sensatos, pois renderam-se quando viram o fim próximo. Admirando sua coragem e disciplina, Diomedes decidiu não matá-los, fazendo deles seus prisioneiros. Só então se aproximou de nós, um júbilo extremo estampado no rosto.

— Quinze mil troianos morreram junto ao Escamandro — informou Ajax.

— E nós não perdemos mais de mil homens — completou Ulisses. Os soldados que descansavam atrás de nós soltaram um imenso suspiro de alívio. Ao mesmo tempo, do alto da torre de vigia ouvimos um grito tão desvairado, que nossos sorrisos murcharam.

— Olhem! — apontou o dedo magro e trêmulo de Nestor.

Viramo-nos. Heitor estava encostado aos painéis de bronze da porta, o escudo descansando a seu lado, com duas lanças na mão. Envergava minha armadura de ouro, com a pluma escarlate entre a plumagem cor de púrpura do elmo, e, no brilhante boldrié púrpura que Ajax lhe dera, tremeluziam as ametistas. Eu, que nunca me vira com aquele vestuário de guerra, concluí que a armadura de ouro tornaria magnífico qualquer homem que a vestisse — desde que tivesse corpo para tanto, o que era, manifestamente, o caso de Heitor. Mas não de Pátroclo. Quando ajudara meu amigo a vesti-la, deveria ter percebido que o estava condenando a uma cilada fatal.

Heitor pegou o escudo e avançou alguns passos.

— Aquiles! — chamou. — Fique aqui porque temos um duelo a travar!

Olhei para Ajax, que concordou. Peguei meu escudo e a Velha Pélion, dei o machado a Automedonte. Combater com machado contra um homem como Heitor seria grave insulto.

Meu coração martelava na garganta, impelido por júbilo e excitação incontidos. Deixando para trás os reis, avancei em sua direção com passo cadenciado, como um homem caminhando para o sacrifício; não ergui nenhuma lança, ele também não. Paramos a três passos um do outro, cada um de nós decidido a descobrir que espécie de homem tinha à frente, nós que nunca tínhamos estado mais perto um do outro do que a distância que uma lança pode alcançar. Tínhamos de nos falar antes que o duelo começasse e nos aproximamos tanto um do outro, que quase nos podíamos tocar. Fixei o inabalável negrume de seus olhos e logo me dei conta de que Heitor era feito da mesma matéria que eu. *Com uma única e importante diferença, Aquiles: o espírito de Heitor não tem qualquer mácula. Ele é o guerreiro perfeito.*

Amava-o muito mais do que me amava, do que amava Pátroclo ou Briseís ou meu pai, pois Heitor era eu em outro corpo; Heitor era o arauto da morte, quer fosse ele a dar-me o golpe fatal, quer eu resistisse mais alguns dias até que outro troiano qualquer pusesse termo à minha vida. Um de nós tinha de morrer naquele duelo, o outro morreria pouco tempo depois, pois assim fora decidido no momento em que os fios de nossos destinos haviam sido entrelaçados.

— Todos estes anos, Aquiles... — começou ele e logo se calou, como se não conseguisse exprimir por palavras o que sentia.

— Heitor, filho de Príamo, daria tudo para que pudéssemos ter sido amigos. No entanto, a guerra que entre nós se ergue não pode ser apagada.

— Antes a morte pelas mãos de um inimigo do que o fim pelas mãos de um amigo — admitiu ele. — Quantos pereceram junto ao Escamandro?

— Quinze mil. Tróia cairá.

— Só depois de minha morte. Meus olhos não verão esse desfecho.

— Nem os meus.

— Nós nascemos para a guerra, unicamente para a guerra. O desfecho da guerra não nos interessa; e agrada-me que assim seja.

— Seu filho tem idade para vingá-lo, Heitor?

— Não, não tem.

— Nesse caso, já disponho de uma vantagem sobre você. Meu filho virá a Tróia para me vingar; mas Ulisses fará com que seu filho não viva o suficiente para chorar o fato de ser ainda uma criança e não poder vingar o pai.

Seu rosto contraiu-se.

— Helena avisou-me de que deveria ter muito cuidado com ele. Ulisses é filho de um Deus?

— Não. É filho de um vilão. Creio que ele encarna o espírito da Grécia.

— Gostaria de poder avisar a meu pai a respeito da importância de Ulisses.

— Não viverá para fazê-lo.

— Pode ser que eu o vença, Aquiles...

— Se vencer, Agamêmnon dará ordens para que o abatam.

Calou-se por um momento, perdido em reflexões.

— Alguém chorará sua morte? Mulheres? Um pai?

— Alguém chorará por mim depois de morto.

E, nesse momento, nosso amor queimava mais intensamente do que nosso ódio; estendi minha mão rapidamente, antes que as fontes desse ardor admirável pudessem secar. Heitor envolveu meu pulso com a mão.

— Por que ficou para me enfrentar? — perguntei, também lhe segurando o pulso.

Seus dedos me apertaram com mais força ainda; o sofrimento velava-lhe o rosto.

— Como poderia refugiar-me na cidade, Aquiles, como poderia encarar meu pai, sabendo que milhares e milhares de troianos morreram devido a minha imprudência e estupidez? Deveria ter retirado as tropas e regressado a Tróia no dia em que matei seu amigo, aquele que envergou esta armadura. Polidamas avisou-me, mas eu ignorei suas palavras. Eu queria enfrentá-lo. Foi por isso — só por isso — que mantive meu exército na planície. — Recuou, libertando meu braço, o rosto reassumindo a expressão de inimigo. — É muito bela sua armadura de ouro. Imagino que seja de ouro maciço. É, no entanto, muito pesada. A minha é muito mais leve. Proponho-lhe, por isso, que façamos uma corrida antes que nossas espadas se encontrem.

Mal acabou a frase, Heitor disparou, deixando-me plantado onde estava por um momento, antes de me lançar em sua perseguição. Uma idéia astuta, mas equivocada, Heitor! Por que eu tentaria alcançá-lo? Teria de se virar e enfrentar-me não muito longe dali... A um quarto de légua da Porta Ceia, na direção de nosso acampamento — que ele tomou —, erguiam-se as muralhas troianas; o exército grego não o deixou correr mais.

Depressa recuperei o fôlego; quem sabe, talvez o combate contra o velho Escamandro me tivesse dado um segundo fôlego. Heitor virou-se, eu parei.

— Aquiles! — gritou. — Se eu matá-lo, juro-lhe que devolverei a seus homens seu corpo imaculado! Jure que fará o mesmo com o meu se eu vier a morrer!

— Não! Jurei que ofereceria seu corpo a Pátroclo!

Uma estranha rajada de vento cercou-me de repente a cabeça, a poeira do chão infiltrava-se em meus olhos. Heitor já erguia o braço, a Velha Pélion já saía de minha mão. Heitor arremessou com violência sua lança, que atingiu fragorosamente o centro de meu escudo, enquanto a Velha Pélion caiu a meus pés. Heitor fez seu segundo arremesso antes que eu conseguisse retomar a Velha Pélion, o que, aliás, não foi possível nem depois, uma vez que, em meio ao caprichoso vento que voltou a varrer tudo à minha volta, Heitor empunhou sua espada e atacou. Via-me perante um dilema muito claro: ou ficava com o escudo e protegia-me de um adversário brilhante, ou largava-o e combatia sem qualquer proteção. A armadura era suportável, mas o escudo era excessivamente pesado. Por isso, larguei-o e empunhei minha espada. Mesmo no meio de uma investida, Heitor era capaz de parar; e largou também seu escudo.

Quando nossas espadas se encontraram, descobrimos o infinito prazer de um combate perfeito. Detive a violência fatal de sua lâmina; nossos braços erguiam-se, firmes, e desferiam ferozes golpes, e nenhum de nós cedia um palmo de terra que fosse; recuamos ao mesmo tempo e giramos, cada um de nós procurando uma abertura. As espadas assobiavam uma canção de morte enquanto esculpiam o ar. Atingi de raspão seu braço esquerdo quando ele investiu, mas seu golpe rompeu o couro que me cobria a coxa e dilacerou a carne que havia por baixo. Sentindo os dois a mesma ânsia de sangue, nenhum de nós parava para atentar para as respectivas feridas, ambos ávidos de um desfecho sangrento. Golpe após golpe, as espadas erguiam-se cintilantes, desciam violentas, deparavam-se-lhe a lâmina uma da outra e voltavam de novo ao princípio.

Procurando uma abertura, movia-me cautelosamente. Heitor era um pouco mais baixo e menos corpulento do que eu; portanto, teria de haver certamente uma falha qualquer em minha armadura, um lugar qualquer em que Heitor não estivesse adequadamente protegido. Mas onde? Cheguei quase a seu peito, mas ele se afastou rapidamente, e, nesse momento, quando ergueu o braço, reparei que a couraça não chegava a roçar a base de seu pescoço.

Por outro lado, o elmo não descia o suficiente para cobrir essa pequena porção de seu corpo. Recuei, obrigando-o a seguir-me, manobrando para alcançar melhor posição. E foi nesse preciso momento que a irritante fragilidade dos tendões de meu calcanhar direito me fez tropeçar, ainda que não chegasse a torcer o pé. Apesar de todo o horror que senti, verifiquei ao mesmo tempo que meu corpo conseguira compensar a fragilidade do calcanhar, mantendo-se reto. No entanto, todo o esforço que tive de fazer para me manter de pé deixou-me à mercê da espada de Heitor.

Imediatamente, o herdeiro de Tróia deu-se conta de que aquela era sua grande oportunidade. Correu para mim com a velocidade de uma serpente no momento do derradeiro ataque, a lâmina erguida bem alto para me desferir o golpe fatal, a boca aberta num desvairado grito de júbilo. Investi nesse mesmo momento. De algum modo, meu braço suportou o poder maciço do seu quando a espada desceu sobre mim. Chocando-se com a minha em enorme retinir, caiu, mas para o lado. Então, minha lâmina, sem qualquer vacilação, ergueu-se para se enterrar no lado esquerdo do pescoço de Heitor, entre a couraça e o elmo.

Levando minha arma, Heitor caiu tão rapidamente, que não pude sequer ajudá-lo a deitar-se no chão. Minhas mãos largaram o punho da espada como se ele, de repente, queimasse como fogo. A meus pés jazia Heitor: a ferida era fatal, mas restava-lhe ainda um sopro de vida. Os enormes olhos escuros estavam fixos em mim, dizendo-me que sabiam da morte, que aceitavam o fim. A lâmina dilacerara todos os vasos sangüíneos que encontrara e cravara-se no osso; porém, como permanecia enterrada na carne, Heitor não exalara ainda o último suspiro. O herdeiro de Tróia moveu as mãos lenta e convulsivamente, até que elas juntaram os dedos na aguçada lâmina. Aterrorizado com a possibilidade de ele arrancar a espada antes de eu estar pronto — alguma vez estaria pronto? —, ajoelhei a seu lado. Heitor não se movia agora; sua respiração era cada vez mais pesada e difícil; as juntas de suas mãos estavam brancas, tão extrema era a força com que agarravam a espada, e, pelos dedos lacerados, o sangue escorria abundantemente.

— Você combateu bem — cumprimentei-o.

Seus lábios moveram-se; virou a cabeça um pouco para tentar falar comigo, e o sangue jorrou, violento. Com minhas mãos cobertas de sangue, amparei-lhe a cabeça. O elmo rolou, e sua trança preta caiu sobre a poeira, a ponta já desfeita.

— Meu maior prazer teria sido combater a seu lado e não contra você. — Eu faria tudo o que estivesse a meu alcance para satisfazer seus últimos desejos. Sim, faria tudo. Ou quase tudo.

Os olhos dele brilhavam e sabiam. Um fino rio de sangue escorria-lhe do canto da boca; seu tempo escoava-se rapidamente e eu não conseguia suportar a idéia de que ele ia morrer.

— Aquiles?

Quase não consegui ouvir meu nome. Abaixei-me e encostei o ouvido a seus lábios.

— Diga.

— Dê meu corpo... a meu pai...

Quase tudo, mas não isso.

— Não posso, Heitor. Jurei que daria seu corpo a Pátroclo.

— Dê meu corpo... a meu pai... se o der a Pátroclo... o seu... será devorado... pelos cães de Tróia.

— O que tem de ser, será. Eu jurei, Heitor.

— Então... acabou-se... tudo...

Heitor contorceu-se com uma força que só os Deuses lhe poderiam ter dado, e suas mãos cravaram-se ainda mais na lâmina; num derradeiro esforço, arrancou a espada. Seus olhos perderam imediatamente todo o brilho, a garganta rompeu num estertor, uma espuma rósea fervilhou em suas narinas. Nesse instante morreu.

Com a cabeça dele ainda em minhas mãos, fiquei ali ajoelhado e imóvel. O mundo inteiro caiu de súbito no mais profundo silêncio. As fortificações de Tróia pareciam tão mortas quanto Heitor. Do exército de Agamêmnon, às minhas costas, também não vinha um único murmúrio. Quão belo era Heitor, meu gêmeo troiano, minha outra metade! E quão terrível, quão lancinante, era minha dor!

— *Por que o amas, Aquiles, se foi ele quem me matou?*

Levantei-me de um salto, o coração martelando desvairado. A voz de Pátroclo falara dentro de mim! Heitor estava morto, eu jurara matá-lo, e, agora, em vez de me sentir exultante, eu chorava! Chorava! Enquanto Pátroclo esperava que eu lhe pagasse a travessia do rio!

Meus movimentos mataram o silêncio. Na torre de vigia, ouviu-se um medonho uivo de desespero. Era Príamo, amaldiçoando a morte do filho que mais amava. Outros o imitaram; o ar encheu-se das lamentações histéricas das mulheres, dos gritos que os homens imaginavam chegar aos ouvidos dos Deuses, dos murros que homens e mulheres davam no peito, produzindo um som que se assemelhava ao dos tambores fúnebres; e, atrás de mim, o exército de Agamêmnon erguia-se em incessante alarido, aclamando Aquiles.

Como um selvagem, comecei a despir Heitor, sufocando a odiosa tristeza que impregnava meu coração, arrancando de mim o instinto que me levava a chorar a morte de um inimigo, enquanto amaldiçoava todos os elementos da armadura que ia desmembrando. Quando terminei, os reis aproximaram-se e formaram um círculo à volta do corpo nu de Heitor. Agamêmnon fitava o rosto morto com um sorriso de escárnio. Ergueu a sua lança e enterrou-a no flanco de Heitor; todos os outros o imitaram, cravando no indefeso guerreiro os golpes que, fosse ele vivo, nunca lhe teriam desferido.

Enojado, virei-lhes as costas; talvez assim pudesse aplacar um pouco minha raiva e secar as lágrimas. Quando me voltei, descobri que só Ajax se coibira de ultrajar o corpo de Heitor. Como poderiam os homens chamá-lo de brutamontes se, entre todos os presentes, só ele compreendera? Rudemente, afastei Agamêmnon e todos os outros.

— Heitor pertence-me. Peguem suas armas e vão embora!

De súbito, envergonhados, afastaram-se. Mais pareciam uma matilha de cães furtivos, desejosos de devorar a refeição roubada, mas impedidos de fazê-lo porque eu os enxotara.

Retirei o boldrié púrpura de sua fivela na couraça e peguei meu punhal. Depois, rasguei as correias das botas e prendi os tornozelos de Heitor com o couro tingido e incrustado de jóias do boldrié, enquanto Ajax, impassível, assistia à destruição de seu presente. Automedonte surgiu com meu carro em cuja traseira prendi o boldrié.

— Desça — pedi a Automedonte. — Eu mesmo o conduzirei.

Meus três cavalos brancos sentiam o cheiro da morte e não queriam avançar; porém, logo que enrolei as rédeas em volta da cintura, os animais se acalmaram. Vezes sem conta passei sob a torre de vigia. As muralhas de Tróia gritavam de dor. O exército de Agamêmnon gritava de júbilo.

A trança de Heitor desfez-se na terra encharcada até se transformar num disforme emaranhado cinzento; os braços deslizavam moles pelo chão, abertos para trás. Por doze vezes vergastei os cavalos entre a torre de vigia e a Porta Ceia, exibindo a esperança morta de Tróia sob suas próprias muralhas, proclamando a inevitabilidade de nossa vitória. Depois, só parei na praia.

Pátroclo jazia amortalhado em seu esquife. Dei três voltas à praça e só então desci do carro e cortei com o punhal as amarras do boldrié. Pegar a forma flácida de Heitor era fácil; no entanto, e não sei por quê, arremessá-la ao chão, deixá-la como um resto amorfo aos pés do esquife, revelou-se a mais difícil das tarefas. Apesar disso, consegui executá-la. Briseís afastou-se, assustada. Sentei-me no banco que ela deixara, a cabeça entre os joelhos, e de novo rompi em choro incontrolável.

— Aquiles, venha para casa — pediu ela.

Decidido a dizer-lhe que não, ergui a cabeça. Também ela sofrera; não podia permitir que sofresse mais. Levantei-me, lavado ainda em lágrimas, e com ela segui para minha casa. Sentou-me numa cadeira e deu-me um lenço para limpar o rosto, uma bacia para lavar o sangue que me tingia as mãos, vinho para que eu me recompusesse. Não sei como, conseguiu tirar-me a armadura de ferro e ouro, após o que tratou da ferida que eu tinha na coxa.

Depois, tentou despir-me a proteção acolchoada, mas eu a impedi.

— Deixe-me em paz.

— Você precisa tomar banho, Aquiles. Deixe-me lavá-lo.

— Não posso lavar-me enquanto Pátroclo não tiver sido enterrado.

— Pátroclo converteu-se em seu espírito mau — disse ela serenamente — e isso é zombar do que ele foi em vida.

Com um irado olhar de censura, abandonei imediatamente minha casa. Encaminhei-me não para a praça onde Pátroclo jazia, mas para os seixos da praia e aí caí como se fosse apenas um deles.

Meu sono foi um transe de paz absoluta até o momento em que, no abismo sem forma em que eu morava, uma infinita alvura, como se feita de filamentos, aproximou-se, cintilando uma luz sobrenatural, as trevas do abismo pairando entre os débeis filamentos. Essa imensidão de branco, vinda das mais extremas lonjuras, aproximava-se cada vez mais do centro da minha mente, ganhando forma e opacidade à medida que ia entrando em mim, até que, ao penetrar o cerne de meu espírito, assumiu sua derradeira forma. Os inflexíveis olhos azuis de Pátroclo fixavam minha nudez. Sua terna boca ganhara a dureza do metal, a dureza que eu encontrara em nossa despedida, e sua cabeleira loura estava raiada de vermelho.

— Aquiles, Aquiles — sussurrou em voz que era, ao mesmo tempo, a dele e outra, lúgubre e gelada —, como você pode dormir se ainda não fui sepultado, se ainda não pude atravessar o rio?

Liberte-me, Aquiles! Liberte-me de meu barro! Como pode dormir se eu ainda não fui sepultado?

Estendi-lhe os braços, rogando-lhe que me compreendesse, tentando explicar-lhe por que razão o deixara substituir-me à frente de meus homens, balbuciando explicações ininterruptamente. Toquei-o, e meus dedos tocaram o vazio; a forma que era Pátroclo desvaneceu-se e sumindo na escuridão até que o último som de sua estranha voz se dissipou, até que o derradeiro fio da sua luminescência se apagou.

Gritei. E acordei ainda gritando, debatendo-me com violência, agarrado e acalmado por uma dúzia de meus soldados. Afastando-os, impaciente, avancei trôpego em meio aos navios, a luz cinzenta do alvorecer guiando meus passos. Os homens que meu grito acordara perguntavam-se que ruído horrível fora aquele.

O vento da noite desnudara Pátroclo, jogando na terra da praça o manto que o cobria; os mirmidões que formavam a sua guarda de honra não se tinham atrevido a aproximar-se para cobrir meu amigo. Por isso, mal entrei cambaleante na praça, foi Pátroclo quem eu vi. Dormindo. Sonhando. Em paz; a encarnação da bondade. Um sósia de Pátroclo. Eu tinha acabado de ver o verdadeiro Pátroclo e seus lábios tinham-me dito que ele nunca me perdoaria. Aquele coração que a mim se entregara tão generosamente desde os dias de nossa adolescência partilhada estava agora tão frio e tão duro quanto mármore. Nesse caso... nesse caso, por que o rosto do sósia se mostrava tão terno, tão radioso de bondade? Poderia aquele rosto pertencer à sombra que me atormentara durante o sono? Seria possível que os homens mudassem tanto depois de mortos?

Meu pé tocou em algo frio; estremeci, incontrolável, ao ver o cadáver de Heitor no lugar onde o deixara na noite anterior, as pernas torcidas como se estivessem quebradas, a boca e os olhos escancarados, a carne branca sem vida exibindo os cortes róseos de uma dúzia de feridas, a do pescoço aberta, como as guelras de um peixe.

Virei as costas a meus mortos ao dar-me conta de que os mirmídones se aproximavam, acordados pelos gritos tresloucados de seu chefe. Eram conduzidos por Automedonte.

— Aquiles, é tempo de enterrar Pátroclo.

— Há muito devíamos tê-lo feito.

Numa jangada conduzimos Pátroclo à outra margem do Escamandro; depois, envergando trajes de guerra, nós o levamos sobre seu escudo. Eu ia à frente, segurando sua cabeça na palma de minha mão direita. Todo o exército se espalhara pelos penhascos e pela praia num raio de duas léguas para ver os mirmídones conduzindo Pátroclo ao túmulo.

Entramos na gruta e o deitamos suavemente no carro funerário de marfim. Pátroclo envergaria no túmulo a armadura que vestia no momento de sua morte; seu corpo estava coberto de cachos de nossos cabelos; suas lanças e todos os seus bens pessoais foram colocados em trípodes de ouro ao longo das paredes pintadas. Olhei de relance para o teto, perguntando-me quanto tempo faltaria para que também eu fizesse daquele túmulo minha morada. Não muito, diziam os oráculos.

O sacerdote colocou a máscara de ouro sobre seu rosto e amarrou os fios sob a cabeça, colocou as mãos enluvadas de ouro sobre suas coxas, os dedos entrelaçados sobre a espada. Cânticos foram entoados, libações derramadas no chão do túmulo. Então, um a um, os doze jovens troianos foram erguidos acima de uma enorme taça de ouro apoiada numa trípode, aos pés do carro funerário, e suas gargantas cortadas. Selamos a entrada do túmulo e regressamos ao acampamento, à praça das assembléias diante da casa de Agamêmnon, onde se realizavam os jogos fúnebres. Fui buscar minhas presas e suportei a agonia de ter de exibi-las perante os vencedores. Por fim, enquanto os outros festejavam, voltei sozinho para minha casa.

Heitor jazia agora na terra à saída de minha casa, para onde fora levado depois de termos retirado Pátroclo de seu esquife; a memória daquela aparição em meu sonho quase me levara a sepultá-lo com Pátroclo, como um cão aos pés de um herói; no entanto, no último instante, não conseguira forças para tanto. Quebrara o juramento que fizera a meu mais velho e querido amigo — a *meu amante*! — e ficara eu com Heitor. Pátroclo já tinha a travessia paga: doze jovens nobres troianos. Um preço bastante razoável.

Bati palmas, e as criadas vieram correndo.

— Aqueçam água, tragam os óleos sagrados, mandem chamar o embalsamador. Quero o príncipe Heitor preparado para ser sepultado.

Levei o corpo para um pequeno galpão ao lado de minha casa e deitei-o numa laje para que as mulheres pudessem cuidar dele. Mas fui *eu* quem lhe endireitou pernas e braços; fui *eu* quem lhe fechou os olhos que, entretanto, voltaram a abrir-se, muito lentamente, cegos. Um horrendo espetáculo se seguiu, o trabalho do embalsamador. O esvaziamento do cadáver, a pele nada cobrindo. Enquanto a tudo assistia, pensava no momento em que aquele homem faria o mesmo em meu corpo.

Briseís estava sentada à minha espera, curvada numa cadeira. Olhou de relance para mim, mas, por um momento, nada disse. Depois, com voz neutra, atreveu-se:

— Aqueci água para seu banho e há comida e vinho. Tenho de acender as lamparinas, a noite logo cai.

Ah, se ao menos a água tivesse o poder de lavar as manchas que corroem o espírito de um homem! Meu corpo estava de novo limpo, mas não meu espírito.

Briseís sentou-se no divã em frente ao meu enquanto eu me obrigava a comer, pouco que fosse, e a saciar minha sede. Sentia-me como se, durante anos, tivesse corrido como um louco.

Então, falando comigo, ela usou a mesma palavra: louco.

— Aquiles, por que você se comporta como um louco? O mundo não vai acabar porque Pátroclo morreu. Há pessoas que estão vivas e que o amam tanto quanto ele o amava. Automedonte. Os mirmídones. Eu.

— Vá embora — pedi-lhe, já farto.

— Irei quando acabar. Aquiles, para curar suas feridas, só há um remédio. Deixe de servir Pátroclo e devolva Heitor ao pai. Não tenho ciúmes, nunca tive. O fato de você e Pátroclo terem sido amantes não me afetou, como não afetou meu lugar em sua vida. Mas Pátroclo *tinha* ciúmes, e os ciúmes o cegaram. Você acredita que ele julgou que Aquiles tinha traído seus ideais. Porém, para Pátroclo, a verdadeira traição foi o fato de você ter-me amado. Foi aí que tudo começou. Depois disso, aos olhos de Pátroclo, tudo o que você fizesse estaria errado. Não o estou condenando — só estou dizendo a verdade. Ele o amava e sentiu que, amando-me, você traíra seu amor. E, se havia traído seu amor, não poderia ser a pessoa que ele acreditava que fosse. Era preciso que ele encontrasse defeitos em você. Pátroclo precisava encontrar razões para a devastação que você lhe produzira.

— Você não sabe o que está falando.

— Sei, sim, Aquiles. Mas não era a respeito de Pátroclo que eu queria falar e sim de Heitor. Como pode fazer isso a um homem que o enfrentou com tanta coragem e que morreu com tanta honra? Devolva-o ao pai, Aquiles! Não é o verdadeiro Pátroclo que o persegue, mas, sim, o Pátroclo que você construiu para instilar em você mesmo a peçonha da loucura! Esqueça Pátroclo! No fim de tudo, ele revelou que, afinal, não era seu amigo.

Esbofeteei-a com tal violência, que Briseís caiu no chão. Horrorizado, levantei-a, deitei-a e verifiquei, aliviado, que não perdera a consciência. Caminhei, trôpego, até uma cadeira, afundei-me nela, pus a cabeça entre as mãos. Nem Briseís escapava àquela loucura — e era loucura! Como curá-la? Como expulsar de mim minha mãe?

De repente, senti algo envolvendo-me as pernas, puxando debilmente a bainha de meu saiote. Tomado de terror, ergui a cabeça para ver que nova aparição decidira acossar-me. Confuso, fitei a cabeça branca e os traços abatidos, deformados, de um homem muito velho. Era Príamo! Não poderia ser outro senão Príamo! Príamo ali! Quando ergui os cotovelos de meus joelhos, ele se agarrou às minhas mãos e desatou a beijá-las, as lágrimas caindo sobre a mesma pele que o sangue de Heitor tingira de vermelho.

— Devolva-me meu filho! Devolva-me meu filho! Não deixe que os cães o devorem! Não o deixe sozinho e profanado! Não lhe negue o luto que lhe é devido! Devolva-me meu filho!

Olhei para Briseís, que se soerguera no divã, os olhos enevoados de lágrimas.

— Venha, Príamo, sente-se — amparei-o, erguendo-o e sentando-o em minha cadeira. — Não é próprio de um rei suplicar de joelhos. Sente-se.

Automedonte apareceu à porta.

— Como ele chegou aqui? — perguntei-lhe, aproximando-me dele.

— Numa carroça puxada por uma mula e conduzida por um rapaz idiota, uma pobre criatura que só diz tolices. O exército ainda está festejando, o guarda no posto da passagem era um mirmidão. O velho disse que queria falar com você. A carroça estava vazia e nenhum deles estava armado, de modo que o guarda deixou-os entrar.

— Vá buscar lenha para o fogo, Automedonte. Não diga a ninguém que ele está aqui. Avise o guarda e agradeça-lhe por mim.

Enquanto aguardava o fogo — estava muito frio —, sentei-me ao lado de Príamo e peguei suas mãos deformadas. Estavam geladas.

— Precisou de muita coragem para vir a nosso acampamento.

— Não, nenhuma — respondeu ele. Os olhos escuros, remelosos, fitaram os meus. — Outrora — disse-me ele —, governei um reino feliz e próspero. Até que cometi um erro. O erro estava dentro de mim. Dentro de mim... Os gregos foram enviados pelos Deuses para me punir. Meu orgulho tinha de ser castigado. Minha cegueira tinha de ser castigada. — Seus lábios tremiam, e a umidade que lhe cobria os olhos dava-lhes um brilho novo. — Não, não precisei de coragem nenhuma para vir até aqui. Heitor foi o preço mais elevado que tive de pagar.

— O preço mais elevado — murmurei, incapaz de calar-me — será a queda de Tróia.

— A queda de minha dinastia, talvez, mas não a queda da cidade. Tróia é maior do que a minha dinastia.

— Tróia, a cidade, cairá.

— Quanto a isso, Aquiles, divergimos. Só espero que não haja entre nós divergências quanto às razões de minha vinda. Príncipe Aquiles, dê-me o corpo de meu filho. Pagarei tudo que pedir.

— Não quero que me pague nada, rei Príamo. Pode levá-lo.

Príamo caiu de joelhos pela segunda vez e de novo me beijou as mãos; meu corpo todo arrepiou-se. Acenando para Briseís, libertei-me das mãos de Príamo.

— Sente-se e coma comigo enquanto preparam Heitor. Briseís, cuide de nosso visitante.

Saí para falar com Automedonte.

— O boldrié de Ajax — orientei-o — pertencia a Heitor, ao contrário da armadura. Vá buscá-lo, Automedonte, e leve-o para a carroça.

Quando regressei, encontrei Príamo recuperado, contente, conversando com Briseís; ocorrera nele uma daquelas estranhas mudanças de disposição, característica dos muito idosos. Ouvi-o perguntar a Briseís se gostava da vida que levava comigo, ela que nascera na Casa de Dárdano.

— Estou satisfeita, rei Príamo, Aquiles é um bom homem, não há nele nada de ignóbil. — Curvou-se um pouco, perguntando num murmúrio: — Rei Príamo, por que ele pensa que vai morrer em breve?

— Os destinos de Aquiles e Heitor estão ligados — respondeu o velho rei. — Foram os oráculos que o disseram.

Quando me viram, mudaram de assunto, como seria de esperar. Jantamos depois, e descobri que estava esfomeado, mas obriguei-me a comer tão devagar quanto Príamo e a não beber vinho em excesso.

Depois do jantar, conduzi-o a sua carroça, onde jazia o corpo de Heitor, coberto por um manto. Príamo não quis ver o corpo do filho. Subiu na carroça, sentando-se ao lado do pobre idiota, e logo se afastou a caminho da passagem de nosso acampamento. Ia tão ereto e orgulhoso como se estivesse conduzindo um carro de ouro maciço.

Briseís estava à minha espera, os cabelos soltos, uma túnica folgada caindo-lhe até os pés. Fui para nossa cama enquanto ela apagava as lamparinas.

— Está tão cansado que nem se despe?

Tirou-me o colar e o cinto, despiu-me o saiote, deixando-os no chão. Exausto, deitei-me de costas, ergui os braços e deixei-os repousando sobre a cabeça. Briseís subiu na cama, sentou-se a meu lado, debruçou-se sobre mim e pôs-se a brincar, enfiando os punhos em minhas axilas. Sorri para ela, de súbito tão feliz e despreocupado como uma criança pequena.

— Não tenho força nem para afagar seu cabelo — murmurei.

— Então fique quieto e durma. Eu estou aqui.

— Estou cansado demais para dormir.

— Então descanse! Eu estou aqui.

— Briseís, prometa-me que não me deixará nunca. Nem mesmo quando meu fim chegar.

— Quando seu fim chegar?

Sua expressão risonha logo se dissipou; estava debruçada sobre mim, mas eu quase não lhe via os olhos, pois, em todo o quarto, a única lamparina acesa estava bem longe de nós. Com um imenso esforço, ergui os braços e amparei sua frágil cabeça em minhas mãos, como fizera com Heitor no momento de sua morte.

— Ouvi o que perguntou a Príamo e ouvi a resposta dele. Sabe muito bem o que quero dizer, Briseís.

— Recuso-me a acreditar! — exclamou ela.

— Há certas coisas a que um homem é condenado no próprio dia em que nasce, e essas coisas são-lhe anunciadas. Meu pai a nada me condenou, mas o mesmo não posso dizer de minha mãe. Minha presença em Tróia significaria necessariamente minha morte. E, agora que Heitor morreu, Tróia cairá. Minha morte é o preço que é preciso pagar pela queda de Tróia.

— Aquiles, não me deixe nunca!

— Daria tudo para não a deixar nunca, mas é impossível...

Por um longo tempo Briseís ficou quieta e calada, os olhos fixos na minúscula chama da lamparina, a respiração rítmica e vagarosa. Por fim, disse-me:

— Você ordenou que Heitor fosse preparado para o enterro antes de vir encontrar comigo esta noite.

— É verdade.

— Por que não me disse? Se tivesse revelado sua decisão, eu nunca teria dito o que disse.

— Talvez suas palavras fossem necessárias, Briseís. Eu bati em você. Um homem não deve nunca bater numa mulher ou numa criança, ou em qualquer criatura mais fraca do que ele. Quando os homens baniram a Velha Religião, os Deuses deram-lhes o poder na terra. Contudo, os homens teriam de cumprir certas cláusulas: essa era uma delas.

Ela sorriu.

— Você não bateu em mim, mas, sim, em seu demônio, e, ao bater, livrou-o de você. O resto de sua vida pertence a você e não a Pátroclo, e isso é motivo de sobra para que eu me sinta muito, muito alegre.

Minha exaustão desapareceu subitamente; ergui-me sobre um cotovelo, a fim de olhar para ela. A minúscula lamparina teria sido generosa para qualquer mulher; porém, como Briseís não tinha nenhuma imperfeição, a escassa luz dava-lhe a aura de uma deusa, brunia sua pele pálida de um ouro desmaiado, enriquecia o fogo tremeluzente de seu cabelo e dava a seus olhos um toque de âmbar líquido. Meus dedos hesitantes tocaram seu rosto e traçaram uma linha que terminou perto de sua boca, no lugar onde a força de minha mão fizera inchar. Seu pescoço estava envolto em sombras, os seios deixaram-me como louco, os pequenos pés eram o limite de meu mundo.

E porque admitira finalmente que precisava desvairadamente dela encontrei em Briseís coisas que estavam muito além de meus sonhos. Se, no passado, tentara conscientemente agradar-lhe, agora só pensava nela como uma extensão de meu próprio ser. Descobri-me chorando; seu cabelo ficou molhado sob meu rosto; suas mãos acalmaram-se e procuraram as minhas, cerrando-se nelas numa paz dolorosa, e tão cedo não se largaram nossas mãos acima de nossas cabeças no travesseiro partilhado.

Heitor habitava de novo o palácio de seus antepassados, embora dessa vez não o soubesse. Por intermédio de Ulisses, ficamos sabendo que Príamo ignorara as pretensões de seus filhos mais velhos e escolhera Troilo, ainda um rapaz, como seu novo herdeiro. Protestavam os troianos, argumentando que Troilo não atingira ainda a maioridade, termo que não usávamos nem conhecíamos.

De fato, a decisão de Príamo alimentara forte oposição; o próprio Troilo suplicara ao rei que desse o título a Enéias. Ao ouvir isso, Príamo lançara-se em severa crítica ao dardaniano, só encerrada quando Enéias abandonara indignado a Sala do Trono. Deífobo também estava furioso, como, aliás, o jovem sacerdote Heleno, que recordou ao pai o oráculo segundo o qual Troilo só salvaria a cidade depois de ter atingido a maioridade. Príamo respondeu que

Troilo já havia chegado à maioridade, mas Heleno manteve suas súplicas — que não demoveram Príamo. Troilo foi declarado herdeiro de Tróia. E nós, na praia, começamos a afiar nossas espadas.

Durante doze dias, Tróia chorou Heitor. Durante esse período, chegou Pentesiléia das amazonas com dez mil guerreiras montadas. Mais uma razão para prepararmos nossas armas.

Enquanto afiávamos as espadas, afiava-se nossa curiosidade: as amazonas eram criaturas únicas. Consagravam inteiramente suas vidas a Ártemis, a donzela, e a um Ares asiático. Viviam nas longínquas fortalezas da Cítia, no sopé das montanhas de cristal que constituem o teto do mundo, conduzindo seus enormes cavalos pelos caminhos das florestas, caçando e pilhando em nome da donzela. Viviam sob o domínio da deusa Terra na sua tripla identidade inicial — Donzela, Mãe, Velha — e dominavam seus homens, como as mulheres haviam feito em nosso mundo, antes de a Nova Religião ter substituído a Velha. É que, em nosso mundo, os homens haviam feito uma descoberta vital: a semente de um homem era tão necessária para a procriação como a mulher que fazia crescer o fruto. Antes dessa descoberta, os homens eram considerados não mais do que um luxo dispendioso.

Entre as amazonas, a sucessão fazia-se inteiramente segundo a linha feminina; seus homens eram pouco mais do que escravos e nem sequer iam para a guerra. Os primeiros quinze anos da vida de uma mulher, após a primeira menstruação, eram exclusivamente dedicados à deusa Donzela. Depois, retirava-se do exército, escolhia um marido e gerava seus filhos. Só a rainha não se casava, embora deixasse o trono na mesma época em que as demais mulheres abandonavam o serviço de Ártemis, a donzela; em vez de escolher um marido, a rainha submetia-se ao golpe fatal do machado, sacrificando-se por seu povo.

Ulisses encarregou-se de esclarecer nossas dúvidas com relação às amazonas; parecia ter espiões em toda parte, mesmo no sopé das montanhas de cristal da Cítia. Aquilo que mais nos aborrecia, contudo, era o fato de as amazonas *montarem* cavalos. Os outros povos não montavam cavalos; nem mesmo os longínquos egípcios. Um homem sentar-se em cima de um cavalo? Era muito difícil... O pêlo era escorregadio; uma manta que fosse colocada em cima dele cairia certamente; a única parte do corpo do cavalo que os homens podiam usar era a boca, na qual podiam inserir um freio ligado ao arnês e às rédeas. Portanto, o mundo usava os cavalos apenas para puxar carros e só carros; nem mesmo carroças, pois o jugo os estrangularia. Assim sendo, como era possível que as amazonas *montassem* cavalos e, pior, assim combatessem em cima deles?

Enquanto os troianos choraram a morte de Heitor, descansamos, perguntando-nos se ainda voltaríamos a vê-los fora das muralhas. Ulisses estava seguro de que eles voltariam a sair, mas os demais chefes gregos duvidavam.

No décimo terceiro dia, vesti a armadura que Ulisses me dera, descobrindo, com alguma surpresa, que, agora, me parecia muito mais leve. Atravessamos as passagens do acampamento à escassa luz da aurora, intermináveis correntes de homens arrastando-se pela planície orvalhada, os carros na dianteira. Agamêmnon decidira formar ao longo de uma frente situada a cerca de meia légua da muralha troiana adjacente à Porta Ceia.

Eles nos esperavam. Não tantos como antes, mas, mesmo assim, mais numerosos do que nós. A Porta Ceia já estava fechada.

As hordas amazonas estavam posicionadas no centro da vanguarda troiana; enquanto esperava que nossas alas formassem, sentei-me numa das laterais de meu carro e examinei-as com toda a atenção. Montavam uns cavalos enormes e muito peludos, de uma raça que eu desconhecia — fêios focinhos aquilinos, crinas e caudas tosquiadas, cascos peludos. Quanto à cor, eram uniformemente baios ou castanhos, com uma única exceção: o belo cavalo branco exatamente no centro das hostes amazonas. Só poderia ser o cavalo da rainha Pentesiléia. Entendi então o processo, muito inteligente, aliás, que usavam para montar os cavalos. Cada guerreira ajustava as ancas e as nádegas a uma estrutura de couro, presa por correias debaixo da barriga do cavalo; desse modo, o risco de cair seria mínimo.

Usavam elmos de bronze, mas, quanto ao mais, vestiam couro curtido e cobriam-se, da cintura até os pés, com uma espécie de cano de couro, atado com correias dos tornozelos aos joelhos. Nos pés, usavam botas pequenas e macias. A arma preferida era obviamente o arco e as flechas, embora algumas trouxessem espadas.

De repente, soaram as trombetas e os tambores da batalha. Ergui-me de novo, a Velha Pélion na mão, o escudo de ferro confortavelmente pendurado no ombro esquerdo. Agamêmnon concentrara todos os seus carros na seção da linha de frente diante das amazonas. Lamentavelmente, eram poucos nossos carros.

As mulheres abriram caminho entre os carros de guerra como se fossem harpias, guinchando e berrando. Setas silvaram de seus pequenos arcos, voando sobre as cabeças daqueles que seguiam nos carros e descendo na direção dos pés dos que vinham atrás. Aquela constante chuva de morte perturbou até meus mirmídones, que não estavam habituados a combater contra um adversário que disparava a uma distância que impedia a retaliação imediata. Juntei meu pequeno segmento de carros de guerra e obriguei as amazonas a recuarem, usando a Velha Pélion como um arpão, aparando as setas com meu escudo e gritando para que os outros fizessem o mesmo. Havia algo de extraordinário naquele bizarro confronto: aquelas estranhas mulheres não alvejavam nossos cavalos!

Olhei de relance para Automedonte, que, com uma expressão severa e preocupada, procurava controlar nossos cavalos. Seus olhos encontraram os meus.

— Deixemos o resto do exército tratar dos troianos — propus. — Concentremo-nos nessas mulheres. Se conseguirmos agüentá-las, já me darei por satisfeito.

Automedonte concordou, logo fazendo guinar o carro para

evitar uma guerreira que lançara seu corcel em nossa direção; as pernas dianteiras do animal cavalgavam portentosamente, e seus cascos enormes seriam capazes de fazer saltarem os miolos de um homem. Peguei um dardo e arremessei-o contra a guerreira, assobiando de satisfação, pois o dardo abateu-a instantaneamente, fazendo-a cair sob as pernas do animal. Então, decidi trocar a Velha Pélion pelo machado.

— Mantenha-se perto de mim; vou descer.

— Não, Aquiles! Elas o esmagarão!

Rindo dele, desci.

Era muito mais fácil no chão; orientei, então, os mirmídones.

— Esqueçam o tamanho dos cavalos. Aproximem-se das patas deles. Elas não matarão nossos cavalos, mas nós mataremos os delas. Cada cavalo derrubado é uma amazona a menos.

Os mirmídones seguiram minhas instruções sem hesitação. Alguns foram bastante maltratados pelas patas dos cavalos, mas a maior parte suportou aquele dilúvio de setas, retalhando barrigas peludas, ceifando pernas encimadas por saias, torcendo pescoços eqüinos. Porque eram homens organizados, disciplinados e rápidos, e também porque meu pai e eu nunca lhes havíamos desencorajado a iniciativa ou a versatilidade, os mirmídones forçaram as amazonas a recuar. Uma vitória que nos saiu cara: o campo ficou juncado de cadáveres mirmídones; mas aquela vitória ninguém nos podia tirar. Recobrado o ânimo, meus homens estavam prontos para matar mais amazonas e mais cavalos.

Voltei ao carro e tentei localizar Pentesiléia. Vi-a ao longe, tentando fazer com que suas guerreiras formassem organizadamente. Acenei para Automedonte.

— Em frente, Automedonte! Só pare quando alcançarmos a rainha!

Antes que elas estivessem preparadas, chegamos à linha de frente, mas, mesmo assim, muitas foram as setas que caíram em cima de nós; Automedonte teve de usar um escudo para se proteger. No entanto, não consegui aproximar-me de Pentesiléia o suficiente. Por três vezes, conseguiu evitar-nos, enquanto continuava a organizar suas linhas. Automedonte estava suado e arquejante, incapaz de comandar meus três garanhões com a facilidade que Pátroclo sempre mostrava.

— Dê-me as rédeas — ordenei-lhe.

Chamei cada um de meus cavalos pelo nome — Xanto, Bálio e Podargo — e a cada um pedi que me desse o seu melhor. Eles me ouviram, embora Pátroclo não estivesse presente para responder por eles. Ah, que bom! Conseguia pensar de novo em Pátroclo sem sentir o peso da culpa!

Sem que fosse preciso usar o chicote, meus cavalos, tão corpulentos quanto os das amazonas, conseguiram abrir caminho em meio àqueles. Sob meu grito de guerra, devolvi as rédeas a Automedonte e peguei a Velha Pélion. A rainha Pentesiléia estava ao alcance de minha lança e cada vez mais próxima, enquanto a desordem de suas linhas piorara em vez de melhorar. Pobre mulher, não possuía os talentos necessários a um bom general. Cada vez mais perto, cada vez mais perto... Pentesiléia teve de desviar sua égua branca para evitar uma tremenda colisão com meus cavalos. Seus olhos pálidos faiscaram, seu flanco ofereceu-se à Velha Pélion. Mas não consegui disparar. Saudei-a e ordenei a retirada.

Um cavalo das amazonas sem cavaleiro ou, melhor, uma égua — afinal, parecia que as amazonas só tinham éguas — tinha as patas amarradas, as rédeas debaixo de uma delas. Quando Automedonte chegou mais perto dela, mandei-o parar, recolhi as rédeas e obriguei o animal a seguir-nos.

Logo que me vi longe do tumulto, desci do carro e examinei a égua que perdera sua amazona. Gostaria do cheiro de um homem? Como eu me sentaria naquela estrutura de couro?

Automedonte estava espantado.

— Aquiles, o que você está fazendo?

— Pentesiléia não tem medo de morrer. Merece por isso uma

morte digna. Eu a combaterei como um igual: machado contra machado, os dois montados num cavalo.

— Enlouqueceu? Nós não sabemos montar cavalos!

— Ainda não sabemos... Mas não acha que, depois de termos visto as amazonas, conseguiremos aprender?

Pulei na égua, usando a roda do carro como degrau; os lados da estrutura eram salientes e rijos; tive grande dificuldade de me encaixar naquela estranha coisa, muito pequena para mim. Porém, uma vez sentado naquilo, surpreendi-me. Era tão fácil permanecer ereto e equilibrado! A única dificuldade eram as pernas, que ficavam penduradas, sem qualquer suporte. A égua estava amedrontada, mas a sorte estava do meu lado, pois o animal parecia manso; quando puxei as rédeas para que ela virasse, obedeceu. Montava um cavalo: era o primeiro homem em todo o mundo a fazê-lo.

Automedonte passou-me o machado, mas o escudo estava fora de questão. Um de meus mirmídones correu para mim, com um largo sorriso, e deu-me um pequeno escudo redondo que as amazonas usavam.

Com os mirmídones atrás de mim bradando gritos de alegria em deliciado alarido, avancei sobre o exército feminino, procurando a rainha. Naquela confusão, minha égua não conseguia ir mais rápida do que um caracol, mas parecia já ter adotado seu novo cavaleiro: é possível que meu peso a tivesse intimidado.

Quando vi a rainha, lancei-lhe meu grito de guerra.

Com um bizarro e ululante guincho — o seu grito de guerra — Pentesiléia virou-se na minha direção, fazendo avançar sua égua branca em meio à multidão com um movimento dos joelhos — mais um truque para eu aprender —, enquanto, com a mão direita, segurava um machado dourado. Com voz brusca, imperiosa, ordenou que suas guerreiras se afastassem para formar um semicírculo. Meus mirmídones imediatamente formaram a outra metade do círculo. A batalha teria tomado a mesma direção que nós, pois, entre os mirmidões, vi tropas que pertenciam a Diomedes e o rosto sombrio e desagradável de seu primo — o que estaria Tersites fazendo ali? Ele era um dos chefes dos espiões de Ulisses.

— Você é Aquiles — perguntou a rainha num grego atroz.

— Sim. Sou!

Avançou para mim, o machado encostado ao dorso da égua, o escudo firme. Consciente de minha inexperiência naquele novo tipo de duelo, decidi deixá-la usar primeiro alguns de seus truques, confiando que minha sorte me evitaria problemas até me sentir mais confortável. Pentesiléia fez com que seu corcel me oferecesse o flanco, mas logo rodopiou e avançou sobre mim com a velocidade de um relâmpago; afastei-me a tempo e aparei o golpe com aquele escudo forrado de pele de vaca, lamentando não ter um de ferro, mas do mesmo tamanho. A lâmina da rainha fez um corte profundo no escudo, mas logo emergiu livre e tão facilmente como uma faca cortando queijo. Pentesiléia poderia ser má comandante, mas era uma belíssima combatente; tanto quanto minha égua castanha, que sabia melhor do que eu quando é que se devia virar. Aprendendo com a rainha, ergui o machado e desferi o golpe. Falhei por muito pouco. Depois, experimentei outro truque recém-percebido: fiz com que minha égua colidisse com a dela. A rainha arregalou os olhos e, acima do escudo, riu de mim. Mais acostumados um ao outro, trocamos golpes em velocidade crescente; os machados ressoavam e produziam faíscas. Pude sentir o poder de seu braço e tive de admitir que, naquela arte, Pentesiléia era uma artífice requintada. Seu machado, além de muito menor do que o meu, fora concebido para ser usado por uma só mão, o que a transformava em inimigo muito perigoso; o melhor que eu poderia fazer com meu machado era segurar seu cabo muito mais perto da cabeça do que era normal, usando apenas a mão direita. Mantive-me à direita da rainha e a obriguei a cansar seus músculos ao aparar cada um de meus golpes com uma força que fazia vibrar todas as fibras de seu corpo.

Minha força resistiria muito mais tempo do que a sua, mas odiaria vê-la humilhada. Seria melhor acabar com aquilo rápida e honrosamente. Ao dar-se conta de que seu tempo acabara, ergueu os olhos para mim e concordou silenciosamente; então, tentou um último e desesperado truque. A égua branca empinou-se, rodopiando ao descer e arremessando-se contra mim com tal violência, que minha égua castanha vacilou, quase escorregando. Enquanto a levava a recompor-se com a voz, a mão esquerda e os calcanhares, o machado de Pentesiléia desceu sobre mim. Ergui o meu para enfrentá-lo e derrubei-o. Então, não hesitei: o flanco de Pentesiléia recebeu minha lâmina como se fosse barro mole. Não confiando nela enquanto permanecesse montada e ereta, puxei o machado rapidamente. Sua mão procurou o punhal, mas faltavam-lhe as forças. Rios escarlates jorravam já, tingindo a brancura da égua. A rainha das amazonas vacilava, ameaçando tombar, desamparada. Desci imediatamente de minha égua castanha, a fim de segurá-la antes que se estatelasse no chão.

Seu peso fez-me cair por terra. Ajoelhei depois, com sua cabeça e seus ombros em meus braços, sentindo-lhe o pulso. Não estava ainda morta, mas sua sombra já pairava sobre nós. Seus olhos tão azuis e pálidos quanto as águas beijadas pelo sol fixaram-se em mim.

— Pedi aos Deuses que fosse você — murmurou.

— O rei deve morrer pelas mãos do mais valoroso de seus inimigos — respondi — e você é rei na Cítia.

— Agradeço-lhe por ter posto termo ao duelo tão rapidamente. Assim, não fui obrigada a admitir que me faltavam as forças. Eu o absolvo de minha morte em nome da Donzela Arqueira.

O estertor da morte fazia-se ouvir já, mas os lábios ainda se moviam. Curvei-me para escutá-la.

— Quando morre sob o golpe do machado, a rainha tem de exalar seu último suspiro na boca de seu carrasco, que reinará depois dela. — Tossiu, mas buscou todas as forças que lhe restavam para continuar a falar. — Tome meu alento. Tome meu espírito até que também você seja uma sombra e eu possa pedir-lhe que a devolva a mim.

Não havia em seus lábios nem indício de sangue; seu último suspiro encontrou minha boca, e assim morreu. Deitei-a delicadamente no chão e levantei-me. Gritando de dor e desespero, as guerreiras investiram contra mim, mas os mirmídones puseram-se à minha frente e permitiram-me sair do campo de batalha montando a égua castanha. Procurei Automedonte. A estrutura de madeira e couro era um despojo muito mais valioso do que os rubis da rainha.

Alguém se dirigiu a mim.

— Proporcionou à multidão um belo espetáculo, Aquiles. Estou certo de que poucos homens — ou mulheres, agora — terão visto alguém fazer amor com um cadáver.

Automedonte e eu nos viramos imediatamente, mal acreditando no que ouvíramos. Era Tersites, o espião, que me fitava com um sorriso irônico. Desprezar-me-ia assim tanto o exército grego, a ponto de um homem como Tersites se achar no direito de verbalizar para mim seus imundos pensamentos, considerando-se a salvo de todo e qualquer castigo?

— Só foi pena as mulheres terem investido e você não poder chegar ao clímax — continuou ele, o deboche estampado no rosto. — Sempre quis ver a mais poderosa de suas armas....

Tremendo de uma fúria gélida, ergui minha mão.

— Desapareça, Tersites! Vá esconder-se atrás de seu primo Diomedes ou de Ulisses, seu titeriteiro!

Tersites virou as costas, mas ainda disse:

— A verdade dói, não é?

Bati-lhe apenas uma vez. Uma dor tremenda trespassou-me o braço quando meu punho cerrado encontrou seu pescoço sob o elmo. Tersites caiu como uma pedra, contorcido como uma serpente. Automedonte chorava de raiva.

— O cão! — exclamou, ajoelhando-se ao lado do espião. — Quebrou-lhe o pescoço, Aquiles; está morto. Bons ventos o levem!

As amazonas sofreram uma derrota esmagadora, pois seus corações tinham morrido com Pentesiléia; continuaram a combater apenas para morrer, naquela que fora sua primeira incursão ao mundo dos homens. Quando tive tempo, procurei o corpo da rainha, mas dele nem sinal encontrei. Ao fim do dia, um de meus soldados procurou-me.

— Aquiles, eu vi levarem o corpo da rainha do campo de batalha.

— Para onde o levaram? E quem o levou?

— Levaram-no para o rei Diomedes. Ele apareceu com alguns de seus soldados de Argos, despiram a rainha, amarraram o cadáver pelos tornozelos ao carro de Diomedes e assim o levaram, e também a armadura.

Diomedes? Não podia acreditar que fosse possível. Porém, logo que os homens começaram a limpar o campo, procurei o rei de Argos, a fim de confrontar minhas informações.

— Diomedes, é verdade que levou minha presa, a rainha das amazonas?

— Sim, é verdade! — respondeu ele, os olhos cheios de ódio. — Joguei-a no Escamandro!

Decidi falar-lhe cortesmente.

— Por quê?

— E por que não? Você assassinou meu primo Tersites; um de meus soldados viu você o abater com um golpe pelas costas. Merece perder a rainha e a armadura!

Cerrei os punhos.

— Agiu de forma precipitada, meu amigo. Pergunte a Automedonte o que Tersites me disse.

Com alguns de meus mirmídones, fui à procura do corpo da rainha, sem qualquer esperança de encontrá-lo. O Escamandro corria de novo forte, cheio e fétido; durante os doze dias que durara o luto por Heitor, tínhamos reforçado as margens do rio, a fim de manter seco nosso acampamento; logo a seguir, porém, os dilúvios haviam voltado ao monte Ida.

A escuridão caíra; acendemos archotes e vagamos pela margem, procurando debaixo de arbustos e salgueiros até que alguém gritou. Corri para o local de onde viera o grito, fazendo enorme esforço para enxergar nas trevas. Pentesiléia estava no centro do rio, balançando ao sabor da corrente, presa por uma comprida e pálida trança a um galho do mesmo olmo a que eu me agarrara para não morrer. Retirei-a das águas e a envolvi numa manta. Depois, coloquei-a sobre sua égua branca, que Automedonte encontrara vagando pelo campo deserto, procurando, desesperada, sua amazona.

Quando voltei a casa, Briseís me esperava.

— Meu querido, Diomedes veio visitá-lo. Como você não estivesse, deixou-lhe várias coisas e uma mensagem. Pediu-me que lhe apresentasse suas mais sinceras desculpas e que lhe dissesse que, quanto a Tersites, ele teria feito exatamente o mesmo que você fez.

Diomedes deixara-me a armadura e as armas de Pentesiléia. Sepultei-a no túmulo de Pátroclo, deitada na posição do rei guerreiro, com a armadura vestida e uma máscara de ouro cobrindo-lhe o rosto. A égua branca jazia aos pés da rainha; desse modo, o belo animal entraria no reino dos mortos como sempre vivera: montado por sua amazona.

Nos dois dias seguintes, não se registrou na planície qualquer sinal de atividade troiana. Intrigado com o que poderia acontecer em seguida, decidi ir falar com Agamêmnon. Ulisses estava com ele, tão bem-disposto e confiante como sempre.

— De uma coisa pode estar certo, Aquiles: eles voltarão a sair. Príamo está à espera de Mêmnon que se dirige para Tróia à frente de vários regimentos de elite hititas disponibilizados pelo rei Hatusílis. No entanto, segundo meus agentes, os hititas demorarão ainda meia lua para chegar a Tróia e, enquanto isso, temos de resolver um problema mais urgente. Rei supremo, posso pedir-lhe que explique a Aquiles o que se passa? — concluiu o astucioso Ulisses, que sabia muito bem quando se mostrar o mais deferente dos súditos perante o rei supremo.

— Claro — atendeu-o Agamêmnon com ar altivo. — Aquiles, há oito dias não chega a nossa praia nenhum navio de abastecimento de Assos. Suspeito de um ataque dardaniano. Gostaria que levasse seu exército e fosse ver o que se passa realmente em Assos. Não podemos combater Mêmnon e os hititas de barriga vazia, mas também não podemos combatê-los com um exército desfalcado. Proponho-lhe, por isso, que resolva o problema de Assos e retorne rapidamente.

Concordei.

— Muito bem, rei supremo. Levarei dez mil homens, mas não mirmídones. Autoriza-me a recrutar outros homens?

— Claro, claro! — respondeu imediatamente Agamêmnon. Estava muito bem-disposto.

A situação em Assos não diferia muito do previsto. Os dardanianos haviam cercado nossa base; após dura contenda, abandonamos nossas muralhas defensivas e os derrotamos em campo aberto. O exército inimigo era, afinal, uma poliglota manta de retalhos; os homens que reinavam nas ruínas de Lirnesso — fossem eles quem fossem — haviam recrutado quinze mil homens de outras cidades, possivelmente ao longo de toda a costa. Muito provavelmente, seu destino era Tróia, mas a verdade é que não tinham conseguido resistir à tentação que Assos representava. As muralhas tinham-nos mantido a distância e eu chegara a tempo de evitar um assalto fatal. Por isso, aqueles soldados, além de perderem Assos, também perderam a vida. Tróia nunca abriria suas portas para recebê-los.

Quatro dias bastaram para resolvermos o caso; fomos ao mar no quinto. Porém, os ventos e as correntes não nos ajudaram: chegamos a nossa praia apenas na noite do sexto dia. Dirigi-me imediatamente à casa de Agamêmnon, descobrindo, enquanto caminhava, que, durante minha ausência, o exército estivera envolvido numa importante ação.

Encontrei Ajax no pórtico.

— O que aconteceu? — perguntei-lhe, ansioso por conhecer todos os detalhes.

Fitou-me com fisionomia triste.

— Mêmnon chegou mais cedo do que o esperado, com dez mil soldados hititas. São magníficos combatentes, Aquiles! E nós... nós estamos cansados... Apesar de termos mais soldados do que eles e de os mirmídones participarem da batalha, os hititas nos empurraram para dentro de nossas muralhas. Felizmente já era noite quando a batalha terminou.

Apontei para as portas fechadas.

— O rei dos reis não recebe visitas?

Ajax sorriu.

— Deixe de ironia, primo! Agamêmnon não está bem... Nunca fica bem depois de um revés. Mas pode entrar que ele o recebe.

— Vá dormir, Ajax. Hoje, perdemos; amanhã, venceremos.

Agamêmnon parecia de fato muito cansado. Estava ainda sentado à mesa de jantar, acompanhado apenas por Nestor e Ulisses. Tinha a cabeça enterrada nos braços, mas ergueu-a mal eu entrei.

— Então? Resolveu o problema de Assos? — perguntou-me imediatamente.

— Sim, rei supremo. Os navios de abastecimento chegarão amanhã, mas os quinze mil homens que vinham para Tróia ficaram pelo caminho.

— Excelente! — exclamou Ulisses.

Nestor nada disse. Olhei para ele e fiquei chocado: o cabelo desgrenhado, a barba emaranhada, os olhos raiados de sangue. Quando percebeu que eu o observava, ergueu uma das mãos para logo abaixá-la; por suas faces enrugadas, deslizaram lágrimas irreprimíveis.

— O que aconteceu, Nestor? — perguntei-lhe ternamente. Creio que já sabia a resposta.

Respirou fundo, soluçou.

— Oh, Aquiles, Aquiles! Antíloco morreu!

Ergui a mão para esconder meus olhos.

— Quando?

— Hoje, no campo de batalha. A culpa foi toda minha... Ele tentou livrar-me de apuros e Mêmnon matou-o com uma lança. Não consigo sequer olhar seu rosto! A lança entrou pela nuca e saiu-lhe pela boca, desfigurando-o completamente. E meu filho era tão belo! Tão belo, Aquiles!

Meus dentes rangiam de raiva.

— Mêmnon pagará por isso, Nestor. Pelos votos que fiz ao rio Esperquio, juro-lhe que Mêmnon pagará.

Mas o velho sacudiu a cabeça.

— Oh, Aquiles, nada mais me importa! Antíloco está *morto*. O cadáver de Mêmnon não trará de volta meu filho... Perdi cinco filhos nesta maldita planície — cinco de meus sete filhos. E Antíloco era o que eu mais amava. Tinha vinte anos. E eu, que tenho quase noventa, ainda estou vivo! Não há justiça nas decisões dos Deuses.

— Acabamos com eles amanhã? — perguntei a Agamêmnon.

— Sim, amanhã — respondeu ele. — Estou farto, mais do que farto, de Tróia! Não *suportaria* passar aqui outro inverno! Não tenho notícias de Micenas; minha mulher deixou de me mandar mensageiros, e o mesmo faz Egisto. Tenho mandado mensageiros, é certo: quando voltam, todos me dizem que está tudo bem em Micenas. Mas estou desejoso de voltar para casa, para Clitemnestra, para meu filho, para as duas filhas que me restam! — Olhou para Ulisses. — Se não conquistarmos Tróia neste outono, voltarei para casa.

— Tróia cairá este outono — declarou Ulisses com um suspiro. Nos olhos cinzentos daquele homem frio, tão duro como o ferro, surgiram de súbito indícios de enorme fadiga. — Também estou farto de Tróia. Se tenho de permanecer vinte anos longe de Ítaca, faço votos para que os dez últimos anos não sejam passados na Tróada. Preferiria combater contra um exército de sereias, harpias e feiticeiras a enfrentar mais toianos.

Fitei-o com um largo sorriso.

— Sereias, harpias e feiticeiras nunca se atreveriam a combater com você, Ulisses. A menos que tivessem enlouquecido. Seja como for, essas são questões que pouco me interessam. Tróia é o fim de meu mundo.

Conhecedor das profecias, Ulisses nada disse. Limitou-se a olhar para sua taça de vinho.

— Só queria que me prometesse uma coisa, Agamêmnon — pedi.

A cabeça do rei supremo estava de novo oculta pelos braços.

— Tudo o que quiser, Aquiles.

— Enterre-me na gruta do penhasco, com Pátroclo e Pentesiléia, e cuide de tudo para que Briseís se case com meu filho.

Ulisses ergueu-se de súbito.

— O Deus chamou-o, Aquiles?

— Não, creio que não. Mas seu chamamento deve ocorrer em breve. — Estendi-lhe a mão. — Prometa-me que meu filho envergará minha armadura.

— Já lhe prometi isso, Aquiles. Seu filho envergará sua armadura.

Nestor limpou os olhos, assoou-se na manga.

— Tudo será feito segundo seus desejos, Aquiles. — Seus dedos trêmulos puxaram os cabelos brancos em fúria desesperada. — Ah, se ao menos o Deus me chamasse! Tantas vezes lhe pedi, mas ele não me ouve! Como posso voltar a Pilos sem nenhum de meus filhos? O que vou dizer a suas mães?

— Você voltará a Pilos, Nestor — consolei-o. — Ainda tem

dois filhos. Quando estiver em seus domínios e contemplar a areia da praia, Tróia se diluirá em sua mente a ponto de se confundir com um sonho. Lembre-se apenas daqueles que caíram e lhe ofereça libações.

Cortei a cabeça de Mêmnon e deixei cair o corpo aos pés de Nestor. Um novo ânimo invadiu todos nós nesse dia; o ressurgimento troiano pouco tempo durou. Recuaram lentamente na direção da cidade, enquanto eu, com uma estranha agonia em meu íntimo, matava todos os inimigos que ficavam para trás. Meu braço parecia mole e lento, embora o machado continuasse a desferir tantos e tão terríveis golpes como dantes. Porém, à medida que ia dizimando os melhores soldados que o rei Hatusílis dos hititas tinha para oferecer no altar encharcado de sangue que era Tróia, a carnificina ia também provocando em meu íntimo uma repugnância insuportável. Nas regiões mais fundas de mim mesmo, ouvi uma voz suspirando: pareceu-me a voz de minha mãe, embargada pelas lágrimas.

No final do dia, prestei minha homenagem a Nestor e assisti aos derradeiros ritos de Antíloco. Deitamos o rapaz junto de seus quatro irmãos, na câmara reservada para a Casa de Neleu, e pusemos Mêmnon a seus pés, como se de um cão se tratasse. Porém, a idéia de assistir aos jogos fúnebres e de participar dos festejos era-me absolutamente insuportável; escapei logo que pude.

Briseís estava à minha espera. Briseís estaria sempre à minha espera.

Afaguei-lhe o rosto e disse-lhe:

— Você é um lenitivo para todas as mágoas.

— Sente-se e faça-me companhia — pediu.

Sentei-me, mas logo vi que não conseguiria falar com ela; um gelo horrendo começava a apossar-se de meu coração. Briseís continuou a falar, animada, até que olhou para mim; então, toda a sua vivacidade se dissipou como que por magia.

— O que há, Aquiles?

Balancei a cabeça sem dizer uma palavra, levantei-me e só parei à porta. Aí fiquei, olhos erguidos para as infinitas extensões do céu.

— O que há, Aquiles?

— Ah, Briseís! Todo o meu ser se dilacerou! Nunca, em toda a minha vida, senti tão intensamente o vento! Nunca, em toda a minha vida, senti um tão forte cheiro de vida! Nunca, em toda a minha vida, vi as estrelas tão quietas e claras!

Briseís puxou-me, aflita.

— Venha para dentro — rogou-me.

Deixei que me levasse para uma cadeira e que me sentasse, enquanto se afundava a meus pés e abraçava meus joelhos, olhando-me fixamente nos olhos.

— Aquiles... é sua mãe?

Com um sorriso, ergui-lhe o queixo.

— Não. Minha mãe abandonou-me para todo o sempre. Ouvi-a despedir-se de mim no campo de batalha. Chorava. O Deus chamou-me, Briseís. Finalmente chamou-me. Muitas vezes me perguntei como seria, mas nunca me passou pela cabeça que o chamamento do Deus fosse esta consciência tão aguda, tão absoluta da vida. Imaginei que seria um momento de glória e exultação, pensei que seria algo que me transportaria fisicamente para o último de meus combates. Mas não. É algo sereno, misericordioso. Estou em paz. Acabaram-se os demônios de outros tempos, acabou o medo do futuro. Amanhã é o fim. Amanhã, deixarei de existir. O Deus falou. O Deus não me abandonará mais.

Briseís rompeu em protestos, mas detive suas palavras com minha mão.

— Um homem tem de fazer dignamente sua última caminhada, Briseís. É o Deus que o deseja, não eu. E eu não sou nenhum Heracles, tampouco um Prometeu, para me atrever a resistir-lhe. Não passo de um homem mortal. Vivi trinta e um anos e vi e senti mais do que a maior parte dos homens que, por cem vezes, vêem as folhas das árvores ganhando o tom dourado do outono. Eu não quero viver mais tempo do que as muralhas de Tróia. Todos os grandes guerreiros morrerão nestes campos. Ajax. Ajax! Ajax... Não faria sentido que eu sobrevivesse. Enfrentarei as sombras de Pátroclo e de Ifigênia, que estarão do outro lado do rio, e já sem mágoas nem dor. Nossos ódios e amores pertencem ao mundo dos vivos — ódio e amor são forças que não podem existir no mundo dos mortos. Fiz o meu melhor. Mas cheguei ao fim. Roguei aos Deuses que permitam que meu nome continue a ser cantado por todas as gerações de homens que virão. Essa é a única imortalidade a que um homem pode aspirar. O mundo dos mortos não dá alegrias, mas também não dá tristezas. Se, nos lábios das futuras gerações, eu puder combater contra Heitor um milhão de vezes, então é porque, de fato, nunca terei morrido.

Lágrimas sem fim chorou Briseís; seu coração de mulher nunca poderia entender a complexidade da urdidura no tear do tempo; por isso, Briseís nunca poderia regozijar-se comigo. Mas há sempre o momento em que a dor é tão profunda, que até mesmo as lágrimas acabam por secar. Serena e quieta, Briseís falou, por fim, comigo.

— Se você morrer, morrerei também.

— Não, Briseís, você tem de viver. Casará com meu filho, Neoptolemo. Dar-lhe-á os filhos que não me deu. Nestor e Agamêmnon juraram-me que tudo farão para que isso se cumpra.

— Essa é uma promessa que não posso fazer. Nem mesmo a você. Você me tirou de uma vida e deu-me outra. Não poderá haver uma terceira. Tenho de partilhar sua morte, Aquiles.

Ergui-a e sorri.

— Quando vir meu filho, mudará de idéia. O destino das mulheres é sobreviver. Tudo o que você me deve é uma noite mais. Depois, eu a ofertarei a Neoptolemo.

CAPÍTULO VIGÉSIMO OITAVO

NARRADO POR
AUTOMEDONTE

Deixamos despreocupadamente nossas muralhas, sabendo que íamos enfrentar um exército que quase fora arrasado. Aquiles seguia singularmente sereno a meu lado, mas nem por um momento me interroguei sobre o significado de sua disposição. Erguia-se como um farol em sua armadura de ouro, as belas plumas douradas do elmo flutuando ao vento e beijando-lhe os ombros sempre que o terreno acidentado me obrigava a fazer um súbito desvio. Aguardando seu habitual sorriso de camaradagem, olhei-o de soslaio e sorri para ele, mas, naquele dia, Aquiles esqueceu-se de nosso breve ritual. Olhava sempre em frente. O que veriam seus olhos? Não poderia saber. Uma paz grave e controlada impregnava aquele rosto por natureza arrebatado; de súbito, tive a sensação de que a meu lado seguia um estranho. Nem uma só vez falou comigo durante a viagem para o campo de batalha, nem uma só vez vi em seus lábios um sorriso, qualquer sorriso. Seria natural que eu ficasse triste com o comportamento de Aquiles. Contudo, inexplicavelmente, não senti qualquer tristeza. Pelo contrário: senti-me apoiado, encorajado, como se houvesse nele uma indefinível qualidade capaz de me purificar.

Combateu melhor do que nunca, parecendo determinado a concentrar toda a sua imensa glória no espaço de um único dia. Porém, em vez de se deixar arrebatar pelo habitual furor assassino, Aquiles esforçou-se por assegurar o avanço organizado de seus mirmidões. Usou a espada e não o machado, e usou-a no mais absoluto silêncio, um silêncio só comparável ao do rei quando preside ao grande sacrifício anual ao Deus. A essa idéia, logo outra se associou; e logo entendi a diferença que nele havia. Aquiles sempre fora o príncipe e nunca o rei. Naquele dia, ele era o rei. Perguntei-me se não tivera alguma premonição de que o pai, Peleu, teria morrido.

Enquanto manobrava o carro, observei duas ou três vezes o céu, pois o tempo não estava me agradando. Já ao alvorecer, o céu estava soturno, prometendo não frio, mas tempestade. Agora, havia na imensa abóbada um singular matiz acobreado e, a leste e a sul, enormes nuvens negras juntavam-se, disparando seus relâmpagos. Nuvens que formavam um teto sobre o Ida, onde — disso estávamos certos — os Deuses se haviam reunido para assistir à infinita guerra.

Para os troianos, foi uma derrota esmagadora. Seu exército não conseguia deter-nos, tanto mais que, naquele dia, todos os chefes do nosso exército pareciam possuídos de uma forma inferior da grandeza que aureolava Aquiles, como os raios em torno da cabeça de Hélio. É a grandeza solar de Aquiles que contamina os outros, pensei; Aquiles tornou-se o maior de todos os reis.

Ao fim de não muito tempo, os troianos cederam e fugiram. Tentei localizar Enéias, perguntando-me por que razão o dardaniano nada fazia para garantir a coesão do exército aliado. Mas a sorte deveria ter abandonado Enéias, pois não havia nem sinal dele em todo o campo de batalha. Mais tarde, vim a saber que ele se recusara a enviar seus homens para reforçar as claudicantes linhas troianas. Sabíamos que Tróia tinha um novo herdeiro: Troilo. Lembrei-me então de que Aquiles me dissera que Príamo insultara Enéias quando da cerimônia de investidura de Troilo. Pois bem: Enéias mostrara a Príamo que fizera muito mal em insultar um príncipe dardaniano que também era herdeiro.

Já tínhamos visto Troilo no campo de batalha, quando Pentesiléia e, posteriormente, Mêmnon se juntaram ao exército aliado. Tivera sorte o jovem herdeiro: não precisara enfrentar nem Aquiles, nem Ajax. Porém, naquele dia, tudo mudaria. Aquiles perseguia-o implacavelmente, aproximando-se cada vez mais dele. Quando se deu conta do inevitável, Troilo pediu ajuda. Seus homens responderam de imediato, formando uma barreira protetora. Depois, vi-o mandar um mensageiro a Enéias, que se encontrava relativamente perto. Vi o homem falando com Enéias, que o escutou com aparente interesse. Vi o mensageiro afastar-se na direção de Troilo. Mas não vi Enéias erguer um só dedo que fosse para ajudar o herdeiro. Bem pelo contrário: deu meia-volta em seu carro e, com seus homens, demandou outras áreas.

Não faltava valentia a Troilo. Era irmão autêntico de Heitor e, com mais alguns anos, teria sido outro Heitor. Porém, sua juventude era um obstáculo intransponível. Quando me viu já muito perto, ergueu a lança, enquanto seu condutor mantinha o veículo na posição certa para o arremesso; seria a última lança que Troilo arremessaria antes que nos aproximássemos excessivamente dele. Senti o braço de Aquiles roçando o meu e compreendi que estava erguendo a Velha Pélion. Com um magnífico arremesso, a soberba lança foi imediatamente disparada, tão direta e veloz como um dardo lançado pela mão de Apolo. Suas farpas de ferro cravaram-se profundamente na garganta do rapaz, abatendo-o sem um gemido. Além das cabeças dos desesperados soldados troianos, vi Enéias observando a cena com uma expressão amarga. Tomamos a armadura de Troilo, bem como seus cavalos, e arrasamos o que restava de suas tropas.

Depois do fim de Troilo, Enéias pareceu reviver. Libertou-se de sua apatia e fez avançarem sobre nós todos os soldados aliados. Era possível vê-lo constantemente entre os soldados; contudo, fazia o que estivesse a seu alcance para não se aproximar em demasia de Aquiles, de modo que este não pudesse arremessar sua lança. Astucioso, o dardaniano. Ansiava desesperadamente pela vida; perguntei-me que paixões moveriam aquele homem, pois ele seria tudo menos covarde.

O sol sumira no céu, a tempestade tornava-se uma ameaça cada vez mais nítida. Era tão portentosa a energia que os céus acumulavam, que nossos soldados logo começaram a falar a respeito de presságios funestos. As nuvens estavam cada vez mais baixas, os relâmpagos trespassavam os ares cada vez mais perto, o ribombar dos trovões sufocava o clamor da batalha. Em toda a minha vida nunca vira um céu assim, tal como nunca sentira tão estranhos arrepios na coluna, provocados pela violência do Pai Céu. A luz ensombrecera e havia nela um lúgubre brilho sulfuroso, e as nuvens eram tão negras quanto as barbas de Hades, enroscando-se como fumaça que saísse de uma imensa frigideira cheia de azeite, ganhando um intenso tom azul sempre que os relâmpagos as iluminavam. Ouvi os mirmídones comentando que, com aqueles sinais, o Pai Zeus pretendia dizer-nos que nossa vitória seria total; e imaginei, pela forma como se comportavam, que os troianos pensariam exatamente o mesmo.

De súbito, um raio de fogo branco caiu diante de nós, queimando tudo que tocou. Os cavalos empinaram, e eu tive de tapar os olhos, temendo que tão intensa luz me deixasse sem ver. Logo que me senti menos aturdido, virei-me para Aquiles.

— Vamos descer — propus. — O solo é mais seguro.

Pela primeira vez nesse dia seus olhos encontraram-se com os meus. Fitei-o, perplexo. Era como se os raios rodopiassem em torno de sua cabeça; em seus olhos amarelos brilhava a luz de uma intensa alegria; Aquiles ria dos meus medos!

— Está vendo, Automedonte? Está vendo? Meu bisavô prepara-se para chorar minha morte! Ele me considera um digno descendente!

Abri a boca de espanto.

— *Chorar sua morte*? Aquiles, o que você quer dizer com isso?

Segurou meus pulsos com toda a sua força.

— O Deus chamou-me, Automedonte. Hoje é o dia de minha morte. Você comandará os mirmídones até que meu filho chegue a Tróia. O Pai Zeus se prepara para minha morte.

Não conseguia acreditar no que acabara de ouvir. Impossível acreditar...! Como se estivesse em meio a um pesadelo, vergastei os cavalos para que avançassem. Quando meu choque se atenuou, refleti sobre o que fazer e tomei uma decisão: aproximei-me o mais possível de Ajax e Ulisses, cujos homens lutavam lado a lado.

Não sei se Aquiles percebeu o que eu estava fazendo; se percebeu, talvez tenha considerado minha tática absolutamente irrelevante. Ergui os olhos ao céu e rezei, pedindo ao Pai que me levasse em seu lugar, mas o Deus limitou-se a rugir seu escárnio, deixando-me trêmulo de medo. Os troianos, de súbito, fugiram em direção a suas muralhas, e nós os seguimos desordenadamente, decididos a arrasá-los. Ajax estava mais perto agora; continuei avançando em sua direção até que, a certa altura, consegui segredar-lhe que Aquiles pensava que o Deus o tinha chamado. Se havia no mundo um homem capaz de evitar o fim de Aquiles, era certamente Ajax.

Estávamos então à sombra da Cortina Ocidental, muito perto da Porta Ceia para que Príamo pudesse permitir-se abri-la. Aquiles, Ajax e Ulisses tinham encurralado Enéias contra a porta, e Aquiles estava decidido a liquidá-lo. Era isso que seu silêncio me dizia, enquanto eu pedia aos Deuses que não lhe dessem a oportunidade de travar um duelo com o mais perigoso de todos os aliados ainda vivos.

Ouvi-o emitir um grito de satisfação e vi que o dardaniano já estava ao alcance de nossas lanças, ocupado demais para se dar conta de todos os que assolavam suas tropas. Naquele momento, Enéias era um alvo perfeito. Aquiles ergueu a Velha Pélion, os músculos do braço inchando portentosos enquanto concentrava todas as suas forças no arremesso, a axila nua coberta por uma fina penugem dourada. Fascinados, meus olhos atentaram na linha da lança destinada a Enéias, sabendo que a vida do dardaniano chegara ao fim, que a última ameaça troiana não mais pairaria sobre nós.

Tudo pareceu acontecer nesse instante, ainda que eu jure, diante de todos os Deuses e humanos, que não foi o carro que fez com que Aquiles perdesse o equilíbrio. Seu calcanhar direito vacilou, apesar de o pé estar firmemente encaixado no estribo; tentando manter-se equilibrado, Aquiles ergueu bem alto o braço direito. Ouvi um ruído surdo e vi a seta enterrada na axila nua. Quase toda a seta trespassara o corpo de Aquiles: só as penas azuis da ponta assomavam sobre a carne dilacerada. A Velha Pélion caiu no chão sem chegar a ser arremessada, enquanto Aquiles se erguia como um titã; depois, com voz triunfal, como se houvesse conquistado a própria mortalidade, lançou pela última vez o grito de guerra de Quíron. O braço caiu, enterrando ainda mais a seta. A arma fatal cravara-se em seu ser mais profundamente ainda do que a morte ou toda a ignomínia do mundo. Tive de controlar os cavalos com ambas as mãos, pois Xanto mergulhava, aterrorizado, Bálio abaixava a cabeça, desesperado, e Podargo martelava o chão com seus cascos. Mas Pátroclo não estava lá para falar por eles, para dar a seu sofrimento e horror palavras humanas.

Todos que ouviram o grito de guerra viraram-se para ver; Ajax gritou como se também ele tivesse sido trespassado. O sangue jorrava daquela boca sem lábios e de ambas as narinas, caindo em cascata sobre a armadura de ouro. Ulisses, imediatamente atrás de Ajax, lançou um grito de raiva e impotência, a mão esticada, apontando. Em segurança perto de uma rocha, estava o assassino: Páris. Com o arco na mão. Sorrindo para nós.

Breves momentos terão passado antes de Aquiles ter caído sobre a lateral do carro para logo ser amparado por Ajax, que o deitou no chão com um som metálico que ecoou nos nossos corações e que nunca se calaria enquanto fôssemos vivos. Aproximei-me de Ajax e a seu lado fiquei enquanto ele se ajoelhou com o primo nos braços, tirou-lhe o elmo e fitou, vazio de palavras, aquele rosto tingido de escarlate, pálido de morte. Aquiles viu quem o amparava, mas a visão da morte era muito mais forte e estava muito mais próxima. Tentou em vão falar, mas as palavras afogaram-se em sua garganta; por um momento, o derradeiro adeus esteve ali, em seus olhos. Então, as pupilas dilataram-se, e o amarelo da íris deu lugar a um negrume transparente. Três convulsões horrendas que puseram à prova a força de Ajax, e tudo estava acabado. Estava morto. Aquiles estava morto. Fitamos as luminosas janelas vazias de seus olhos e nada vimos além delas. Com a mão enorme e desajeitada, Ajax fechou-lhe os olhos; depois, colocou de novo o elmo na cabeça do primo e apertou firmemente as correias; as lágrimas caíam-lhe cada vez mais rápidas, a boca retorcia-se num esgar aflito.

Estava morto. Aquiles estava morto. Conseguiríamos suportar a dor de sua morte?

Por um largo momento, o choque deve ter reduzido os dois exércitos à mais absoluta imobilidade; de súbito, porém, os troianos caíram sobre nós como cães lambendo o sangue de homens. Queriam o corpo e a armadura. Ulisses correu de imediato para nós, sem se preocupar com suas lágrimas. Um silêncio imenso apoderara-se dos mirmídones: diante de seus olhos abismados, o impossível tornara-se realidade. Curvando-se, Ulisses pegou a Velha Pélion e brandiu-a diante de seus rostos.

— Vão deixar que eles o levem? — gritou. — Só os baixos truques de um vilão poderiam ter morto Aquiles! Vão ficar parados e deixar que eles roubem o corpo de seu amado chefe? Em nome de Aquiles, ordeno que o defendam!

Os mirmídones despertaram do estupor em que o choque os deixara e voltaram a formar; nenhum troiano se aproximaria de Aquiles enquanto um único de seus soldados fosse vivo. Formando diante de nós, resistira à carga inimiga com mágoa selvagem. Ulisses ajudou Ajax a erguer-se, ajudou-o a erguer em seus braços a frouxa e pesada forma. As lágrimas continuavam a deslizar pelas faces de Ajax.

— Leve-o além do campo de batalha, Ajax. Eu não permitirei que eles penetrem nossas linhas.

Como se de súbito se lembrasse de um detalhe importante, Ulisses enfiou a Velha Pélion na mão direita de Ajax e o empurrou para que ele não tardasse mais. Sempre nutri sérias reservas com relação a Ulisses, mas a verdade é que ele era um rei. Com a espada na mão, virou-se e fincou os pés na terra ainda quente do sangue de Aquiles. Agüentamos a carga troiana e a repelimos. Quando viu Ajax afastando-se, Enéias uivou como um chacal. Virei-me para Ulisses.

— Ajax é forte, mas não o suficiente para ir muito longe com Aquiles em seus braços. Deixe-me ir atrás dele e levar Aquiles no carro.

Ulisses concordou.

E foi assim que conduzi os cavalos em direção a Ajax, que acabava de abandonar as linhas e se arrastava pesadamente para a praia. Estava ainda longe demais para ajudar, quando um carro passou por mim, veloz. Seu condutor queria alcançar Ajax. Seria certamente um dos filhos de Príamo, pois havia as insígnias cor de púrpura da Casa de Dárdano em sua couraça. Enquanto procurava dar novo ânimo a meus cavalos, gritei para Ajax, a fim de avisá-lo do perigo. Mas Ajax pareceu nada ouvir.

O príncipe troiano saltou de seu carro, empunhando a espada, sorridente, o que revelava não conhecer Ajax, que continuou a andar como se nada tivesse acontecido. De súbito, ergueu Aquiles mais alto em seus braços e trespassou o troiano com a Velha Pélion. Ulisses agira com sabedoria entregando-lhe a arma.

— Ajax, deite Aquiles no carro — pedi, aproximando-me dele.

— Não. Eu o levo.

— É muito longe. Você ficará arrasado.

— *Eu o levo!*

— Deixe-me pelo menos tirar-lhe a armadura — propus, desesperado. — E a levo no carro. Não faz sentido você carregar a armadura.

— Sim, tem razão. Assim poderei sentir o corpo de meu querido primo, e não o metal que o envolve. Pode tirar-lhe a armadura.

Depois de termos libertado Aquiles daquele peso horrendo, Ajax continuou sua caminhada, embalando o primo, beijando-lhe o rosto destroçado, falando com ele, cantarolando como mãe adormecendo uma criança.

O exército seguia-nos lentamente, ao longo da planície; mantive o carro a pouca distância de Ajax; suas pernas imensas arrastavam-se num esforço sublime; dir-se-ia que Ajax seria capaz de caminhar cem léguas com Aquiles em seus braços.

O Deus contivera excessivamente sua dor. Por fim, deixou-a cair sobre nossas cabeças; e toda a abóbada celeste disparou brancos raios de fogo. Os cavalos estremeceram e pararam, agrilhoados pelo medo; até mesmo Ajax parou, enquanto os trovões ribombavam acima das humanas cabeças e os relâmpagos desenhavam nas nuvens um fantástico rendilhado. A chuva libertou-se finalmente, gotas imensas e pesadas descendo à terra nítidas e esparsas, como se o Deus estivesse comovido demais para chorar abundantemente. Porém, depressa as lágrimas se transformaram em dilúvio, e, ao fim de algum tempo, nós chapinhávamos num mar de lama. O exército avançou conosco, agora que o Senhor do Trovão determinara o fim de toda a contenda. Todos juntos, passamos com

Aquiles o Escamandro, Ajax à frente e o rei imediatamente atrás. Sob o dilúvio o deitamos num esquife, enquanto o Pai lhe limpava o sangue com lágrimas do céu.

Eu e Ulisses nos dirigimos imediatamente à casa de Aquiles, a fim de informar Briseís. Ela estava à porta, parecendo nos esperar.

— Aquiles morreu — disse Ulisses.

— Onde está ele? — perguntou em voz imperturbável.

— Diante da casa de Agamêmnon. — Ulisses ainda chorava.

Briseís afagou-lhe o braço e sorriu.

— Não há razão para lágrimas, Ulisses. Aquiles será imortal.

Tinham instalado um dossel sobre o esquife para proteger da chuva o corpo de Aquiles; Briseís mergulhou sob o dossel e ficou parada, observando as ruínas daquele homem magnífico, água e sangue diluindo o brilho de seu cabelo, o rosto pálido e imóvel. Perguntei-me se ela estaria vendo o mesmo que eu: aquela boca sem lábios parecia magnífica na morte, ao contrário do que sempre fora em vida. Com aquela boca, seu rosto era a imagem do perfeito guerreiro.

Porém, o que Briseís pensava naquele momento nunca cheguei a saber, porque ela não o revelou, nem então, nem nunca. Com ternura extrema, curvou-se, beijou-lhe as pálpebras, tomou-lhe as mãos e juntou-as sobre o peito, e só parou de lhe ajeitar a roupa quando achou que Aquiles estava bem.

Mas ele estava morto. Aquiles estava morto. Conseguiríamos suportar a dor de sua morte?

Sete dias nós o choramos. No último dia, quando o sol se despedia da terra, nós o deitamos no carro fúnebre de ouro e o levamos para a outra margem do Escamandro, para o túmulo no penhasco. Briseís foi conosco, pois ninguém tinha coragem para impedi-la de assistir à cerimônia; vinha no final do longo cortejo, as mãos entrelaçadas, a cabeça curvada. Ajax amparou a cabeça de Aquiles com a palma da mão, enquanto, sobre um escudo, o transportávamos para a câmara fúnebre. Estava vestido de ouro, mas não com a armadura, que ficara sob a custódia de Agamêmnon.

Depois de os sacerdotes terem pronunciado as palavras rituais, colocado a máscara de ouro sobre o rosto de Aquiles e procedido às libações, abandonamos com passos lentos o túmulo que ele partilhava com Pátroclo, Pentesiléia e doze jovens nobres troianos. A atmosfera que reinava no túmulo era mais estranha do que todos os estranhos portentos e eventos a que havíamos assistido naqueles dias; uma atmosfera doce, pura, inefável. No cálice de ouro, o sangue dos doze jovens continuava líquido, e tão intensamente carmim como no primeiro dia.

Virei-me para verificar se Briseís nos seguia. Não estava ajoelhada junto ao carro funerário. Ainda que não pudesse alcançá-la rapidamente, corri para o túmulo, com Nestor a meu lado. Emudecemos ao vê-la enterrar o punhal no peito com as poucas forças que lhe restavam. Imediatamente caiu sem vida. Sim; Briseís tomara a decisão correta! Como poderíamos enfrentar a luz de mais um dia sem Aquiles? Curvei-me para apanhar o punhal, mas Nestor deteve-me.

— Vamos embora, Automedonte. Eles não querem mais ninguém aqui.

Os festejos fúnebres realizaram-se no dia seguinte, mas não houve jogos. Agamêmnon explicou-nos as suas razões.

— Duvido que haja alguém com ânimo para disputar jogos, sejam eles quais forem. Mas não é essa a principal razão, mas sim o fato de que Aquiles não queria ser enterrado com a armadura que a mãe — uma Deusa — encomendou a Hefesto. Aquiles queria que essa armadura fosse dada como prêmio ao melhor dos homens de nosso exército. Em vez de jogos fúnebres.

Não questionei suas palavras, mas a verdade é que Aquiles nunca me dissera aquilo. Então perguntei:

— Como vai decidir quem é o melhor de nossos homens? Levando em conta os feitos de armas? O problema é que, às vezes, os feitos de armas não constituem prova evidente de uma grandeza genuína.

— Precisamente — concordou o rei supremo. — Foi por isso que decidi fazer um torneio de palavras. Quem se julgar o melhor dos homens que restam em nosso exército que se aproxime e apresente suas razões.

Apenas dois contendores avançaram. Ajax e Ulisses. Um combate sem dúvida singular! Eles representavam os dois pólos da grandeza: o guerreiro e o... como deveríamos chamá-lo? O homem que usava todas as suas faculdades mentais para atingir seus fins?

— Sim, estou de acordo — anuiu Agamêmnon. — Ajax, você trouxe o corpo de Aquiles para nosso acampamento. Ulisses, você tornou possível que isso acontecesse. Ajax, fale você primeiro. Diga-me por que acredita merecer a armadura.

Sentamo-nos todos em cadeiras do lado oposto ao de Agamêmnon. Eu com o Rei Nestor e os demais porque agora liderava os mirmídones. Não havia outras pessoas presentes.

Ajax parecia tão perturbado quanto seco de palavras; levantou-se, o maior gigante que eu jamais vira, incapaz de dizer fosse o que fosse. Seu aspecto era também lastimoso; havia algo estranho em seu lado direito, do rosto à perna. Vira-o arrastar essa perna durante o cortejo, e o braço direito também não se movia de forma natural. Uma ligeira trombose, pensei. Ajax sofrera uma ligeira trombose. O fato de ter carregado durante tanto tempo o corpo do primo afetara a parte mais frágil de Ajax, sua mente. Quando finalmente falou, Ajax teve de fazer longas pausas, pois não encontrava as palavras certas.

— Imperial rei dos reis, amigos reis e príncipes... Eu sou primo-irmão de Aquiles. O pai dele, Peleu, e o meu pai, Telamon, eram irmãos autênticos. O pai deles, Éaco, era filho de Zeus. É grandiosa nossa linhagem. É grandioso nosso nome. A armadura deverá ser minha porque minha linhagem é essa, porque meu nome é esse. Não posso permitir que a armadura de Aquiles seja dada a um homem que é filho bastardo de um vulgar ladrão.

Os vinte homens presentes agitaram-se em suas cadeiras, franziram as sobrancelhas, intrigados. O que Ajax estava fazendo? Injuriando Ulisses? Não que Ulisses reagisse; como que surdo, limitava-se a olhar para o chão.

— Eu vim para Tróia voluntariamente, como Aquiles. Não havia nenhum juramento prendendo-nos. Não fui eu quem foi desmascarado por fingir que estava louco, mas, sim, Ulisses. Apenas dois homens neste grande exército travaram um duelo com Heitor: Aquiles e eu. Eu não precisei de um Diomedes para fazer o trabalho sujo por mim. O que fará Ulisses com a armadura? De que lhe servirá? Sua frágil mão esquerda nunca poderia arremessar convenientemente a Velha Pélion. Sua cabeça ruiva afundar-se-ia sob o peso daquele elmo. Se duvidam de meu direito à propriedade de meu primo, joguem-na a um bando de troianos e verão qual de nós a resgatará!

Voltou coxeando para sua cadeira, sentou-se pesadamente.

Agamêmnon parecia embaraçado, mas era evidente que a maior parte dos presentes concordava com o que Ajax dissera. Perplexo, examinei Ulisses. Por que estranha razão pretenderia ele a armadura?

Ulisses ergueu-se e se postou diante de nós, adotando uma atitude descontraída, com as pernas bem separadas, o fogo da cabeleira acentuado pela luz. Ruivo e canhoto, pensei. Com certeza não corre sangue divino naquelas veias.

— É verdade que tentei furtar-me à guerra de Tróia — declarou. — *Eu* sabia quanto tempo esta guerra iria durar. Se não tivesse havido o juramento, quantos de vós teriam participado voluntariamente desta expedição sabendo que iria durar tanto tempo?

"Quanto a Aquiles, eu sou a única razão por que ele veio para Tróia; *eu*, e mais ninguém, descobri o plano que fora urdido para mantê-lo em Ciros. Ajax estava presente, mas nada entendeu. Perguntem a Nestor: ele confirmará minhas palavras. Quanto a linhagens, ignoro as vis insinuações de Ajax. Também eu sou bisneto do onipotente Zeus. E, quanto à coragem física, haverá alguém que duvide da minha? Eu não possuo o corpo de um gigante para escorar essa coragem, mas a verdade é que sempre fui muito bem-sucedido em todos os campos de batalha. Se duvidam disso, contem minhas cicatrizes. O rei Diomedes é meu amigo e amante, não meu lacaio."

Fez uma pausa, ainda que por razões diversas das de Ajax. Ulisses não tinha o menor problema com as palavras.

— Eu pretendo a armadura para mim por uma única razão — porque quero dar-lhe o destino que Aquiles pretendia que lhe fosse dado. Se eu não posso envergá-la, poderá Ajax? Se é grande demais para mim, certamente que é pequena demais para ele. Dêem-me a armadura. Eu a mereço.

Ergueu os braços num gesto largo, como se dissesse que seus argumentos eram incontestáveis, após o que regressou à sua cadeira. Muitos vacilavam agora, mas nossa opinião pouca importância teria. A decisão caberia a Agamêmnon.

O rei supremo olhou para Nestor.

— O que acha, Nestor?

Nestor suspirou.

— Que Ulisses merece a armadura.

— Que assim, seja, então. Ulisses, a armadura é sua.

Ajax gritou ao ouvir tais palavras. Empunhou a espada, mas não chegou a fazer o que pretendia. Mal se levantou, estatelou-se no chão e lá ficou. Tentamos erguê-lo, mas todos os nossos esforços foram vãos. Por fim, Agamêmnon ordenou que trouxessem uma maca, e oito soldados o levaram. Ulisses colocou a armadura num carro de mão enquanto os reis dispersavam, pesarosos e abatidos. Quanto a mim, fui beber vinho, na esperança de curar o azedume que me corroía. Quando Ulisses concluíra seu breve discurso, ficáramos sabendo o que pretendia ele fazer com a armadura — dá-la a Neoptolemo. Talvez em Tróia fosse possível oferecer a armadura de um morto, como se de um simples presente se tratasse. Contudo, em nossa região do mundo, a armadura de um morto ou era enterrada com ele, ou era disputada em seus jogos fúnebres. E era pena que assim fosse. Tendo em conta aquele desfecho, era verdadeiramente lamentável.

Havia muito tempo que a noite caíra quando desisti de me embriagar. Caminhei pelas ruas desertas, entre os elevados edifícios, procurando uma luz, uma única luz, um lugar qualquer que me pudesse oferecer algum conforto. E ali estava ela, finalmente, uma luz solitária na noite! Era a casa de Ulisses. A cortina da porta não fora ainda descida e por isso entrei, com passo vacilante, vergado pela fadiga.

Ulisses estava sentado ao lado de Diomedes, os olhos perdidos nas últimas brasas da fogueira, a mente perdida em silenciosas reflexões. Tinha o braço sobre os ombros do rei de Argos, seus dedos acariciavam lentamente o ombro nu do amante. Eram tão fortes os laços que os uniam que, ao vê-los assim, senti-me como um cão sem dono, senti-me ainda mais só do que efetivamente estava. Aquiles estava morto. E era eu quem comandava os mirmídones, eu que não nascera para comandar. Uma situação verdadeiramente aterradora. Aproximei-me da luz e afundei-me numa cadeira.

— Perturbo? — perguntei, então, algo tardiamente.

Ulisses sorriu.

— De modo nenhum. Tome, beba.

O meu estômago todo se revolveu.

— Não, obrigado. Tenho estado toda a noite tentando embriagar-me, mas sem o menor êxito.

— Tão sozinho, Automedonte? — perguntou Diomedes.

— Mais só do que jamais quis estar. Como posso substituí-lo? Eu não sou Aquiles!

— Não se preocupe — murmurou Ulisses. — Há dez dias, enviei um mensageiro a Neoptolemo, dizendo-lhe que viesse. Tomei essa decisão quando vi as sombras da morte enegrecendo o rosto de Aquiles. Se os ventos e os Deuses o ajudarem, Neoptolemo não tardará a chegar a Tróia.

Senti um alívio tão grande, que quase o beijei.

— Agradeço-lhe do fundo do coração, Ulisses! Os mirmídones têm de ser comandados pelo sangue de Peleu.

— Não me agradeça por ter tomado uma decisão sensata.

E ali ficamos sentados, falando disto e daquilo enquanto a noite se ia escoando, cada um de nós encontrando nos outros o consolo de que tanto precisava. A certa altura, tive a sensação de que ouvira um longínquo tumulto; porém, como o barulho acabou rapidamente, voltei a concentrar-me no que Diomedes estava dizendo. Até que ouvimos um grito imenso; dessa vez, todos ouvimos. Diomedes levantou-se de um salto, tão intenso e vigilante quanto uma pantera, procurando de imediato sua espada, enquanto Ulisses continuou sentado, sem saber muito bem o que fazer, a cabeça empinada, os ouvidos em alerta. O tumulto redobrou de intensidade; saímos imediatamente e corremos para o local de onde vinham os gritos.

Ao fim de pouco tempo, estávamos na margem do Escamandro, onde mantínhamos um curral de animais destinados a sacrifícios — cada um deles individualmente escolhido, consagrado e marcado com um símbolo sagrado. Alguns dos outros reis já estavam lá, e um guarda impedia o acesso daqueles que eram movidos pela mera curiosidade. Claro que o guarda nos deixou passar imediatamente; juntamo-nos a Agamêmnon e Menelau, que se encontravam junto da cerca que rodeava o curral, perscrutando um objeto que pairava em algum ponto da escuridão extrema. Ouvimos gargalhadas dementes, uma voz que dizia coisas incoerentes e que se erguia cada vez mais alta, gritando para as estrelas, berrando sua raiva e seu escárnio.

— Este golpe é para você, Ulisses, filho de ladrões! Morra, verme! Morra, velhaco! Seu nome é Menelau!

E a ladainha prosseguia, enquanto sondávamos as trevas sem

nada enxergar. Até que alguém deu um archote a Agamêmnon, que o ergueu bem alto, espalhando a luz por um vasto espaço. Meus olhos esbugalharam-se de horror. Meu estômago, que continha apenas vinho, pois eu recusara qualquer alimento, parecia erguer-se em espasmos; afastei-me dos outros e vomitei. A luz do archote iluminava um mar de sangue. Ovelhas, vacas e cabras jaziam em lagos de sangue, os olhos vidrados e fixos, os corpos desmembrados, as gargantas cortadas, as peles exibindo às vezes dezenas de feridas. Ao fundo, Ajax pulava com uma espada ensagüentada na mão. Sua boca só se abria para berrar insultos ou liberar gargalhadas que nos faziam gelar o sangue. Com o outro braço, agarrava um vitelinho que, aterrado, escoiceava contra a implacável força bruta do gigante. De nada lhe valeu, pois Ajax encheu-o de golpes. De cada vez que a sua espada penetrava o pobre animal, Ajax chamava o vitelo de Agamêmnon. Por fim, ecoaram novas e dementes gargalhadas.

— Ah, quem me dera ser cego para não ver isto! A que ponto ele chegou! — murmurou Ulisses.

Conseguindo controlar as ânsias de vômito, perguntei-lhe:

— O que está acontecendo com Ajax?

— Loucura, Automedonte. Ajax enlouqueceu. É o resultado de diferentes coisas. Aquela cabeça sofreu muitos golpes ao longo dos anos, muito sofrimento e talvez uma trombose também. Mas chegar a este ponto...! Pobre Ajax! Só espero que ele não se recupere o suficiente para entender o que fez.

— Temos de detê-lo! — sugeri eu.

— Se quiser, experimente você, Automedonte. Mas não me peça que enfrente Ajax em meio a um acesso de loucura.

— Nem a mim — murmurou Agamêmnon.

Assim, tudo o que fizemos foi ficar ali, observando.

Com o alvorecer, a loucura aplacou-se. Ajax recuperou o entendimento em meio a um lago de sangue que lhe alcançava os tornozelos. Olhou à sua volta como se estivesse tendo um pesadelo, para as dezenas de animais consagrados que o rodeavam, para o sangue que o cobria da cabeça aos pés, para a espada que tinha na mão, para os reis que, em silêncio, o observavam além da cerca. Tinha ainda numa das mãos uma cabra, medonhamente mutilada, sem gota de sangue nas veias agora mortas. Com um guincho de horror, deixou cair o animal, compreendendo finalmente o que fizera durante a noite. Depois, correu para a cerca, pulou-a e partiu em fuga tresloucada, como se as Fúrias o perseguissem. Teucro deixou-nos sem demora e foi a seu encalço; quanto aos demais chefes gregos, eu incluído, ficaram onde estavam, abalados demais para fazer fosse o que fosse.

Menelau foi o primeiro a conseguir falar.

— Vai permitir que ele escape impune, irmão? — perguntou a Agamêmnon.

— O que quer que eu faça, Menelau?

— Ajax tem de morrer! Ajax matou os animais sagrados! A morte é o único castigo possível! São os Deuses que exigem!

Ulisses suspirou.

— Os homens que os Deuses mais amam são precisamente aqueles que os Deuses mais depressa condenam à loucura — observou. — Deixe-o em paz, Menelau.

— Ele tem de morrer! — insistiu Menelau. — Execute-o e não deixe que nenhum homem cave sua sepultura!

— Sim, essa é a punição prevista — murmurou Agamêmnon.

— Não, não, não! — exclamou Ulisses. — Deixem-no em paz! Não lhe basta que Ajax se tenha condenado, Menelau? Só por causa do que fez esta noite, sua sombra nunca mais sairá do Tártaro! Deixem-no em paz! Não lancem mais achas na fogueira que devasta aquela desgraçada cabeça!

— Ulisses tem razão — ponderou Agamêmnon, afastando-se da carnificina. — Ajax está louco, irmão. Ele que expie seu crime o melhor que puder.

Ulisses, Diomedes e eu caminhamos pelas ruas em meio aos murmúrios dos homens, gelados de medo com o que se passara. Nosso destino era a casa onde Ajax morava com sua primeira concubina, Têcmessa, e com o filho de ambos, Eurisaces. Quando Ulisses bateu à porta trancada, Têcmessa espreitou com medo pela janela. Só depois abriu a porta, com o filho encostado a ela.

— Onde está Ajax? — perguntou Diomedes.

A mulher secou as lágrimas.

— Foi embora, rei Diomedes. Não sei para onde; disse que ia banhar-se nas águas do mar, a fim de que Palas Atenéia pudesse perdoar-lhe. — As lágrimas voltaram, mas logo Têcmessa conseguiu contê-las. — Ajax deu o escudo ao filho, dizendo-lhe que era sua única arma que não fora manchada pelo sacrilégio. Disse-nos ainda que todas as outras armas deveriam ser enterradas com ele. Por fim, deixou-nos entregues aos cuidados de Teucro. Digam-me, por favor, o que aconteceu com ele? O que fez ele?

— O que ele fez, você nunca compreenderá, Têcmessa. Fique em casa, nós o encontraremos.

Estava na praia, no lugar em que as suaves ondas rolavam delicadamente, demandando a lagoa, e onde umas quantas rochas se erguiam sobre a areia grossa. Teucro estava a seu lado, ajoelhado, curvado sobre ele — o firme Teucro, que pouco falava, mas que estava sempre presente quando Ajax precisava dele. Mesmo agora, no derradeiro momento.

A cena falava por si: uma rocha plana, uns quantos dedos acima da areia grossa, a superfície fendida por algum golpe do tridente de Poseidon, o punho da espada enfiado numa das fendas, com a lâmina para cima. Ajax despira a armadura e banhara-se no mar; na areia, desenhara uma coruja, símbolo de Atenéia, e um olho, símbolo da Mãe Kubaba. Depois, encostara o peito à ponta da espada e caíra sobre ela com todo o seu peso; a espada trespassara-o no centro do peito e saíra pelas costas, onde apenas dois cúbitos de lâmina apareciam. O rosto banhava-se no próprio sangue, os olhos fechados, traços de loucura ainda visíveis. As mãos enormes caíam, moles, os dedos ligeiramente encurvados.

Teucro ergueu os olhos e fitou-nos com expressão amarga. Quando seus olhos se detiveram em Ulisses, disseram-lhe, muito claramente, que era ele o único culpado. Não sei o que Ulisses pensou nesse momento. Só sei que não vacilou.

— O que podemos fazer? — perguntou a Teucro.

— Nada. Eu próprio o enterro.

— *Aqui*? — perguntou Diomedes, horrorizado. — Não, ele merece melhor!

— Sabe que isso não é verdade. Ele também sabia. Eu também sei. Ajax terá aquilo que as leis dos Deuses dizem que ele merece — a sepultura de um suicida. É tudo o que posso fazer por ele. É tudo o que resta entre mim e ele. Ele terá de pagar na morte, como Aquiles pagou em vida. Foi isso o que ele disse antes de morrer.

Deixamos os dois irmãos sozinhos. Os dois irmãos que lutavam sempre juntos, o menor sob o escudo do gigante. Em oito dias, Aquiles e Ajax tinham desaparecido — o espírito e o coração de nosso exército.

— Ai! — exclamou Ulisses, as lágrimas deslizando-lhe pelas faces. — Quão estranhos são os caminhos dos Deuses! Aquiles arrastou Heitor junto às muralhas de Tróia com o boldrié que Ajax lhe oferecera. Agora, Ajax matou-se com a espada que Heitor lhe dera. — Seu rosto desfigurou-se de súbito, moldado pela mais extrema raiva. — Pela Mãe, estou farto de Tróia...! Odeio até o cheiro do ar de Tróia!

CAPÍTULO VIGÉSIMO NONO

NARRADO POR AGAMÊMNON

Os dias de guerra aberta tinham acabado; Príamo trancara a Porta Ceia e, de suas torres, nos observava. Muitos chefes troianos e aliados sobreviveram, mas dos grandes comandantes só Enéias restava. Mortos os filhos que mais amara, Príamo pouco consolo encontraria agora. Era um tempo de espera, enquanto nossas feridas cicatrizavam e nossos espíritos recuperavam lentamente o ânimo. Um fato curioso acontecera, um dos presentes dos Deuses com que nenhum de nós sequer sonhara: Aquiles e Ajax pareciam ter impregnado de forma indelével o espírito de cada um dos soldados gregos. Não havia um único que não estivesse determinado a conquistar as muralhas de Tróia. Comentei o fenômeno com Ulisses, desejoso de conhecer sua opinião sobre o assunto.

— Não há mistério, rei supremo — disse Ulisses. — Aquiles e Ajax transformaram-se em heróis, e os heróis nunca morrem. O que os homens estão fazendo é muito simples: estão assumindo plenamente as responsabilidades que Aquiles e Ajax lhes deixaram. Além disso, estão desejosos de voltar para casa. Mas não derrotados. A única vingança possível para os acontecimentos destes dez anos de exílio é a queda de Tróia. Pagamos um preço muito elevado por esta campanha — um preço de sangue, de cabelos brancos, de corações dilacerados, de rostos que amamos, mas que, agora, muito provavelmente, não seríamos capazes de reconhecer, de lágrimas, de um amargo vazio. Pouco a pouco, Tróia foi-nos corroendo. Ninguém se atreverá a regressar à pátria antes de ver suas ruínas, tanto quanto ninguém se atreve a profanar os mistérios da Mãe.

— Nesse caso — ponderei eu —, pedirei conselho a Apolo.

— Apolo é muito mais troiano do que grego.

— Mesmo assim, pedirei. Apolo é a boca oracular. Perguntarei a ele o que temos de fazer para entrar em Tróia. Apolo não pode negar uma resposta sincera aos mais altos representantes de um povo, seja qual for esse povo!

O sumo sacerdote, Taltíbio, examinou as refulgentes entranhas do sagrado fogo e suspirou. Taltíbio em nada se assemelhava a Calcas; sendo grego, usava o fogo e a água para adivinhar, deixando os animais unicamente para os sacrifícios. Por outro lado, também não anunciava suas descobertas durante o augúrio propriamente dito. Só as revelava perante a assembléia dos reis.

— O que viu, Taltíbio? — perguntei-lhe.

— Muitas coisas, rei supremo. Meu entendimento não alcançou algumas delas. Duas, porém, me foram plenamente reveladas.

— Que coisas foram essas?

— Em primeiro lugar, não poderemos conquistar a cidade com o que temos. Há um objeto e uma pessoa que os Deuses muito apreciam e de cujo apoio precisamos. Se eles estiverem conosco, os Deuses nos deixarão entrar em Tróia. Caso contrário, o Olimpo se unirá contra nós.

— Que objeto é esse e quem é essa pessoa, Taltíbio?

Trata-se do arco e das flechas de Heracles. Quanto à pessoa, é Neoptolemo, o filho de Aquiles.

— Obrigado, sumo sacerdote. Pode retirar-se.

Observei os rostos dos reis. Idomeneu e Meríones tinham uma expressão tão grave quanto triste; meu pobre irmão Menelau tinha o mesmo ar de sempre; Nestor estava tão velho, que todos nós temíamos por ele; Menesteu continuava a cumprir sem queixas seus deveres de soldado; Teucro não nos perdoara; Automedonte continuava inconsolável, pois não queria comandar os mirmídones; e Ulisses — ah, Ulisses! Quem poderia saber o que se passava no fundo daqueles olhos tão belos, tão luminosos?

— Não diz nada, Ulisses? Você sabe onde estão o arco e as flechas de Heracles. Que possibilidades temos de reavê-los?

Ulisses levantou-se lentamente.

— Ao longo de quase dez anos, não recebemos nenhuma notícia de Lesbos.

— Ouvi dizer que ele morreu — informou Idomeneu, com ar sombrio.

Ulisses gargalhou.

— Quem? Filoctetes, morto? Nem com o veneno de uma dúzia de víboras! Acredito que Filoctectes esteja vivo e continue em Lesbos. Temos, pelo menos, de tentar. Quem deverá ir, Agamêmnon?

— Você e Diomedes. Vocês eram amigos de Filoctetes. Se ele tem de nós boas recordações, isso se deve a você e a Diomedes. Partam imediatamente para Lesbos e peçam-lhe o arco e as flechas que herdou de Heracles. Digam-lhe que guardaremos a parte que lhe cabe dos despojos e que nunca nos esquecemos dele — recomendei.

Diomedes levantou-se.

— Um dia ou dois no mar! Uma ótima idéia!

— Falta, contudo, resolver o problema de Neoptolemo — observei. — Teremos de esperar mais de uma lua para que o filho de Aquiles chegue, e isso *se* o velho Peleu permitir que ele venha.

Ulisses, que já estava à porta, virou-se para mim.

— Não se preocupe, Agamêmnon: eu já tratei disso. Há mais de meia lua mandei uma mensagem a Neoptolemo, dizendo-lhe que viesse sem demora para Tróia. Quanto a Peleu, proponho que façamos oferendas ao Pai Zeus!

Oito dias passados, a vela cor de açafrão do navio de Ulisses voltou a surgir no horizonte. O coração em alvoroço, esperei na praia, junto aos ancoradouros vazios. Mesmo supondo que tivesse sobrevivido, Filoctetes estava em Lesbos há dez anos e nunca nos mandara uma mensagem que fosse. E nossos mensageiros nunca o haviam encontrado. E as doenças podiam devastar implacavelmente a mente de um homem... Bastava pensar no pobre Ajax.

Ulisses vinha na proa, acenando para nós alegremente. Suspirei de alívio, um imenso alívio. Ulisses poderia ser o mais tortuoso dos homens, mas não sorriria assim se tivesse falhado. Menelau e Idomeneu juntaram-se a mim. Nenhum de nós sabia exatamente o que esperar daquele navio. Tínhamos visto Filoctetes às portas da morte; caso tivesse sobrevivido, com certeza teria perdido a perna. Eu imaginava Filoctetes mutilado, uma ruína de cabelos brancos; com certeza não seria aquele homem que víamos subir à amurada e saltar os muitos cúbitos que separavam a amurada do chão, tão lépido quanto um rapaz. Era, no entanto, ele mesmo. Não mudara nada! A passagem dos anos não se notava nele! Tinha uma bela barba loura e usava apenas um saiote. Pendurados no ombro um arco poderoso e uma velha aljava repleta de flechas. Sabia que Filoctetes tinha pelo menos quarenta e cinco anos, mas seu corpo rijo e bronzeado parecia ter menos dez, e suas pernas poderosas continuavam perfeitas. Eu só conseguia olhar para ele, boquiaberto.

— Como, Filoctetes, como? — foi tudo o que lhe pude dizer quando nos sentamos em minha casa, partilhando nosso vinho.

— A resposta é simples, Agamêmnon... Deixe-me contar-lhe a história do princípio ao fim.

— Conte-me tudo, peço-lhe — exclamei, pela primeira vez feliz desde que Aquiles e Ajax tinham morrido. Era esse o efeito que Filoctetes tinha em nós; ele enchia de vida e animação minhas velhas e bolorentas salas.

— Precisei de um ano para recuperar todas as minhas faculdades mentais e o uso de minha perna — começou Filoctetes. — Receando que o povo de Lesbos me hostilizasse por eu ser grego, meus criados levaram-me para o cume de uma montanha e fizeram de uma gruta minha casa. Era uma montanha a oeste de Termos e Antissa. A aldeia e, mesmo, a fazenda mais próxima ficavam a muitas léguas de distância. Meus criados eram fiéis e leais: por isso, ninguém sabia quem eu era nem onde eu estava. Imagine minha surpresa quando Ulisses me disse que Aquiles saqueara Lesbos quatro vezes nestes últimos dez anos! Eu não fiquei sabendo de nada!

— Bem, é compreensível que não soubesse: só as cidades são saqueadas — ponderou Meríones.

— Clara, claro.

— E você não se aventurou a sair de sua toca, depois de recuperado? — perguntou Menelau.

— Não — respondeu Filoctetes. — Não me aventurei. Apolo apareceu-me num sonho. Disse-me que ficasse onde estava. Foi o que eu fiz e, para ser franco, não me custou nada. Dediquei-me à caça. Matava veados e javalis; depois, na aldeia mais próxima, meus criados trocavam a carne por vinho, figos ou azeitonas. Era uma vida idílica, meus amigos! Não tinha preocupações, não tinha nenhum reino para governar, não tinha responsabilidades. Os anos iam passando, eu me sentia feliz, e nunca me passou pela cabeça que esta guerra pudesse ainda durar. Imaginava que todos já haviam regressado à Grécia.

— Até que nós subimos ao cume da montanha e o encontramos — concluiu Ulisses.

— Apolo o autorizou a vir para Tróia? — perguntou Nestor.

— Sim. E estou muito contente por poder participar desta guerra.

Um mensageiro apresentou-se e segredou algo a Ulisses, que se levantou imediatamente para acompanhar o homem à porta. Quando voltou, tinha uma expressão cômica, tão grande era sua surpresa.

— Agamêmnon — disse-me ele —, um de meus agentes informou-me de que Príamo está planejando uma nova batalha. O exército troiano se concentrará junto de nossas muralhas, amanhã, muito antes do alvorecer, com ordens para atacar enquanto estivermos dormindo. Não é interessante? Uma violação flagrante das leis que governam a guerra. Aposto que a idéia foi de Enéias.

— Francamente, Ulisses! — exclamou Menesteu, fazendo um muxoxo sarcástico. — Quem é você para criticar as violações dos outros? Há anos você não faz outra coisa!

A boca de Ulisses contorceu-se.

— Sim, o que diz é verdade, Menesteu. Mas também é verdade que Tróia nunca violou nenhuma dessas leis.

— Pelo visto, vão violá-las pela primeira vez — sugeri. — Ulisses, autorizo-o a usar de todos os meios para que possamos entrar nas muralhas de Tróia.

— Nesse caso... proponho matá-los de fome! — replicou ele imediatamente.

— Todos os meios... menos esse — reconsiderei.

Era noite cerrada quando formamos; a escuridão demoraria ainda muito a dissipar-se. Enéias depressa concluiu que suas movimentações haviam sido excessivamente lentas. Eu próprio conduzi o ataque. Destroçamos por completo o exército troiano, mostrando-lhe do que éramos capazes mesmo sem Aquiles e Ajax. Constrangidos devido à baixeza dos planos de Enéias, os troianos entraram em pânico quando caímos sobre eles. Tudo o que tivemos de fazer foi persegui-los e abatê-los às centenas.

Filoctetes usou as flechas de Heracles com um efeito devastador. Desenvolvera um novo sistema: os homens corriam para todas as suas vítimas, arrancavam as preciosas flechas, limpavam-nas e as devolviam à aljava.

Os que escaparam, fugiram para a cidade; a Porta Ceia fechou-se diante de nós. A batalha fora breve. Mal o sol nasceu, vimos os campos juncados de cadáveres troianos; a derradeira flor de Tróia fora finalmente abatida.

Idomeneu e Meríones vieram encontrar-me com Menelau, acompanhando-os; logo a seguir, vieram os outros, fazendo um círculo com os carros, a fim de discutirmos a batalha.

— Não há dúvida, Filoctetes: as flechas de Heracles possuem uma estranha magia — observei.

Filoctetes sorriu.

— Admito que gostam mais deste trabalho do que da caça ao veado, Agamêmnon. Porém, quando meus homens contarem minhas flechas, verificarão que faltam três. — Fitou Automedonte, que se demonstrara um bom comandante à frente dos mirmídones. — Tenho boas notícias para você e os mirmídones.

— Boas notícias? — perguntou Automedonte.

— Belíssimas notícias! — exclamou Filoctetes. — Consegui forçar Páris a travar um duelo comigo. Um de nossos soldados indicou-me quem era Páris. Furtivamente, fui-me aproximando dele. Por fim, surpreendi-o num local onde não encontraria nenhum esconderijo. Comecei a enaltecer minhas proezas como arqueiro e a caçoar de seu pequeno arco, dizendo-lhe que sua arma era boa para as mãozinhas delicadas da mais delicada das donzelas... Como, a seus olhos, eu tanto poderia ser um soldado troiano quanto um mercenário assírio, Páris caiu na armadilha e aceitou meu desafio. A fim de lhe aguçar o apetite, disparei desajeitadamente minha primeira flecha. Mas tenho de admitir que ele tem ótima pontaria. Se não tivesse erguido rapidamente o escudo, sua primeira flecha teria acertado em cheio meu diafragma. Depois, arrasei-o: uma flecha cravou-se na mão que retesava o arco, outra no calcanhar direito (pensei que seria um alvo adequado, porque foi ele quem matou Aquiles) e outra no olho direito. Claro que não teve morte imediata: nenhuma das flechas acertou um órgão vital. Mas acabará morrendo, mais cedo ou mais tarde. Pedi ao Deus que guiasse minha mão, que o fizesse ter morte lenta. — Dando uma palmadinha no ombro de Menelau, riu. Menelau perseguiu-o por algum tempo, mas não gostou do que viu, e com razão: quem gostaria de um rapazinho naquele estado, todo sujo e ensangüentado, apesar de ser tão bonitinho?

Todos nós gargalhamos, e ordenei a vários mensageiros que espalhassem a notícia de que o assassino de Aquiles era um homem morto. Sim, Páris, o sedutor, chegara ao fim.

CAPÍTULO TRIGÉSIMO

NARRADO POR HELENA

A maior parte do tempo, passava-o sozinha. Ah, se minha prima Penélope me visse! O quanto teria rido! O tempo convertera-se em fardo tão insuportável, que acabei dedicando-me à tecelagem! Compreendia agora que esposas negligenciadas e tecelagem formavam um par indissolúvel... Páris não se aproximava de mim, literalmente. E Enéias também não.

Com a morte de Heitor, a atmosfera do palácio alterara-se drasticamente. Hécuba fora acometida de uma estranha demência. Não parava de criticar Príamo pelo fato de o rei não tê-la feito sua primeira esposa. Perturbado e confuso, o rei protestava que Hécuba era sua principal esposa, sua rainha. A reação de Hécuba era sintomática: acocorava-se no chão e uivava como um cão velho! Completamente louca! Bem, pelo menos eu entendia de onde procedia a loucura de Cassandra.

Um lugar desesperadamente infeliz. Viúva de Heitor e, por isso mesmo, despojada de seu *status* de futura rainha, Andrômaca comportava-se como uma sombra. Constava que ela e Heitor tinham tido uma acalorada discussão antes de ele partir para a última batalha e que ela fora a culpada do triste desfecho. Heitor pedira-lhe que olhasse para ele, que se despedisse dele, mas Andrômaca permanecera deitada na cama, com o rosto virado para a parede. Eu acreditava nessa história: Andrômaca exibia aquela expressão medonha de tremendo sofrimento e implacável remorso típica das mulheres apaixonadas e culpadas. Por outro lado, perdera todo o interesse pelo filho, Astiânax. Logo que Heitor descera à sepultura, Andrômaca confiara aos homens a educação do menino.

O pouco que restava do mundo de Príamo se desintegrou quando Troilo caiu sob as mãos de Aquiles. Nem mesmo a morte de Aquiles conseguiu arrancar o rei do desalento a que sucumbira. Eu sabia que se dizia na cidadela que Enéias não ajudara Troilo porque Príamo o insultara durante a assembléia em que nomeara seu novo herdeiro. Também acreditava nessa história: com Enéias, pagava-se caro um insulto.

Foi então que Enéias pediu a Príamo que lhe permitisse conduzir um ataque de surpresa — na calada da noite! — ao acampamento grego. O abjeto rei troiano autorizou.

Não havia o que conseguisse deter as línguas afiadas da cidadela, mas também não havia o que se pudesse fazer... Enéias era tudo o que restava a Tróia. Príamo, no entanto, não cedeu completamente: com efeito, acabou por nomear herdeiro seu filho Deífobo, o porco selvagem, como eu o denominava. Um ato de provocação que, no entanto, não perturbou minimamente Enéias. O que não admira, pois Enéias nunca se sentira tão seguro e confiante.

A meus olhos, aquele rosto moreno do herdeiro dardaniano não apresentava grandes mistérios: eu sabia que fogos lavravam sob aquela aparência fria; eu sabia que, para satisfazer sua implacável ambição, Enéias seria capaz de tudo. Como um lento rio de lava, Enéias ia avançando inexoravelmente, engolindo, um a um, todos os seus inimigos.

Quando solicitou autorização a Príamo para conduzir o ataque noturno ao acampamento grego, Enéias sabia muito bem que pedia ao rei que violasse as leis dos Deuses. E só me dei conta da imensidão do triunfo de Enéias quando Príamo consentiu. Finalmente, Enéias conseguira espezinhar Tróia.

No dia do ataque, fechei-me em meus aposentos, os ouvidos bem tapados com pequenos chumaços, para não ouvir o tumulto e os gritos. Estava tecendo uma bela peça de lã, com um desenho muito intrincado e uma infinidade de cores. Graças a uma extrema concentração, conseguia esquecer-me de que, lá fora, se travava uma batalha. Penélope, a Tecedeira; Penélope, a esposa daquele ruivo de pernas arqueadas que não conhecia a honra e ignorava os escrúpulos, ficaria *espantada* com a qualidade de meu trabalho! Seria capaz de apostar que ela nunca teria tecido uma peça tão bela... Conhecendo-a como eu a conhecia, estava certa de que, agora, a pobre Penélope se dedicava a tecer sudários.

"Aquela fingida... Aquela hipócrita... Oh, um poço de virtudes...! Vaca maldita, sempre censurando-me...", dizia para mim mesma, lembrando-me de Penélope, quando senti um estranho formigamento em meus braços, como se, nesse exato momento, alguém tivesse saído da sepultura para vir observar meu trabalho. Seria possível que Penélope, a Tecedeira, tivesse morrido? Não, uma sorte dessas eu não teria!

Porém, quando ergui a cabeça, verifiquei que era Páris quem estava em meus aposentos e não a sombra de Penélope. Estava encostado ao vão da porta, a boca abrindo-se e fechando-se no mais absoluto silêncio. *Páris*? Páris encharcado em sangue? Páris com uma flecha cravada num olho?

Quando tirei os pequenos chumaços dos ouvidos, o ruído cresceu tão depressa como Mênades descendo uma encosta decidida a matar. O outro olho de Páris fitava-me com o fogo da loucura, enquanto sua boca cuspia palavras que eu não conseguia entender.

Ao fim de breves momentos, o choque que senti de início desapareceu. Comecei a rir, um riso que era mais forte do que eu, que se transformou em gargalhadas estridentes e que me obrigou a sentar-me num divã. Vendo-me rir, Páris, desesperado, caiu de joelhos e rastejou, com a mão direita arrastando uma cauda carmim ao longo do chão branco, a flecha enfiada no olho balançando para cima e para baixo, tão ridiculamente, que gargalhei ainda mais. Alcançando meus pés, envolveu-me as pernas com o braço que estava incólume e encheu de sangue meu vestido. Enojada, afastei-o com o pé, deixando-o estirado no chão. Depois, corri para a porta.

Encontrei Heleno e Deífobo no pátio principal, ambos ainda com a armadura vestida. Como nenhum deles reparasse em mim, toquei o braço de Heleno; o de Deífobo eu não tocaria, nem que me pagassem!

— Perdemos — admitiu Heleno com expressão fatigada. — Eles estavam à nossa espera. — Lágrimas inundaram-lhe os olhos. — Nós infringimos as leis! A maldição caiu sobre nós!

Dei de ombros.

— Que me interessa isso? Não vim saber notícias de sua estúpida batalha; eu já sabia que vocês a perderiam. Vim apenas pedir-lhes ajuda.

— Peça o que quiser, Helena — exclamou Deífobo, com um sorriso cheio de malícia.

— Páris está em meus aposentos; penso que vai morrer.

Heleno estremeceu.

— Páris vai morrer? *Páris*?

— Não o quero em meus aposentos! — gritei-lhes, afastando-me.

Logo que me alcançaram, ergueram Páris e deitaram-no num divã.

— Eu não o quero em meus aposentos! — repeti. — Levem-no daqui!

Heleno fitou-me, estarrecido.

— Helena! Não pode expulsar seu marido neste estado!

— Olhe bem para mim! O que lhe devo a não ser minha ruína? Há anos ele me ignora! Há anos ele faz de mim o alvo de todas as piadas de todas as cadelas despeitadas que há em Tróia! E agora, agora que precisa de mim, pensa que eu ainda sou a mesma lunática idiota que ele convenceu a deixar Amiclas! Pois bem, eu já não sou essa Helena! Ele que morra, mas não aqui! Ele que morra nos braços da cadela com quem vive agora!

Páris se acalmara; seu olho esquerdo, esbugalhado, não me largava; era um olhar estarrecido, estupefato.

— Helena, Helena! — gemia o desgraçado.

— Vá gemer na cama da outra! — gritei-lhe.

Heleno afagou-lhe os cachos grisalhos.

— O que aconteceu, Páris?

— Algo muito estranho, Heleno! Um homem desafiou-me para um duelo. Dada a distância que nos separava, só eu ou Teucro conseguiríamos acertar no alvo. Um homem corpulento, com uma barba loura, um aspecto selvagem. Parecia um rei dos bosques do monte Ida. Mas eu não o conheço, nunca o vi em toda a minha vida! Aceitei por isso o desafio, sabendo que a vitória seria minha! Mas não foi. Ele me venceu. E depois começou a rir, como Helena!

Eu prestava mais atenção à flecha do que àquela triste história. Certamente já vira flechas daquelas... Ou teria ouvido falar a respeito delas em alguma canção executada pelo harpista de Amiclas... Uma flecha muito comprida, de madeira de salgueiro tingida com o sumo das amoras, penas brancas de ganso na ponta, salpicadas com a mesma tintura carmim.

— O homem que o alvejou chama-se Filoctetes — informei. — Não merecia tamanha honra, Páris! Você tem uma das flechas de Heracles enterrada na cabeça. Antes de morrer, Heracles deu seu arco e suas flechas a Filoctetes. Ouvi dizer que Filoctetes também tinha morrido, picado por uma serpente, mas é óbvio que o rumor era falso. Essa flecha, outrora, pertenceu a Heracles.

Heleno fitava-me com ferocidade.

— Cale-se, harpia sem coração! Como se atreve a atormentar um homem moribundo só para dar vazão a sua cólera?

— Sabe, Heleno — repliquei —, você é pior do que sua louca irmã. Ela, pelo menos, não finge que é boa da cabeça... E agora agradeceria que levassem Páris para fora. Façam-me esse favor?

— Heleno? — Páris murmurou, puxando com mão débil o saiote do irmão. — Leve-me para o Ida, para minha querida Oinone. Ela me curará — ela tem os dons de Ártemis. Leve-me para Oinone!

Tresloucada de raiva, gritei para os irmãos:

— Não me interessa saber para onde o levam! Só quero que o levem daqui! Levem-no para essa Oinone ... Ah! Será que ele não compreende que está condenado? Arranque a flecha, Heleno, deixe-o morrer! É isso que ele merece!

Heleno e Deífobo sentaram-no então na beira do divã. O mais forte dos dois, Deífobo, curvou-se para segurá-lo, mas Páris não colaborava; covarde como era, só chorava, tremendo de medo. Quando finalmente o ergueu, Deífobo deu-se conta de que tinha nos braços um peso morto. Páris nem sequer se agarrava ao irmão.

Heleno foi atrás de Deífobo para ajudá-lo. Ao passar por ele, seu braço roçou acidentalmente na haste da flecha. Páris entrou em pânico; gritava e sacudia os braços desvairadamente, o corpo em convulsão constante. Deífobo perdeu o equilíbrio, e os três irmãos caíram no chão num emaranhado de corpos. Ouvi um ronco gorgolejado, sufocado. Então, Heleno ergueu-se e ajudou Deífobo a levantar-se, e eu pude ver o que eles não tinham visto.

Páris jazia metade de costas, metade sobre o lado esquerdo, uma perna contorcida sob a outra, a mão mutilada esticada. Seus dedos mais pareciam garras, o pescoço e as costas estavam rigidamente arqueados. Teria caído de bruços, e Deífobo sobre ele. Depois, Heleno, ao cair em cima de ambos, fizera-o girar sobre si mesmo. A flecha estava partida; as penas tingidas da ponta e dois cúbitos do cabo estavam no chão a seu lado, e, de seu olho, pendia não mais do que um dedo de madeira lascada. Um fino fio de sangue escuro lhe escorria do olho, formando um charco no mármore do chão.

Devo ter gritado, pois Deífobo e Heleno viraram-se imediatamente para mim.

Heleno suspirou.

— Está morto, Deífobo.

Deífobo sacudiu, desalentado, a cabeça.

— Páris? Páris *morto*?

Só então o levaram de meus aposentos. Tudo o que eu tinha para me lembrar de que meu marido havia existido eram as marcas de suas mãos em minha saia e as manchas vermelhas no chão alvíssimo. Por um momento, fiquei imóvel, paralisada; depois, encaminhei-me para a janela e olhei para o mundo lá fora, sem nada ver. Aí fiquei até que a escuridão caiu. Não seria capaz de dizer o que pensei durante todo esse dia, à janela de minha sala. Minha memória nada guarda.

O eterno e odioso vento troiano transformara-se num queixume estridente em torno das torres quando alguém bateu à porta. Um mensageiro curvava-se diante de mim.

— Princesa, o rei ordena que vá à Sala do Trono.

— Obrigada. Diga-lhe que irei o mais depressa que me for possível.

A imensa Sala do Trono encontrava-se envolta em semi-escuridão. Só à volta do estrado do trono havia algumas lamparinas acesas, derramando um lençol de suave luz amarela sobre o rei, sentado no trono, e também sobre Deífobo e Heleno, que o rodeavam, trocando olhares furiosos acima da cabeleira cristalina de Príamo.

Parei junto aos degraus.

— O que deseja de mim, rei Príamo?

Com as sobrancelhas muito franzidas, Príamo curvou-se um

pouco e fitou-me; seu desagrado ao ver-me suplantava todos os outros sentimentos permanentemente estampados em seus traços: a dor, o desespero, a desesperança mais absoluta.

— Filha, você perdeu seu marido, e eu perdi mais um filho. Já não tenho a conta dos filhos que a guerra me roubou — disse ele com voz trêmula, não mais do que um sussurro na escuridão. — Os Deuses levaram-me os melhores de meus filhos. Agora, estes dois que aqui vê, com o corpo do irmão ainda quente, rosnam um para o outro em interminável altercação, cada um deles exigindo a mesma coisa, cada um deles determinado a obtê-la.

— Mas, afinal, que história *é* essa? — perguntei, tão exasperada, que até me esqueci das normas de cortesia. — Por que as divergências entre esses dois me dizem respeito?

— Dizem respeito a você e muito! — respondeu-me o rei, quase tão grosseiro quanto eu. — Deífobo quer casar-se contigo. Heleno quer casar-se contigo. Por isso, terá de me dizer qual deles prefere.

— Nenhum! — exclamei, revoltada.

— Com um deles terá de casar — insistiu o rei. De súbito, naquele rosto enrugado e mirrado, havia indícios muito claros de que Príamo achava a situação picante, como se aquela disputa fosse para ele uma novidade excitante! — Diga-me o nome daquele que prefere! Casará com ele dentro de seis luas!

— Seis luas! — exclamou Deífobo. — Eu não posso esperar tanto tempo! Eu a quero agora, pai; *agora*!

Príamo ergueu-se.

— O corpo de seu irmão ainda não esfriou! — repreendendo o filho.

— Não é preciso se afligir, rei Príamo — observei, antes que Deífobo desse início a um de seus famosos acessos de fúria. — Fui casada duas vezes. Não pretendo casar-me uma terceira vez. Quero dedicar o resto de minha vida ao serviço da Mãe. Por isso, não haverá casamento.

Heleno e Deífobo protestaram, dizendo barbaridades um ao outro, mas Príamo ergueu a mão e silenciou-os.

— Calem-se e escutem o que tenho a dizer! Deífobo, você é o mais velho de meus filhos e foi nomeado herdeiro. Dentro de seis luas se casará com Helena. Mas não antes! Quanto a você, Heleno, você pertence a Apolo. Seu amor por Apolo deveria ser mais forte do que por qualquer mulher. Mesmo esta.

Deífobo não conteve os gritos de satisfação. Heleno parecia aturdido. Porém, enquanto olhava para ele, eu também aturdida com a súbita decisão, Heleno pareceu crescer e mudar, como se parte dele amolecesse e parte endurecesse. Uma estranha mudança.

Fitando firmemente o pai, disse-lhe então:

— Durante toda a minha vida, tenho visto todos satisfazerem seus apetites, enquanto eu passo fome e sede. Pai, ninguém me perguntou se eu queria servir o Deus; fui consagrado no dia em que nasci! Quando Heitor morreu, deveria ter-me nomeado herdeiro, mas Apolo o impediu. E, depois de Troilo morrer, voltou a preterir-me! Agora, pedi algo muito menos importante e, uma vez mais, recusou minhas pretensões. — Fez uma pausa, ergueu-se muito altivo e orgulhoso. — Pois bem, há momentos na vida em que mesmo o mais insignificante dos homens não tem outra saída senão revoltar-se! Esse momento chegou para mim. Vou deixar Tróia. Condeno-me a um exílio voluntário. Prefiro transformar-me num vagabundo que nada vale a permanecer aqui, vendo Deífobo arruinar tudo o que resta de Tróia. Odeio ter de lhe dizer isto, pai, mas a verdade é que você não passa de um idiota.

Enquanto Príamo digeria o insulto, fiz mais uma tentativa.

— Rei Príamo, suplico-lhe! Não me obrigue a casar de novo! — exclamei. — Deixe-me consagrar minha vida à Deusa!

Mas Príamo balançou a cabeça.

— Você se casará com Deífobo.

Não suportava permanecer mais tempo na mesma sala que

eles; fugi dali, como se as Filhas de Kore me perseguissem. O que aconteceu a Heleno não sei. Nem me interessa!

Enviei uma mensagem a Enéias, implorando-lhe que fosse a meus aposentos. Em toda a cidade de Tróia, Enéias era a única criatura que poderia sentir-se tentada a ajudar-me. Enquanto esperava, perambulando nervosa pelo quarto, as dúvidas começaram a atormentar-me. Embora nossa ligação tivesse acabado há muito tempo, imaginava que ele sentisse ainda alguma afeição por mim. Mas... sentiria mesmo? Ah, onde estaria ele que nunca mais chegava? O tempo fugia, fugia, fugia, cada momento que passava era mais longo, mais sombrio, mais vazio! Pus-me à escuta de seus passos fortes, determinados. Em vão. Não ouvi quaisquer passos. Desde a morte de Heitor, os passos de Enéias eram, em toda a cidade de Tróia, os únicos que tinham a capacidade de inspirar confiança. Mas onde estaria ele que nunca mais chegava?

— O que quer de mim, Helena? — perguntou-me; aproximara-se do quarto tão silenciosamente, que eu nem sequer percebera sua chegada.

Rindo e chorando, corri para abraçá-lo.

— Começava a imaginar que você não viria! — murmurei, erguendo o rosto para que ele me beijasse.

Enéias afastou-se.

— O que quer?

Olhei-o nos olhos; quando falei, minha voz soou nervosa, trêmula.

— Enéias... ajude-me! Páris morreu!

— Eu sei.

— Compreende certamente o que isso significa para mim! Páris está morto! Eu estou à mercê deles! Ordenaram-me que me casasse com Deífobo! Com aquele cão nojento! Ah, por todos os Deuses! Na Lacedemônia, não o deixariam sequer tocar a bainha de minha saia...! Mas aqui, aqui, Príamo ordena-me que me case com ele! Enéias, se tem por mim alguma afeição, diga a Príamo que é verdade que eu não quero me casar; não tenho o menor desejo de voltar a casar-me! Não, nunca mais!

A expressão de Enéias era muito clara: dir-se-ia que eu lhe havia proposto a mais desagradável das tarefas.

— Está pedindo-me o impossível, Helena.

— O impossível? — murmurei estupefata. — Enéias, para você, nada é impossível! Você é o homem mais poderoso em Tróia!

— Aconselho-a a casar-se com Deífobo. Aceite e esqueça.

— Mas eu... eu pensei... eu pensei... Sei que já não me quer, mas... pensei que sentisse por mim alguma afeição e que... me defenderia!

Riu enquanto erguia a cortina, preparando-se para sair.

— Helena, eu não vou ajudá-la. Faça um esforço para entender minha posição. Cada dia que passa cria um novo abismo entre os filhos de Príamo; cada dia que passa é, para mim, um passo em frente rumo ao trono de Tróia. Minha ascensão é um fato, Helena, e não vou arriscá-la por sua causa. Entendido?

— Você sabe qual é o fim de homens ambiciosos como você, Enéias!

Voltou a rir.

— O fim? O fim é um trono, Helena! Um trono!

— Eu lhe rogarei uma praga, Enéias! Gastarei tudo o que tenho para que essa praga se torne realidade! Pedirei aos Deuses que você nunca se sente num trono, que nunca conheça a paz, que vagueie pelo mundo como um desgraçado e que acabe seus dias em meio a selvagens, em meio a um povo miserável, numa miserável cabana!

Creio que minhas palavras o assustaram. A cortina balançou; Enéias desapareceu.

Logo que Enéias partiu, pus-me a pensar naquilo que me esperava: o casamento com um homem que eu odiava, um homem que, só de me tocar, já me causava náuseas. Dei-me conta então de que, pela primeira vez em minha vida, estava reduzida a meus próprios recursos; de que, se queria libertar-me daquela horrível cidade-prisão, teria de fazê-lo sem a ajuda de ninguém.

Menelau não estava longe, e duas portas de Tróia estavam sempre abertas. Porém, as mulheres do palácio não estavam acostumadas a caminhar pelas ruas, nem seus pés delicados estavam habituados aos sapatos das mulheres do povo, os mais adequados a longas caminhadas. Sair pela Porta Dardaniana, passar sob a Porta Ceia e chegar à praia grega era missão impossível... a menos que eu fosse montada num animal! As mulheres de Tróia costumavam usar burros; empoleiravam-se no dorso do animal, mas de lado, e não de frente, como as amazonas. Sim, teria de ser essa a solução! Roubaria um burro e iria até a praia envolta nas sombras da noite.

Roubar o burro não foi difícil. Nem montá-lo. Porém, quando cheguei à Porta Dardaniana, muito mais distante da cidadela do que a Porta Ceia, o burro recusou-se a avançar. Sendo um animal habituado à cidade, desagradavam-lhe os perfumes do campo, os cheiros penetrantes que anunciavam já o outono, a aragem que vinha do mar. Chicoteei-o, e ele começou a zurrar — e que zurro triste aquele; quem o ouvisse pensaria por certo que o asno se acabava! Não se acabou, mas acabou-me. Os guardas da Porta Dardaniana vieram investigar. Reconheceram-me e detiveram-me.

— Eu quero ir para junto de meu marido! — supliquei, chorosa. — Por favor! Deixem-me voltar para meu marido!

Claro que não me deixaram ir. Em contrapartida, o maldito burro, depois de tanto zurrar, decidiu gostar dos cheiros da planície. Enquanto ele corria para a liberdade dos campos, eu era presa no palácio. Mas os guardas não foram acordar Príamo. Quando me dei conta, estava à porta do quarto de Deífobo.

Aguardei passivamente que ele se levantasse e chegasse à porta. Quando apareceu, fitei-o calmamente. Agradeceu cortesmente a meus captores e deu-lhes até uma recompensa; mal os guardas acabaram de fazer suas vênias, Deífobo ergueu a cortina do seu quarto.

— Entre — disse ele. Não me mexi. — Queria ir para seu marido, não é? Pois bem, aqui está seu marido!

— Nosso casamento ainda não foi celebrado. Além disso, tanto quanto sei, você tem uma esposa!

— Já não tenho. Divorciei-me.

— Terá de esperar seis luas; foi o que seu pai disse!

— Mas, minha querida, isso foi antes de você ter tentado fugir para os gregos e, em particular, para os braços de Menelau... Quando meu pai souber disso, não me imporá nem uma lua, quanto mais seis! Especialmente quando eu informá-lo de que já consumei a união...

— Não se atreveria...! — rosnei-lhe.

A resposta de Deífobo foi puxar-me por uma orelha com uma das mãos e pelo nariz com a outra. Foi assim que me arrastou para seu quarto. Aturdida de dor, incapaz de me libertar da força bruta de seus braços, caí na cama como um peso morto. Só havia uma violação pior do que aquela: a morte. A última coisa em que pensei antes de entregar minha mente nas mãos da Mãe foi que, um dia, violaria Deífobo da mais horrenda das maneiras: eu o mataria.

CAPÍTULO TRIGÉSIMO PRIMEIRO

NARRADO POR DIOMEDES

Pouco depois do malogrado ataque troiano, Agamêmnon convocou um conselho, apesar de Neoptolemo ainda não ter chegado. Uma atmosfera geral de otimismo impregnava nosso acampamento. Só as muralhas nos detinham. Agora, porém, Ulisses não pensava em outra coisa senão nas muralhas. Esse era, naquele momento, seu único objetivo. Quem sabe, talvez Ulisses conseguisse encontrar uma solução...

Os conselheiros conversavam bem-dispostos, enquanto Agamêmnon falava com Nestor, divertido com algo que o velho rei lhe segredara. Terminado o diálogo, o rei supremo ergueu o cetro e bateu o bastão, dando assim início à assembléia.

— Ulisses, creio que tem novidades...

— É verdade, rei supremo. Primeiro, suponho ter encontrado um meio que nos permitirá entrar nas muralhas troianas, embora não possa falar a respeito disso. Porém, há também outras notícias muito interessantes.

Fitou Menelau, aproximou-se dele, pôs a mão sobre o ombro do irmão de Agamêmnon, afagou-o.

— Chegaram a meus ouvidos certos rumores, relativos a uma pesada discussão entre Príamo, Heleno e Deífobo. Por causa de uma mulher. Por causa de Helena, para ser mais preciso. Pobre Helena! Após a morte de Páris, solicitou que a deixassem dedicar-se ao serviço da Mãe Kubaba, mas Deífobo e Heleno pediram a Príamo a mão da viúva do irmão. Príamo decidiu a favor de Deífobo, que não esperou a celebração do casamento para fazer dela sua mulher. A corte ficou furiosa, mas Príamo recusou-se a anular a união. É que, segundo me disseram, Helena foi detida pelos guardas da Porta Dardaniana quando se preparava para fugir de Tróia. Queria vir encontrá-lo, Menelau.

Agitado, ofegante, Menelau disse qualquer coisa que ninguém entendeu e logo escondeu o rosto entre as mãos. Quanto a mim, pensava na bela e altiva Helena reduzida à condição de uma vulgar concubina de Deífobo.

— Heleno ficou tão revoltado com o desfecho do caso — prosseguiu Ulisses —, que resolveu escolher o caminho do exílio. Interceptei-o nos arredores da cidade, esperando que a desilusão que sentia o levasse a confiar-me os Oráculos de Tróia. Encontrei-o no altar consagrado a Apolo Timbreu, o qual, segundo ele, o instruíra para que me revelasse tudo o que eu quisesse saber. Pedi-lhe que me revelasse os Oráculos de Tróia, todos eles. Devo dizer-lhes que há muito tempo não me sentia tão cansado... Heleno recitou *milhares* de oráculos! Contudo, obtive aquilo que pretendia.

— Teve muita sorte — observou Agamêmnon.

— A sorte, rei supremo — replicou Ulisses, em tom neutro, apesar de não ter gostado da observação —, é algo que, infelizmente, superestimamos. Não é a sorte que conduz ao êxito, mas sim o trabalho árduo. A sorte é aquilo que acontece no momento em que os dados caem na mesa. O trabalho árduo é aquilo que acontece quando um troféu cai nas mãos de um homem apenas porque ele lutou para obtê-lo.

— Claro, claro, claro! — exclamou o rei supremo arrependido do comentário. — Peço-lhe desculpas, Ulisses! Trabalho árduo, sempre trabalho árduo! Eu sei que é verdade, admito que é verdade. Mas fale-nos sobre os Oráculos, peço-lhe...

— No que nos diz respeito, apenas três dos oráculos de Tróia assumem importância evidente. *Por sorte* — ele enfatizou a expressão —, nenhum deles representa um obstáculo intransponível. Muito resumidamente, eis o que rezam esses oráculos: Tróia cairá este ano, se os chefes gregos possuírem a omoplata de Pélops, se Neoptolemo combater e se Tróia perder o Paládio de Palas Atenéia.

Levantei-me de um salto, excitado.

— Ulisses, *eu* tenho a omoplata de Pélops! O rei Piteu deu-a a mim após a morte de Hipólito. O velho gostava muito de mim, e a omoplata de Pélops era a mais preciosa de suas relíquias. Ou a deixava para mim, ou para Teseu. Preferiu oferecê-la a mim. Trouxe-a comigo para Tróia, a fim de que me desse... enfim... que me desse *sorte*.

Ulisses riu, um riso largo, zombeteiro.

— É, parece que a *sorte* está do nosso lado! — disse ele para Agamêmnon. — Quanto a Neoptolemo, o caso já está tratado e nutrimos grandes esperanças de que ele venha combater conosco. Resta-nos o Paládio de Palas Atenéia, a qual, *por sorte* — novamente ele acentuou a expressão —, é minha protetora.

— Não estou gostando de sua ironia, Ulisses — observou o rei supremo.

— Bem, onde eu estava? No Paládio. Pois bem: essa venerável estátua terá de ser nossa. É o ícone mais venerado em Tróia, e sua perda seria para Príamo um rude golpe. Tanto quanto sei, a estátua encontra-se em algum ponto dos subterrâneos da Cidadela. Um segredo muito bem guardado... Mas estou certo de que conseguirei descobrir esse segredo... O mais difícil será transportá-la; dizem que é muito pesada. Diomedes, irá comigo a Tróia?

— Vamos agora, se quiser!

Como não havia mais nada de importante a discutir, Agamêmnon dissolveu o Conselho. À saída, Menelau acercou-se de Ulisses.

— Acredita que a verá? — perguntou ele, ansioso.

— É provável, Menelau, é provável — respondeu-lhe Ulisses, em tom delicado.

— Então, diga-lhe que vou pedir aos Deuses que a ajudem a fugir e a vir encontrar-me.

— Está bem, eu digo. — Porém, enquanto nos encaminhávamos para sua casa, virou-se para mim. — Não digo coisa nenhuma! O destino da cabeça de Helena é o machado e não o travesseiro de Menelau.

— Vale uma aposta? — perguntei-lhe, rindo.

— Entramos pelo duto? — foi minha primeira pergunta quando começamos a traçar um plano.

— Você entra. Eu não posso. Tenho de chegar a Helena sem levantar suspeitas. Portanto, tenho de ir disfarçado.

Deixou a sala, mas logo voltou, trazendo um pequeno e terrível chicote, formado por quatro correias, e, na ponta de cada uma, havia um globo de bronze coberto de pequenas pontas ásperas. Perplexo, olhei para Ulisses e para o chicote. Até que ele me virou as costas e começou a despir a blusa.

— Açoite-me, Diomedes.

Recuei, horrorizado.

— Você enlouqueceu, Ulisses? Eu, açoitá-lo? Não consigo!

Ulisses virou-se para mim, visivelmente irritado.

— Nesse caso, feche os olhos e faça de conta que eu sou Deífobo. Eu tenho de ser açoitado, Diomedes, tenho de ficar *bem marcado*!

Pus meu braço sobre seus ombros nus.

— Peça-me o que quiser, mas não isso. Açoitar você, um rei, como se fosse um escravo rebelde?

Com um sorriso suave, encostou seu rosto em meu braço.

— Ora, Diomedes, que importância podem ter mais umas quantas cicatrizes em minha carcaça já tão flagelada? Eu quero que me confundam com um escravo rebelde, Diomedes. Um escravo que acabou de fugir do acampamento grego terá necessariamente de ter umas boas marcas nas costas... Vá, use o chicote.

Balancei a cabeça.

— Não.

— Use o chicote, Diomedes! — berrou-me ele, com ar feroz.

Sem que o desejasse, peguei o chicote; Ulisses curvou-se. Enrolei as quatro correias na mão, enchi-me de coragem e golpeei-lhe a pele. Cada um de meus golpes deixava-lhe nas costas quatro vergões róseos; com um misto de repulsa e fascínio, meus olhos fixavam-se no resultado de minha involuntária violência.

— Mais forte, Diomedes! Bata com mais força! — ordenou, impaciente. — Sem sangue, não adianta!

Fechei os olhos e obedeci. Mais dez vezes o açoitei com aquele cruel objeto de tortura; a cada vez, o chicote arrancava mais sangue de sua carne, deixando-lhe cicatrizes para toda a vida, como se ele mais não fosse do que um escravo rebelde.

Quando terminei, beijou-me.

— Não fique triste, Diomedes. Para que me serve uma bela pele? — Estremeceu. — Por acaso até nem é desagradável... E o aspecto? Ficou com bom aspecto?

Acenei que sim, recusando-me a falar.

Despiu o saiote e envolveu o baixo ventre com uma peça de linho muito suja; depois, desatou a mexer e a remexer no cabelo até ficar todo desgrenhado; mas só parou depois de o ter escurecido com a fuligem da trípode do fogo. Juro que seus olhos brilhavam de puro gozo. Por fim, foi buscar um par de grilhetas.

— Prende-me às suas grilhetas, tirano de Argos! — ordenou-me, satisfeito.

Obedeci mais uma vez, ainda que as chicotadas me tivessem magoado muito, provalmente mais do que a ele. Para Ulisses, aquilo era simplesmente um meio para alcançar um fim. Enquanto eu lhe prendia os tornozelos com as grilhetas de bronze, ele delineava seu plano.

— Tenho de entrar na Cidadela logo que chegue a Tróia. Seguiremos juntos no carro de Ajax; é um carro forte, estável e silencioso. Pararemos no bosque que fica perto da pequena torre de vigia contígua à Cortina Ocidental. Ali nos separaremos. Farei a cena necessária para que me deixem entrar pela Porta Ceia e, depois, pelas portas da Cidadela: direi que tenho de falar com Polidamas com a máxima urgência. Creio que o nome dele me abrirá todas as portas.

— Mas — disse eu, erguendo-me —, você não vai falar com Polidamas.

— Não. Vou procurar Helena. Imagino que, depois do casamento forçado, ela terá prazer em ajudar-me. Com certeza conhece os segredos dos subterrâneos da Cidadela. Pode ser que saiba mesmo onde se encontra o Paládio. — Caminhou um pouco pela sala ensaiando.

— E eu?

— Você espera no bosque até que passe metade da noite. Depois, sobe pelo duto e mata todos os guardas que se encontrem nas proximidades da pequena torre de vigia. Eu cuidarei de levar a imagem até as muralhas. Quando ouvir o canto da cotovia noturna com esta variação — assobiou-a três vezes —, corra para o duto, a fim de me ajudar a fazer sair a estátua.

Ulisses deixou-me no bosque. Trôpego e cambaleante, correu como um louco em direção à Porta Ceia, gritando, guinchando, rastejando na poeira do chão, transformando-se, por obra e graça de seu teatro, no mais triste espécime humano que alguma vez vira em toda a minha vida. Ulisses sempre gostara de se passar por outras pessoas, mas creio que a personagem do escravo fugitivo era precisamente aquela que mais lhe agradava.

No meio da noite, acerquei-me do duto e rastejei lentamente por aquele espaço sinuoso e sufocante, sem fazer barulho. Quando saí, descansei um pouco e deixei que meus olhos se habituassem ao luar, enquanto me mantinha alerta aos poucos sons que vinham da passagem superior das muralhas. Estava muito perto da pequena torre de vigia que Ulisses escolhera para nosso encontro por ela se encontrar muito longe de outros pontos da muralha protegidos por guardas.

Cinco guardas estavam de sentinela, bem acordados e alertas; no entanto, tinham-se enfiado todos na guarita! Quem comandaria aqueles soldados? Permitiam que eles se refugiassem do frio, negligenciando assim os bastiões? Ah, num acampamento grego, não teriam grande futuro!

Envergava um saiote de macio couro escuro e uma blusa, tinha um punhal entre os dentes e uma espada pequena na mão direita. Quando me aproximei da janela da guarita, tossi bem alto para eles ouvirem.

— Vá ver quem está lá fora, Maio — ordenou alguém.

Maio saiu, como se fosse dar um passeio; com efeito, um ataque de tosse não teria nada de alarmante quando ouvido no alto das muralhas mais poderosas do mundo. Não vendo ninguém, Maio ficou nervoso, mas, idiota como era, não pediu reforço. Era óbvio que, naquele momento, já pensava que a tosse mais não fora do que um produto de sua imaginação. Apesar de tudo, avançou com a lança preparada para o que desse e viesse. Deixei-o passar. Depois, ergui-me silenciosamente, calei-o com uma das mãos e ceifei-o com a espada que tinha na outra. Calmamente, sem fazer barulho, arrastei-o para um canto escuro.

Momentos depois, emergiu outro guarda, à procura de Maio. Cortei-lhe a garganta sem um único ruído; faltavam ainda três. Então, antes que começassem a ficar nervosos, aproximei-me de novo da janela e comecei a soluçar, como se estivesse completamente embriagado. Um dos homens suspirou, exasperado; outro saiu, impaciente. Envolvi-o com meus braços como se estivesse toldado pela bebida e, quando o bronze deslizou sob suas costelas do lado esquerdo, o homem nem gemeu. Mantendo-o ereto, com ele rodopiei numa ébria dança, imitando uma voz troiana. Infalível: o quarto dos cinco homens saiu. Atirei-lhe o cadáver com um risinho sumido e, enquanto ele afastava o camarada morto, trespassei-o com a espada. Arrastei-os pelo chão com um ligeiro tinido metálico, como se eles estivessem adentrando a escuridão da noite. Então, observei pela janela.

Só faltava o capitão da torre, que estava sentado a uma mesa, resmungando baixinho para si mesmo. Vendo-se obviamente perante um dilema, o capitão estava de olhos fixos num alçapão. Estaria à espera de alguém com quem tivesse marcado encontro? Entrei imediatamente na guarita, saltei sobre suas costas, detendo-lhe o grito com a mão. Morreu tão rapidamente quanto os outros e com os outros foi para o canto escuro. Depois, sentei-me do lado de fora, à espera; se o visitante de quem o capitão estava à espera aparecesse, seria preferível que não encontrasse ninguém na torre.

Pouco tempo depois, Ulisses assobiou sua variação sobre o canto da cotovia; era colossal sua inteligência! Claro que teria de ser uma variação e não o próprio canto da cotovia, pois poderia muito bem acontecer de uma cotovia decidir cantar nas proximidades da torre. Em resumo: não havia nenhuma cotovia por perto; fazia votos para que também não aparecesse nenhuma visita, pois não poderia avisar Ulisses.

Levantei a porta do alçapão e desci pela escada. Ulisses estava à minha espera lá embaixo.

— Espere! — murmurei, e logo saí para ver se havia alguém por perto. Mas as ruas não poderiam estar mais calmas e escuras.

— Ela está comigo, Diomedes, mas é tão pesada quanto Ajax! — disse-me Ulisses, logo que voltei. — Vai ser difícil arrastá-la por uma escada de vinte e cinco cúbitos.

A Paládio estava precariamente empoleirada sobre o dorso de um burro. Nós a levamos para dentro da câmara inferior da torre e dispensamos o animal. Assombrado, examinei a estátua à luz da lamparina. Oh, era tão *antiga*! Uma forma feminina dificilmente reconhecível ao fim de tanto tempo, esculpida em madeira escura, muito suja e prejudicada pela passagem de uma eternidade para que pudesse considerá-la bela. Ah, bela não era! Tinha pés minúsculos, pontiagudos, ancas enormes, vulva obscena, imensa e flácida barriga, seios bulbosos, braços colados ao corpo, cabeça redonda, boca saliente. Além disso, era tremendamente gorda. Mais alta do que eu e, de fato, muito pesada. Os pés minúsculos e pontiagudos permitiriam talvez rodopiar como se fosse um daqueles piões com que as crianças brincam; a verdade, porém, é que aqueles pés não suportariam a estátua, ou seja, não tínhamos alternativa senão carregá-la.

— Ulisses, acha que ela cabe no duto? — perguntei.

— Cabe. A barriga não é maior do que seus ombros, Diomedes. Além disso, ela é mais redonda do que você; como o duto.

Tive, então, uma idéia brilhante. Fui à procura de uma corda e felizmente logo a encontrei. Amarrei-a sob os seios da estátua e enrolei em minha mão a outra extremidade. Comecei a subir a escada, arrastando pela corda nossa preciosidade, enquanto Ulisses a segurava por baixo, com uma mão nas volumosas nádegas e a outra dentro da vulva.

— Acredita — perguntei-lhe, ofegante, quando chegamos à guarita — que ela nos perdoará esses abusos?

— Claro que sim — exclamou, descansando no chão a seu lado. — Ela é a primeira Atenéia, que é Palas, e eu lhe pertenço.

Fazê-la descer pelo duto revelou-se mais fácil do que fazê-la subir pela escada; Ulisses tinha razão. Suas formas redondas deslizavam melhor pelo duto do que meus ombros largos e minhas angulosidades masculinas. Nós a mantivemos amarrada à corda que se revelou elemento precioso, mal atingimos a planície, permitindo-nos arrastar a estátua até o bosque e o carro de quatro rodas de Ajax. Aí, gemendo baixinho, num derradeiro esforço, nós a içamos para dentro do carro e caímos para o lado. A lua encaminhava-se ainda para oeste, o que significava que dispúnhamos ainda de tempo suficiente para conduzi-la ao acampamento grego.

— Você conseguiu, Ulisses! — exclamei, exultante.

— Nada teria conseguido sem sua ajuda, meu amigo. Quantos guardas teve de matar?

— Cinco. — Bocejei. — Estou cansado.

— Como imagina que me sinto? Você, pelo menos, tem as costas em boas condições...

— Não me fale nisso! Conte-me antes o que aconteceu no interior da Cidadela. Esteve com Helena?

— Foi fácil enganar os guardas. Em pouco tempo, estava dentro da cidade. Nas portas da Cidadela só havia um guarda, que estava dormindo. Peguei as correntes e passei por cima dele; parece incrível, mas é verdade. Encontrei Helena sozinha. Deífobo estava não sei onde. Ficou surpresa quando viu um escravo imundo e ensangüentado prostrar-se a seus pés; só que, um instante depois, viu-me os olhos e reconheceu-me. Quando lhe pedi que me conduzisse aos subterrâneos, não hesitou. Creio que estava à espera de Deífobo, mas escapamos antes que ele chegassse. Logo que encontramos um lugar seguro, Helena ajudou-me a libertarme das grilhetas. Depois, descemos aos subterrâneos. — Sorriu, malicioso. — Imagino que os subterrâneos lhe tenham sido muito úteis quando era amante de Enéias... Helena conhecia aquilo tão bem como as palmas de suas mãos... Mal entramos na úmida e escura cripta, cobriu-me de perguntas: como estava Menelau, e você, e Agamêmnon, e mais este, e mais aquele... Tudo o que eu lhe pudesse dizer seria pouco...

— Mas... e a Paládio? Como conseguiu trazer a estátua se só tinha Helena para ajudá-lo? — perguntei.

Os ombros dele sacudiram ao sabor das gargalhadas.

— Enquanto eu fazia as orações e pedia o consentimento da Deusa no sentido de transportá-la para outro lugar, Helena desapareceu. Pouco depois, voltou com o burro! Então, ajudou-me a sair dos subterrâneos por uma porta que se abria diretamente para a rua sob a muralha da Cidadela, onde me beijou — um beijo perfeitamente casto devo dizer! — e me desejou que tudo desse certo.

— Pobre Helena... — murmurei. — Deífobo certamente é o motivo que a levou a juntar-se a nós na luta contra Tróia. A balança de Helena pende agora para nosso lado.

— Tem razão, Diomedes.

Agamêmnon mandou erigir um magnífico altar na praça das assembléias e acomodou o Paládio no interior de um nicho de ouro. Depois, convocou todos os homens que pudessem caber naquela área e explicou-lhes como eu e Ulisses havíamos raptado a Deusa. Agamêmnon havia nomeado um sacerdote especial para Palas Atenéia, e o sacerdote ofereceu-lhe as melhores vítimas que pôde encontrar; a fumaça era tão branca quanto a neve e ergueu-se tão rapidamente na direção dos céus, que logo concluímos estar a Deusa adorando sua nova casa. Ah, o que ela teria odiado sua casa troiana, tão fria, tão úmida, tão escura! Sem hesitação, a cobra sagrada ziguezagueou rumo a sua casa sob o altar, após o que esticou a cabeça para lamber o leite do pires e engolir seu ovo. Uma cerimônia tão feliz quanto imponente.

Concluídos os rituais, Ulisses, eu e os demais reis nos deslocamos à casa de Agamêmnon, a fim de festejar. Nenhum de nós recusaria um convite para jantar com o rei dos reis; seus cozinheiros eram, sem sombra de dúvida, os melhores. Queijos, azeitonas, pães, frutas, carnes, peixes, doces à base de mel, vinho.

A disposição era excelente; a conversação, alegre; o vinho, magnífico; Menelau pediu ao harpista que cantasse. Já um pouco sentimentais por obra do vinho, instalamo-nos confortavelmente para ouvi-lo. Estava ainda para nascer um grego que não amasse as canções, os hinos, as baladas de seu país; nós preferíamos ouvir o bardo a ir para a cama com mulheres.

O harpista cantou para nós uma das baladas de Heracles, após o que esperou pacientemente até que os veementes aplausos silenciassem. Era um poeta magnífico e um magnífico músico; Agamêmnon trouxera-o de Áulis dez anos antes, mas era originário do norte e dizia-se que descendia do próprio Orfeu, o maior de todos os bardos.

Alguém pediu o Hino de Guerra de Tideu, outros queriam ouvir o Lamento de Danaos, Nestor exigia a História de Medéia; porém, a cada pedido, o bardo, com um sorriso terno, respondia que não. Então, ajoelhando diante de Agamêmnon disse-lhe o seguinte:

— Rei supremo, eu compus uma canção que fala de acontecimentos muito mais próximos de nós do que os feitos dos antigos heróis. Permite-me que cante essa composição?

Agamêmnon inclinou a imperial cabeça já meio grisalha.

— Cante, Alfides de Salmidessos.

Alfides dedilhou ternamente as cordas tensas e logo extraiu de sua lira uma lenta e sofrida melodia; a canção era simultaneamente triste e gloriosa, uma canção sobre Tróia e sobre o exército de Agamêmnon que combatia diante de suas muralhas. Extasiados, escutamos atentamente a longa canção, os queixos descansando nas mãos, os olhos cerrados, as faces molhadas. A composição terminava com a morte de Aquiles. O resto era excessivamente doloroso. Apesar de já ter passado algum tempo, continuávamos a evitar pensar no triste fim de Ajax.

"O ouro da vida vestia-o na morte:
Da vida despedido, não mais que uma sombra,
A máscara perfeita cobria-lhe o rosto.
Juntas, suas mãos eram luvas de ouro;
Todo seu ser mortal em ouro transformado,

Toda sua glória em metal convertida:
Aquiles, o Sem-Par, sua voz calou-se!
Ó divina musa, anime meu engenho,
Deixe-me dar a vida àquele que morreu!
Vista-o de ouro vivo com minhas palavras,
Deixe que seus passos voltem a retumbar,
Espalhando o terror entre seus inimigos!
Deixa que seu carro atravesse a planície,
O medo espalhando na soturna Tróia!
Deixe que eu o cante e suas plumas de ouro,
Deixe-me lembrá-lo fulgente como o sol,
Incansável correndo pela erva orvalhada,
Com as rédeas na couraça o ritmo marcando!
Deixe que Aquiles, o filho de Peleu,
O nascido sem lábios, à glória reviva!

Com os corações dilacerados, aplaudimos o harpista Alfides de Salmidessos durante longo tempo; o bardo fizera-nos antever a imortalidade, pois sua canção viveria muito mais tempo do que nós. Era como se, apesar de vivermos ainda, já estivéssemos além da vida, inscritos na eternidade mediante suas palavras. Uma carga pesada demais para nossos humanos ombros.

Quando os aplausos finalmente terminaram, quis ficar a sós com Ulisses; uma assembléia de homens não me parecia o ambiente mais adequado, depois de o harpista ter instilado em nós tão profundas emoções. Olhei para ele, que entendeu imediatamente meu pedido, sem ter de macular com palavras o recolhimento que as circunstâncias impunham. Levantou-se e encaminhou-se em direção à porta. De súbito, porém, deteve-se, com uma exclamação de puro espanto. Porque pairava sobre a sala o mais intenso dos silêncios, viramo-nos todos para ele. E ficamos tão assombrados quanto ele.

De início, era como se houvesse algo de sobrenatural naquela aparição. O sortilégio em que caíramos devido à canção de Alfides era ainda muito forte: dir-se-ia que o bardo chamara um fantasma para ouvir sua música. Aquiles também veio ouvir!, pensei eu. Mas quem lhe dera o sangue para que sua sombra ganhasse substância?

Então, examinei mais atentamente a aparição e concluí que não era Aquiles. Aquele homem era tão alto e corpulento quanto Aquiles, mas era muito mais jovem. A barba, não mais do que uma penugem, era loura também, porém mais escura; o âmbar dos olhos era também mais forte, mais intenso. E, mais importante do que o resto, tinha dois lábios perfeitos.

Nenhum de nós sabia há quanto tempo ele estaria ali; mas, dado o sofrimento que seu rosto traduzia, não havia a menor dúvida de que ouvira pelo menos a parte final da canção.

Agamêmnon levantou-se e encaminhou-se para ele de braços abertos.

— Você é Neoptolemo, filho de Aquiles! Seja bem-vindo!

O jovem aquiesceu com ar grave.

— Obrigado. Vim para ajudar o exército grego, mas parti antes de... antes de saber que meu pai tinha morrido. Fiquei sabendo graças à canção.

Ulisses juntou-se aos dois.

— Haveria melhor maneira de tomar conhecimento de tão horrenda notícia?

Suspirando, Neoptolemo abaixou a cabeça.

— Tem razão. A canção diz tudo o que haveria para dizer. E Páris? Já foi morto?

Agamêmnon tomou-lhe as mãos.

— Sim, Páris está morto.

— Quem o matou?

— Filoctetes, com as flechas de Heracles.

O rapaz fez um grande esforço para se mostrar polido, para manter uma expressão impassível.

— Lamento muito, mas eu não os conheço. Quem é Filoctetes?

— Sou eu — respondeu imediatamente Filoctetes.

— Eu não estava aqui para vingar a morte de meu pai. Gostaria, por isso, de lhe agradecer.

— Eu sei, meu rapaz, eu sei. Preferiria certamente tê-lo vingado com suas mãos, não é? Mas acontece que fiquei frente a frente com o covarde por um mero acaso ou com a conivência dos Deuses; quem somos nós para saber? Bem, como você não nos conhece, deixe-me apresentar-lhe nossos chefes. Nosso rei supremo foi o primeiro a saudá-lo. O segundo foi Ulisses. Os outros são Nestor, Idomeneu, Menelau, Diomedes, Automedonte, Menesteu, Meriones, Macáon e Eurípilo.

Tão poucos nós somos!, pensei eu nesse momento. Tantos já partiram! Tantos!

Ulisses, um extasiado Automedonte e eu conduzimos Neoptolemo à paliçada mirmídone. Era uma caminhada algo longa, e as notícias de sua chegada já se tinham espalhado. Soldados saíam aos montes das casernas e juntavam-se sob os débeis raios de sol para saudá-lo tão entusiasticamente quanto costumavam saudar seu pai. Descobrimos que suas semelhanças com Aquiles não se limitavam ao físico; Neoptolemo reagia à desvairada alegria dos homens com o mesmo sorriso tranqüilo e o mesmo aceno desatento do pai; como o pai, Neoptolemo encerrava-se em si mesmo, evitando toda e qualquer exposição de seu caráter. Enquanto caminhávamos, fomos-lhe contando o que a canção não lhe revelara: o triste fim de Ajax, a morte de Antíloco e de tantos outros. Depois, falamos-lhe a respeito dos vivos.

Os mirmídones estavam formados. As aclamações só se ouviram depois de o rapaz — teria, quando muito, dezoito anos — lhes ter falado. Começaram então a bater as espadas nos escudos, produzindo tamanho ruído, que Ulisses e eu logo nos afastamos, a caminho de nosso acampamento.

— Estamos chegando ao fim, Diomedes.

— Se os Deuses conhecem o significado da palavra "piedade", a todos peço que esse fim chegue depressa.

— Dez anos... — murmurou Ulisses, afastando dos olhos um cacho de cabelo mais rebelde. — É curioso... Calcas acertou em cheio... Terá sido uma questão de sorte? Ou será que Calcas possuía mesmo a Segunda Visão?

Estremeci ao ouvi-lo exprimir tais dúvidas.

— Não é correto duvidar das faculdades dos sacerdotes.

— Talvez, talvez. Ah, daria tudo para não voltar a ter em meu cabelo uma partícula que fosse desta maldita poeira! Para voltar ao mar! Para lavar todo o fedor desta planície com límpida água salgada! Para ir a qualquer lugar do mundo em que não haja vento e em que as estrelas não tenham de competir com dez mil fogueiras! Para me purificar de tudo isto!

— Seus anseios são os meus, Ulisses. Embora seja difícil acreditar que o fim se aproxime.

— O fim virá com um cataclismo capaz de rivalizar com aqueles que são obra de Poseidon.

Fitei-o.

— Já traçou o plano final?

— Já.

— Conte-me tudo!

— Antes do tempo? Diomedes, Diomedes! Nem mesmo a você eu contaria! Mas descanse, já não terá de esperar muito…

— Vamos para dentro. Quero tratar de seus ferimentos.

— Eles se curam sozinhos — disse, gargalhando.

Na noite seguinte, Neoptolemo jantou conosco.

— Tenho algo guardado para você, Neoptolemo — Ulisses anunciou logo que a refeição terminou. — É um presente meu para você.

Neoptolemo olhou para mim, confuso.

— O que ele quer dizer com isso?

Dei de ombros.

— Ninguém consegue adivinhar o que se passa naquela cabeça, Neoptolemo.

Ulisses voltou à sala com uma trípode enorme, sobre a qual se erguia a armadura de ouro que Tétis encomendara a Hefesto. Neoptolemo levantou-se de um salto, murmurando algo que não entendi; depois, com dedos delicados, apaixonados, tocou a couraça.

— Fiquei furioso — confessou, com lágrimas nos olhos — quando Automedonte me disse que você ganhou a armadura disputando com Ajax. Tenho de lhe pedir perdão, Ulisses. Você ganhou para mim?

Ulisses sorriu.

— Esta armadura vai cair à perfeição em você, rapaz. Ela deve ser usada, mas não pendurada numa parede ou entregue aos parentes de um morto, que nunca se serviriam dela. Use-a, Neoptolemo. Que ela lhe dê sorte, são meus sinceros votos! No entanto, vai precisar de algum tempo para se habituar a ela. Pesa possivelmente o mesmo que você.

Nos cinco dias seguintes, envolvemo-nos em alguns combates menores; Neoptolemo teve seu primeiro contato com os troianos e não poderia ter ficado mais satisfeito. O filho de Aquiles era um guerreiro, nascera para a guerra, tinha fome de guerra. Seu único inimigo era o tempo, e ele o sabia. Diziam-nos seus olhos que ele compreendia o fato de desempenhar um papel menor na Guerra de Tróia e, além disso, de participar apenas de seu desfecho; as coroas de louros seriam para aqueles que haviam suportado dez anos de luta insana. Contudo, Neoptolemo era o fator decisivo. Renovara a esperança, a fúria, o entusiasmo; os olhos dos soldados, fossem eles de Argos, da Etólia ou da Tessália, seguiam-no com devoção canina sempre que ele entrava no carro do pai, envergando a armadura do pai. Para eles, ele era Aquiles. E, enquanto os dias iam passando, eu continuava a observar Ulisses, ansiando pelo próximo conselho.

O conselho foi convocado meia lua depois de Neoptolemo ter chegado; segundo um dos arautos imperiais, seria realizado no dia seguinte, após a refeição do meio-dia. Eu sabia que era inútil tentar arrancar fosse o que fosse de Ulisses; por isso, depois de termos ceado, mostrei-me completamente desinteressado, enquanto ele saltava de assunto em assunto, tão destramente quanto o melhor atleta salta os mais difíceis obstáculos. Reagiu muito bem à minha indiferença; porém, quando eu me despedi dele com ar altivo, gargalhou incontrolavelmente. Quis dar-lhe um pontapé, mas ainda me doíam as chicotadas com que o marcara (doíam mais em mim do que nele, de fato) e, por isso, contive-me; limitei-me a fazer uma comovente apreciação a propósito de seus antepassados.

Todos chegaram cedo à casa de Agamêmnon, como cães acorrentados farejando sangue fresco, cuidadosamente vestidos com seus melhores saiotes e jóias, como se tivessem sido convidados para uma recepção formal na Sala do Leão, em Micenas. O arauto-mor postou-se aos pés da Cadeira do Leão, clamando os nomes dos presentes para um subordinado, cuja tarefa consistiria em decorá-los; a memória desse humilde funcionário seria o veículo que conduziria esses nomes à posteridade.

"Imperial Agamêmnon, rei supremo de Micenas, rei dos reis;
Idomeneu, rei supremo de Creta;
Menesteu, rei supremo da Ática;
Nestor, rei de Pilos;
Menelau, rei da Lacedemônia;
Diomedes, rei de Argos;
Ulisses, rei das Ilhas;
Filoctetes, rei de Hestaiótis;
Eurípilo, rei de Ormênion;
Toante, rei da Etólia;
Agapenor, rei da Arcádia;
Ajax, filho de Oileu, rei da Lócrida;
Meriones, príncipe de Creta, herdeiro do trono de Creta;

Neoptolemo, príncipe da Tessália, herdeiro do trono da Tessália;
Teucro, príncipe de Salamina;
Macáon, cirurgião;
Podalírio, cirurgião;
Epeu, engenheiro.

O rei dos reis acenou para que seus arautos se retirassem e entregou a Meriones o bastão do Debate. Dirigiu-se então a nós na linguagem rebuscada, uma característica das declarações formais.

— Depois de Príamo, rei de Tróia, ter transgredido as sagradas convenções da guerra, solicitei a Ulisses, rei de Ítaca, que concebesse um plano que nos permita conquistar Tróia, ainda que, para tal, tenhamos de recorrer a dúbios estratagemas. Ulisses, rei de Ítaca, comunicou-me que havia concluído já seu plano. Convoquei-os para que ouvissem o que ele tem para nos dizer. Régio Ulisses, tem a palavra.

Sorrindo para Meriones, Ulisses levantou-se.

— Faça-me um favor, Meriones, fique com o bastão. — Pegou depois um rolo de pele clara e macia que estava em cima da mesa no centro da sala e encaminhou-se para a parede diante de nós. Abriu o rolo e pregou-o à parede com quatro pequenos punhais cravejados de jóias, cada um deles num dos cantos.

Ficamos todos olhando aquilo sem entender rigorosamente nada, perguntando-nos se não estaríamos sendo vítimas de uma brincadeira de mau gosto. O que tínhamos diante de nós era um esboço a carvão, representando um cavalo enorme, ao lado do qual se erguia uma linha vertical. Tendo em conta os materiais e o autor, não se podia dizer que o desenho estivesse malfeito. Mas para que serviria aquilo?

Ulisses fitou-nos com ar enigmático.

— É verdade, meus amigos, é o desenho de um cavalo. Devem ter ficado intrigados com o fato de Epeu, o engenheiro, encontrar-se hoje entre nós. Pois bem; pedi que ele fosse convocado, porque quero fazer-lhe algumas perguntas e ouvir as respostas de um técnico especializado.

Virou-se para Epeu, que se sentia tão confuso quanto constrangido na companhia de tão augustas personagens.

— Epeu, você é considerado o melhor engenheiro que a Grécia produziu desde a morte de Éaco. Além disso, quem sabe diz que não há, em toda a Grécia, ninguém que trabalhe melhor a madeira do que você. Peço-lhe que examine atentamente o desenho. Repare na linha vertical junto ao cavalo. O comprimento dessa linha corresponde à altura das muralhas de Tróia.

Desconcertados, examinamos o desenho tão atentamente quanto Epeu.

— Em primeiro lugar, Epeu, gostaria de saber sua opinião acerca do seguinte: durante dez anos, pôde observar as muralhas de Tróia; acredita que exista, em todo o mundo conhecido, algum aríete, algum engenho de cerco, capaz de abater a Porta Ceia?

— Não, rei Ulisses.

— Muito bem. Uma segunda questão: usando os materiais, os meios e os artífices de que você dispõe atualmente em nosso acampamento, seria capaz de construir um grande navio?

— Sem dúvida, rei Ulisses. Não faltam em nosso acampamento carpinteiros navais, pedreiros e serralheiros, sem contar com trabalhadores não qualificados. E julgo que, num raio de cinco léguas, há madeira suficiente e da melhor qualidade para construir não um navio, mas uma frota.

— Excelente! Eis a terceira pergunta: seria capaz de construir um cavalo de madeira do tamanho deste animal que vê desenhado na pele? Repare uma vez mais na linha em negro. O comprimento dessa linha equivale aos trinta cúbitos de altura das muralhas troianas. Poderá, portanto, concluir que a altura do cavalo é de trinta e cinco cúbitos. E, quarta questão, poderia montar esse cavalo sobre uma plataforma dotada de rodas, capaz de suportar todo o seu peso? E, quinta questão, o cavalo poderia ser oco?

Epeu começava a sorrir; era evidente que o projeto lhe agradava sobremaneira.

— Minha resposta a todas as suas questões é sim, rei Ulisses.

— E de quanto tempo você precisaria para executar tal trabalho?

— Seria... uma questão de dias, rei Ulisses.

Ulisses desprendeu a pele e entregou-a ao engenheiro.

— Obrigado, Epeu. Pode retirar-se. Espere-me em minha casa.

Estávamos absolutamente perplexos. Creio que nossos rostos, naquele momento, exprimiriam apenas desconcerto, apreensão e desconfiança; porém, enquanto esperávamos que Epeu abandonasse a sala, Nestor começou a rir, como se, de repente, tivesse ouvido a mais hilariante anedota, e ele, velho como era, já ouvira muitas.

Ulisses abriu muito os braços e como que cresceu em altura, erguendo-se como uma torre. Sua corrida começara: nenhum dos atletas presentes poderia detê-lo ou fazê-lo vacilar. Sublinhada por gestos magníficos, sua voz retumbou na sala.

— E é assim, meus amigos reis e príncipes, que vamos conquistar Tróia!

Ficamos parados e calados, olhando para ele.

— Sim, Nestor, você tem razão. E você também, Agamêmnon. Em primeiro lugar, um cavalo dessas dimensões, segundo minhas estimativas, poderá abrigar cerca de cem homens em sua barriga. E, se esses cem homens saírem silenciosamente, pela calada da noite e sem levantar suspeitas, não precisaremos de mais ninguém para abrir a Porta Ceia.

De todos os cantos da sala, surgiu um vendaval de perguntas. Os céticos berravam, os entusiastas aplaudiam, e o pandemônio só acabou quando Agamêmnon se ergueu da Cadeira do Leão, tirou o bastão de Meriones e bateu-o seguidamente no chão.

— Podem fazer todas as perguntas que quiserem, mas, por todos os Deuses, com ordem! E só depois de mim! Ulisses, sente-se e beba uma taça de vinho. Depois, explique-nos detalhadamente seu plano.

Caía a noite quando a assembléia foi dissolvida; acompanhei Ulisses a sua casa. Epeu esperava pacientemente, com o rolo de pele desdobrado diante dele; o engenheiro, enquanto nos aguardava, fizera um sem-número de pequenos desenhos. A partir desse instante, limitei-me a ouvir, pois só eles falavam... E tudo discutiram: questões técnicas, os materiais de que Epeu precisaria, o tempo aproximado que o trabalho demandaria, a necessidade imperiosa de segredo absoluto...

— Pode trabalhar no pequeno vale que fica atrás desta casa — Ulisses informou Epeu. — É uma depressão profunda; e, como temos árvores nos cercando por todos os lados, ninguém verá a cabeça do cavalo. Nem das torres de vigia da cidade conseguirão vê-lo. Mas essa localização apresenta outras vantagens. Há tantos anos que nos ocultamos nesse vale, que os curiosos já deixaram de nos importunar. Poderá recorrer aos homens que aqui moram como mão-de-obra não qualificada. Os técnicos que vierem de outros locais do acampamento só poderão abandonar o vale quando o trabalho estiver pronto. Está de acordo em trabalhar nessas condições um tanto limitadas?

Os olhos do engenheiro cintilaram.

— Pode confiar em mim, rei Ulisses. Ninguém saberá o que aqui se passa.

CAPÍTULO TRIGÉSIMO SEGUNDO

NARRADO POR PRÍAMO

Vindo da gelada imensidão da Cítia, bóreas, o vento norte, abatia-se, uivante, sobre as terras de Tróia, tingindo nossas árvores de âmbar e amarelo; o verão do décimo ano despedira-se já, e Agamêmnon continuava na praia, um cão sarnento guardando o osso fétido em que Tróia se havia transformado.

Tudo acabara. Pouco antes da morte de Heitor, ordenei que os últimos pregos de ouro fossem arrancados de portas, assoalhos, persianas, dobradiças; o cadinho era seu destino. O tesouro estava vazio; todas as oferendas votivas dos templos haviam sido usadas para fazer lingotes; ricos e pobres queixavam-se dos impostos; e, apesar de tudo isso, eu continuava sem os meios necessários para comprar aquilo de que Tróia precisava para manter acesa a chama da guerra — mercenários, armas, engenhos bélicos. Há dez anos que a fonte de rendimentos que era o Helesponto secara por completo. Não para Agamêmnon, que obrigava todos os navios gregos que se dirigiam para o mar Euxino a pagar uma pesada taxa. Quanto aos navios de outras nações, impedia-os pura e simplesmente de passar o Helesponto. Não nos faltavam alimentos porque nossas portas sul e nordeste se mantinham abertas e os camponeses tinham podido continuar a cultivar suas terras; mas havia muito tempo que não provávamos aqueles legumes e frutos que nossas terras não produziam. Quanto aos lendários cavalos de Laomêdon, poucos eram aqueles que ainda pastavam na planície ao sul de Tróia; fora obrigado a vender a maior parte desses belíssimos exemplares. O mal que fazemos atrai outro mal; verdade mais certa não há. Aquilo que, outrora, Laomêdon e eu havíamos negado aos gregos pertencia agora a esses mesmos gregos, pois vim a saber que quase todos os meus cavalos tinham ido para as mãos do rei Diomedes de Argos. Ah, a soberba, a vaidade... Quanto mais alto o vôo, maior a queda...

Acenderam as lareiras de meu quarto para aquecer minha carne, mas não havia, em toda a terra, um único fogo que fosse capaz de dissolver o desespero que se apegara a meu coração como um bebê esfomeado se agarra ao seio da mãe. Cinqüenta filhos haviam gerado minhas mulheres, cinqüenta belos rapazes. Quase todos mortos agora. O deus da guerra afastara de mim os melhores, deixando-me a escória para me consolar na velhice: triste consolo... Tinha oitenta e três anos e, quem me visse, diria por certo que eu sobreviveria a todos os filhos que me restavam. As lágrimas molhavam-me as faces sempre que via Deífobo pavoneando-se nos palácios ou nas paradas. Herdeiro do trono, aquilo? Não, não mais do que um pobre farsante, uma imitação barata! Ah, Heitor, *Heitor*! Minha esposa Hécuba enlouquecera; uivava como uma cadela velha a quem não davam sustento; sua companhia preferida era Cassandra, mais louca ainda do que a mãe. Ainda que, estranho caso esse, a beleza de Cassandra tivesse florescido tanto quanto sua demência. Duas longas fitas brancas trespassavam-lhe agora a longa cabeleira negra, o rosto emagrecera, revelando os ossos, os olhos surgiam tão grandes e brilhantes, que mais pareciam safiras negras como azeviche.

Às vezes, forçava-me a subir à torre de vigia da Porta Ceia, para ver os incontáveis tufos de fumaça erguendo-se na praia, os navios dispostos, fila após fila, ao longo das areias. Os gregos não se decidiam a lançar o ataque; estávamos à beira de um abismo, e eles não nos permitiam a esmola de um consolo, pois não sabíamos que intenções eram as suas. Continuavam a dedicar-se a suas misteriosas tarefas como se o tempo não lhes pesasse. O que restava do exército de Tróia estava concentrado na Cortina Ocidental; era aí que Agamêmnon atacaria, se agressão houvesse.

Cada noite era para mim um tormento sem sono; cada manhã encontrava-me tão desperto como se, no mundo, nunca tivesse havido noite. Contudo, não estava ainda derrotado. Enquanto em minha carcaça mirrada vivesse um espírito, Tróia não cairia. Os dentes de Agamêmnon podiam fincar-se em nossas muralhas, mas Tróia seria sempre minha. Nem que tivesse de vender não só o ouro, mas também todas as pessoas que viviam dentro de suas muralhas.

Soprava o gélido bóreas há três dias; deitado na cama, os olhos fixos na janela e nos indícios de claridade que começavam a derramar-se sobre o Ida, chorava por Heitor. A luz cinzenta que antecede o dia raiava-se do brilho enevoado das minhas lágrimas.

Ouvindo um grito que a distância abafava, estremeci e obriguei-me a sair da cama. O grito parecia ter vindo da Cortina Ocidental. Vá ver o que se passa, Príamo, vá ver o que se passa, disse baixinho para mim mesmo. Instantes depois, ordenei que me trouxessem o carro.

O tumulto crescia, novas e muitas vozes se erguiam, mas eu estava ainda longe demais para saber se tal agitação fora causada por medo ou por dor. Deífobo aproximou-se de mim, esfregando os olhos cheios de sono e fazendo uma carranca de desagrado.

— Vamos ser atacados, pai? — perguntou-me.

— Como quer que eu saiba? Vou às muralhas para saber o que está acontecendo.

O cavalariço-mor surgiu com meu carro, o condutor avançou trôpego, entorpecido ainda pelo sono; depressa parti, deixando o herdeiro para trás. Ele que fizesse o que muito bem entendesse. Se quisesse voltar para a cama, que voltasse.

Toda a área em volta da Porta Ceia e da Cortina Ocidental estava apinhada; homens corriam em todas as direções, gesticulando e gritando, mas não vi ninguém envergando à pressa sua armadura. Pulavam, rodopiavam, gritavam a quem subisse ao alto das muralhas e visse o que havia para ver.

Um soldado ajudou-me a subir as escadas da torre de vigia da Porta Ceia; penetrei silenciosamente a guarita. O capitão vestia não mais do que uma tanga, e as lágrimas corriam-lhe pelo rosto, enquanto seu lugar-tenente estava sentado numa cadeira, rindo desvairadamente.

— O que significa isto, capitão? — perguntei.

Obcecado demais com o que o afetava — fosse o que fosse — para se dar conta do que estava fazendo, o capitão pegou-me pelo braço com toda a força e levou-me sem demora e, aliás, sem qualquer cerimônia, à passagem superior das muralhas. Aí, então, virou-me na direção do acampamento grego e apontou para a praia com um dedo trêmulo.

— Veja bem, rei Príamo! Apolo ouviu nossas orações!

Franzi os olhos (em muito bom estado, tendo em conta a minha idade) e perscrutei a praia, já banhada de luz. Olhei, olhei, olhei! Como entender aquilo? Como acreditar *naquilo*? Pelas chaminés gregas já não saía fumaça, não pairava no ar cheiro nenhum de madeira queimada; não havia no acampamento uma única formiga — pois era isso o que os gregos pareciam, vistos dali — que se movesse; e, na praia, uma vasta faixa de seixos brilhava ao sabor do sol. O único indício de que ali houvera navios era aquela série imensa de sulcos profundos que se estendiam até as águas da lagoa. Os navios haviam partido! Os soldados também! De um exército de oitenta mil homens, restava apenas uma pequena cidade de casas cinzentas. Agamêmnon partira durante a noite.

Gritei de júbilo. Não conseguia sair dali, não conseguia conter minha alegria. Até que minhas pernas cederam e caí desamparado na pedra da passagem superior da muralha. Ria e chorava, rolando nas duras pedras como se fossem tão macias quanto a lanugem do cardo, balbuciei meus agradecimentos a Apolo, ri como um menino e, como um menino, balancei meus braços. O capitão ergueu-me; abracei-o e beijei-o, prometendo-lhe qualquer coisa de que logo me esqueci.

Deífobo apareceu correndo, o rosto transfigurado. Segurou-me e comigo rodopiou numa dança demente, enquanto os guardas faziam um círculo à nossa volta e marcavam o ritmo.

Já não havia na praia nenhum monstro grego emboscado, pronto a lançar sobre nós suas garras! Tróia estava finalmerte livre!

Nunca houve no mundo notícia que se tivesse espalhado tão depressa. Toda a cidade estava acordada e bem acordada, toda a cidade corria para as muralhas para aclamar a boa nova, para cantar, para dançar. A luz do sol ia apagando as sombras, e nossos olhos viam mais nitidamente: sim, não havia qualquer dúvida, Agamêmnon partira, partira, partira! Ah, querido Senhor da Luz, obrigado! Obrigado!

Alerta agora, o capitão continuava a meu lado, protegendo-me. Subitamente tenso e apreensivo, puxou-me pela manga. Então, Deífobo deu-se conta da ansiedade do capitão e aproximou-se de nós.

— O que há, capitão? — perguntei, inquieto.

— Rei Príamo, há alguma coisa ali, ao longe, na planície... Já me chamara a atenção antes de o sol nascer. Pensei que fosse uma árvore, pois está junto ao bosque do Simoente. Mas agora, com esta luz, vejo que não é uma árvore, mas sim um objeto enorme. Consegue ver, rei Príamo?

— Sim, estou vendo, estou vendo — respondi, com a boca seca.

— Sim, há *alguma coisa* ali...— murmurou Deífobo, lentamente. — Será um animal?

Outros homens apontavam para o misterioso objeto, discutindo sua natureza; então, os raios oblíquos do sol da manhã beijaram-no e revelaram uma superfície castanha e polida.

— Vou ver o que é aquilo — declarei, encaminhando-me para a porta da guarita. — Capitão, mande abrir a Porta Ceia, mas não deixe que o povo saia. Eu próprio examinarei o estranho objeto. Deífobo, venha comigo.

Ah, que bem me fazia aquele vento, apesar de tão frio! Atravessar a planície era uma verdadeira panacéia para todos os meus males! Ordenei ao condutor que seguisse pela estrada de seixos. Os solavancos eram inevitáveis, mas, apesar de tudo, a viagem era agora muito mais suave do que em outros tempos. O movimento incessante de homens e carros gastara uniformemente a pedra, e as fissuras entre elas haviam sido preenchidas pela lama em que as chuvas outonais tinham transformado a muita poeira dos campos de Tróia.

Todos nós já tínhamos percebido de que objeto se tratava; no entanto, nenhum de nós queria acreditar no que os olhos viam. O que aquilo estava fazendo ali? E para que estava ali? Ah, com certeza não era o que pensávamos! Quando nos aproximássemos dele, verificaríamos certamente que se tratava de outra coisa — um objeto muito mais estranho, completamente diferente. No entanto, quando Deífobo e eu nos acercamos daquilo, seguidos por alguns membros da corte, concluímos que o objeto era efetivamente aquilo que parecia: um gigantesco cavalo de madeira!

Erguia-se muito acima de nossas cabeças, uma criatura castanha, de madeira de carvalho, de proporções imensas. Quem o fizera (Deuses? homens?) imitara escrupulosamente a anatomia do cavalo; impossível confundi-lo com uma mula ou um burro; no entanto, e como se tratava de um gigante, as patas eram muito mais grossas do que as patas dos vulgares cavalos, e os cascos, mais próprios de um mamute, assentavam sobre uma plataforma de toras, que dispunha de rodas pequenas, mas sólidas: doze de cada lado. Meu carro encontrava-se sob a sombra da cabeça do cavalo; estiquei o pescoço o mais que pude para examinar a parte inferior da queixada. Construído com madeira polida, o cavalo era, ao mesmo tempo, corpulento e firme; as juntas entre as pranchas de madeira haviam sido seladas com pez, como se do casco de um navio se tratasse; essas linhas de junção haviam sido disfarçadas com um bonito desenho, pintado em tom ocre. A cauda e a crina tinham sido esculpidas; recuando para melhor examinar a cabeça, verifiquei que os olhos tinham sido incrustados com âmbar e azeviche, e as cavernas das narinas, pintadas de vermelho; os dentes, abrindo-se num relincho, eram de marfim. Sim, era de fato uma bela estátua.

Um destacamento da guarda real juntara-se a nós, bem como a maior parte dos membros da corte.

— Deve ser oco, pai — observou Deífobo. — Ou as rodas não agüentariam.

Apontei para os quartos traseiros do cavalo:

— É um objeto sagrado, Deífobo. Está vendo? Uma coruja, a cabeça de uma serpente, um escudo e uma lança. Pertence a Palas Atenéia.

Alguns dos presentes mostravam-se céticos; Deífobo e Cápis resmungavam, desconfiados, mas outro filho meu, Timoites, não poderia estar mais agitado.

— Pai, você tem razão! Os símbolos são mais eloqüentes do que todas as línguas. É um presente dos gregos para substituir sua Paládio.

O sumo sacerdote de Apolo, Lacoonte, reagiu, furioso:

— Com os presentes dos gregos, todo o cuidado é pouco!

Cápis envolveu-se imediatamente na discussão.

— Pai, esse cavalo é uma armadilha! Por que Palas Atenéia obrigaria os gregos a tão árduo trabalho? Palas Atenéia ama os gregos! Eles só roubaram a Paládio porque ela consentiu que a roubassem! Palas Atenéia nunca trocaria os gregos pelos troianos! O cavalo é uma armadilha!

— Acalme-se, Cápis — recomendei, mais concentrado no cavalo do que nas palavras dele.

— Pai, suplico-lhe que me ouça! — ele insistiu. — Abra-lhe a barriga e veja o que ela contém!

— Não se deixe iludir por presentes gregos — sugeriu Lacoonte. — O cavalo é uma armadilha.

— Concordo com Timoites. — declarei. — O cavalo foi construído para substituir a Paládio. — Lancei a Cápis um olhar feroz. — Basta de discussões, Cápis! Entendido?

— Seja como for — ponderou Deífobo, revelando um inusitado espírito prático —, o cavalo não foi feito para entrar em nossas muralhas. É alto demais para passar pelas portas. Não sei que objetivo presidiu sua construção, mas de uma coisa estou certo: não pode ser uma cilada. O cavalo terá de ficar na planície. Portanto, não representa qualquer perigo para nós ou para quem for.

— *É* uma cilada! — exclamaram Cápis e Lacoonte, quase em uníssono.

As discussões continuaram, inflamadas, enquanto mais e mais membros da corte de Tróia se juntavam em volta do assombroso cavalo, não só para exprimir seu deslumbramento, mas também para expor as mais diversas teorias e me inundar de opiniões. Para deles escapar, decidi não ficar parado, mas contorná-lo, examinando-o minuciosamente, sondando o significado dos símbolos, maravilhando-me com a qualidade do trabalho dos artífices. Encontrava-se exatamente entre a praia e a cidade. Mas de onde viera? Se tivesse sido construído pelos gregos, teríamos percebido... Só poderia ser um presente da Deusa... Sim, era com certeza um presente da Deusa!

Lacoonte enviara alguns guardas reais ao acampamento grego; eu continuava a contornar o cavalo quando dois guardas surgiram num carro de quatro rodas e logo desceram com um homem entre eles.

A pobre criatura tinha os braços e as pernas acorrentados, farrapos eram sua roupa, todo seu corpo estava imundo.

Um dos guardas ajoelhou diante de mim.

— Rei Príamo, encontramos este homem escondido numa das casas gregas. Estava como o vê agora, acorrentado. Foi açoitado há pouco tempo, como se pode ver pelos vergões ensangüentados. Quando o capturamos, suplicou que lhe poupássemos a vida e pediu-nos que o levássemos à presença do rei de Tróia, a fim de lhe comunicar o que sabe.

— Fale, homem, eu sou o rei de Tróia — ordenei.

Ele umedeceu os lábios, gemeu e tentou em vão falar. Um guarda deu-lhe água; ele a bebeu, avidamente, e só então me saudou.

— Agradeço sua bondade, rei Príamo.

— Quem é você? — perguntou Deífobo.

— Meu nome é Sínon. Sou grego, natural de Argos, um nobre da corte do rei Diomedes, de quem sou primo. Pertenci a uma unidade especial do rei supremo de Micenas comandada pelo rei Ulisses de Ítaca. — O homem calou-se, vacilou, teve de ser ajudado pelos guardas.

Desci do carro.

— Soldado, sente-o na beira de seu carro. Vou sentar-me ao lado dele. — Mas logo alguém me trouxe um banco e ficamos um diante do outro.

— Está melhor assim, Sínon?

— Obrigado, rei Príamo. Já tenho forças para continuar.

— Explique por que razão um nobre de Argos, como você, foi açoitado e acorrentado.

— Rei Príamo, eu conhecia o plano que Ulisses tramou para se livrar do rei Palamedes. Parece que Palamedes insultara Ulisses antes de nossa expedição a Tróia ter começado. Diz-se que Ulisses é capaz de esperar uma vida inteira pela oportunidade ideal para se vingar de seus inimigos. No caso de Palamedes, esperou apenas oito anos. Há cerca de dois anos, Palamedes foi executado por alta traição. Ulisses inventou as acusações e fabricou as provas que levaram à condenação de Palamedes.

Fiquei sinceramente intrigado.

— Mas por que razão haveria um grego de conspirar contra outro, tendo em mente sua morte? Eram vizinhos rivais? Disputavam algum território?

— Não, rei Príamo. Ulisses é rei das ilhas a oeste da ilha de Pélops, Palamedes era rei de uma importante cidade portuária da costa oriental. Tratou-se de um problema pessoal: Ulisses nutria por Palamedes um rancor desmedido. Por quê, não sei.

— Sim, mas por que o trataram como escravo? Se Ulisses foi capaz de fabricar acusações de traição contra outro rei grego, por que não fez o mesmo em relação a você, um mero nobre?

— Eu sou primo-irmão de um rei mais poderoso do que ele e por quem Ulisses nutre grande afeição. Além disso, eu contei minha história a um sacerdote de Zeus. Se eu vivesse, o sacerdote não diria nada. Mas, se morresse, fosse qual fosse a causa de minha morte, o sacerdote divulgaria tudo que sabia. Como Ulisses não sabia qual era o sacerdote que conhecia a verdade, julguei que estaria para sempre em segurança.

— Quer dizer, então, que o sacerdote jamais contou a história? — perguntei. — É o que posso concluir do fato de você estar vivo.

— Não, rei Príamo, não é isso — murmurou Sínon, bebendo mais água; parecia menos abatido agora, apesar da desgraça que lhe acontecera. — O tempo passou, Ulisses nada disse e nada fez, e... bem, rei Príamo, a verdade é que eu nunca mais pensei no assunto! Porém, nestes últimos tempos, o exército caiu em profundo desânimo. Após a morte de Aquiles e Ajax, Agamêmnon perdeu todas as esperanças de conseguir entrar em Tróia. Convocou por isso um conselho e propôs uma votação. O resultado da votação foi este: regressariam à Grécia.

— Mas esse conselho deve ter-se realizado durante o verão!

— É verdade, rei Príamo. Contudo, a frota não pôde partir porque os augúrios não eram auspiciosos. O sumo sacerdote, Taltíbio, explicou-nos por quê. Era Palas Atenéia quem fazia soprar ventos contrários. Ficara muito aborrecida conosco por causa do roubo da Paládio. E exigia uma compensação. Depois, foi Apolo quem declarou sua ira. Queria um sacrifício humano. E o sacrificado seria *eu*! Apolo disse até meu nome! O sacerdote a quem tinha confiado minha história já não se encontrava em Tróia: Ulisses tinha-o mandado numa missão a Lesbos. Por isso, quando a contei, ninguém acreditou nela.

— O rei Ulisses não se havia esquecido de você...

— Exatamente, rei Príamo. O rei Ulisses limitou-se a esperar o momento certo para desferir seu golpe. Açoitaram-me, acorrentaram-me e deixaram-me aqui à mercê de seu povo. Bóreas começou a soprar: os navios gregos podiam finalmente partir. A raiva de Palas Atenéia e de Apolo fora aplacada.

Levantei-me, andei um pouco, voltei a sentar-me.

— Mas... e esse cavalo de madeira, Sínon? Por que está aqui? Pertence a Palas Atenéia?

— Sim, rei Príamo. Palas Atenéia exigiu que a Paládio fosse substituída por esse cavalo de madeira. Fomos nós mesmos que o construímos.

— Por que a Deusa não exigiu simplesmente que devolvessem a Paládio? — perguntou Cápis, desconfiado.

Sínon pareceu surpreso.

— Porque a Paládio fora maculada.

— Continue — ordenei-lhe.

— Taltíbio profetizou que, a partir do momento em que o cavalo de madeira entrasse na cidade de Tróia, ela resistiria a todos os ataques. Tróia não cairia nunca e recuperaria toda sua antiga prosperidade. Ulisses sugeriu, por isso, que construíssemos um cavalo exageradamente grande, um cavalo que não coubesse nas portas de Tróia. Dessa forma, disse ele, obedeceríamos a Palas Atenéia, mas faríamos com que a profecia nunca se cumprisse. O cavalo de madeira teria de permanecer na planície. — O pobre homem calou-se, gemeu, mexeu os ombros, tentou sentar-se mais confortavelmente. — Ai! Ai! Retalharam-me todo!

— Calma, Sínon, logo trataremos de suas feridas — tentei consolá-lo. — Mas primeiro temos de ouvir a história toda.

— Sim, rei Príamo, eu compreendo. Mas não sei o que se pode fazer. Ulisses é muito esperto. O cavalo é grande demais.

— Veremos isso mais tarde — disse-lhe eu com ar severo. — Termine sua história.

— Já terminei, rei Príamo. Eles partiram e deixaram-me aqui.

— Partiram para a Grécia?

— Sim, rei Príamo. Com este vento, logo estarão lá.

— Explique-me uma coisa — disse Lacoonte, ainda muito cético. — Por que puseram rodas no animal?

Sínon pestanejou, surpreso.

— Ora, para o tirarmos de nosso acampamento!

Impossível duvidar do homem! Seu sofrimento era muito real, tanto quanto aqueles hematomas e seu extremo emagrecimento. E sua história fazia sentido.

Deífobo ergueu os olhos para a poderosa massa de madeira e suspirou.

— Que pena, pai! Se ao menos pudéssemos levá-lo para dentro da ... — Fez uma pausa. — Sínon, o que aconteceu a Paládio? Foi... *maculada*?

— Depois de a terem levado para nosso acampamento, Ulisses roubou-a...

— Era de esperar! — Deífobo o interrompeu.

— A Deusa foi colocada em seu altar — prosseguiu Sínon — e o exército reuniu-se para vê-la. Porém, quando os sacerdotes lhe fizeram as oferendas, por três vezes as chamas envolveram a Deusa.

Quando finalmente se aplacaram, Palas Atenéia começou a transpirar sangue; gotas enormes de sangue brotavam em sua pele de madeira, rolavam-lhe pelas faces, molhavam-lhe os braços e saíam-lhe dos olhos como se a pobre Deusa estivesse chorando. O chão tremeu e, vinda do céu claro, uma bola de fogo caiu sobre as árvores além do Escamandro... com certeza vocês a viram. Os homens, desvairados, esmurravam o peito e pediam perdão à Deusa; até o rei supremo se ajoelhou. Descobrimos depois que a Deusa prometera um favor a sua irmã Afrodite: se o cavalo de madeira fosse levado para dentro de Tróia, a capital da Tróada conseguiria reunir todas as forças do mundo e conquistar a Grécia.

— Ah! — rosnou Cápis. — Tudo se encaixa muito bem nessa história! Esse Ulisses decide fazer um cavalo grande demais e depois vai embora! Acreditam que os gregos teriam tanto trabalho para, logo a seguir, se retirar? Por que se preocupariam com o tamanho do cavalo se, neste momento, estão a caminho de casa?

— Porque — respondeu Sínon, num tom de voz que indicava estar perdendo a paciência —, na próxima primavera, pretendem voltar!

— A menos que — disse eu, levantando-me — consigamos levar o cavalo para dentro de Tróia.

— Não conseguirão — disse Sínon, encostando-se contra o resguardo do carro e fechando os olhos. — É muito grande.

— Conseguiremos, sim! — exclamei. — Capitão! Traga cordas, correntes, mulas, bois e escravos. Ainda mal amanheceu. Se começarmos agora, o cavalo entrará em Tróia ainda de dia.

— Não, não, não! — gritou Lacoonte, com profundo terror estampado no rosto. — Por favor, rei Príamo! Deixe-me ao menos fazer minhas súplicas a Apolo!

— Faça o que bem entender, Lacoonte — disse-lhe eu, afastando-me. — Enquanto isso, tratemos de cumprir a profecia.

— Não! — gritou meu filho Cápis.

Mas todos os outros retumbaram, cheios de júbilo:

— *Sim!*

Passamos quase todo o dia naquela tarefa. Amarramos cordas reforçadas com correntes à dianteira e aos lados da maciça plataforma de toros; depois, atrelamos mulas, bois e escravos; com lentidão quase infinita, o cavalo de madeira avançou pela estrada. Um trabalho penoso, frustrante, exasperante. Nenhum grego — homem nenhum! — esperaria de nós tamanha pertinácia, pois aquele era um trabalho para Heracles! A cada curva, o animal tinha de ser cuidadosamente guiado, para que não saísse da estrada de pedra; era essencial que as rodas não tocassem o terreno lamacento, pois poderiam afundar-se; não haveria no mundo alavancas capazes de agüentar convenientemente uma tal montanha de peso.

Ao meio-dia, já tínhamos o cavalo diante da Porta Ceia, onde pudemos constatar que a cabeça tinha mais cinco cúbitos de altura do que a passagem arqueada que encimava a imensa porta de madeira.

— Timoites — ordenei a meu filho que se mostrara mais entusiasmado com a misteriosa aparição —, diga aos soldados que tragam picaretas e martelos. Vamos derrubar o arco.

Uma operação que pareceu durar uma eternidade! As pedras usadas por Poseidon, construtor de muralhas, não cediam facilmente aos golpes dos meros mortais; porém, pouco a pouco, foram-se fracionando e caindo, até que, acima da Porta Ceia, já havia uma ampla abertura. Os animais e os homens que estavam atrelados à criatura puxaram então as correntes presas a cordas; a portentosa cabeça do cavalo voltou a avançar. Vendo os dentes do cavalo aproximando-se mais e mais da entrada de Tróia, prendi a respiração e, então, gritei para todos avisando: tarde demais. A cabeça não conseguia passar. Demolimos mais uma pequena porção do arco e tentamos de novo. Mas nem mesmo assim passou. Por quatro vezes, a cabeça do cavalo avançou e recuou até conseguir atravessar a Porta Ceia. Então, o gigantesco objeto rolou, gemendo, na direção da Praça Ceia. Ah, Ulisses! Seus intentos haviam sido frustrados!

Para que não restassem dúvidas, decidi que o cavalo deveria ser rebocado pela íngreme colina e levado para dentro da Cidadela. Para executar essa operação, precisamos do dobro dos animais e demoramos o que me pareceu uma eternidade, ainda que o povo também ajudasse. A porta da Cidadela não era encimada por arco; o cavalo a transpôs.

Conduzimos então o animal para o verdejante pátio consagrado a Zeus, onde para sempre ficaria. Nas lajes abriram-se fendas sob aquele peso colossal, e as rodas afundaram no chão, em meio a fragmentos de pedras, mas o substituto da Paládio mantinha-se de pé. Não havia na terra nenhuma força que o pudesse mover agora. Mostráramos a Palas Atenéia que éramos dignos de seu amor e respeito. Ali mesmo jurei publicamente que o cavalo seria mantido em perfeitas condições e que, em sua base, seria erigido um altar. Tróia estava a salvo. O rei Agamêmnon não regressaria na primavera com um novo exército. E nós, depois de nos recuperarmos de dez anos de guerra, conduziríamos as forças do mundo para conquistar a Grécia.

Mal terminei, ouvi o riso desvairado de Cassandra; correu para mim, o cabelo flutuando livre, os braços estendidos. Uivando, gemendo, guinchando, caiu no chão e agarrou-se a meus joelhos.

— Pai, tire o cavalo da cidade! Leve-o para onde ele estava! Esta criatura é a morte de Tróia!

Lacoonte estava presente, acenando gravemente seu acordo.

— Rei Príamo, os augúrios não são bons. Ofereci uma corça e três pombas a Apolo, mas ele as rejeitou. Esta estátua atrai a ruína para nossa cidade.

— Eu assisti à cerimônia. O que meu pai diz é verdade — confirmou o mais velho dos dois filhos de Lacoonte, pálido e trêmulo.

Timoites aproximou-se para me defender; eu já não suportava mais aquelas discussões, e o medo começava a conquistar as vozes à minha volta.

— Venha comigo, rei Príamo — suplicou Lacoonte. — Venha comigo ao altar e veja com seus próprios olhos! O cavalo está amaldiçoado! Destrua-o, queime-o, livre-se dele!

Com os dois filhos à sua frente, Lacoonte dirigiu-se ao altar de Zeus. Minhas velhas pernas não me permitiam correr tanto quanto ele. De súbito, ao chegar ao estrado de mármore, deu um grito horrendo. Tal como seus filhos. Quando um dos guardas o alcançou, Lacoonte já estava caído, um corpo com forças apenas para gemer, as mãos procurando segurar os filhos, que se contorciam em terríveis convulsões. Então, o guarda recuou e virou para nós, horrorizado.

— Rei Príamo, não se aproxime! — exclamou. — É um ninho de víboras! Eles foram picados!

Ergui as mãos para o imenso firmamento que o sol, ao despedir-se, tingia de carmim.

— Ó Pai dos Céus, que nos enviou um sinal! Abateu Lacoonte diante dos nossos olhos porque ele se opôs à oferenda de sua filha ao povo de minha cidade! O cavalo é bom! O cavalo é sagrado! O cavalo manterá os gregos longe de nossas portas!

Tinham chegado ao fim aqueles dez anos de guerra contra um inimigo poderoso. Tínhamos sobrevivido e continuávamos a ser senhores de nosso próprio destino. O Helesponto e o Euxino voltavam a ser nossos. A Cidadela teria de novo pregos de ouro. E nós voltaríamos a sorrir.

Conduzi os membros da corte a meu palácio e ordenei que começassem os festejos; aplacados os derradeiros receios, nossos corações abriram-se à euforia como se fôssemos escravos a quem seu amo e senhor acabara de conceder a liberdade. Gargalhadas, canções, tambores, címbalos, clarins, trombetas — o alegre tumulto do povo chegava aos ouvidos da Cidadela, e a Cidadela respondia ao povo com idêntica algazarra. Tróia estava livre! Dez anos, dez anos, dez anos! Tróia vencera! Tóia obrigara Agamêmnon a desaparecer de suas praias — para sempre!

No entanto, para mim, o melhor de tudo foi ver o rosto de Enéias! O dardaniano não fora ver o cavalo, não saíra sequer do palácio enquanto contemplávamos aquela tarefa insana. Contudo, ser-lhe-ia difícil evitar a festa... Um triste espetáculo, o de Enéias: os dentes cerrados, as sobrancelhas franzidas, olhos sem brilho... Eu vencera, ele perdera. O sangue de Príamo permaneceria vivo. Tróia seria governada por *meus* descendentes e não por Enéias.

CAPÍTULO TRIGÉSIMO TERCEIRO

NARRADO POR
NEOPTOLEMO

Fecharam-nos a porta do alçapão bastante antes do alvorecer, e nós, que conhecíamos a escuridão de tantas e tantas noites, só então descobrimos o que era realmente a escuridão. Eu abria muito os olhos, abria-os até não poder mais, procurando ver, procurando enxergar qualquer coisa, mas não havia nada para ver, nada para enxergar. Nada. Estava completamente cego, e o mundo era um negrume tangível e insuportável. Um dia e uma noite dentro disso..., disse eu para mim mesmo. Quer dizer, se a sorte estivesse do nosso lado... Pelo menos um dia e uma noite, agachados no interior daquela prisão, sem uma réstia de luz para nos guiar — não tínhamos o sol para nos indicar a passagem do tempo, cada instante era uma eternidade, os ouvidos estavam tão atentos, tão concentrados, que a mera respiração dos homens soava como uma trovoada distante.

Meu braço roçou o de Ulisses; meu corpo todo estremeceu, mais forte do que a mente que o governa. Minhas narinas contraíam-se, e com razão, pois era muito intenso o fedor de suor, urina e fezes, apesar dos baldes de couro cobertos que Ulisses distribuíra a cada trio de homens. Compreendia agora por que razão Ulisses se mostrara tão inflexível quanto a esse pormenor que a muitos parecia irrelevante. Se não fossem os baldes, seria impossível não ficarmos sujos de excrementos. Cem homens de súbito atacados de cegueira — como era possível que alguns homens conseguissem sobreviver a toda uma vida de cegueira?

Nunca mais voltarei a ver, pensei de repente. Meus olhos irão readaptar-se à luz? O choque que sofrerão quando de novo virem a luz não os condenará a uma escuridão permanente? Sentia minha pele retesada, sentia o terror devorando tudo à minha volta, consumindo o ânimo de cem dos mais corajosos homens vivos, agora encarcerados, agora vencidos por um pavor de morte. Minha língua colava-se ao céu da boca; procurei o odre para beber um pouco de água não porque tivesse sede, mas apenas porque era preciso não ficar parado, porque era preciso fazer qualquer coisa.

Claro que tínhamos ar: abençoado ar, engenhosamente filtrado através de um labirinto de minúsculos orifícios que percorriam todo o corpo do cavalo. No entanto, Ulisses avisara-nos de que não veríamos a luz do dia através desses orifícios, porque o labirinto fora protegido por várias camadas de panos. Por fim, fechei os olhos. Doíam-me tanto, por causa do muito esforço que fizera para tentar descortinar o que quer que fosse, que, ao fechá-los, me senti profundamente aliviado. Assim, descobri, era mais fácil suportar a escuridão.

Ulisses e eu estávamos sentados costas contra costas, como todos os outros. Naquela prisão, nossos próprios corpos eram os únicos descansos para as costas uns dos outros. Procurando descontrair-me, repousei contra as costas dele e me lembrei de todas as mulheres que havia conhecido. Fiz um catálogo meticuloso — a mais bela e a mais feia; a mais alta e a mais baixa; a primeira e a última com quem tinha ido para a cama; uma que rira, zombeteira, de minha pouca experiência e outra que já quase nem tinha forças para revirar os olhos depois de uma noite em meus braços. Concluído o capítulo das mulheres, dei início a outro, o de todos os animais que tinha caçado e de todas as caçadas de que havia participado — leões, javalis, veados. Expedições marítimas, em busca de golfinhos e serpentes enormes e muitos outros monstros das profundezas aquáticas, ainda que não tivéssemos conseguido mais do que uns quantos atuns e percas-do-mar. Revivi meus dias de treino para a guerra com os jovens mirmídones. As pequenas guerras que travei na companhia deles. Os momentos em que conheci grandes homens, e quem eles eram. Contei os navios e os reis que haviam partido para Tróia. Recapitulei os nomes de todas as cidades e aldeias da Tessália. Cantei mentalmente as baladas dos heróis. E assim foi o tempo passando — a passos de caracol.

O silêncio tornou-se mais intenso, mais profundo. Adormeci; acordei com um solavanco, logo descobrindo que, nesse mesmo instante, Ulisses me tapara a boca. Descansei a cabeça em seu colo, os olhos quase saindo das órbitas, tal era meu pânico, até que me lembrei da razão por que não conseguia ver nada. Eu tinha acordado devido a um repentino movimento da imponente construção; ao recuperar a calma, dei-me conta de novo movimento — este suave. Soergui-me, procurei as mãos de Ulisses e apertei-as com toda a minha força. Ele abaixou a cabeça, encostando o cabelo em minha face. Encontrei sua orelha e segredei-lhe:

— Já começaram a puxá-lo?

Senti o sorriso dele contra o meu rosto.

— Claro. Nunca duvidei de que eles levassem o cavalo para Tróia. Como eu previa, acreditaram piamente na história de Sínon — sussurrou ele.

A súbita atividade acabou com a sufocante inércia de nosso cárcere; por um longo tempo, sentimo-nos mais animados, mais alegres, enquanto o cavalo avançava ao sabor de guinadas e solavancos; tentamos calcular a velocidade em que íamos, estimar quanto tempo demoraríamos para chegar às muralhas, debater o que faria Príamo quando confirmasse que o cavalo era grande demais. E, ao longo desse tempo, rejubilamo-nos com o fato de poder falar uns com os outros, em voz baixa, mas não sussurrando, pois sabíamos que os ruídos produzidos pelo deslocamento não deixariam que nossas conversas chegassem aos ouvidos troianos. Ouvíamos o cavalo avançando, mas não conseguíamos ouvir nem os homens, nem os bois. Apenas as rodas rodando, atroando, guinchando.

Não foi difícil perceber o momento em que o nosso transporte chegou à Porta Ceia. O cavalo parou, todo o movimento cessou. Não sei quanto tempo ficamos ali parados — eu tive a sensação de que foram vários dias, mas certamente estava errado. Em silêncio, rezamos a todos os Deuses que conhecíamos, pedindo-lhes que convencessem os troianos a não desistirem e a destruírem o arco que encimava a porta, tal como Ulisses previra. Até que, por fim, o cavalo voltou a mover-se, mas logo um solavanco estridente nos sacudiu: com os rostos colados ao chão, mantivemo-nos quietos, parados, calados.

— Idiotas! — rosnou Ulisses. — Calcularam mal!

Após quatro solavancos idênticos, o cavalo avançou de novo, rodando normalmente. Quando percebeu que o chão começava a inclinar-se, Ulisses não pôde impedir um sorriso de puro gozo.

— Estamos subindo a colina que conduz à Cidadela — informou-me. — Imagine! Conduzem-nos ao palácio!

Então, uma vez mais, um pesado silêncio se abateu sobre nós. Depois de o engenho ter parado com um portentoso gemido, vimo-nos de novo entregues a nossos próprios pensamentos. O gigantesco cavalo demorou algum tempo a firmar-se no novo terreno, como se fosse um animal monstruoso descansando na lama; perguntei-me em que lugar estaríamos realmente. Pelos orifícios, chegava-nos um perfume de flores. Tentei avaliar quanto tempo demorara o cavalo a chegar ali, mas não consegui. Sem vermos o sol, a lua ou as estrelas, como poderíamos estimar a passagem do tempo? Decidi encostar-me de novo às costas de Ulisses e envolver os joelhos com os braços. Estávamos ao lado da porta do alçapão, enquanto Diomedes ficara no extremo oposto, a fim de manter a ordem (tínhamos instruções para matar todo e qualquer homem que cedesse ao pânico). Ainda bem que ficara com Ulisses, que era tão firme quanto uma rocha; o fato de tê-lo a meu lado era o bastante para aplacar todos os meus receios.

Quando comecei a pensar em meu pai, o tempo voou. Não queria pensar nele, pois temia a dor que meu coração prenunciava; contudo, o anticlímax de nossa última espera soltou-me inexoravelmente o pensamento. E não senti qualquer dor, pois, quando abri as janelas de minha mente para que ele entrasse, senti-o fisicamente comigo. Eu era de novo um menino, e ele, um gigante erguendo-se muito acima de minha cabeça, um Deus e um herói aos olhos de uma criança. Tão belo... Tão estranho, com aquela boca sem lábios... Tenho ainda em meus lábios aquela cicatriz... Certo dia, tentara cortar meus lábios, desejando ficar mais parecido com ele; o avô Peleu surpreendera-me em flagrante delito e, por castigo, bateu-me. "Você não pode ser outra pessoa", disse-me ele. "Você é assim mesmo e mais ninguém. Com ou sem lábios." Ah, e o que eu rezei, implorando que a guerra contra Tróia durasse o suficiente para eu me juntar a ele! Quando fiz quatorze anos e me tornei um homem, supliquei a meus avós, Peleu e Licomedes, que me deixassem partir para Tróia. Ambos recusaram.

Até aquele dia em que o avô Peleu entrou em meus aposentos, com o rosto abatido de um homem moribundo, e me disse que podia partir. Não me disse mais nada. Apenas que podia partir. Não me falou da mensagem que Ulisses lhe enviara — anunciando que Aquiles tinha os dias contados.

Enquanto viver, não esquecerei nunca a balada que o bardo cantou diante de Agamêmnon e dos demais reis. Sem que me percebessem, entrei e fiquei à porta; bebi sequioso todas as palavras, deleitando-me com os feitos de meu pai. Até que o bardo falou a respeito de sua morte, de minha avó e da escolha que ela lhe oferecera, uma escolha que, para ele, não o era: viver uma longa e próspera vida na mais total obscuridade ou morrer jovem e coberto de glórias. Meu pai escolhera a morte. Mas a morte era um fim que eu nunca conseguira associar a meu pai. Para mim, Aquiles estava acima do mortal destino dos homens; nenhuma mão humana poderia abatê-lo. No entanto, ele era um homem mortal; Aquiles morrera. Morrera antes que eu pudesse vê-lo, antes que eu pudesse beijar sua boca sem precisar que ele me erguesse, sem precisar ficar na ponta dos pés enquanto ele se baixava. Diziam-me os soldados que, agora, eu tinha praticamente a mesma estatura que ele.

Ulisses adivinhara minhas inquietações e contara-me tudo que sabia ou de que suspeitava. Contara-me o plano que havia urdido, não poupando ninguém e, muito menos, ele mesmo; explicara-me as razões da desavença entre meu pai e Agamêmnon e da retirada do exército da Tessália. Perguntei-me se teria suportado aquilo que meu pai passou: ver sua reputação para sempre maculada. Talvez eu não tivesse tanta força quanto ele, tanta determinação, em circunstâncias tão terríveis. Com o coração dilacerado, jurei a Ulisses que não revelaria a ninguém aquele segredo; uma voz dentro de mim dizia-me que meu pai queria que tudo ficasse como estava. Ulisses pensava que era como que uma expiação para um grande pecado que Aquiles imaginava ter cometido.

Porém, nem mesmo naquela escuridão eu conseguia chorar por meu pai. Meus olhos estavam secos. Páris, o assassino de Aquiles, estava morto. Teria de matar Príamo. Talvez então conseguisse chorar.

Cochilei de novo. O som do alçapão abrindo acordou-me. Ulisses movia-se como um relâmpago, mas tinha de ser ainda mais rápido. Uma luz excessiva, estonteante, passava pelo buraco na barriga do cavalo, fazendo brilhar alguns pares de pernas muito juntas. Ouviram-se sons abafados de um tumulto; então, um dos pares de pernas tombou. Senti um corpo caindo; depois, um ruído surdo. Dentro do cavalo, alguém não conseguira suportar aquela prisão um momento mais que fosse; quando Sínon, que estava lá fora, puxara a alavanca que abria o alçapão, ninguém dera ordens para avançarmos, mas um dos homens já estava pronto para sair.

Ulisses olhou para baixo e logo desenrolou a escada de corda. Aproximei-me dele. Nossas armaduras estavam guardadas na cabeça do cavalo e tínhamos uma ordem de saída rigorosa; enquanto fazíamos fila para descer do cavalo, a primeira coisa que as mãos dos homens tocavam era sua própria armadura.

— Eu sei quem caiu — disse-me Ulisses. — Levarei por isso minha armadura e esperarei até que chegue a vez dele para pegar a sua. Caso contrário, os homens que deveriam sair depois dele não receberão a armadura certa.

Fui eu o primeiro a pisar terra firme. Não tão firme, afinal: um tapete de flores outonais, cujo perfume deixaria qualquer um atordoado.

Depois de todos terem descido, Ulisses e Diomedes saudaram Sínon com abraços e beijos. O astuto Sínon, que era primo de Ulisses. Como não o vira antes de termos entrado no cavalo, fiquei espantado com sua aparência. Não admirava que os troianos tivessem acreditado na história que ele lhes impingira! Estava imundo, cheio de sangue, tinha um ar miserável, doentio. Nem o mais rebelde dos escravos seria tratado de forma tão abominável! Ulisses disse-me mais tarde que Sínon, por vontade própria, passara fome durante duas luas, a fim de assumir aparência verdadeiramente doente.

Sínon sorria de orelha a orelha; aproximei-me deles quando ele começou a falar.

— Príamo acreditou em tudo, primo! E os Deuses estavam do nosso lado: Zeus mandou um agouro terrível! Lacoonte e seus dois filhos morreram ao pisar um ninho de víboras! Não poderia ter sido melhor.

— Deixaram a Porta Ceia aberta? — perguntou Ulisses.

— Claro. Toda a cidade está dormindo ou, melhor, curando a

bebedeira. O que eles celebraram! Logo que as festividades no palácio começaram, nem mais se lembraram da pobre vítima do acampamento grego. Por isso, não tive qualquer dificuldade em chegar ao promontório de Sigeu, onde acendi uma fogueira para avisar Agamêmnon. À minha fogueira, respondeu imediatamente a do rei supremo, nas encostas de Tênedo; neste momento, Agamêmnon deve estar chegando à praia de Sigeu.

Ulisses abraçou-o de novo.

— Fez um trabalho magnífico, Sínon. Será recompensado!

— Eu sei. — Fez uma pausa, estufou o peito, mostrando satisfação. — Sabe, primo, creio que teria feito o que fiz mesmo que não houvesse recompensa.

Ulisses mandou cinqüenta homens para a Porta Ceia: era preciso impedir que os troianos a fechassem antes que Agamêmnon entrasse; os demais ficaram onde estavam, armados e prontos para a ação, vendo os tons rosa e dourado do alvorecer erguendo-se lentamente por sobre a alta muralha que rodeava o pátio principal, aspirando profundamente o ar da manhã, saboreando o perfume das flores sob nossos pés.

— Quem morreu no cavalo? — perguntei a Ulisses

— Equíon, o filho de Porteu — informou-me, abruptamente, sem dúvida concentrado em outro problema. Não parava quieto, pigarreava, ansioso. Ulisses, ansioso? Parecia impossível! — Agamêmnon, Agamêmnon, onde está? — perguntou ele em voz alta. — Já deveria estar aqui!

Nesse exato momento, o som de uma única trombeta espalhou-se pela quietude do alvorecer. Agamêmnon chegara à Porta Ceia. Podíamos finalmente avançar.

Dividimo-nos. Ulisses, Diomedes, Menelau, Automedonte e eu, comandando mais uns quantos, avançamos tão suavemente quanto nos era possível em direção à colunata; depois, viramos para um alto e amplo corredor que conduzia à área do complexo de palácios que pertencia a Príamo. Ulisses, Menelau e Diomedes deixaram-me, então, seguindo por uma passagem que levava aos aposentos de Helena e Deífobo.

Um grito enorme, solitário, desvairado, rasgou o profundo silêncio em que a cidade se encontrava mergulhada e abateu-se sobre a cabeça de Tróia como uma águia caindo sobre sua presa. De súbito, os corredores do palácio encheram-se de homens ainda nus, acabados de sair da cama, empunhando incertas espadas, aturdidos devido ao muito vinho que tinham bebido, o que nos permitia levar a cabo nossa missão com extrema calma; era fácil aparar aquelas investidas tontas e abatê-los logo em seguida. Mulheres uivavam e guinchavam, o mármore sob nossos pés depressa ficou escorregadio devido ao sangue... não, os troianos não tinham escapatória possível. Poucos se davam conta do que estava acontecendo. Alguns, no entanto, estavam despertos o suficiente para me confundir com meu pai, tanto mais que eu envergara a armadura dele; fugiam, gritando a plenos pulmões que Aquiles voltara do mundo dos mortos e comandava aquele exército de sombras.

A ânsia de matar era o que me movia: não poupava ninguém. Com o aparecimento dos guardas, a resistência começou a ganhar alguma firmeza; finalmente, tínhamos de enfrentar alguns bons combatentes, ainda que o estilo do combate não fosse o de um campo de batalha. As mulheres contribuíam para o pânico e a confusão, dificultando as manobras dos homens da Cidadela. Atrás de mim vinham alguns dos homens que haviam entrado em Tróia graças ao cavalo; ansiando pelo fim de Príamo, deixei-os chacinar a seu bel-prazer. Só Príamo me interessava: só Príamo poderia pagar a morte de Aquiles.

Mas eles adoravam aquele rei velho e tonto. Os que haviam acordado com as idéias mais ou menos claras tinham envergado uma armadura e corrido pelos atalhos daquele labirinto, decididos a protegê-lo. Uma muralha de homens armados barrava meu caminho, as lanças apontadas, as expressões dizendo-me que estavam dispostos a morrer a serviço de Príamo. Automedonte e alguns outros juntaram-se a mim; permaneci quieto por um momento, estudando a situação. Com as pontas das lanças voltadas para meu peito, esperavam que eu me movesse. Suspendi um pouco meu escudo e olhei por cima do ombro.

— Vamos a eles!

Saltei em frente tão rapidamente, que o homem que estava diante de mim, instintivamente, se afastou para o lado, desse modo perturbando todos os demais! Usando o escudo como muralha, choquei-me estrondosamente contra eles. Os soldados de Príamo não poderiam resistir a tão tremendo peso; ao cair em cima deles, a linha desfez-se, as lanças caíram ao chão, inúteis. Ergui-me, fazendo rodopiar o machado; um homem perdeu um braço, um outro, metade do peito, e um terceiro, o alto da cabeça. Era como abater árvores novas. Em combates corpo a corpo, minha estatura e o poder de meu braço deixavam-me sem rival. Meu machado não parava de ceifar inimigos.

Coberto de sangue da cabeça aos pés, passei por cima dos cadáveres e deparei com uma colunata que rodeava um pequeno pátio, em cujo centro havia um altar erguido sobre um estrado com degraus; um frondoso loureiro protegia do sol a mesa do altar.

Príamo, o rei de Tróia, estava encolhido no degrau superior, a barba e o cabelo brancos brilhando como prata sob a luz que penetrava pelos ramos do loureiro, o corpo esquelético envolto na túnica de linho com que se deitara.

— Pegue uma espada e morra, Príamo! — gritei-lhe, abaixando o machado.

Príamo não olhava para mim; aqueles olhos opacos e molhados de lágrimas fitavam o vazio; não me via, não me ouvia, estava longe, muito longe, de mim. O ar estava saturado de ruídos de morte e sangue, e a fumaça espalhava-se como uma bruma, baixando as lonjuras do céu. À sua volta, Tróia morria e Príamo encolhia-se nos degraus do altar de Apolo, a um passo da loucura. Creio que não chegou a compreender que tínhamos entrado em Tróia graças ao cavalo — o Deus poupou-o. Tudo o que Príamo entendia era que já não havia razão nenhuma para que continuasse a viver.

Uma mulher muito velha estava agachada a seu lado, febrilmente agarrada ao braço dele, a boca aberta em constante sucessão de uivos. Sim, seus gritos mais se assemelhavam aos uivos dos lobos do que a qualquer grito humano. Uma jovem com longuíssima cabeleira negra estava de costas para mim, junto à mesa do altar, as mãos sobre a laje, a cabeça inclinada para trás em oração.

Mais homens surgiram para defender Príamo; enfrentei com desdém aquela investida. Alguns exibiam as insígnias dos filhos de Príamo — fato que me estimulou ainda mais. Matei-os até só restar não mais do que um menino — seria Ílio? Que me importava quem ele era? Quando tentou atacar-me com sua espada, eu a arranquei facilmente; depois, peguei-o pelas longas tranças com a mão esquerda, abandonando o escudo. Ele se debateu, esmurrou-me, mas eu o arrastei até os degraus do altar. Príamo e Hécuba agarraram-se ainda mais um ao outro; a jovem não se virou para ver.

— Aqui está seu último filho, Príamo! Vai assistir à sua morte!

Finquei o calcanhar no peito do jovem com tanta força, que ele se viu obrigado a erguer os ombros do chão, para logo morrer com a cabeça esmagada pela pá do machado. De súbito, então, Príamo pareceu dar-se conta de que eu estava ali. Levantou-se de um salto. Com os olhos fixos no cadáver de seu último filho, pegou uma lança que estava encostada a um dos lados do altar. Hécuba tentou detê-lo, uivando como uma loba.

O pobre velho, contudo, mal conseguia andar. Tropeçou e caiu a meus pés, o rosto enterrado nos braços, oferecendo o pescoço à lâmina do machado. A velha agarrara-se às pernas dele; a jovem virara-se finalmente, mas não era para mim que olhava, era para o rei, uma profunda compaixão estampada no rosto. Ergui o machado. Avaliei bem o golpe: era fundamental que não houvesse o mínimo erro. A lâmina dupla abateu-se tão leve quanto uma fita tremulando ao sabor do vento, e eu senti dentro de mim, naquele instante sublime, o sacerdote que vive nos corações de todos os homens nascidos para reinar. O machado de meu pai cumpriu sua parte brilhantemente. O pescoço de Príamo rasgou-se sob a cabeleira cor de prata, a lâmina cravou-se na pedra do chão, a cabeça saltou bem alto. Tróia estava morta. Seu rei morrera como os reis costumavam morrer nos tempos da Velha Religião: decapitados pelo sagrado machado. Quando me virei para ver o que acontecia à minha volta, só encontrei gregos.

— Procure um quarto que possa manter bem trancado — ordenei a Automedonte. — Depois, volte aqui e leve as duas mulheres para lá.

Subi os degraus do altar.

— Seu rei está morto — disse para a jovem, uma mulher extremamente bela. — Você é minha cativa. Quem é você?

— Andrômaca da Cilícia, a viúva de Heitor — respondeu em voz firme.

— Nesse caso, cuide de sua sogra enquanto puder. Em breve serão separadas.

— Deixe-me ver meu filho — pediu, sem qualquer agitação, perfeitamente controlada.

Balancei a cabeça.

— Não, Andrômaca, isso não é possível.

— Por favor! — exclamou, com expressão tão firme e controlada como antes.

Os últimos resquícios de fúria evaporaram-se; senti por ela uma imensa compaixão. Agamêmnon nunca permitiria que o rapaz vivesse. Suas ordens eram claras: toda a Casa de Príamo teria de perecer. Antes que eu me visse obrigado a responder-lhe que não uma segunda vez, Automedonte regressou ao pátio de Apolo. As duas mulheres, a mais velha uivando ainda e sempre, a outra implorando serenamente que a deixassem ver o filho, foram levadas para fora.

Depois disso, abandonei o pátio e tratei de explorar o labirinto de corredores, abrindo cada uma das muitas portas e verificando se havia mais troianos que minhas armas pudessem abater. Mas não encontrei mais ninguém. Até que cheguei a outro pátio e abri mais uma porta.

Dormindo profundamente numa cama estava um homem dotado de poderosa constituição física, bem-apessoado, moreno o suficiente para passar por um filho de Príamo; no entanto, tirando a cor da pele, não havia nele mais nada que fizesse pensar na prole da Casa Real de Tróia. Entrei no quarto sem produzir um único ruído e coloquei-me a seu lado com o machado roçando-lhe o pescoço. Nem assim acordou. Então, sacudi-o violentamente pelo ombro esquerdo. Os efeitos da bebedeira da noite anterior ainda se faziam sentir — e de que maneira! O homem resmungou alguma coisa, suas pálpebras tremeram levemente. Continuaria a dormir se, de repente, seus olhos não tivessem entrevisto uma inesperada criatura envergando a armadura de Aquiles. Despertou imediatamente e só a lâmina do machado o impediu de correr para sua espada. Lançou-me um olhar feroz.

— Quem é você? — perguntei, com um sorriso.

— Enéias da Dardânia.

— Sim senhor! Enéias da Dardânia! É meu prisioneiro, Enéias. Eu sou Neoptolemo.

Um clarão de esperança iluminou-lhe os olhos.

— O quê? Quer dizer que não me matará?

— Por que eu deveria querer matá-lo? Você é meu prisioneiro, e eu não mato meus prisioneiros. Se os dardanianos nutrirem ainda alguma estima por você e estiverem, por isso, dispostos a pagar o exorbitante resgate que pretendo exigir, poderá ser de novo um homem livre. Será um prêmio para quem, por vezes, se mostrou... enfim... tão simpático para com o inimigo no campo de batalha.

Uma explosão de alegria inundou-lhe o rosto.

— Nesse caso... nesse caso serei rei de Tróia!

Ri.

— Quando seu resgate for pago, Tróia já não existirá... Vamos arrasar a cidade e vender seus habitantes como escravos. Na planície de Tróia, haverá apenas sombras... Creio que, no seu caso, a decisão mais sensata seria emigrar. Desviei o machado. — Levante-se. Virá comigo, nu e acorrentado.

Enéias protestou, mas fez exatamente o que lhe mandei. Portou-se como um cordeirinho.

Um soldado mirmídone trouxe meu carro em meio à intensa fumaça que se espalhava pelas ruas e às chamas que consumiam as casas. Libertei as duas mulheres de sua prisão e amarrei-lhes os braços com cordas. Por sua própria iniciativa, Enéias estendeu as mãos para que o prendesse. Com meus três cativos convenientemente amarrados, ordenei a Automedonte que conduzisse meu carro para fora da Cidadela, em direção à Praça Ceia. O saque da cidade consumava-se agora; não era um trabalho digno para o filho de Aquiles. Alguém prendera o cadáver decapitado de Príamo à traseira do carro, como acontecera com o cadáver de Heitor; aquele resto, não mais do que um boneco ensangüentado, deslizava pelas pedras, por entre os pés de meus três cativos vivos. A cabeça de Príamo estava espetada na Velha Pélion, a cabeleira e a barba prateadas cobertas de sangue, os olhos escuros, esbugalhados, petrificados na dor e na ruína, mirando, cegos, as casas que as chamas devoravam e os corpos mutilados que enchiam as ruas. Crianças choravam em vão chamando suas mães; mulheres corriam como loucas à procura de seus bebês ou fugiam de soldados que só ficariam satisfeitos depois de as violentar e matar.

Impossível conter a fúria irracional do exército. Naquele dia de triunfo, os homens vingavam-se de todo o sofrimento por que haviam passado ao longo de dez anos de exílio, dez longos anos de saudades da pátria e dos seus, de muitos companheiros mortos e de muitas esposas infiéis de ódio por todas as pessoas e coisas troianas; como animais selvagens, lançavam-se sobre suas presas no meio daquelas ruas que a fumaça amortalhava. De Agamêmnon, nem sinal. É possível que alguma da minha pressa em deixar a cidade resultasse da relutância que sentia em encontrar-me com ele naquele dia de total devastação. É que aquela vitória era dele — não minha.

Não muito longe da Cidadela, Ulisses emergiu de uma rua secundária, saudando-me calorosamente.

— Já de partida, Neoptolemo?

Concordei, sem a menor alegria.

— Sim, e tão depressa quanto puder. Agora que minha fúria se aplacou, creio que meu estômago não agüenta tanto sangue e devastação.

Apontou para a cabeça.

— Estou vendo que encontrou Príamo.

— Sim.

— E os outros, quem são? — Inspecionou meus prisioneiros, presenteando Enéias com uma vênia muito exagerada. — Não esperava encontrá-lo vivo! Estava certo e seguro de que teria muitos problemas com o príncipe Enéias.

Não resisti a olhar com desprezo o dardaniano.

— Dormia como um bebê, enquanto Tróia caía! Encontrei-o ressonando na cama, tão nu como veio ao mundo!

Ulisses gargalhou; Enéias ergueu-se, furioso, com os músculos dos braços retesando-se num combate insano contra as cordas que os prendiam. De súbito, vi que dera a Enéias o mais torturante dos destinos. O antigo pretendente ao trono de Tróia era orgulhoso demais para suportar o desdém. No instante em que o acordara, não conseguira pensar em outra coisa senão no trono de Tróia. Agora, começava a entender o que significaria seu cativeiro — os insultos, a chacota, a hilaridade, a história, contada e recontada várias vezes, de como fora encontrado dormindo e ainda bêbado, enquanto todos os outros combatiam.

Desamarrei as cordas que prendiam a velha Hécuba e obriguei-a a caminhar. A loba continuava a uivar. Depois, estendi a Ulisses a ponta da corda.

— Um presente especial para você, Ulisses. Leve-a e a ofereça a Penélope: será uma boa criada. Além disso, uma cativa que foi rainha contribuirá, e não pouco, para o prestígio de sua rochosa ilha.

Ulisses pestanejou, sinceramente surpreso.

— Para quê, Neoptolemo? Não é preciso...

— Eu quero que ela seja sua cativa, Ulisses. Se eu tentasse levá-la comigo, Agamêmnon se oporia e ficaria com ela. Mas, com você, ele não ousará disputar Hécuba... Não faz sentido que só a casa de Atreu tenha régios cativos.

— E a jovem? Sabe quem ela é, não sabe?

— Sei. Mas Andrômaca não me escapará. — Curvei-me para lhe segredar ao ouvido: — Ela queria ir ver o filho, mas isso era impossível... O que aconteceu ao filho de Heitor?

Um calafrio percorreu-lhe o corpo. Fitou-me com expressão soturna.

— Astiânax está morto. Não poderíamos permitir-lhe que vivesse. Fui eu próprio que o encontrei. Atirei-o da torre da Cidadela. Filhos, netos, bisnetos, todos tinham de morrer.

Mudei de assunto.

— Encontraram Helena?

— Claro que encontramos! — Uma gargalhada eliminou as sombras de seu rosto

— Como morreu ela?

— Helena, morta? *Helena*? Ela nasceu para ficar velha, muito velha, e para morrer serenamente na cama, rodeada por filhos, netos e criados lavados em lágrimas! Consegue imaginar Menelau cravando seu punhal no coração de Helena? Ou permitindo que Agamêmnon ordene sua execução? Por todos os Deuses, Menelau tem mais amor àquela criatura do que todo o amor que poderia ter por si mesmo!

As gargalhadas foram substituídas por um sorriso zombeteiro.

— Nós a encontramos em seus aposentos, rodeada por alguns guardas. Deífobo estava pronto para matar o primeiro grego que visse. Mas Menelau mais parecia um touro enraivecido! Enfrentou sozinho os troianos e muito bem! Eu e Diomedes não passamos de meros espectadores... Quando acabou com os guardas, desafiou Deífobo para um duelo. Helena estava a um canto, a cabeça para trás, os seios muito eretos, os olhos tão brilhantes como sóis verdes. Tão bela como Afrodite! Nunca haverá no mundo uma mulher capaz de lhe fazer sombra, Neoptolemo! Menelau estava pronto para o duelo, mas a verdade é que não houve duelo nenhum... Helena foi mais rápida do que ele: pegou um punhal e cravou-o nas costas de Deífobo, entre as omoplatas. Depois, caiu de joelhos. Com o peito ereto "Mate-me, Menelau! Mate-me!", exclamou. "Eu não mereço viver! Mate-me já!" Claro que ele não a matou. Aqueles seios foram mais fortes do que toda a sua raiva. Abandonaram juntos o quarto, sem sequer olhar para nós!

Ri também.

— Que estranha ironia! Pensar que vocês combateram um grupo de nações durante dez anos, decididos a que Helena morresse, e agora vê-la partir para Amiclas, tão livre quanto antes e de novo rainha!

— Bem, a morte não costuma vir quando a esperamos — observou Ulisses. Os ombros dele vacilaram e, pela primeira vez, dei-me conta de que era um homem com quase quarenta anos, de que ele sentia amargamente sua idade e seu exílio, de que, apesar de todo o seu apetite pela intriga, tudo o que ele queria era voltar para casa. Saudou-me e logo se afastou, levando aquela loba velha que continuava a uivar. Acenei para Automedonte e seguimos na direção da Porta Ceia.

Os cavalos avançaram lentamente pela estrada que conduzia à praia. Enéias e Andrômaca vinham a pé, atrás de nós, o cadáver de Príamo entre os dois, saltando ao sabor dos acidentes da estrada. No interior do acampamento, contornei a base dos mirmídones, rumo ao Escamandro, que passamos a pé. Por fim, tomei o caminho que levava aos túmulos.

Quando os cavalos não puderam avançar mais, soltei o cadáver de Príamo da barra a que viera amarrado, peguei-o pela túnica que o cobria e assim o arrastei ao túmulo de meu pai. Deixei aquela massa mole e sem vida na pose de um suplicante, ajoelhada, e enterrei a base da Velha Pélion no chão, empilhando depois pedras à sua volta, como se fosse um pequeno monumento funerário. Concluído esse trabalho, virei-me para ver Tróia lá embaixo, na planície, as casas largando chamas para o céu sombrio, a porta escancarada como a boca de um cadáver depois de sua sombra se ter refugiado nas obscuras vastidões subterrâneas. E então, por fim, chorei por Aquiles.

Tentei imaginá-lo quando estivera em Tróia, mas correra muito sangue desde então; uma bruma de morte pairava sobre a terra. Afinal, só um Aquiles consegui evocar: aquele que eu vira muitos anos antes, a pele brilhante depois do banho, os olhos amarelos cintilando de prazer porque era para mim, seu filho ainda pequeno, que ele estava olhando.

Sem me preocupar que vissem minhas lágrimas, regressei ao carro e subi para junto de Automedonte.

— Para os navios, amigo de meu pai! Voltamos para casa! — disse-lhe eu.

— Para casa! — ecoou o fiel Automedonte, que partira de Áulis com Aquiles. — Para casa!

Na planície, as chamas devoravam Tróia, mas nossos olhos não viam outra coisa senão o sol que reverberava no mar tão escuro quanto vinho e que nos dizia que aquele era o caminho para casa.

O DESTINO DE ALGUNS SOBREVIVENTES

AGAMÊMNON regressou são e salvo a Micenas, sem saber que sua esposa, Clitemnestra, usurpara o trono e casara com Egisto. Depois de uma agradável recepção, Clitemnestra convenceu-o a tomar banho. Enquanto ele se deliciava na água quente do banho, a rainha pegou o machado sagrado e matou-o. Depois, matou a concubina de Agamêmnon, Cassandra, a profetisa. Temendo que Egisto matasse Orestes, Electra, a filha mais velha de Agamêmnon e Clitemnestra, levou para bem longe o irmão. Orestes viria a vingar o pai, matando a mãe e o amante desta. Porém, fizesse o que fizesse, Orestes não tinha saída: os Deuses exigiram-lhe que vingasse a morte do pai, mas o condenaram por matricídio. O irmão de Electra acabou por enlouquecer.

Segundo a tradição latina, ENÉIAS fugiu ao incêndio de Tróia com o pai, o velho Anquises, empoleirado em seus ombros, e com o Paládio debaixo do braço. Fez-se depois ao mar, tendo acabado por aportar a Cartago, no norte de África, onde a rainha Dido se apaixonou perdidamente por ele. Quando Enéias abandonou

Cartago, Dido suicidou-se. O destino final de Enéias teria sido, ainda segundo a mesma tradição, a planície do Lácio, na Itália Central, onde se instalou após ter travado uma guerra. Iúlo, filho de Enéias e da princesa Lavínia do Lácio, tornou-se rei de Alba Longa e dele descenderia Júlio César. Contudo, a tradição grega nega tudo isso. Diz que Enéias foi levado como cativo pelo filho de Aquiles, Neoptolemo, o qual, posteriormente, negociou com os dardanianos seu resgate; segundo a tradição grega, Enéias ter-se-ia instalado mais tarde na Trácia.

ANDRÔMACA, a viúva de Heitor, foi feita prisioneira por Neoptolemo, que fez dela sua esposa ou sua concubina. Andrômaca deu-lhe, pelo menos, dois filhos.

ANTENOR, juntamente com a esposa, a sacerdotisa Teanó, e os filhos, pôde abandonar livremente Tróia, após a queda da cidade. A família viria a instalar-se na Trácia ou, segundo alguns, na Cirenaica, no norte de África.

ASCÂNIO, o filho de Enéias e da princesa troiana Creusa, permaneceu na Ásia Menor depois de seu pai ter partido com Neoptolemo. O trono de Tróia viria a ser seu, mas Tróia já havia perdido todo seu antigo esplendor e poder.

O navio de DIOMEDES foi afastado de sua rota por uma tempestade e acabou por naufragar na costa da Lícia, na Ásia Menor. Diomedes, no entanto, sobreviveu. Acabou alcançando Argos, onde descobriu que a mulher cometera adultério e lhe usurpara o trono. Foi derrotado e banido para Corinto, tendo travado depois uma guerra na Etólia. Aparentemente, Diomedes nunca mais teve um reino. Seu último paradeiro conhecido foi a cidade de Luceria, na Apúlia, Itália.

HÉCUBA acompanhou Ulisses ao Quersoneso da Trácia. Seus uivos perpétuos deixaram tão aterrorizado o rei de Ítaca, que ele acabou por abandoná-la na praia. Apiedando-se dela, os Deuses a transformaram numa cadela preta.

HELENA participou de todas as aventuras de Menelau.

IDOMENEU viveu situação idêntica à de Agamêmnon e Diomedes. A rainha usurpou o trono de Creta e partilhou-o com o amante, que expulsou Idomeneu. O antigo rei de Creta viria a instalar-se na Calábria, Itália.

CASSANDRA, a profetisa, rejeitara em sua juventude as propostas amorosas de Apolo. O Deus vingou-se, amaldiçoando-a: Cassandra profetizaria sempre a verdade, mas ninguém acreditaria nela. Foi de início cativa do Pequeno Ajax; contudo, foi-lhe tirada depois de Ulisses ter jurado que a violara no altar de Atenéia. Agamêmnon também a queria e levou a melhor sobre os outros. Cassandra seguiu para Micenas no navio do rei supremo. A profetisa troiana avisou-o de que a morte os aguardava em Micenas, mas Agamêmnon não acreditou em tais palavras. A maldição de Apolo manteve-se até o fim: Cassandra foi assassinada por Clitemnestra.

O navio do PEQUENO AJAX naufragou durante a viagem de regresso à Grécia e o príncipe morreu afogado.

O navio de MENELAU foi desviado de sua rota pelos ventos e acabou aportando no Egito, onde o rei (com Helena) visitou muitas terras, permanecendo nessa região durante oito anos. Regressou à Lacedemônia no mesmo dia em que Orestes matou a mãe. Menelau e Helena reinaram na Lacedemônia e lançaram as bases do futuro estado de Esparta.

MENESTEU não voltou a Atenas. No regresso à casa, aceitou a ilha de Melo como seu novo reino.

NEOPTOLEMO sucedeu no trono a Peleu, mas, após um conflito com os filhos de Ascasto, abandonou a Tessália e foi morar em Dodona, no Épiro. Viria a ser morto quando saqueava o santuário da pitonisa de Delfos.

NESTOR regressou a Pilos rapidamente e em segurança. Passou o resto de sua longuíssima vida no trono de Pilos, na mais absoluta paz e prosperidade.

Como seu oráculo doméstico previra, ULISSES esteve vinte anos sem ver Ítaca. Depois de ter deixado Tróia, perambulou pelo Mediterrâneo e teve um sem-número de aventuras com sereias, feiticeiras e monstros. Quando finalmente chegou a Ítaca, encontrou o palácio cheio de pretendentes à mão de Penélope, desejosos de lhe usurparem o trono pelo casamento com a rainha. No entanto, Penélope conseguira protelar um compromisso, insistindo que só voltaria a casar-se quando acabasse de tecer sua própria mortalha. Todas as noites, Penélope desmanchava o trabalho que tinha feito no dia anterior. Ajudado pelo filho, Telêmaco, Ulisses matou todos os pretendentes. O rei e a rainha de Ítaca viveram felizes até o fim de seus dias.

FILOCTETES foi expulso de seu reino de Hestaiótis, tendo decidido emigrar para a cidade de Crotona (Lucânia, Itália), levando o arco e as flechas que tinham pertencido a Heracles.

POSFÁCIO

São muitas as fontes da história de Tróia. *A Ilíada,* de Homero, é apenas uma delas; abarca apenas pouco mais de cinqüenta dias de uma guerra que (todas as fontes concordam quanto a esse ponto) durou dez anos. O outro poema épico atribuído a Homero, a *Odisséia*, contém também muitas informações acerca da guerra e daqueles que a travaram. As outras fontes são freqüentemente fragmentárias e incluem, entre outros, Eurípedes, Píndaro, Higino, Hesíodo, Virgílio, Apolodoro de Atenas, Tzetzes, Diodoro Sículo, Dionísio de Halicarnasso, Sófocles, Heródoto.

Acredita-se que o saque verdadeiramente importante de Tróia (com efeito, houve vários) ocorreu por volta do ano 1184 a.C., uma época de grandes convulsões no extremo oriental do Mediterrâneo, em conseqüência de catástrofes naturais, como terremotos, e da migração de novos povos, tanto para essa região como de algumas partes dessa região para outras. Das áreas ao sul do Danúbio, vários povos deslocavam-se para a Macedônia e para a Trácia, ao passo que alguns povos gregos colonizavam as costas do mar Egeu e do mar Negro da atual Turquia. Esses movimentos convulsivos sucederam-se a migrações mais antigas e precederam outras migrações; viriam, aliás, a persistir até épocas relativamente recentes. Foram eles que deram origem a muitas das mais ricas tradições da história da Europa, da Ásia Menor e da bacia do Mediterrâneo.

Os dados arqueológicos surgiram com as descobertas de Heinrich Schliemann em Hissarlik, na Turquia; e de *Sir* Arthur Evans, em Cnossos, na ilha de Creta. Parecem restar poucas dúvidas de que foi travada uma guerra entre os gregos aqueus e os habitantes de Tróia (também chamada Ílio). É praticamente seguro que o objetivo dessa guerra era o controle dos Dardanelos, esse estreito vital entre o mar Negro (Euxino) e o Mediterrâneo (Egeu), já que o controle dos Dardanelos (o Helesponto) implicava um monopólio do comércio entre os dois mares. Era difícil obter certos produtos importantes, como o estanho, sem o qual o cobre não poderia ser transformado em bronze.

O comércio, a economia e a necessidade de sobrevivência foram muito provavelmente as razões dessa guerra, mas isso não implica que prescindamos de todos aqueles ornamentos que relevam da lenda, como é o caso da história de Helena ou do Cavalo de Madeira.

Algumas das personagens deste romance são mais conhecidas pelas versões latinas de seus nomes: é o caso de Hércules (Heracles), Vênus (Afrodite), Júpiter (Zeus), Vulcano (Hefesto) ou Marte (Ares).

Apesar da existência de tábuas de argila (Linear A, Linear B etc.) descobertas em Pilos e em outros locais de Micenas, os povos do Egeu do final da Idade do Bronze não eram letrados (no sentido que hoje damos a esta palavra). Entre esses povos, a capacidade de escrita e não as "listas de mantimentos", como Ulisses as denomina desdenhosamente (as tábuas acima referidas — que eram uma forma de grego), só viria a surgir pouco antes do século VII a.C.

As moedas pertencem também ao século VII a.C. Portanto, no tempo da Guerra de Tróia, o dinheiro enquanto tal não existia, ainda que o ouro, a prata e o bronze fossem usados como instrumentos de permuta.

Quanto a unidades de sistemas de medição, escolhi termos como "talento", "légua", "passo", "cúbito" ou "dedo". Em épocas muito posteriores, a légua viria a equivaler a três milhas; contudo, no âmbito deste livro, a légua poderá ser considerada como equivalendo apenas a uma milha, ou seja, 1,6 quilômetro. O passo era um duplo passo, medindo cerca de cinco pés britânicos, ou seja, 1,6 metro. Quanto ao cúbito, discute-se se seria a distância desde o cotovelo ao pulso, desde o cotovelo aos ossos do punho fechado ou desde o cotovelo às pontas dos dedos. No contexto deste livro, dever-se-á considerar que um cúbito equivalia a quinze polegadas (375mm). Comprimentos menores eram medidos com o dedo médio (um pouco menos de uma polegada, cerca de 20mm). Um talento era a carga que um homem podia transportar às costas: cerca de cinqüenta e seis libras modernas (ou 25 quilos). O grão era uma medida de capacidade: considere-se que o recipiente usado para retirar de uma ânfora uma determinada quantidade de grãos (ou de água) continha cerca de quatro *pints* americanos, ou seja, um litro. Os anos, provavelmente, eram determinados de acordo com os ciclos das estações, ao passo que o mês era medido de acordo com a Lua — corresponderia talvez ao período entre duas luas novas. Horas, minutos e segundos eram desconhecidos.

Impresso no Brasil pelo
Sistema Cameron da Divisão Gráfica da
DISTRIBUIDORA RECORD DE SERVIÇOS DE IMPRENSA S.A.
Rua Argentina 171 – Rio de Janeiro, RJ – 20921-380 – Tel.: 2585-2000